ISBN 978-0-428-17282-4
PIBN 11307008

This book is a reproduction of an important historical work. Forgotten Books uses
state-of-the-art technology to digitally reconstruct the work, preserving the original format
whilst repairing imperfections present in the aged copy. In rare cases, an imperfection in
the original, such as a blemish or missing page, may be replicated in our edition. We do,
however, repair the vast majority of imperfections successfully; any imperfections that
remain are intentionally left to preserve the state of such historical works.

1 MONTH OF
FREE
READING

at

www.ForgottenBooks.com

By purchasing this book you are eligible for one month membership to ForgottenBooks.com, giving you unlimited access to our entire collection of over 1,000,000 titles via our web site and mobile apps.

To claim your free month visit:

www.forgottenbooks.com/free1307008

English
Français
Deutsche
Italiano
Español
Português

www.forgottenbooks.com

Mythology Photography **Fiction**
Fishing Christianity **Art** Cooking
Essays Buddhism Freemasonry
Medicine **Biology** Music **Ancient
Egypt** Evolution Carpentry Physics
Dance Geology **Mathematics** Fitness
Shakespeare **Folklore** Yoga Marketing
Confidence Immortality Biographies
Poetry **Psychology** Witchcraft
Electronics Chemistry History **Law**
Accounting **Philosophy** Anthropology
Alchemy Drama Quantum Mechanics
Atheism Sexual Health **Ancient History**
Entrepreneurship Languages Sport
Paleontology Needlework Islam
Metaphysics Investment Archaeology
Parenting Statistics Criminology
Motivational

Verhandlungen

des

Vierten Deutschen Juristentages.

~~~~~~~~~~~~~~~~~~

Herausgegeben

von

dem Schriftführer-Amt der ständigen Deputation.

Erster Band.

Berlin, 1863.

Druck und Commissions-Verlag von G. Janssen.

Statut des Deutschen Juristentages.

Nach den Beschlüssen vom 25. August 1862 redigirt
von dem Schriftführer-Amt der ständigen Deputation *).

§. 1.

Der Zweck des Deutschen Juristentages ist: eine Vereinigung für
den lebendigen Meinungsaustausch und den persönlichen Verkehr unter
den Deutschen Juristen zu bilden, auf den Gebieten des Privatrechts,
des Prozesses und des Strafrechts den Forderungen nach einheitlicher
Entwickelung immer größere Anerkennung zu verschaffen, die Hindernisse,
welche dieser Entwickelung entgegenstehen, zu bezeichnen und sich über
Vorschläge zu verständigen, welche geeignet sind, die Rechtseinheit zu
fördern.

§. 2.

Der Deutsche Juristentag tritt alljährlich zusammen.

§. 3.

Zur Mitgliedschaft berechtigt sind die Deutschen Richter, Staatsanwälte, Advokaten und Notare, die Aspiranten des Richteramtes, der
Anwaltschaft und des Notariats, sowie Jeder, der nach seinen Landesgesetzen zum Richteramte, zur Anwaltschaft oder zur Ausübung des
Notariats für befähigt erkannt ist, ferner die Lehrer an den Deutschen
Hochschulen, die Mitglieder der gelehrten Akademieen, die Doktoren
der Rechte und die rechtsgelehrten Mitglieder der Verwaltungs-Behörden.

§. 4.

Die Mitgliedschaft beginnt mit dem Empfange der Mitgliedskarte.
Sie berechtigt zur Theilnahme an den Verhandlungen und an der
Abstimmung.

---

*) Die gesperrt gedruckten Worte sind Aenderungen des bisherigen Statuts,
welche von dem Dritten Deutschen Juristentage beschlossen worden.

2*

§. 5.

Der Beitrag der Gesellschaftsmitglieder beträgt zwei Thaler jähr=
lich und ist innerhalb vier Wochen nach Beginn jedes neuen Jahres
zu entrichten, widrigenfalls derselbe durch Postvorschuß eingezogen wird.
Nimmt ein Mitglied den mit Postvorschuß beschwerten Brief nicht an,
so wird dies einer ausdrücklichen Austrittserklärung gleich geachtet. —
Für die am Orte des Juristentages selbst zu lösende Anmeldungskarte
ist Ein Thaler zu entrichten.

§. 6.

Den Plenar=Verhandlungen des Deutschen Juristentages gehen
der Regel nach Abtheilungs=Berathungen voraus. Zu diesem Zwecke
werden durch freiwillige Einzeichnung der Mitglieder folgende vier Ab=
theilungen gebildet:

1) Abtheilung für Privatrecht, insbesondere Obligationen= und
   Pfandrecht,
2) Abtheilung für Handels=, Wechsel=, See= und internationales
   Recht, *)
3) Abtheilung für Strafrecht, Strafprozeß und Gefängnißwesen,
4) Abtheilung für Gerichtsverfassung, Civilprozeß, juristisches
   Studium und praktische Ausbildung.

Die Abtheilungen wählen ihre Vorsitzenden, Schriftführer, Bericht=
erstatter und benachrichtigen den Vorsitzenden der Plenar=Versammlung
(§. 7), sobald ihre Berathungen über einzelne Gegenstände geschlossen
sind; ihre Anträge sind schriftlich zu fassen. In jeder Abtheilung
stimmen nur Diejenigen mit, welche sich in die betreffende Abtheilung
bereits eingezeichnet haben.

Sämmtliche Beschlüsse der Abtheilungen werden in der
Plenar=Versammlung mitgetheilt. Es findet jedoch eine
Erörterung und Entscheidung im Plenum nur dann statt,
wenn dieselbe von der betreffenden Abtheilung vorgeschla=
gen oder wenn sie von mindestens zehn Mitgliedern bean=

---

*) Die vom Dritten Deutschen Juristentage beschlossene Vereinigung der ersten
und zweiten Abtheilung geschah ausdrücklich nur für die Dauer des Dritten Juristen=
tages.

tragt und von der Plenar=Versammlung beschlossen wird.
Ueber die Vorfrage, ob dem von mindestens zehn Mitglie=
dern gestellten Antrage auf Plenar=Entscheidung stattzu=
geben, wird nur einem der Antragsteller und dem Bericht=
erstatter das Wort ertheilt.

§. 7.

Die Verhandlungen der Plenar=Versammlung leitet ein Vorsitzender,
welcher für die Dauer eines jeden Juristentages in der ersten Plenar=
Versammlung durch Stimmzettel oder Akklamation gewählt wird. Der=
selbe ernennt zwei bis vier Stellvertreter und vier Schriftführer. Er
bestimmt die Tagesordnung und kann einzelne Gegenstände, ohne Vor=
berathung in den Abtheilungen (§. 6), unmittelbar zur Plenar=Berathung
stellen. Auch ist er befugt, Nichtmitglieder als Zuhörer zuzulassen.

§. 8.

Bei allen Beschlüssen der Plenar=Versammlung und der Abthei=
lungen entscheidet einfache Stimmenmehrheit der anwesenden Mitglieder;
bei allen Wahlen relative Majorität und im Falle der Stimmengleich=
heit das Loos.

§. 9.

Wird Schluß der Debatte beantragt, so wird über diesen Antrag
sofort abgestimmt. In der Plenar=Versammlung sind alle Anträge mit
Ausnahme des Antrages auf Schluß der Debatte schriftlich zu stellen.

§. 10.

Vor dem Schlusse eines jeden Juristentages wird von der Plenar=
Versammlung durch Akklamation oder in einem einzigen Skrutinium
durch Stimmzettel eine aus achtzehn Mitgliedern und dem Präsidenten
des letzten Juristentages als Ehren=Präsidenten bestehende ständige
Deputation gewählt. Von jenen achtzehn Mitgliedern müssen min=
destens drei am Orte des letzten Juristentages und jedenfalls zwölf
auswärts wohnen. Die Liste der zur Akklamation vorzuschlagenden
Personen wird durch den Präsidenten der Plenar=Versammlung, seine
Stellvertreter und je zehn von jeder Abtheilung gewählte Vertrauens=
männer gemeinschaftlich festgestellt.

Die ständige Deputation hat folgende Befugnisse und Obliegenheiten:

1) sie sorgt für die Ausführung der von dem Juristentage gefaßten Beschlüsse, veranstaltet nach eignem Ermessen den Druck der Protokolle und Vorlagen, bewirkt die Vertheilung der Druckſachen an die Mitglieder und verwahrt alle Akten und Schriftſtücke des Juristentages;

2) sie bestimmt Zeit und Ort des nächsten Juristentages, trifft die für denselben nöthigen Vorbereitungen, erläßt die Einladungen, stellt die vorläufige Tagesordnung auf, wobei sie in der Regel nur die bis zum 31. Mai des laufenden Jahres eingegangenen Vorlagen zu berücksichtigen hat, und bereitet Abänderungs-Vorschläge in Betreff der Geschäftsordnung für die Plenar-Versammlung vor;

3) sie nimmt die Beitrittserklärungen neuer Mitglieder entgegen, fertigt die Mitgliedskarten aus, empfängt die Beiträge, bestreitet die Ausgaben und legt der folgenden Deputation Rechnung;

4) sie ergänzt sich selbst, falls eines oder mehrere ihrer Mitglieder während des Geschäftsjahres ausscheiden.

Die Deputation wählt aus ihrer Mitte einen Vorsitzenden und einen Schriftführer, welcher Letztere ein von der Deputation festzuſetzendes Pauschquantum für baare Auslagen erhält. Der Sitz der Deputation ist der Ort des letzten Juristentages. Zur Giltigkeit ihrer Beschlüſſe ist die Einladung sämmtlicher Mitglieder, sowie die Mitwirkung von wenigstens fünf Mitgliedern erforderlich.

§. 11.

Abänderungen dieses Statuts können zwar von der Plenar-Versammlung durch einfache Stimmenmehrheit, jedoch nur auf schriftlichen Antrag, der vier Wochen vor dem Zusammentritt des Juristentages der ständigen Deputation (§. 10) überreicht worden, beschloſſen werden.

№ 1.

Gutachten über die Anträge

a. des Stadtgerichtsrath Dr. Eberty zu Berlin sub No. I. (Verhandl. des II. D. J.-T. Bd. 2, S. 5),

b. des Staatsanwalt Hanschteck zu Stralsund (Verhandl. des III. D. J.-T. Bd. 1. Nr. 18ᵃ der Anträge),

c. des Rechtsanwalt Sabarth zu Ratibor (a. a. O. Nr. 18ᵇ der Anträge) betreffend einige Fragen über die Organisation der Rechtspflege.

Gutachten des Rechtsanwalts Ruhwandl in München.

Entsprechend dem von der ständigen Deputation des Dritten Deutschen Juristentages an mich ergangenen Verlangen habe ich über Anträge dreier Mitglieder, nämlich der Herren

Dr. Eberty, Stadtgerichtsrath in Berlin,

Hauschteck, Staatsanwalt in Stralsund, und

Sabarth, Rechtsanwalt zu Ratibor in Preußisch-Schlesien,

mich gutachtlich zu äußern.

Zur Bequemlichkeit des Lesers stelle ich diese Anträge hier voran.

Herr Dr. Eberty beantragt, auszusprechen:

1) Die erste Aufgabe nationaler Civilgesetzgebung ist Einheit in der Gerichtsorganisation.

2) Die Gerichte sind gleichförmig in Deutschland zu organisiren.

3) Die Gerichtsorganisation muß auf

    a. Inamovibilität der Richter,

    b. deren Befreiung von allen Geschäften, außer dem Rechtsprechen,

    c. Ausschließlichkeit der richterlichen Befugniß auf dem Gebiete des Rechtsstreits,

    d. Kollegialverfassung

gegründet werden.

Herr Staatsanwalt Hauschteck:

1) Die für die erste Instanz zu errichtenden Kollegialgerichte sind von jeder verwaltenden Thätigkeit — auch der Justizverwaltung — zu befreien.

2) Eine Jurisdiktion von Einzelrichtern im bürgerlichen und Straf-prozesse ist für „unwichtigere" Sachen, jedoch nur unter der Vor-aussetzung zulässig, daß dem Kollegialgerichte das Recht gesichert bleibt, jeden nach den gewöhnlichen Kompetenzbestimmungen vor den Einzelrichter gehörigen Prozeß vor sein eigenes forum zu ziehen, sofern dies von einer Partei oder der Staatsbehörde beantragt wird.

3) Die Staatsanwaltschaft wird als eine Justizbehörde organisirt, bestimmt, Namens der Staatsregierung dafür zu sorgen, daß die richterliche Gewalt den Gesetzen gemäß frei geübt werden könne.

4) Der Beruf der Staatsanwaltschaft umfaßt:

die gesammte Leitung aller für die Rechtspflege nothwendigen, nichtrichterlichen Geschäfte neben den Gerichten, insbesondere:

die Leitung der Justizverwaltung, einschließlich der gerichtlichen (Kriminal-) Polizei;

die Anrufung der richterlichen Strafgewalt bei Verletzung von Strafgesetzen, — so weit nicht durch besondere Gesetze Privatpersonen Rechte gewährt sind, welche die Staatsbehörde ausschließen;

die Vertretung der Interessen der Staatsregierung vor den Gerichten im bürgerlichen Prozesse.

Herr Rechtsanwalt Sabarth:

1) Das Institut der Staatsanwaltschaft, wie sich dasselbe seither in Deutschland ausgebildet hat, ist kein Bedürfniß oder Förderungsmittel einer unparteiischen Rechtspflege.

2) Zum Wesen des Anklageprozesses sind ständige öffentliche Anklagebehörden nicht erforderlich. Dem jener Prozeßform zu Grunde liegenden Gerechtigkeitsprinzipe wird vielmehr entsprochen, wenn für die einzelnen, zur gerichtlichen Kognition gelangenden Fälle von Gesetzverletzungen je einzelne Mitglieder des Richteramts mit den Funktionen des öffentlichen Anklägers beauftragt und für diese speziellen Angelegenheiten von der Funktion als Richter entbunden werden. —

Bevor ich zu der Hauptaufgabe meines Gutachtens übergehe, erlaube ich mir, obwohl ich mich kurz fassen will, auch zu dem Zwecke, um einen vorzüglichen Grund dieser Kürze deutlich zu machen, ein Vorwort.

Es dürfte, wie mir scheint, sehr erprießlich sein, wenn man bei den Juristentagen sich allgemeiner, als bisher vielleicht der Fall war, dessen bewußt würde, innerhalb welcher Grenzen sich die zu fassenden Beschlüsse bewegen können.

Ich sage: Beschlüsse, nicht: Bestrebungen, oder Ziele, denn letztere sind im ganzen statutenmäßigen Bereiche unbeschränkbar. —

Was aber die Beschlüsse betrifft, so ist aus der Art, wie die ungemein großen Kräfte des Juristentages thätig sein können, nach einer Seite die Grenze abzuleiten, daß die Bearbeitung artikulirter Gesetzesentwürfe, auch

schon von geringem Umfange, überhaupt jede Durchführung von Grundsätzen, welche als erschöpfende Behandlung des einschlägigen Stoffes auftreten
soll, und deshalb auch sorgfältige Formulirung und Redaktion fordert, von
selbst sich ausschließe, während nach der anderen Seite in Bezug auf die
Aufstellung von Prinzipien die Grenze nur in dem Postulate zu suchen sein
dürfte, daß der Beschluß nicht durch allzugroße Unbestimmtheit bedeutungslos sei.

Ich weiß, daß ich in vorstehenden Sätzen nur oft Gesagtes und fast
allenthalben Anerkanntes wiederholt ausspreche, allein immerhin kann eine
Auffrischung dieser Sätze und Beleuchtung derselben durch Beispiele von
einigem praktischen Nutzen sein.

Wie weit man, innerhalb der angedeuteten beiden Grenzlinien, der einen
oder andern sich zu nähern habe, und welches Maß von Bestimmtheit einem
prinzipiellen Ausspruche innewohnen könne, hängt vorzüglich von der Natur
des Gegenstandes ab.

So eignet sich die Bearbeitung dessen, was durch die Lewaldschen Anträge angeregt war (Verhandlungen des Zweiten Juristentages Bd. II. Lief.
2, S. 427 ff. und 669 ff.) fast zur Annäherung an eine fragmentarische
Kodifikation, weil der Gegenstand an sich begrenzt, und ohne einiges Eingehen
in Einzelnheiten der Zweck unerreichbar war.

Andererseits ist eine feste erschöpfende Regel mitunter ganz kurz zu
geben, was besonders dann eintritt, wenn man eine bestehende Einrichtung
reprobirt, wie z. B. durch die Sätze, daß Klageabweisung ohne vorgängige Verhandlung unstatthaft, der Richter an sein Beweisinterlokut nicht gebunden sei.

Die größte Schwierigkeit entsteht bei denjenigen Fragen, in welchen es
unmöglich ist, ohne weitgreifende Kodifikationsarbeit zu einem klar bestimmten Ergebnisse zu gelangen, und doch die Nothwendigkeit der Aufstellung
eines leitenden Grundsatzes schlechterdings nicht mißkannt werden kann.
In dieser Beziehung scheint mir ein hervorragendes Beispiel die Frage über
die Beweiswürdigungsregeln zu sein, welche schon beim Ersten Juristentage
sich geltend machte und bei dem Dritten noch nicht zur Erledigung gelangte. —
Der wohlbemessene, in der vierten Abtheilung angenommene Antrag des Herrn
Professors Endemann:

> „Der Juristentag spricht sich, ohne damit die Folgen des Grund-
> satzes im Einzelnen festzustellen, für das Prinzip aus, daß der
> Richter die Wahrheit der Thatsachen, soweit sie unter den Parteien
> streitig ist, nach freier Ueberzeugung zu prüfen habe," *)

fand unüberwindlichen Widerstand im Plenum.

*) Verh. des Dritten Juristentages Bd. II. Lief. 1 S. 105. — Dem Wesen nach
stimmt damit ein Antrag überein, der schon im Plenum des Zweiten Juristentages
eingebracht wurde. Verh. Bd. II. Lief. 2 S. 625.

Ein Theil der Majorität wollte sich mit einem leitenden Grundsatze nicht begnügen, sondern die Fälle, in denen „die Folgen des Grundsatzes im Einzelnen" durch Modifikation durchbrochen werden müssen, vollständig bestimmt wissen, und hienach schien freilich weitere Vorbereitung unerläßlich. Man machte mißverständliche Anwendung von dem Begehren der „Präzision", welche dem was Juristen aufstellen, gebühre, während Präzision hier vollkommen gegeben ist, da ein leitender Grundsatz sich als solcher im Ausdrucke klar kundgiebt, eine völlige materielle Bestimmtheit verlangen, aber nicht Präzision, sondern Kodifikation begehren hieße. Man ist sogar so weit gegangen, jener Art von Ausspruch mit dem Vorwurfe der „Unaufrichtigkeit" entgegenzutreten, den Verfechtern derselben die Absicht des Gewinnens von Anhängern durch Täuschung zuzuschreiben, was nach beiden Seiten verletzt, den einen Theil, indem dessen intellektuelle Fähigkeit dadurch bezweifelt, den andern, indem ihm unsittliche List imputirt wird. —

Ich bin der Meinung, daß in Fällen der fraglichen Art das Mögliche und sohin genug geschieht, wenn der Beschluß nur einen leitenden Grundsatz aufstellt, und diesen seinen Charakter in der Fassung genau ausprägt. — Wollte man darum, weil sich bei einer Frage nicht ein absoluter Satz, eine Regel ohne Ausnahme geben, und auch nicht die Regel mit vollständiger Durchführung aller Modifikationen im Einzelnen darstellen läßt, es zu einem Beschlusse überhaupt nicht kommen lassen, mit anderen Worten: wollte man sich dem Verständnisse verschließen, daß es meistens gerade leitende Grundsätze sind, d. h. Erklärungen, die dem Gesetzgeber eine bestimmte Hauptrichtung zu geben, eine Abneigung gegen Ausnahmen beizubringen beabsichtigen, und dennoch zugleich die Unvermeidlichkeit solcher Ausnahmen einräumen, wollte man, sage ich, mißkennen, daß es gerade solche Sätze sind, welche recht eigentlich die Aufgabe der Juristentage bilden, so würde man nach meinem Dafürhalten diesen den bedeutendsten Lebensnerv durchschneiden.

Ich glaubte, diese Bemerkungen voranschicken zu dürfen, um im Voraus mich gegen jeden Vorwurf zu vertheidigen, wenn auch mein Gutachten nur auf leitende Grundsätze hinarbeitet.

Was nun die Ebertyschen Sätze betrifft, so werden die unter Nr. 1 und 2 aufgestellten bei dem ersten Blicke als solche erscheinen, gegen die sich ein wesentliches Bedenken nicht geltend machen könne. — Wie schon vielseitig (auch von Herrn Prof. Planck in seinem Gutachten für die Verhandlungen des Zweiten Juristentages Bd. I. Lief. 1 S. 67—71) bemerkt worden, läßt sich eine bürgerliche Prozeßordnung für Deutschland nicht schaffen, wenn nicht vorgängig mindestens in den Hauptzügen feststeht, wie die Justizpflege organisirt sein soll.

Doch wird auch in dieser Hinsicht das Sprichwort von „leichter gesagt als gethan" sich noch ferner mächtig geltend machen, da, abgesehen von Anderem, dem Deutschen Bunde Staaten von so geringem Umfange angehören, daß es sich fragen muß, ob solche im Stande sind, auch nur das Minimum, welches die übrigen für unerläßlich halten, zu leisten. — Der circulus vitiosus: Gleiche Justiz-Organisation, so weit es zum gemeinsamen Civilprozesse nöthig, und: Gemeinsamer Civilprozeß, so weit es mit dem möglichen Maße gleichartiger Justiz-Organisation vereinbar, wird so bald nicht zur Ruhe kommen. *)

Sollte sich ein unlöslicher Konflikt ergeben, so würde man daraus schwerlich folgern dürfen, daß nun die Gleichartigkeit der Justiz-Organisation und des Verfahrens aus der Reihe des zu Erstrebenden auszuschließen sei, sondern es müssen sich wohl im äußersten Falle die kleinsten Staaten den vollen Beitritt versagen, und nur von dem Gemeinsamen möglichst viel anzueignen suchen. —

Mit diesen Vorbemerkungen glaube ich die Eberty'schen Sätze 1 und 2 als leitende Grundsätze zur Annahme empfehlen zu sollen.

Zu Nr. 3 lit. a. („Inamovibilität der Richter").

Es wird wohl Niemand unter „Inamovibilität" lediglich das Recht des Richters verstehen, Titel und vollen Gehalt unter allen Umständen lebenslänglich gegen Entziehung ohne richterliches Urtheil gesichert zu wissen, (was man mit dem Worte „Stabilität" bezeichnet), denn die richtige Bedeutung besteht darin, daß auch noch die Enthebung oder Versetzung an eine andere gleiche Dienststelle wider Willen im Wege der administrativen Verfügung dadurch für beseitigt erachtet wird.

In dieser Beziehung nun kann ich nicht unterlassen, darauf hinzuweisen, daß in Bayern, nachdem im sogen. Grundlagengesetze vom 4. Juni 1848 Art. 22 die Bestimmung durchgegangen war:

> „die Richter aller Abstufungen sind inamovibel. Sie können wider ihren Willen nur kraft rechtskräftigen Richterauspruches ihrer Stellen enthoben oder versetzt werden",

die praktische Unhaltbarkeit dieser Bestimmung schon im Jahre 1850 (Gesetz

---

*) Die Kommission in Hannover konnte nach sorgfältigster Erwägung Anfangs nicht weiter gelangen, als dahin, daß die Organisation der Gerichte (ihre Verfassung, Kompetenz-Ausscheidung u. dgl.) fast gänzlich der Landesgesetzgebung überlassen werden wollte. — Doch wird dasjenige, was in dieser Hinsicht von den bisherigen Juristentagen angedeutet wurde, und hie und da z. B. in Bayern großentheils durchgeführt oder eingeleitet ist, ohne Zweifel zur Gemeinsamkeit durchbringen.

vom 25. Juli Art. 74) zu einer transitorischen Abweichung geführt hat, und endlich im Jahre 1856 (Gesetz vom 1. Juli Art. 31) jener Gesetzes-Artikel, welcher begreiflicherweise, auch abgesehen von den erwähnten prakti-schen Schwierigkeiten, der Staatsregierung im höchsten Grade verhaßt war, wieder gänzlich aufgegeben werden mußte, um den Fortgang der Verbesserun-gen in der Justiz-Organisation nicht zu opfern.

Ich bin ein Anhänger jener Ansicht, welche verlangt, daß in konstitu-tionellen Monarchien die Ernennung und Beförderung der Richter (gesetzliche Bestimmungen über die allgemeinen Vorbedingungen und Stabilität ohnehin vorausgesetzt) nicht ohne alle und jede Beschränkung der Staatsregierung an-heimgegeben sein soll, sondern irgend eine die Bevorzugung der Besten an Charakter und Befähigung von oben bis unten möglichst sichernde Institution, z. B. bindendes Vorschlagsrecht der höchsten politischen Körper für die Be-setzung des obersten Gerichtshofes, dann des letztern für die untergeordneten Richterstellen u. s. w. unerläßlich sei. In solchen Institutionen, dann in möglichster Vorsorge gegen willkürliche Zusammensetzung der Senate würde ich die Vermehrung der Bürgschaften für gute Rechtspflege suchen; die Inamovibilität der Richter halte ich, jedenfalls in der Ausdehnung bis zu den Untergerichten, für praktisch unausführbar und würde daher rathen, davon abzusehen.

Befreiung der Richter von allen Geschäften außer dem Rechtsprechen (Eberty Nr. 3 lit. b., Hauschteck Nr. 1, 3, 4) ist ein berechtigtes Postulat; dennoch halte ich es nicht für gut, daß in dieser Richtung zu leb-haft und zu rücksichtslos vorgedrungen werde. Man möchte dadurch vielleicht wider Wissen und Wollen einem von mancher Seite unterstützten unstatt-haften Umsich- und Hinaufgreifen der Staatsanwaltschaft förderlich werden.

Ich bin kein Gegner des Instituts der Staatsanwaltschaft, achte es im Gegentheile sehr hoch und gehe von der Annahme aus, daß man im Ganzen mit patriotischem Stolze auf die Staatsanwälte jeder Stufe in den Deutschen Landen, wie auf die Richter zu blicken Ursache hat. — Mir scheint die weit getriebene Opposition gegen die Staatsanwaltschaft auf einem Miß-griffe zu beruhen, ähnlich dem, welchen ein Arzt begeht, wenn er, nicht viel bekümmert um die Ursache der Krankheit, lediglich gegen Symptome operirt.

Seitdem der Anklageprozeß in Strafsachen als unentbehrlich erkannt, und in bürgerlichen Rechtsstreitigkeiten mit den gemeinrechtlichen Einrichtun-gen großentheils gebrochen ist, darf meines Erachtens eine öffentliche Behörde zur Förderung der Justizpflege neben den Richtern nicht fehlen, und diese Behörde heißt nun „Staatsanwaltschaft", wogegen nichts einzuwenden sein dürfte. — Mißbrauchbar ist Alles in der Welt, was brauchbar ist; daraus wird Niemand folgern, das Brauchbare müsse vertilgt werden. — Das

Postulat, daß die Rechtspflege frei bleibe von allen außerhalb des Gesetzes und der Berufspflicht liegenden Einflüssen, kann zeitweilig hie und da durch einen Staatsanwalt mehr oder minder ins Gedränge kommen. — Auch die Bayerische Rheinpfalz kann ein bemerkenswerthes Beispiel jener Art aufweisen. Dessenungeachtet fällt es in der genannten Pfalz — nach dem Urtheile der größten Zierde des Rheinbayerischen Juristenstandes — keinem, der irgend Autorität hat, ein, das Institut der Staatsanwaltschaft bedeutend beschränken oder gar beseitigen zu wollen. — Wenn die Kraft des Volkscharakters in der Advokatur, der Presse, den Ständekammern u. s. w. nicht ausreicht, gegen Mißbräuche in der Justizpflege mit Erfolg zu kämpfen, dann wird es auch ohne Staatsanwaltschaft unüberwindlicher Mißbräuche die Fülle geben, und von mehr oder minder zufälligen Umständen abhängen, ob die Staatsanwaltschaft, falls sie existirte, zur Vermehrung oder nicht vielmehr zur Verminderung des Unheils beitrüge.

Hiemit erkläre ich mich gegen den Sabarth'schen Antrag, welcher übrigens meines Erachtens dennoch von einem richtigen Prinzipe ausgeht, worauf ich am Schlusse zu sprechen kommen werde.

Andererseits scheint mir aber in der That die Gefahr nahe, daß in Bezug auf die Stellung und den Wirkungskreis der Staatsanwaltschaft des Guten zu viel geschehe, und daß dazu insbesondere das Streben benützt werden wolle, den Richter von allen Geschäften außer dem Rechtsprechen frei zu machen. Für einen sehr deutlichen Fingerzeig in dieser Hinsicht halte ich die Hauscheck'schen Anträge.

Zu Nr. 2 dieser Anträge werde ich weiter unten das Nöthigscheinende sagen; Absatz 2, 3 und 4 von Nr. 4 (Leitung der sogen. Kriminal-Polizei, Anrufung der Strafgewalt, Vertretung der Interessen der Staatsregierung im bürgerlichen Prozesse) sind bereits, soweit es durch Juristentagsbeschlüsse geschehen kann, durch die Berathung der vom Ersten Juristentage herrührenden Lewald'schen Anträge bei dem Zweiten Juristentage (Verh. Bd. II. Lief. 2, S. 427 ff. u. 669 ff.), dann über die Keller'schen Anträge bei dem Dritten Juristentage (Verh. Bd. II. Lief. 1, S. 72 und 73) gründlich erledigt; über die Frage, wie weit die Mitwirkung der Staatsanwaltschaft als „partie jointe" im Civilprozesse wünschenswerth sei, hat sich der Dritte Juristentag in seiner 4. Abtheilung ausgesprochen, indem er (Verh. Bd. II. Lief. 1, S. 96) diesen Wunsch ablehnte,*) und was endlich die Stellung der Staatsanwaltschaft als Hauptpartei im Civilprozesse betrifft, so wird dieses ein besonderer Punkt der Berathung bei dem Vierten Juristentage sein.

---

*) Vergl. auch Brauers und Plathners Gutachten zum Zweiten Juristentage (Verh. Bd. I. Lief. 1, S. 96—99 und 109—113).

Die Nummern 3 und 4 Abf. 1 der Hauschteck'schen Anträge (Orga-
nifirung der Staatsanwaltschaft als einer Juftizbehörde, welche, außer der
richterlichen Thätigkeit im engften Sinne, zu allen Juftizverwaltungsgeschäf-
ten als Organ dienen solle) entsprechen nach meiner Ueberzeugung durchaus
nicht einem Bedürfniffe, und find ficherlich das Produkt einer zwar wohlge-
meinten aber gefährlichen Richtung. Es ift darüber schon zu viel geschrieben
und gesprochen worden, als daß ich es für zuläffig hielte, meine Ansicht in
dieser Beziehnng umftändlicher zu begründen.

Daß der Staatsanwaltschaft eine wohlbemeffene Auffsicht über die formelle Ordnung der Juftizpflege, den Geschäftsgang, dann über die Organe
der freiwilligen Gerichtsbarkeit und das Hülfsperfonal übertragen, aber überall
auf Beobachtung und Meldung beschränkt werde, wird im Allgemeinen faft
überall als zweckmäßig erachtet, und ich schließe mich dem an.*)

Hienach habe ich zu den zwei ineinandergreifenden Punkte der Eberty-
schen und Hauschteck'schen Anträge, nämlich:

a) Nr. 3 lit. b. Eberty's und Nr. 1 Hauschteck's, dann

b) Nr. 3 lit. d. Eberty's und Nr. 2 Hauschteck's

Folgendes zu sagen:

Zu a bin ich auf Grund der obigen Erörterungen der Meinung, der
Juriftentag dürfe hier einen absoluten Ausspruch nicht thun, sondern müffe
sich darauf beschränken, mit ausdrücklichem Vorbehalte der oben erwähnten
über die Lewald'schen und Keller'schen Anträge gefaßten Beschlüffe, etwa
zu erklären:

Es ift dahin zu ftreben, daß die Gerichte von Geschäften außer
dem Rechtsprechen befreit werden, mit Ausnahme der Fälle, in denen
ganz entschiedene Zweckmäßigkeitsrückfichten entgegenstehen; wobei nur
in so weit, als nicht in der Inanspruchnahme der Gerichtsvorftände
und Parteivertreter paffende Mitwirkung zu finden ift, die Staatsanwaltschaft zugezogen werden soll.

---

*) Es dürfte der Mühe werth sein, Kenntniß zu nehmen von den neueften Baye-
rischen Verordnungen vom 20. Febr. d. J. (Reg.-Blatt Nr. 7) über die Beauffich-
tigung der Stadt- und Landgerichte in den Gegenftänden der nichtftreitigen Rechtspflege und die Ueberwachung des Notariatswesens in den Landestheilen diesseits des
Rheines, dann über die Visitation jener Gerichte und Notariate. — Man hat da-
selbft mit Umsicht und feinem Blicke darnach geftrebt, überall das richtige Maß zu
treffen, aber auch hier ift das Vorwärtsschreiten des Einfluffes der Staatsanwaltschaft wohl schon bis zur äußerften Grenze des Rathsamen gelangt.

Die Kommiffion in Hannover hat fich bisher mit geringfter Majorität der nahezu
weiteft gehenden Betheiligung der Staatsanwaltschaft im bürgerlichen Prozeffe zuge-
wendet, jedoch zugleich beschloffen, völlig der Landesgesetzgebung anheimzuftellen,
was hiervon angenommen, was abgelehnt werden wolle.

Zu b bedarf es wohl keines Beschlusses des Juristentages mehr, da bereits die Berathung der Waldeck'schen Anträge (Zweiter Juristentag Verh. Bd. II. Lief. 2. S. 614 ff.) Kollegialgerichte als Regel für die Entscheidung der bürgerlichen Rechtsstreitigkeiten gefordert, und Einzelrichter (für die Sachen geringen Belanges, und dringender oder sonst eigenthümlicher Natur) als selbstverständlich vorausgesetzt hat.

Die Zuständigkeit dieser Einzelrichter muß aber meines Erachtens eben so fest stehen, wie die der übrigen Gerichte, und nimmermehr möchte ich einer Einrichtung das Wort reden, wie sie Herr Hauschteck unter Nr. 2. seiner Anträge vorschlägt.

Von dem Belieben einer Partei und der Staatsbehörde abhängig zu machen, ob eine zunächst zum Einzelrichter gehörige Sache auch von ihm erlediget werden soll, würde

1) das nicht ganz vereinzelte Vorkommen der Besetzung dieser Richterämter mit Männern supponiren, die kein Vertrauen verdienen, auch alle solche Richter als mehr oder minder vertrauensunwürdig hinstellen, — und etwas Schlimmeres könnte man auf dem Gebiete der Rechtspflege kaum beginnen.
Diese Anordnung würde ferner

2) eine solche Unsicherheit und Mißbrauchbarkeit zur Chikane in die Behandlung der sogenannten „unwichtigeren" Sachen bringen, daß schon deshalb, abgesehen von den mit der Anwendung verbundenen Störungen des Geschäftsganges bei den Kollegialgerichten und den unverhältnißmäßigen Kosten, jeder etwa mögliche Nutzen in einzelnen Fällen durch die Nachtheile im Großen und Ganzen weit überwogen werden müßte.

Gott bewahre uns überhaupt vor jeder Veranlassung zu dem Gedanken, es könnte in Deutschland jemals ein Theil der Richter an Charakter oder sonstiger Befähigung so tief stehen, daß eigens auf eine' solche Supposition berechnete Justiz-Organisations-Einrichtungen für nöthig erachtet werden müssen. — Hält man diesen Gedanken ferne, so wird die Staatsanwaltschaft keine das wahre Bedürfniß überschreitende Stellung erlangen, und es werden sich auch nicht Maßregeln, wie die zuletzterwähnte, irgend eines Beifalles erfreuen. —

Der Eberty'sche Antrag Nr. 3. lit. c. (Ausschließlichkeit der richterlichen Befugniß auf dem Gebiete des Rechtsstreites) kann in mehr oder minder umfassendem Sinne verstanden werden.

Von sogenannter Kabinets-Justiz und dergleichen brauchen wir wohl nicht zu sprechen; auch ist ein Theil jenes Antrages jedenfalls durch den Beschluß des zweiten Juristentages über den Primker'schen Antrag (Verh. Bd. II. Lief. 2. S. 577 — 598) erledigt *).

Dehnt man aber den Begriff der „Ausschließlichkeit" zu dem Postulate aus, daß kein Gesetz bestehen dürfe, welches irgend ein zu einem „Rechtsstreite" geeignetes Verhältniß der Beurtheilung der gewöhnlichen Gerichte entziehe und einer anderen Behörde unterstelle, so betritt man damit ein Feld, auf welchem erst durch besondere umfangreiche und in's Detail gehende größtentheils staatsrechtliche Untersuchungen zu irgend einem faßbaren Ergebnisse zu gelangen wäre.

Hierauf bei der Frage der Justiz-Organisation einzugehen, vermag ich dem Juristentage nicht zu empfehlen.

In Verfassungsurkunden, Civil- und Strafgesetzbüchern und sonstigen Gesetzen muß sich der Bereich der Verhältnisse bestimmt finden, welche dem Urtheil der Gerichte unterworfen sind, und es scheint mir nicht räthlich, diesen Gesammtinhalt mittels eines Juristentagsbeschlusses in eine Formel fassen zu wollen **).

Als Schluß meines Gutachtens erlaube ich mir endlich noch einen schon bei früheren Juristentagen angeregten Punkt wieder zur Sprache zu bringen, welcher, wenn man den Begriff der Organisation der Rechtspflege nicht gar zu enge faßt, in die Behandlung dieses Gegenstandes wohl aufgenommen werden darf. — Auch giebt hiezu der Sabarth'sche Antrag noch besonderen Anstoß.

Herr Sabarth will auch in Strafsachen die Staatsanwaltschaft gänzlich beseitiget und die Funktion des öffentlichen Anklägers überall je einem einzelnen Mitgliede des Richteramtes übertragen wissen.

Daß ich eine solche Einrichtung nicht gutzuheißen vermöge, ist bereits vorgekommen, dagegen aber theile ich lebhaft den Gedanken, von welchem die Herren Heydenreich und Heinze bei ihrer Betheiligung an den Verhandlungen der dritten Abtheilung des Zweiten Juristentags über die Lewald-schen Anträge (Verh. Bd. II. Lief. 2. S. 373 — 382) ausgegangen sind.

Wie der Ausspruch des Zweiten Juristentages über den Primker'schen Antrag (Bd. II. Lief. 2. S. 577 — 598) vorzugsweise auf der Voraussetzung beruht, es genüge bei Organisation der Gerechtigkeitspflege nicht, nur dafür zu sorgen, daß, nachdem wie immer eine Sache vor die Gerichte gekommen, auch gerecht geurtheilt werde, sondern die Obsorge der Gesetzgebung müsse sich auch darauf erstrecken, daß, was der Richtergewalt nach in-

*) Bestimmungen über die Erledigung von Kompetenz-Konflikten behält die Kommission in Hannover gleichfalls der Landesgesetzgebung bevor.
**) Es ist hiernach sehr leicht erklärlich, wenn die Kommission in Hannover auch diesen Punkt zur Landesgesetzgebung verweist.

neren Sachgründen angehört, ihr auch nicht vorenthalten werden könne, so muß diese Voraussetzung mit dem größten Gewichte bei der Organisation der Strafrechtspflege dahin wirken, der Möglichkeit, daß ein vom Antrage des Verletzten unabhängiges Verbrechen unverfolgt bleibe, so wenig Raum zu lassen, als nur immer thunlich ist.

Diesem Grundsatze nun ist nach meiner Ueberzeugung durch die erwähnten Beschlüsse über die Lewald'schen Anträge (Anklage durch den Staatsanwalt, eventuell durch den Verletzten) nicht völlig genügt, denn nimmermehr wird Jemand zu behaupten wagen, es könnten nicht Fälle von Verbrechen vorkommen, bei denen kein Verletzter vorhanden oder zur Verfolgung geneigt, und auch die Staatsanwaltschaft hierzu nicht zu vermögen ist.

Ich bin mit dem, was der Referent bei den erwähnten Verhandlungen, Herr Professor Glaser (Seite 374 — 376) einwendete, ganz einverstanden, aber all das bezieht sich nur auf bestimmte Arten der Abhilfe und die Opportunität einer Erörterung hierüber im damaligen Zeitpunkte.

Grundsätzlich zur Ausfüllung der bezeichneten unbestreitbaren Lücke gar nichts thun zu wollen, schiene mir mit der Idee der Gerechtigkeit nicht vereinbar.

Der sogenannte Inquisitionsprozeß ist nicht im Prinzipe verwerflich, er hat meines Erachtens nur aus ganz evidenten Zweckmäßigkeitsgründen dem Anklageverfahren weichen müssen. — Dem Prinzipe nach ist die Aufgabe, daß kein Verbrechen (abgesehen von den sogenannten Antragsverbrechen) unverfolgt bleibe, unvertilgbar ein Moment der richterlichen Gewalt. — Die Loslösung der Anklage darf daher nicht über die Bedeutung des Formalen hinausgehen, sonst wird ein Attribut der Richtergewalt an die Staatsanwaltschaft und den Verletzten veräußert, und die Einrichtung sinkt zum Mechanismus herab; auf dem Standpunkte des Organismus erhält sie sich nur dann, wenn über dem Staatsanwalt und Verletzten immer noch das Richteramt steht, um das Verbrechen nicht der Verfolgung entgehen zu lassen.

Nach meiner Ansicht muß daher irgendwie dafür gesorgt werden, daß aus dem Richteramte heraus für den äußersten Fall der öffentliche Ankläger erstehen könne.

Durch die Beschlüsse der Juristentage, welche über die Anträge Waldeck's, Lewald's, Schaffrath's (Zweiter Juristentag Bd. II. Lief. 2, S. 431 ff. und S. 681 ff. über die Schwurgerichte) Primker's gefaßt worden sind, und über die Eberty's, Hauschteck's und Sabarth's, dann

2 *

über die Stellung der Staatsanwaltschaft als Prinzipalpartei in bürgerlichen Rechtsstreitigkeiten noch gefaßt werden sollen, scheint mir dann zunächst eine genügende Anzahl von Grundlagen und Richtungspunkten für die Organisation der Rechtspflege in Deutschland gegeben.

Gutachten über die Gesetzgebungsfrage:

ob die Staatsanwaltschaft als Prinzipal-Partei in Civilprozessen zuzulassen ist.

———————

A. Gutachten des Finanzrath Dr. Fierlinger in Wien.

Durch den vom Dritten Deutschen Juristentage gefaßten Beschluß, welcher sich gegen das Recht und die Verpflichtung der Staatsanwaltschaft, im Civilprozesse ihre Ansichten über die Verhandlungssache zu entwickeln, und gegen die Nichtigkeitsbeschwerde im Interesse des Gesetzes ausspricht, ist das Gebiet der Frage: „ob und in welchen Fällen die Staatsanwaltschaft als Prinzipalpartei in bürgerlichen Rechtsstreitigkeiten zuzulassen sei?" nicht so sehr eingeschränkt worden, als es beim ersten Blicke den Anschein hat.

Denn mit der Beseitigung einer blos begutachtenden Einflußnahme der Staatsanwaltschaft läßt sich eine sehr ausgedehnte Mitwirkung derselben als Prinzipalpartei ganz gut vereinen, wenn man hierunter eine mit allen Parteirechten ausgestattete Mitwirkung der Staatsanwaltschaft, im Gegensatze zu einer blos konsultativen Wirksamkeit versteht. So wurde denn auch in der That in einigen früheren Gutachten *) hervorgehoben, daß in manchen Fällen, in welchen man bisher der Staatsanwaltschaft blos die Stellung einer Nebenpartei einzuräumen pflegte, es zweckmäßiger wäre, derselben die ausgedehnteren Befugnisse einer Prinzipalpartei zuzugestehen.

Es ist deshalb meines Erachtens trotz des angeführten Beschlusses des Dritten Deutschen Juristentages die Frage noch eine offene, ob der Staatsanwaltschaft nicht nur bei gewissen Kategorien von Rechtsstreitigkeiten, sondern überhaupt bei allen Civilprozessen eine Ingerenz als Hauptpartei gestattet werden solle, und es ist durch die Beseitigung eines eingeschränkteren Rechtes der Staatsanwaltschaft nicht auch die Beseitigung dieses ausgedehnteren Befugnisses ausgesprochen worden. —

Bevor ich zur Darlegung meiner Ansicht über die gestellte Frage schreite, erlaube ich mir, einige allgemeine Bemerkungen vorauszuschicken.

Die Vertheidiger eines möglichst erweiterten civilrechtlichen Wirkungs-

---

*) Gutachten des Herrn Obergerichts-Vicedirectors Francke und des Herrn Staatsanwalts Schloß, Verh. des Dritten Deutschen Juristentages I. Bd., S. 43 und 60.

kreises der Staatsanwaltschaft scheinen mir im Wesentlichen von zwei, mehr oder weniger offen ausgesprochenen Postulaten auszugehen: nämlich, daß die Staatsanwaltschaft die Vertreterin der Rechtsidee, der sogenannten höheren Gerechtigkeit wäre, und daß die Staatsanwaltschaft zu dieser Mission vorzugsweise befähigt sei.

Mir scheint weder die eine, noch die andere dieser Voraussetzungen begründet zu sein, und ich schließe mich in dieser Beziehung vollkommen jenen Erörterungen an, welche bereits in einem älteren Gutachten einen Platz gefunden haben. [*])

Der Staatsanwalt ist ein Organ der Justizadministration, und es obliegt ihm die Wahrung und Vertheidigung jenes Standpunktes, welcher in dem einzelnen Falle von derselben als der zweckmäßigste, dem Staatsinteresse entsprechendste erachtet wird.

Es fällt mir nicht ein, in Abrede zu stellen, daß dieses Staatsinteresse in der Regel „den Sieg der Wahrheit und der Gerechtigkeit" anstreben lassen wird; aber eben so wenig wird bestritten werden können, daß in manchen Fällen es im Staatsinteresse gelegen sein kann, von einer Anwendung des strengen Rechtes, von einer zu buchstäblichen Durchführung des Satzes: „fiat justitia, pereat mundus" Umgang zu nehmen.

Die Staatsanwaltschaft kann sich sonach meines Erachtens nicht als Vertreterin der abstrakten, unwandelbaren Rechtsidee, sondern nur als die Vertreterin des konkreten und sehr wandelbaren administrativen Gedankens betrachten, ein Unterschied, der ein sehr wesentlicher sein dürfte.

Auf strafrechtlichem Gebiete, dessen Grenzen man vorsorglich ziemlich weit zu ziehen pflegt, ist dieser Unterschied nicht verfänglich; wohl aber ist dies der Fall auf privatrechtlichem Gebiete, wo jede Abweichung von der Linie des strengen Rechtes zu Gunsten der einen Partei eine Rechtsverletzung der anderen Partei zur Folge haben muß.

Aber auch abgesehen von diesen thatsächlichen Verhältnissen dürfte die Bestellung einer solchen Specialvertretung der höheren Gerechtigkeit kaum zu den Aufgaben des Staates, der Administration gehören. Eine gedeihliche Rechtspflege ist durch gute Gesetze, durch sorgsam besetzte, unabhängig gestellte Gerichte und durch eine zweckmäßige Regelung der Anwaltschaft und Advokatie genügend gesichert, und es dürfte eine weitergehende Sorge des Staates nicht nur sehr überflüssig, sondern auch bedenklich sein, weil sie, trotz der vortrefflichsten Absichten, sehr leicht in eine zu weit gehende Einmischung der Administration in Privatverhältnisse ausarten könnte. Eine solche Einmischung aber mochte etwa zu der Zeit folgerichtig sein, als die Aufgabe des Staates

---

*) Francke, a. a. O. Seite 38 u. ff.

patriarchalisch sich in dem redlichen Bemühen gipfelte, jedem Unterthan ein Huhn in den Topf zu schaffen; denn damals konnte eine genaue Revision des Inhaltes der sämmtlichen Töpfe der Landeskinder mit dem vermeintlichen Staatszwecke in Verbindung gebracht werden. Allein heut zu Tage scheint mir in einer ähnlichen Einmischung überhaupt und auf was immer für einem Gebiete ein starker Anachronismus zu liegen, und allerdings jede solche Einmengung unzulässig zu sein, wenn sie nicht nothwendig ist.

Die Bestellung einer besonderen, neben den Gerichten waltenden Vertretung der Rechtsidee dürfte aber auch die Kräfte der Justizadministration übersteigen. Letztere bedürfte zu diesem Zwecke ein Korps von Organen, welche die übrigen Funktionäre der Rechtspflege an juristischer Intelligenz überragen, und welche, eine Art Generalstabes, durch ein fortgesetztes, belehrendes Eingreifen in die Justizpflege deren Veredlung und Vervollkommnung zu bewirken hätten. Solche ideale Anforderungen werden sich billiger Weise an das Institut der Staatsanwaltschaft nicht stellen lassen. In der Regel werden, um einer euphemistischen Charakterisirung unserer Prüfungszeugnisse zu folgen, die ausgezeichneten, die sehr guten und die guten Fähigkeiten bei der Staatsanwaltschaft so ziemlich in demselben Verhältnisse vertreten sein, wie bei dem Richterstande und den Parteivertretern, so daß kein Anlaß vorhanden ist, diese Funktionäre gewissermaßen unter die Kuratel der Staatsanwaltschaft zu stellen. Es dürfte deshalb wohl zu entschuldigen und nicht als ein Zeichen der Verkommenheit der Richter aufzufassen sein, wenn erfahrungsgemäß die letzteren mitunter den Vorträgen der Staatsanwaltschaft eine gewisse blasirte Gleichgiltigkeit entgegensetzen, nachdem vielleicht schon die Parteienvertreter durch breite, selbstgefällige Auseinandersetzungen die Geduld eines intelligenten Richterkollegiums auf das Aeußerste angespannt hatten.

Ueberhaupt erscheint mir die Annahme, als ob die Justizadministration und deren Organe in der richtigen Auffassung des Rechtes dem Richterstande überlegen seien, als eine ganz und gar unzulässige.

Aus dem Gesagten ergiebt sich meine Ansicht, daß die Staatsanwaltschaft als Vertreterin der Rechtsidee nicht betrachtet werden könne; daß eine solche, neben den Gerichten bestehende Vertretung der Rechtsidee ganz überflüssig, und auch praktisch nicht durchführbar sei.

Die konsequente Anwendung dieser Grundsätze führt zunächst dahin, daß jede Einflußnahme der Staatsanwaltschaft auf solche Privatrechtsstreitigkeiten auszuschließen wäre, bei welchen ein besonderes Staatsinteresse nicht in Frage kommt, und ich kann mich deshalb auf die Erörterung beschränken, ob die Staatsanwaltschaft als Prinzipalpartei in solchen Rechtsstreiten zuzulassen sei, bei welchen es sich direkt oder indirekt um die Wahrung eines solchen besonderen Staatsinteresses handelt.

In Ansehung der Form dieser staatsanwaltschaftlichen Thätigkeit sind zwei Modalitäten möglich:

1) Die Staatsanwaltschaft tritt mit allen Parteirechten ausgestattet, jedoch ohne die eine Partei unmittelbar und ausschließlich zu vertreten, daher, so zu sagen, nur als **Subsidiarvertreterin** auf; oder

2) sie erscheint als selbstständige und alleinige Parteivertreterin; (Fiskalvertretung im weiteren Sinne).

Zu 1.

Die höheren, oder richtiger die besonderen Rücksichten, um die es sich hiebei handeln kann, und um deren Willen eine Mitwirkung der Staatsanwaltschaft eintreten soll, können sehr verschieden sein. Es dürften dieselben jedoch in drei Hauptgruppen zerfallen:

a) Die Wahrung einer sittlichen Idee, welche es als unzulässig erscheinen läßt, die Führung der Rechtssache, und insbesondere die Beischaffung des Beweismaterials der ausschließlichen Willkür der zunächst betheiligten Personen anheim zu stellen. Z. B. bei Ehestreitigkeiten.

b) Die Wahrung eines zwar nicht materiellen, aber doch wandelbaren Interesses des Staates, welches eine gewisse Entscheidung des Prozesses als wünschenswerth erscheinen läßt, sei es um die Anwendung von Prohibitivgesetzen zu sichern, sei es aus anderen administrativen Gründen.

c) Die Wahrung eines materiellen Interesses entweder des Staates (Fiskus), oder solcher physischer oder juristischer Personen, welche unter dem besonderen Schutze des Staates stehen.

In dem unter a. angeführten Falle würde meines Erachtens die Mitwirkung der Staatsanwaltschaft nur dann gerechtfertigt sein, wenn dieselbe als die ausnahmslose Vertreterin dieser höheren Ideen betrachtet werden könnte, und in dieser Eigenschaft mehr Garantien zu bieten vermöchte, als das Gericht und eventuell ein Privatmann.

Diese Voraussetzungen treten nach dem früher Gesagten nicht ein, und ich bin deshalb der Ansicht, daß die Vertheidigung der höheren Idee besser in von der Administration unabhängige Hände, sei es in die des Gerichtes, oder in die eines Specialkurators, gelegt werden wird; zumal die Administration und deren Organ, die Staatsanwaltschaft möglicher Weise in eine Pflichtenkollision gerathen könnte, wenn sich das staatliche Interesse mit der strengen Durchführung der sittlichen Idee ausnahmsweise im Widerspruche befände, während das Gericht, oder der unabhängige Kurator, unbehindert von heterogenen Einflüssen, bei Vertretung dieser Idee mit voller Selbstständigkeit vorgehen können wird.

Wenn man aber auch mit Rücksicht auf die Seltenheit einer solchen Kollision von diesem Bedenken ganz absehen wollte, so dürfte gegen die Mitwirkung der Staatsanwaltschaft in derlei Fällen doch der gewichtig scheinende Grund sprechen, daß bei einer richtigen Auffassung der Aufgaben des Staates eine Einflußnahme der Organe der Verwaltung grundsätzlich nur dann und dort gerechtfertigt ist, wenn und wo der angestrebte Zweck nur durch diese Organe gesichert werden kann, eine Bedingung, die hier keinesfalls eintreten dürfte. —

In den unter b. erwähnten Fällen würde in der Regel eine direkte Parteinahme der Staatsanwaltschaft für einen Streittheil eintreten, eine Parteinahme, welche nach dem Obengesagten keineswegs ausnahmslos die Förderung der Rechtsidee, sondern die Wahrung eines wandelbaren Staatsinteresses bezwecken würde. Hiedurch würde der Grundsatz der Rechtsgleichheit und der Verzichtbarkeit der Privatrechte gefährdet.

Dies gilt auch dann, wenn die richtige Anwendung von Prohibitivgesetzen gesichert werden soll. Denn wenn auch hiebei die Privatwillkür der Parteien einigermaßen beschränkt ist, so hat ja doch der Richter von Amtswegen, und ohne an die Anträge, an die Zugeständnisse der Parteien gebunden zu sein, für die Anwendung des Verbotsgesetzes zu sorgen, wenn die vorgebrachten Thatsachen die Uebertretung eines solchen Gesetzes erkennen lassen.

Es kann nun allerdings im Interesse beider Parteien liegen, einen Theil des Sachverhaltes der richterlichen Kenntnißnahme zu entziehen und auf diese Art die eingetretene Verletzung des Prohibitivgesetzes dem Gerichte zu verbergen. — Allein auch hier halte ich es für unzulässig, dem Staatsanwalt als Prinzipalpartei die Beischaffung des abgängigen Beweismaterials zu übertragen. Denn entweder ist das Prohibitivgesetz mit einer strafrechtlichen Sanktion ausgestattet, oder es hat dessen Uebertretung nur civilrechtliche Nachtheile zur Folge. Im ersteren Falle wird der strafrechtliche Wirkungskreis der Staatsanwaltschaft ein genügendes Korrektiv bieten, während im zweiten Falle eine inquisitorische Thätigkeit des Staatsanwalts, welche konsequenter Weise eine gleichmäßige und allgemeine sein müßte, ein überaus lästiges und in den meisten Fällen resultatloses Eindrängen in Privatangelegenheiten voraussetzen würde, welches mit dem zu erreichenden Zwecke in keinem Verhältnisse stünde.

Meines Erachtens ist somit auch in diesen Fällen die Zulassung der Staatsanwaltschaft als Prinzipalpartei nicht zu befürworten. —

In den unter c. erwähnten Prozessen hätte die Mitwirkung der Staatsanwaltschaft augenfällig keinen anderen Zweck, als den der Unterstützung eines Streittheiles, wodurch der letztere, bei dem nicht zu unterschätzenden, und in gewissen Zeiten selbst künstlich hinaufgeschraubten Einflusse der Staatsanwaltschaft ein mit dem Rechtssatze der Gleichheit vor dem Gesetze unvereinbares

Uebergewicht gewinnen könnte. Denn daß auch hier der Staatsanwalt unter Festhaltung eines streng objektiven Standpunktes lediglich die Rechtsidee zu vertreten habe und vertreten werde, wird sich kaum ernstlich behaupten lassen, wenn man den Grund der staatsanwaltschaftlichen Mitwirkung in solchen Streitsachen, und die Stellung des Staatsanwaltes, als eines Organes der Justizadministration im Auge behält. So weit wird sich schwerlich jemand vorwagen, um es mit dieser Stellung vereinbar zu finden, daß der Staatsanwalt, als Organ der Justizadministration, eine Rechtsanschauung bekämpft, welche von einem anderen Zweige der Administration als begründet und zur Durchsetzung auf dem Rechtswege geeignet erkannt worden war. Ich vermag deshalb in dem Hinzutritte der Staatsanwaltschaft zu solchen Rechtsstreiten nur einen gesetzlich geregelten Versuch einer administrativen Einwirkung auf die Gerichte zu sehen, welche dem Grundsatze der vollen Unabhängigkeit der Richter selbstverständlich auch dann widerstreitet, wenn diese Einwirkung unter der Firma einer Wahrung der Rechtsidee auftreten wollte. —

Ich halte es nicht für unpassend, an dieser Stelle auf ein älteres Oesterreichisches, mittlerweile beseitigtes Institut hinzuweisen, welches mit der Stellung der Staatsanwaltschaft, als Haupt- und Nebenpartei, in Fiskalstreitigkeiten Analogien bietet; ich meine das Institut der Kameral-, montanistischen und politischen Repräsentanten.

Nach den §§. 50—53 des Patentes vom 9. September 1785 war nämlich zu den Entscheidungen in solchen Rechtsstreitigkeiten, in welchen eine Partei von dem landesfürstlichen Fiskalamte vertreten worden war, insbesondere in allen Lehenstreitsachen, in Prozessen des Religions-, Studien- oder Stiftungsfonds, der Armeninstitute, der Unterthanen mit ihrer Herrschaft u. dgl. ein Beamter jenes Administrativzweiges, in dessen Wirkungskreis das von dem Fiskalamte vertretene Subjekt gehörte, als Repräsentant beizuziehen, welcher unmittelbar nach dem Referenten seine, übrigens blos konsultative Stimme abzugeben hatte, welcher jedoch mit dem Befugnisse ausgestattet war, die Entscheidung des Gerichtes zu sistiren und die Vorlage der Akten zur höheren gerichtlichen Beschlußfassung zu verlangen, wenn durch den perhorrescirten Beschluß, in Folge einer unrichtigen Anwendung des Gesetzes, in Fiskalangelegenheiten eine schädliche Veränderung eines Finanzgeschäftes, oder eine Irrung der Finanzoperationen, oder in Unterthansangelegenheiten eine Abweichung von dem allgemeinen Systeme bewirkt worden wäre.

Dieses Sistirungsrecht wurde später im Wesentlichen auf den Fall beschränkt, wenn ein gegen die Ansicht des Repräsentanten ergangenes Urtheil erster Instanz von der zweiten Instanz bestätigt worden war, und dem Fiskalamte dagegen ein gewöhnliches Rechtsmittel nicht mehr zu Gebote stand, mit

Kaiserlicher Verordnung vom 15. Dezember 1848 aber das ganze Institut der Repräsentanten beseitigt.

Es ist nun allerdings richtig, daß der Zweck dieses Institutes offen ausgesprochen in der Unterstützung der Fiskalpartei bestand, und daß es Niemand beigefallen war, demselben die Vertretung der höheren Rechtsidee zu vindiciren; allein meines Erachtens war, wenn man von der Form absieht, die thatsächliche Stellung dieser emeritirten Repräsentanten nicht so wesentlich von der des Staatsanwalts in Fiskalprozessen verschieden, und mit demselben Rechte, mit welchem man in der Wiedereinführung dieser Repräsentanten einen Rückschritt in der Rechtspflege finden würde, glaube ich die Ansicht aussprechen zu können, daß in der Zulassung einer unterstützenden Mitwirkung der Staatsanwaltschaft in solchen Rechtsstreitigkeiten ein Rückschritt der Gesetzgebung läge.

Zu 2.

Die Frage, ob die Staatsanwaltschaft mit der eigentlich advokatischen Vertretung des Staatsschatzes, gewisser Institute, Fonds und Körperschaften zu betrauen wäre, wird regelmäßig auch von solchen Schriftstellern verneint, welche im Uebrigen eine möglichst ausgedehnte Mitwirkung der Staatsanwaltschaft in Civilrechtssachen befürworten, und zwar hauptsächlich aus dem Grunde, weil eine solche Vertretung mit der höheren Stellung der Staatsanwaltschaft, als Organ der Rechtsidee, unvereinbar wäre.

Wenn ich auch nach dem früher Gesagten die Richtigkeit dieses Motives nicht anzuerkennen vermag, und überhaupt eine Erörterung darüber, welchen Faktoren der Justizpflege eine höhere und eine minder hohe Stellung zugefallen sei, für ziemlich unfruchtbar erachte, so schließe ich mich dennoch dieser Ansicht insofern an, daß ich die Betrauung der Staatsanwaltschaft mit der Fiskalvertretung für ganz unzweckmäßig, und somit auch für unzulässig halte.

Man ist nachgerade von der Auffassung, daß im Allgemeinen eine möglichst allseitige Ausbildung des Individuums als höchster Zweck anzustreben sei, zurückgekommen, und legt, im Interesse der Gesammtheit, mit Recht auf die Ausbildung der Specialität das entscheidende Gewicht.

Wie auf materiellem Gebiete die Theilung der Arbeit als Bedingung einer ersprießlichen Entwicklung anerkannt ist, wird auch auf intellektuellem Gebiete die Theilung der Beschäftigung als Bedingung einer vollkommen entsprechenden Thätigkeit anerkannt werden müssen, und dies dürfte insbesondere auch, mit gewissen Einschränkungen, von den einzelnen Funktionen der Rechtspflege gelten.

Wenn man nun die Thätigkeit der Staatsanwaltschaft auf ihrem eigensten und unbestreitbaren Gebiete zusammenfaßt, so ergiebt sich schon hier eine solche Mannigfaltigkeit ihres Wirkungskreises, welche zu einer vollkommen entsprechenden Bewältigung eine nicht zu häufige Vereinigung verschiedenster

Anlagen vorausseßt. Der Staatsanwalt soll im strafrechtlichen Gebiete auf der Höhe der Wissenschaft stehen, und mit dieser theoretischen Beherrschung ausgedehnter Disciplinen die ziemlich heterogene Befähigung verbinden, im einzelnen Falle mit der Energie und dem Takte eines Administrativbeamten die thatsächlichen Momente festzustellen, mit geistigem Uebergewichte die Maßnahmen der Polizeiorgane zu regeln und zu überwachen. Der seiner Aufgabe gewachsene Staatsanwalt soll somit die Fähigkeiten eines Votanten des Spruchkollegiums, des Untersuchungsrichters und eines leitenden Polizeibeamten vereinen.

Man sollte meinen, daß ein solcher Beruf in seiner Vielseitigkeit die volle Kraft eines intelligenten Mannes in Anspruch nimmt, und daß jede noch weiter gehende Vergrößerung des Wirkungskreises nur auf Kosten der Gründlichkeit geschehen könnte, eine gewisse Oberflächlichkeit in der einen oder anderen Richtung zur Folge haben müßte.

Im höchsten Grade wären aber meines Erachtens die Folgen solcher Ueberbürdung dann zu befürchten, wenn die Erweiterung des staatsanwaltlichen Wirkungskreises in der Zuweisung der Fiskalvertretung bestände.

Es wird sich kaum bestreiten lassen, daß dieser Zweig der Parteivertretung zum großen Theile mit eigenthümlichen Schwierigkeiten verbunden ist, deren ausreichende Bewältigung nicht nur eine bedeutende Kraftanstrengung, sondern auch specielle Studien und eine stetige Uebung voraussetzt. Abgesehen von der Mannigfaltigkeit der Rechtsbeziehungen, in welchen jeder halbwegs bedeutende Staatsorganismus sich befindet, glaube ich hierbei den Schwerpunkt auf die besondere Art der Instruirung des Prozesses legen zu können, welche, sowohl was die Feststellung des Sachverhalts, als auch die Beischaffung der Beweismittel betrifft, eine ganz ungewöhnliche Mühe erfordert.

Während bei der Vertretung von Privaten der in seiner eigenen Angelegenheit selbstverständlich wohlbewanderte und davon erfüllte Mandant durch sein Interesse veranlaßt ist, mit aller Anstrengung den Anforderungen des Rechtsfreundes durch Beischaffung der Behelfe zu entsprechen, und ihm auf diese Art gerade in der minder erquicklichen Partie anwaltschaftlicher Thätigkeit an die Hand geht, ist der Fiskalvertreter selten in der Lage, sich einer gleich intensiven Unterstützung von Seite seiner Partei zu erfreuen, und in der Regel genöthigt, stückweise auf eine mehr oder minder umständliche Art sich eine genügende Information selbstthätig beizuschaffen, mitunter sich noch mit den juristischen Reminiscenzen von solchen Administrativbehörden, welche, in anderen Verwaltungszweigen thätig, der Rechtspflege mehr oder weniger entfremdet wurden, in unerquicklichen Kontroversen abzumühen.

Berücksichtigt man hiebei noch den Umstand, daß der Fiskalvertreter häufig erst spät, nach oft sehr präjudicirlich geführten administrativen Verhandlungen, als letzter Nothbehelf, als **ultima ratio** requirirt wird, daß das bequeme Auskunftsmittel der Parteieneide ihm nur in seltenen Fällen zu Gebote steht, daß ihm sehr oft auch die Auffindung klassischer Zeugen unmöglich ist, — so wird die Behauptung nicht ungerechtfertigt erscheinen, daß die Fiskalvertretung nicht zu den dornenlosen Zweigen der anwaltschaftlichen und advokatischen Thätigkeit zählt. —

Es wäre nun allerdings möglich, im Sinne der französischen Gesetzgebung die eigentlich anwaltschaftlichen Funktionen von den advokatischen auch bei der Fiskalvertretung zu trennen, wobei natürlich das mündliche Verfahren in Civilrechtsangelegenheiten vorausgesetzt wird.

Es würde mich zu weit führen, hier in eine Erörterung der oft ventilirten Frage, ob eine solche Trennung der Anwaltschaft von der Advokatie zu befürworten sei, einzugehen, obgleich ich gern zugestehe, daß diese Trennung · für manchen praktischen Juristen einen unwiderstehlichen Reiz haben muß, welcher einen guten Theil seiner Kräfte und Fähigkeiten in . mitunter sehr sekundären, nahezu mechanischen Arbeiten zersplittert sieht.

Allein wenn auch eine solche Trennung der Anwaltschaft und der Advokatie bei der Fiskalvertretung stattfände, bliebe noch die Frage offen, wem die den Administrativbehörden nicht wohl entbehrliche Funktion der Rechtskonsultation zuzuweisen wäre.

Wenn man den Anwalt als Hilfsorgan des Advokaten betrachtet, und dem letzteren die eigentlich juristische Behandlung des einzelnen Falles überantwortet, so scheint es mir folgerichtig zu sein, daß auch die Rechtsbegutachtung, als ein Zweig der advokatischen Thätigkeit anerkannt werde.

Denn diese Begutachtung soll ja erst die wesentlichen Anhaltspunkte für die Instruirung des Rechtsfalles bieten und die Richtung dieser Instruirung andeuten. Zu einer solchen Begutachtung ist aber der Advokat aus dem Grunde am meisten befähigt, weil er in fortwährender, unmittelbarer Berührung mit dem Justizleben steht, und hierdurch sich in der Lage befindet, die Rechtsnormen in ihrer praktischen Gestaltung am besten zu erfassen. Welch' bedeutenden Einfluß aber diese praktische Auffassung der Rechtsnormen durch die Gerichte auf die Entwicklung des Rechtes übt, so daß eine hievon ganz absehende Jurisprudenz für das praktische Bedürfniß nicht genügen kann, wird heute niemand mehr bestreiten wollen.

Meines Erachtens werden daher die Administrativbehörden nur durch solche Rechtskonsulenten gut berathen sein, welche daran gewöhnt sind, ihre Rechtsanschauungen, trotz der entgegenstehenden größeren oder kleineren Hindernisse, unmittelbar vor Gericht zur Geltung zu bringen, welche es verstehen, die theoretische Auslegung des Gesetzes, mit der praktischen Auffassung des

letzteren durch die Gerichte in Einklang zu bringen, und welche mit der Rechtspflege in stetigem, unmittelbaren Kontakte stehen.

Hieraus dürfte sich ergeben, daß selbst die streng advokatische Seite der
Fiskalvertretung noch so umfangreich wäre, daß deren Zutheilung an die
Staatsanwälte nach dem früher Bemerkten eine offenbare Ueberbürdung zur
Folge hätte.

Aber auch abgesehen von diesem mehr praktischen Bedenken, welches
zum Theile durch eine namhafte Vermehrung des staatsanwaltlichen Per-
sonales behoben werden könnte, scheinen mir allerdings gegen die Zutheilung
der Fiskalvertretung, oder einzelner Funktionen derselben an die Staatsanwaltschaft auch principielle Gründe zu sprechen.

Geht man nämlich auch meines Erachtens zu weit, wenn man in der
Stellung der Staatsanwaltschaft eine objektive, und dieselbe als Vertreterin
der Rechtsidee sehen will, so bleibt die Staatsanwaltschaft doch jedenfalls das
Organ der Justizadministration, somit jenes Verwaltungszweiges, dessen Hauptaufgabe in der Schaffung und Erhaltung solcher Zustände liegt, welche der
Idee der Gerechtigkeit möglichst entsprechen. Dieser formelle Standpunkt
der Justizadministration, als solcher, ist immerhin wesentlich von jenem Standpunkte verschieden, welchen andere Zweige der Administration in Fiskalstreitigkeiten einzunehmen haben. Wenn es nämlich auch hier, was selbst jeder anständige Privatmann berücksichtigen wird, darauf ankommt, nicht offenbar un-
begründete Rechtsansprüche zu vertheidigen, so kann dies doch nicht so weit
gehen, bei Beurtheilung eines zweifelhaften Fiskalrechtes einen ganz objektiven
Gesichtspunkt als Richtschnur festzuhalten, sondern es wird immerhin ein
Parteistandpunkt als der maßgebende erscheinen.

Hiezu ist aber meines Erachtens die Staatsanwaltschaft nicht geeignet,
weil sie eben nach ihrem Hauptberufe ausschließlich ein Organ der Justizadministration bleiben soll und durch die Fiskalvertretung auch zu anderen
Administrationszweigen in eine mehr oder weniger abhängige Stellung gelangen müßte, wenn man nicht umgekehrt diese übrigen Zweige der Administration in ihren eigensten Angelegenheiten unter die Bevormundung der Staatsanwaltschaft, und in weiterer Linie der Justizadministration stellen, und der
letzteren in solchen Rechtssachen einen maßgebenden Ausspruch zugestehen will.

Das eine wie das andere scheint mir gleich unzulässig zu sein.

Wenn man endlich auch hievon absehen wollte, so erübrigt noch das
Bedenken, daß die volle Unparteilichkeit des Gerichtes gefährdet werden, oder
doch gefährdet scheinen könnte, wenn in Civilrechtsstreitigkeiten, in welchen
doch keine Partei vor der anderen irgend eine Bevorzugung genießen soll,
der Fiskus von solchen Organen vertreten würde, welche in einer anderen

Berufsseite, theils unmittelbar, theils mittelbar einen bedeutenden Einfluß auf das Gerichtswesen überhaupt und auf die persönliche Stellung der Richter insbesondere zu üben haben.

Ich glaube demnach die gestellte Frage dahin beantworten zu müssen, daß die Staatsanwaltschaft als Prinzipalpartei in bürgerlichen Rechtsstreitig- keiten nicht zuzulassen sei.

B. Gutachten des Obergerichtsanwalts Bauermeister in Hannover.

Wenn ich der ehrenvollen Aufforderung der ständigen Deputation des Juristentages, über die Frage:

> ob und in welchen Fällen die Staatsanwaltschaft als Hauptpartei in bürgerlichen Rechtsstreitigkeiten zuzulassen sei?

ein Gutachten abzugeben, nachkommen zu wollen, mit Vergnügen mich bereit erklärt habe, so ist das nicht etwa geschehen, weil ich geglaubt hätte, die Frage erschöpfend beantworten, oder den bereits vorliegenden tiefeingehenden verschiedenen Gutachten gegenüber gar Neues vorbringen zu können, sondern lediglich, um nicht den Beweis schuldig zu bleiben, daß ich jeder Zeit bereit bin, dem großen Zwecke, welchen der Juristentag verfolgt, zu dienen. Da unerachtet der vorliegenden Gutachten und erschöpfenden Darstellung des Gegenstandes in der vierten Abtheilung des dritten Deutschen Juristentages über die aufgeworfene Frage die entgegengesetztesten Ansichten lebhafte Vertretung gefunden haben, und kein Beschluß hat gefaßt werden können, auch das Plenum die Frage als spruchreif anzunehmen beanstandet hat, so mag in Zweifel gezogen werden, ob dieselbe überhaupt zu der Reife gediehen, um darüber einen künftigen Beschluß als communis opinio betrachten zu können.

Man wird, ohne über Stellung und Zweck der Staatsanwaltschaft und des Verhältnisses der verschiedenen derselben beigelegten Funktionen zu einander sich klar zu sein, meines Erachtens keine Entscheidung über den ersten Theil der Frage,

> ob überhaupt die Staatsanwaltschaft als Civilprozeßpartei zuzulassen sei,

treffen können, und ich möchte für bedenklich halten, dieselbe ohne Rücksicht auf die Frage, ob dem Staatsanwalte als Organ der obersten Staatsgewalt die Ueberwachung der Civiljustizpflege zu übertragen sei, zu beantworten.

In den von Francke und Schloß abgegebenen vorliegenden Gutachten ist zwar nicht nur die Stellung der Staatsanwaltschaft im Civilprozesse, sondern deren Stellung zur gesammten Civilrechtspflege einer eingehenden Prüfung und Erörterung unterzogen, das nähere Verhältniß der einzelnen Funktionen zu einander dagegen unberücksichtigt geblieben*).

Den Staatsanwalt als Civilprozeßpartei zuzulassen und ihm gleichzeitig die Ueberwachung der Civiljustizpflege, insbesondere aller bei der Rechtsprechung betheiligten Personen zu übertragen, muß ich, sowohl im Interesse der Gerichte, als der Staatsanwaltschaft selbst, für bedenklich halten.

Werden dahingegen dem Staatsanwalte in Beziehung auf sein Verhältniß zu den Gerichten und deren Ueberwachung engere Grenzen gezogen, als es z. B. in der Französischen Justizorganisation und im Gerichtsverfassungsgesetze für's Königreich Hannover, vom 8. November 1850 §. 52, geschieht, so wird allerdings der Staatsanwalt für Fälle, in welchen es sich im öffentlichen Interesse um eine Einwirkung auf privatrechtliche Verhältnisse handelt, ein geeignetes Organ der Justizverwaltung zur Civilprozeßvertretung des Staates sein.

Es werden freilich von vielen Fachmännern gerade die dem Staatsanwalte als Organ der obersten Staatsgewalt behuf Ueberwachung der Justizpflege obliegenden Funktionen für sehr wesentlich und zweckmäßig gehalten, und sie haben auch in den oben erwähnten beiden Gutachten ihre Vertretung gefunden**).

Es fehlt jedoch auch nicht an entschiedenen Gegnern dieser Geschäftsthätigkeit des Staatsanwalts, die dem Deutschen Sinne im Grunde wenig entspricht***).

Als Aufsichtsorgan der höchsten Staatsgewalt ist der Staatsanwalt eine Behörde der Justizverwaltung neben, ja im gewissen Sinne über dem Gerichte in eben so selbstständiger als hoher Stellung.

Als Prozeßpartei wird er diese Stellung nicht behaupten können. Er wird von derselben zu den Civilparteien herabsteigen, Vertreter eines Privat-Interesses, sei es eines unmittelbaren Privat-Interesses des Staates oder

---

*) Vergl. Verhandlungen des dritten Deutschen Juristentages, Band 1, S. 28 u. ff. und S. 58 u. ff.

**) Vergl. Feuerbach, Betrachtungen über Oeffentlichkeit und Mündlichkeit, Band 2, S. 138 u. ff.

Frey, Frankreichs Civil- und Krim.-Verfassung, S. 235 u. ff.

Gerau, Ueber die Wirksamkeit der Staatsprokuratur ꝛc., Archiv für civ. Praxis, S. 328 u. ff.

***) Vergl. von Arnold, Die Umgestaltung des Civilprozesses in Deutschland, Nürnberg 1863, S. 40 u. ff.

eines durch Parteinahme für eine Privatperson mittelbar vertretenen öffentlichen Interesses unter dem Gerichte, werden müssen*).

Das fordert mit unabweislicher Nothwendigkeit die Gleichheit der Prozeßparteien vor dem Gesetze und gegenüber dem Gerichte.

Dem Staatsanwalte ist deshalb, wenn er überall in der Civilrechtspflege als Prozeßpartei soll fungiren können, vor Allem und zunächst unter Entziehung des Oberaufsichtsrechts über die Gerichte diejenige Stellung anzuweisen, in welcher er das ist, was sein Name sagt, Anwalt des Staates, d. h. Vertreter des Staates in dem Sinne, daß er überall, aber auch nur da, wo ein öffentliches Interesse es fordert, für das Gesetz und dessen Beobachtung mit allen Rechten und Pflichten der Partei in bürgerliche Rechtsstreitigkeiten eintrete. Möchte aber auch unter dieser Voraussetzung der Zulassung der Staatsanwaltschaft in Fällen der vorerwähnten Art, soweit die Parteistellung in Frage kommt, kein Bedenken entgegenstehen, so würde ich dennoch unter keinen Umständen für räthlich erachten, einen so allgemeinen Satz, wie es z. B. in der Braunschweig'schen Civilprozeßordnung, welche in allen Fällen, „wo gesetzlich verbotene Handlungen im öffentlichen Interesse anzufechten oder wieder aufzuheben sind", den Staatsanwalt als Partei auftreten läßt, geschehen ist, oder wie ihn der in der vierten Abtheilung des dritten Juristentages gestellte Hauptantrag enthält, zur Vorschrift eines Prozeßgesetzes zu erheben. Denn derselbe würde, da als Prozeßpartei in bürgerlichen Rechtsstreitigkeiten nur derjenige auftreten und zugelassen werden kann, welcher Träger eines ihm rechtlich zustehenden resp. verliehenen Privatrechtes ist, wegen seiner Unbestimmtheit nicht nur die Quelle zahlloser Streitigkeiten in Betreff der Legitimationsfrage werden, sondern auch zu Eingriffen in die Privatangelegenheiten der Staatsbürger dem Staatsanwalte eine Handhabe bieten, welche die erheblichsten Unzuträglichkeiten zur Folge haben könnte.

Man wird also, um dem vorzubeugen, wie es auch in der Französischen Civilgesetzgebung konsequent durchgeführt ist, specialisiren und jeden einzelnen Fall, in welchem dem Staatsanwalte die Befugniß zustehen soll, als Kläger, Beklagter, Haupt- oder Neben-Intervenient kraft des Gesetzes an Privat-Rechtsstreitigkeiten sich zu betheiligen, genau bezeichnen und begrenzen müssen**).

Wende ich mich hiernach zum zweiten Theile der aufgeworfenen, nicht sowohl prozeßrechtlichen, als vielmehr dem materiellen Rechte angehörenden Frage:

in welchen Fällen die Staatsanwaltschaft als Prinzipalpartei zuzulassen sein werde,

so läuft dieselbe, da meines Wissens bis jetzt keines der in Deutschland gil-

---

*) Vergl. Schlink, Kommentar über die Französische Civilprozeßordnung, Band 1, S. 83, No. 2.

**) Schlink, a. a. O., S. 75, §. 45.

tigen Civilrechte mit Ausnahme des Code civil und der Preußischen Ehe-
gesetzgebung dem Staatsanwalte die Rechte einer Prozeßpartei verleiht, im
Grunde darauf hinaus,

> „ob und in wie weit sich eine Aenderung des Civilrechts im öffent-
> lichen Interesse in einzelnen Bestimmungen empfehle".

Ob sich in dieser Beziehung, bei dem divergirenden materiellen Rechte
und der dabei sehr wesentlich in Frage kommenden abweichenden Organisation
der sonstigen Staatsbehörden der Einzelstaaten, für das ganze Deutschland
passende, gemeinschaftliche Gesichtspunkte und Fälle werden finden und aufstellen lassen, möchte ich für mehr als zweifelhaft halten. Es wird vielmehr
meines Erachtens bei dem gegenwärtigen Rechtszustande des Gesammtvater-
landes die Frage nicht anders beantwortet werden können, als es im Gutachten von Francke bereits geschehen ist, nämlich dahin,

> daß es von der Civilgesetzgebung der einzelnen Staaten abhängen
> und derselben überlassen bleiben muß, die Fälle zu bezeichnen, in
> welchen dem Staatsanwalte als Prozeßpartei im öffentlichen Inter-
> esse thätig zu werden, gestattet sein soll;

und es liegt die Bestätigung für die Richtigkeit dieser Ansicht vor Allem
darin, daß die Juristen, welche die Frage zum Gegenstande einer Prüfung
gemacht haben, je nach Verschiedenheit ihrer Staatsangehörigkeit, wesentlich
von einander abweichen [*]).

Bis jetzt auch ist, so viel mir bekannt, in den Landestheilen Deutschlands, welche unter der Herrschaft des gemeinen Civilrechts stehen, noch kein
dringendes Bedürfniß hervorgetreten, von der selbst das Französische Recht
beherrschenden Regel, daß dem Staatsanwalte in Civilsachen kein Klagrecht
zustehe, Ausnahmen zu gestatten [**]), und eine nicht zu übersehende bemerkenswerthe Erscheinung ist, daß in Baden sogar trotz der Geltung des Code
civil in reinen Civilsachen die Intervention des Staatsanwaltes ausdrücklich
ausgeschlossen ist.

Meine Ansicht geht demzufolge, um es kurz zu wiederholen, dahin:

1) daß die Staatsanwaltschaft nur unter Voraussetzung der Entziehung
jedes Oberaufsichtsrechts über die Gerichte als Prozeßpartei zuzulassen, und

2) daß die Bestimmung der einzelnen Fälle, in welchen sie als solche
zuzulassen, der Civilgesetzgebung vorzubehalten sei.

---

[*]) Vergl. Gerau, a. a. O., Band 32, S. 349 u. ff.
v. Arnold, a. a. O., S. 30 u. ff.
Jagemann, Gerichtssaal, Jahrgang 1849, Band 1, S. 174 u. ff.
[**]) Gesetz vom 16./24. August, Tit. 4, Art. 2.

Gutachten über den Antrag des Stadtgerichtsraths Dr. Eberty zu Berlin:

„II. 1. Die Anwaltschaft ist freizugeben.

2. Das Notariat ist von der Anwaltschaft zu trennen.

3. Die Trennung der Advokatur von der Anwaltschaft ist wünschenswerth."

A. Gutachten des Obertribunalraths Faber in Stuttgart.

---

§. 1.
Begutachtung des Antrags:
Die Anwaltschaft ist freizugeben.

Bei der Diskussion über die Abschaffung von Privilegien mischt sich leicht einiger Unmuth in den Streit. Diese Erscheinung hat auch bei den in den letzten Jahren gepflogenen Erörterungen über Freigebung der Advokatur nicht ganz gefehlt.

Indessen wenn beide Parteien, wie doch nicht zu bezweifeln, nach dem gleichen Ziele, nach Gewinnung der Bürgschaften für den Bestand einer kraftvollen, wissenschaftlich tüchtigen, uneigennützigen, den Interessen der Rechtspflege unbedingt sich unterordnenden Advokatur streben, warum sollte die Erörterung nicht mit gegenseitigem Wohlwollen geführt werden können?

Es bestehen gegenwärtig in Deutschland in Absicht auf die vorliegende Frage im Wesentlichen dreierlei Systeme:

1) Im weitaus größten Theile Deutschlands, namentlich in den Deutschösterreichischen Ländern, in Preußen mit Ausnahme der Rheinprovinz, in Bayern und im Königreiche Sachsen herrscht völlige Geschlossenheit der Advokatur, das heißt: die Zahl der Advokaten ist eine beschränkte und es ist demzufolge selbst Denjenigen, welche ihre Befähigung nachgewiesen haben, der Eintritt versagt, so lange nicht Stellen erledigt oder neu geschaffen werden.

Dieses System tritt übrigens in den einzelnen Ländern unter sehr verschiedenen Modalitäten auf, welche die Wirkung desselben theils verschärfen, theils wesentlich mildern. Es macht einen bedeutsamen Unterschied, ob, wie dies meistentheils der Fall ist, bei eintretender Vakatur die Staatsregierung die Auswahl unter den Kandidaten trifft, oder ob, wie in Sachsen, die Priorität der Eintragung in die Expektanten-Rolle entscheidet. Es ist von großer Wichtigkeit, ob, wie zum Beispiel in dem eben genannten Sachsen, den Mitgliedern des geschlossenen Standes die Wahl und der Wechsel des Wohnsitzes völlig freisteht, und ob auch in sonstiger Hinsicht unter denselben eine unbedingte Konkurrenz der Berufsthätigkeit im ganzen Staatsgebiete eröffnet ist, oder ob, was anderwärts die Regel bildet, Wohnsitzzwang stattfindet, und ob daneben noch alle oder wenigstens einzelne Berufshandlungen, wie zum Beispiel in Preußen die persönliche Vertretung der Partieen vor Gericht in bürgerlichen Rechtssachen, an den Gerichtssprengel des Wohnsitzes gebunden sind. Ferner begründet es begreiflicher Weise einen tiefgreifenden Unterschied, ob die Zahl der in den geschlossenen Stand aufgenommenen Mitglieder im Verhältniß zum Bedürfnisse des Publikums knapp und spärlich bemessen oder ob sie so weit gegriffen ist, daß sie unter allen Umständen das Bedürfniß deckt oder selbst darüber hinausgeht. Während vielfach und, wie es scheint, nicht ohne Grund behauptet wird, daß in Oesterreich, Preußen und Bayern die Zahl der Advokatenstellen an manchen Orten eine viel zu kärgliche sei, daß dort nicht selten ein Advokat eine ganze Schaar geprüfter Advokatur-Kandidaten in seinen Diensten stehen habe, und daß daneben für die Büreaus der Winkeladvokaten noch eine Quelle reichlicher Beschäftigung fließe, so ist dagegen an dem Beispiele Sachsens, welches bei einer Bevölkerung von zwei Millionen Einwohner nicht weniger als 800 Advokaten besitzt, zu ersehen, wie das System der Geschlossenheit je nach der Art seiner Handhabung mit dem Systeme der völligen Freiheit nahezu zusammenfallen kann.

2) Das System völliger Freigebung der Advokatur, d. h. des unbeschränkten Zutritts aller Derer, welche den vorschriftsmäßigen Fähigkeitsnachweis liefern, steht nur in wenigen Deutschen Territorien in Geltung. Hauptsächlich sind in dieser Hinsicht zu nennen: Württemberg und die beiden Großherzogthümer Mecklenburg. In diesen Ländern ist nicht blos der Zutritt in den Stand, sondern auch die Wahl und Veränderung des Wohnsitzes völlig frei. Eine in Württemberg bestehende Ausnahme hinsichtlich der sogenannten Prokuratoren (d. h. der Mittelsmänner für Einreichung der Schriften bei den Appellationsgerichten und dem Obertribunal) ist praktisch zu unerheblich, als daß der Charakter des bestehenden freiheitlichen Systems wesentlich dadurch beeinträchtigt wäre.

3) In mehreren Theilen Deutschlands, namentlich in Rheinpreußen, in Hannover und Braunschweig herrscht endlich ein gemischtes System. Die Advokatur als solche ist frei, dagegen die Anwaltschaft — und zwar speciell in der Form der Advokatanwaltschaft — ist geschlossen. Seinem Grundgedanken nach ist dieses System zunächst aus Frankreich entlehnt. Dasselbe theilt den Anwälten das ausschließliche Recht zu, in bürgerlichen Streitsachen vor den ordentlichen Kollegialgerichten die Parteien formell zu vertreten, namentlich die schriftliche Vorbereitung des Prozesses zu leiten, im

Laufe des Verfahrens alle zur Regelmäßigkeit desselben nöthigen Handlungen vorzunehmen und in den mündlichen Verhandlungen vor Gericht die erforderlichen Anträge zu stellen (la postulation). Die Advokaten dagegen sind bei den erwähnten Streitigkeiten, abgesehen von Konsultationen und Rechtsgutachten, darauf beschränkt, die Rechte der Parteien vor Gericht in mündlichen Vorträgen auszuführen. (la plaidoirie). Während aber in Frankreich der Anwalt (avoué) für seine, gewöhnlich durch Kauf oder Erbschaft erworbene, Stelle eine viel geringere juristische Befähigung nachzuweisen hat als diejenige eines Advokaten (avocat), so wird dagegen in den genannten Deutschen Ländern der Anwalt ausschließlich aus der Zahl der Advokaten ernannt und genießt neben den Vorrechten der Anwaltschaft alle Rechte der Advokatur. Die praktische Folge hievon ist, daß in jenen Ländern die bloße Advokatur eine ganz andere Bedeutung hat als in Frankreich; sie ist theils die Vorschule für die jüngeren Männer, welche auf eine Anwaltsstelle aspiriren und einstweilen unter der Patronage eines Advokatanwalts arbeiten, gelegentlich auch plaidiren, theils ist sie das Asyl derjenigen, welche die Fähigkeit oder Neigung zu der schwierigen und aufreibenden Berufsthätigkeit bei den Kollegialgerichten nicht besitzen und daher auf die Praxis bei den Einzelrichterämtern sich beschränken müssen. —

Ehe man zur Diskussion darüber schreitet, welches der oben aufgezählten drei Systeme den Interessen der Rechtspflege am meisten entspreche, ist es nützlich, sich über eine Vorfrage in's Klare zu setzen. Diese Vorfrage ist: Soll, wie in Frankreich und England, eine von der Advokatur getrennte Anwaltschaft bestehen? Da die Trennung der beiderlei Verrichtungen wesentlich auf der Voraussetzung beruht, daß der Anwalt einer geringeren Befähigung bedürfe als der Advokat, so läßt sich jene Frage auch in der Weise stellen: Soll für das Geschäft der formellen Prozeßvertretung bei den Kollegialgerichten (la postulation) eine geringere Befähigung als diejenige, welche von dem plaidirenden Advokaten verlangt werden muß, für genügend erachtet werden?

Meines Erachtens ist hier mit einem entschiedenen Nein zu antworten.

Die Geschäftsaufgabe des Prozeßvertreters läßt sich mit einer juristischen Halbbildung nicht befriedigend erfüllen. Schon beim Sammeln des thatsächlichen Stoffs und der Beweismittel droht ihm, wenn er nicht durch ein tüchtiges juristisch gebildetes Urtheil geleitet wird, die Gefahr, daß er Unnützes zusammen rafft, Wichtiges übersieht. Zu seinen weiteren Verrichtungen aber, dem Anfertigen der vorbereitenden Schriften, der Stellung der Anträge vor Gericht, der Vornahme aller zur Form des Verfahrens gehörigen Handlungen, wird unzweifelhaft ein umfassendes juristisches Wissen erfordert. Wenn hier falsche Schritte oder Versäumnisse in Folge mangelhafter Rechtskenntniß des Prozeßvertreters vorkommen, so werden sie nur zu oft von dem plaidirenden Advokaten nicht mehr gut zu machen sein. Die Aufgabe des Letzteren sodann, die geordnete und wirkungsvolle Darstellung der Thatsachen und die Ausführung des Rechtspunkts, steht mit den vorerwähnten Verrichtungen des Prozeßvertreters im innigsten Zusammenhang. Warum Funktionen, die auf's Engste mit einander verflochten sind, an zwei Personen vertheilen? Die Einheit der Leitung geht verloren, die Verantwortlichkeit wird geschwächt, die Kosten für die Partei werden gehäuft. Mechanische Arbeiten mag immerhin der Advokat, um seine Zeit und Kraft zu sparen, von Personen, die er selbst in seine Dienste nimmt, verrichten lassen; aber die Instruktion und Leitung des Prozesses gehört in das Gebiet der geistigen Arbeit und sie wird, von tüchtigen Händen besorgt, vor einem Deutschen Richterkollegium häufig sich besser lohnen als eine glänzende Rede. Entzieht sich der Advokat diesen Verrichtungen, so rächt sich dies nicht blos an der Partei, sondern auch an ihm selbst: Denn die Anwälte sind es nun, welche die Prozesse vergeben. Die scheinbar so hoch stehende Advokatur wird, wenn auch unfreiwillig, zur Dienerin der Anwaltschaft.

Diese Schäden hat man in Genf, wo die Trennung der beiderlei Verrichtungen geraume Zeit hindurch bestanden hatte, so lebhaft empfunden, daß im Jahre 1834 die Anwaltschaft mit der Advokatur vereinigt wurde. Auch in Frankreich erkennt man das Uebel; seiner Heilung stehen aber wegen der nothwendigen Entschädigung der Besitzer erkaufter Anwaltsstellen ungemeine finanzielle Schwierigkeiten entgegen. In England hat die Trennung der Advokatur von der Anwaltschaft in so lange eine verhältnißmäßige Berechtigung, als das gegenwärtige Civilprozeßverfahren nicht vereinfacht sein wird, welches die Prozeßvertretung zu einem wahrhaft erdrückenden Formendienst macht.

Nach Vorstehendem halte ich es für das Erforderniß eines guten Prozeßverfahrens vor den Kollegialgerichten, daß der Anwalt (Prozeßvertreter) stets zugleich die Eigenschaft des Advokaten in sich vereinige. Alle Anwälte sollen Advokaten sein. Ob es umgekehrt sich empfehle, auch allen Advokaten die Anwaltschaft bei den Kollegialgerichten zu ertheilen, wird weiter unten zur Sprache kommen.

Ich wende mich nunmehr zu der Hauptfrage:

Welches der oben geschilderten drei Systeme entspricht am meisten den Interessen der Rechtspflege?

Meines Erachtens gebührt der Vorzug dem gemischten Systeme, wie es in Rheinpreußen, Hannover und Braunschweig besteht, dem Systeme der freien Advokatur und der geschlossenen Advokatanwaltschaft. Dabei setze ich jedoch voraus und verlange:

a) daß unter sämmtlichen Advokatanwälten des Landes (in größeren Staaten zum mindesten unter sämmtlichen Advokatanwälten eines Appellationsgerichtssprengels) die freieste Konkurrenz eröffnet wird, so daß denselben unbedingt, sie mögen dem Wohnsitzzwange unterworfen sein oder nicht, die Befugniß zukommt, bei allen Kollegialgerichten des Landes (beziehungsweise des Appellationsgerichtssprengels), mit Ausnahme jedoch des obersten Gerichtshofes, sowohl die Verrichtungen der Anwaltschaft (vorbehältlich der Pflicht zur Aufstellung eines am Gerichtssitze wohnenden Einhändigungsbevollmächtigten) als die Verrichtungen der Advokatur auszuüben;

b) daß sowohl die Bestimmung der Zahl der Advokatanwälte im Allgemeinen, als auch die Besetzung erledigter Anwaltsstellen in die Hand der höheren Gerichte (der Appellationsgerichte oder des obersten Gerichtshofs) gelegt wird, und daß das Gesetz den Gerichten zur Pflicht macht, die Zahl der Advokatanwälte in einer Weise zu bemessen, durch welche das Bedürfniß völlig zweifellos gedeckt ist.

Für das gemischte System mit den angegebenen Modalitäten spricht meines Erachtens folgende Betrachtung:

Wie einer Seits für das öffentlich-mündliche Verfahren, insbesondere für das von der Verhandlungsmaxime durchbrungene Civilverfahren, die Mitwirkung eines tüchtigen Advokatenstandes schlechthin unentbehrlich ist, so wird anderer Seits dieses Verfahren auch von der günstigsten Rückwirkung auf die Mitglieder dieses Standes sein. Allein es wäre eine Täuschung, in der Oeffentlichkeit und Mündlichkeit allein schon die volle Bürgschaft für das Gedeihen des Advokatenstandes zu finden. Weitere unerläßliche Bedingungen dafür sind:

1) eine wirksame, weitreichende Konkurrenz unter den Berufsgenossen,
2) eine gesicherte ökonomische Existenz des Standes,
3) äußere Unabhängigkeit seiner Stellung.

Zu 1.

Die Konkurrenz ist die unentbehrliche Lebensluft für den Advokatenstand. Sie erzeugt und erhält am sichersten diejenige Anspannung der Kräfte, welche der Beruf des Advokaten fordert. Sie vermag am gerechtesten das Verdienst zu belohnen. Sie gewährt den Rechtsuchenden die Auswahl, welche nothwendig ist, damit ihr Sachwalter der Mann ihres Vertrauens sei.

Am wirksamsten ist nun allerdings die Konkurrenz dann, wenn der Zutritt nicht blos zur Advokatur im engern Sinne, sondern auch zur Advokatanwaltschaft völlig frei gegeben wird. Allein wofern die Schließung der

Zahl der Advokatanwälte aus anderen Gründen (welche sogleich zur Sprache kommen werden) sich empfiehlt, so ist gewiß nicht zu leugnen, daß sich immerhin mittelst der schon oben angedeuteten Mittel eine sehr wirksame und weit reichende Konkurrenz auch innerhalb des privilegirten Theiles der Standesmitglieder herstellen läßt.

Zu 2.

Dem Advokatenstande muß ferner eine, wenn auch nicht glänzende, doch anständige ökonomische Existenz gesichert sein. Fehlt es an dieser Voraussetzung, so wird der Stand zur Domäne der Reichen oder zum Zufluchtsort der Mittelmäßigen; das Talent kehrt ihm den Rücken. Oder sollte ein Beruf noch gesucht werden, dessen Mitglieder bei aufreibender geistiger Arbeit entweder zum Cölibate oder zur Sorge um eine darbende Familie verurtheilt sind, ein Beruf, der selbst den treuen und fähigen Arbeiter nicht so weit lohnt, daß dieser die kleine, einst von der Hochschule mitgebrachte Büchersammlung nothdürftig ergänzen, noch viel weniger einen Sparpfennig für die Tage des Alters und der Krankheit erübrigen kann?.

Somit fragt sich: Ist die ökonomische Existenz des Advokatenstandes auch dann noch gesichert, wenn jede Schranke außer den Prüfungen fällt?

Ich verneine diese Frage im Hinblick auf die Erfahrungen, welche man in Mecklenburg-Schwerin (Deutsche Gerichts-Zeitung von 1862, No. 25) und in meinem Heimathlande Württemberg gemacht hat. Diese Erfahrungen müssen auch denjenigen, welcher der Advokaturfreiheit im Prinzip mit Wärme zugethan ist, geneigt machen, der Wahl eines vermittelnden Ausweges, wie er in dem oben geschilderten gemischten Systeme sich darbietet, beizupflichten. In kleinen wohlhabenden Handels- und Industriestaaten, wo die Jugend der gebildeten Stände die Advokatur nicht als brodgebenden Beruf, sondern nur als Uebergangsstufe zu den öffentlichen Würden und Ehrenämtern sucht, bedarf es allerdings keinerlei Schranke. Aber in sonstigen Staaten liegen die sozialen Verhältnisse heutzutage anders.

Das Recht der Staatsgewalt, die Advokatur, sei es ganz oder theilweise, zu schließen, sobald das Bedürfniß der Rechtspflege es verlangt, läßt sich grundsätzlich nicht bestreiten. Nun muß aber die Rechtspflege, zumal die auf die Verhandlungsmaxime gegründete öffentlich-mündliche Civilrechtspflege, auf's Tiefste Noth leiden, wenn die Advokatur krankt. Unrichtig ist darum auch die oft gehörte Vergleichung der Stellung der Advokaten mit der Stellung der Aerzte. Der Arzt wird lediglich aus Gründen der Wohlfahrtspolizei der Prüfung und Concessionirung unterworfen, sein Beruf ist ein Privatberuf. Es hat deshalb auch noch Niemand daran gedacht, eine Disciplin über die Aerzte einzuführen. Der Advokat dagegen ist ein unentbehrliches Glied im Organismus der Rechtspflege, seine Thätigkeit steht in untrennbarem Zusammenhange mit der Erfüllung des wichtigsten aller Staatszwecke.

Aus diesem Grunde schlägt gegenüber der Nahrungslosigkeit des Advokatenstandes, wie sie im Falle der Ueberfüllung eintritt, auch der Trost nicht an, daß jedes Uebermaaß mit der Zeit von selbst zur Heilung führe. Denn der Krankheitsprozeß wird bei dem Drucke der gegenwärtigen gesellschaftlichen Verhältnisse nicht akut, sondern chronisch verlaufen, und es wird darum unvermeidlich die Rechtspflege selbst in Mitleidenschaft gezogen werden.

Die Gewährung der Vertragsfreiheit hinsichtlich der Taxe, eine Maaßregel, die sich allerdings jedenfalls empfiehlt, ist kein zureichendes Mittel, das Einkommen des Advokatenstandes zu sichern oder wesentlich zu heben. Denn eine Taxe, sei es eine gesetzliche oder auf der Gerichtspraxis beruhende, kann wenigstens für den Fall des mangelnden Vertrages, sowie zur Regelung der Ersatzpflicht des in die Kosten verurtheilten Gegners doch nicht entbehrt werden. Besteht aber eine solche Taxe, so wird das Verlangen einer höheren Belohnung vor der Annahme eines Mandats selten gestellt und noch seltener ohne Mißstimmung bewilligt werden. Die Erfahrung derjenigen Deutschen Länder, wo die Vertragsfreiheit besteht, dient diesem Satze zur hinreichenden Bestätigung.

Gegen eine Schließung der Advokatur, sei sie eine gänzliche oder theilweise, wird vielfach eingewendet, es sei nicht möglich, mit irgend welcher Sicherheit zu ermessen, welche Zahl von Advokaten oder Advokatanwälten zur Deckung des Bedürfnisses erforderlich sei — untüchtige Advokaten werde es immer zu viel, tüchtige zu wenig geben. Diese Behauptung hat mehr Schein, als Wahrheit. Die Gerichte, die Presse, die Landstände werden nicht ermangeln, die krankhaften Symptome, welche sowohl bei der Ueberfüllung als bei der unzureichenden Besetzung des Standes der Advokaten oder Advokatanwälte, ja auch schon bei dem Drohen dieser Zustände sich einstellen, rechtzeitig zur Sprache zu bringen.

Gegen das gemischte System wird noch insbesondere eingewendet, bei der Beschränkung der Zahl der Advokatanwälte sei die Freiheit des Zutritts zu der bloßen Advokatur, welche letztere bei den Kollegialgerichten von der Prozeßvertretung ausgeschlossen und in der Verrichtung des Plaidirens durch die Konkurrenz des Advokatanwalts überflüssig gemacht sei, praktisch werthlos. Meines Erachtens ist dieser Einwand nicht richtig. Indem die Advokatur das Recht gewährt, in Strafsachen bei allen Gerichten als Vertheidiger, in Civilsachen vor dem Einzelrichter als Sachführer, vor den Kollegialgerichten, sobald eine Partie es wünscht, als plaidirender Beistand (neben dem Advokatanwalt) aufzutreten, wird dieselbe für die jüngeren Männer die

Vorschule zur Advokatanwaltschaft und der Kampfplatz, auf welchem das Talent unter dem Schutze der Oeffentlichkeit sich Ansprüche auf Zulassung in den geschlossenen Kreis der Advokatanwälte erwirbt. Eben dadurch wird es andererseits möglich, bei der Besetzung erledigter Advokatanwaltsstellen stets die tüchtigsten Kräfte auszuwählen. Tritt ein übermäßiger Zudrang zur Advokatur ein, so werden die nachtheiligen Wirkungen desselben nicht die Rechtspflege selbst ergreifen, sondern in der Hauptsache auf junge Männer beschränkt bleiben, welche noch im Stande sind, sich einen anderen Lebensberuf zu wählen. Uebrigens werden auch reifere Männer, welche aus einem Richteramte oder aus einem, die rechtswissenschaftliche Bildung erfordernden, Verwaltungsamte infolge widriger Umstände freiwillig ausscheiden, in der Advokatur die Gelegenheit finden, durch bedeutende Leistungen sich Ansprüche auf Zulassung zur Advokatanwaltschaft zu erwerben.

Zu 3.

Schließlich muß noch gefragt werden, ob das gemischte System, wie solches aus den zu Ziffer 2 angeführten Gründen sich empfiehlt, mit den unerläßlichen Anforderungen an Unabhängigkeit des Advokatenstandes vereinbar sei.

Ich glaube, auch diese Frage bejahen zu dürfen.

Wird, was bereits oben als Voraussetzung angedeutet wurde, nach dem Vorgange der Oldenburgischen Gesetzgebung (Anwaltsordnung vom 28. Juni 1858, Art. 1, § 1) die Besetzung erledigter Advokatanwaltstellen in die Hand der höheren Gerichte (der Appellationsgerichte oder des obersten Gerichtshofes) gelegt, so ist nicht zu besorgen, daß politische Rücksichten bei Vergebung dieser Stellen entscheiden. Soviel die Disciplin über die Advokatanwälte betrifft, so kann solche in der Hauptsache den eigenen korporativen Organen derselben, vorbehältlich eines gewissen Ahndungsrechts der Gerichte, füglich überlassen werden. Würde man übrigens, was hier ganz dahingestellt bleiben kann, glauben, eine nach Französischem Muster eingerichtete staatsanwaltschaftliche Ueberwachung der Advokatanwälte in ihrer Eigenschaft als gesetzlicher Prozeßvertreter nicht entbehren zu können, so würde sich diese Ueberwachung immerhin bei dem gemischten Systeme, welches nur einen Theil der Advokaten zur Anwaltschaft zuläßt, auf einen kleineren Kreis beschränken als bei einem Systeme, das sämmtliche Advokaten zugleich für Anwälte erklärt.

Daß durch die theilweise und selbst durch die gänzliche Schließung des Advokatenstandes die Befähigung seiner Mitglieder zu hervorragenden Leistungen auf dem politischen Gebiete nicht beeinträchtigt wird, erhellt zur Genüge aus der Erfahrung der Deutschen Länder, wo eine solche Schließung besteht.

Das Resultat meiner gutachtlichen Ansicht fasse ich kurz dahin zusammen: Im Interesse der Rechtspflege empfiehlt sich freie Advokatur, aber geschlossene Advokatanwaltschaft, Letztere mit der Einrichtung, daß die freieste Konkurrenz auch unter den Advokatanwälten in Beziehung auf ihre ganze Berufsthätigkeit eröffnet und daß sowohl die Bestimmung der Zahl der Advokatanwälte als die Besetzung erledigter Anwaltsstellen in die Hand der höheren Gerichte, sei es der Appellationsgerichte oder des obersten Gerichtshofes, gelegt wird.

§ 2.
Begutachtung des Antrages:
Das Notariat ist von der Anwaltschaft zu trennen.

Nach der Französischen Gesetzgebung ist das Notariat unvereinbar, sowohl mit dem Berufe eines Prozeßvertreters (avoué), als mit demjenigen eines Advokaten im engeren Sinne (avocat).

Loi du 25 Ventôse, an XI, art. 7. Ordonnance du 20. Novembre 1822, art. 42.

Derselbe Grundsatz gilt in Rheinpreußen (Notariatsordnung vom 25. April 1822, Art. 5). Ebenso bestimmt das seit Kurzem in's Leben getretene Bayerische Notariatsgesetz vom 10. November 1861, Artikel 4, daß ein Notar die Stelle eines Rechtsanwalts nicht bekleiden könne. Auch die neuere Oesterreichische Gesetzgebung geht von der Anschauung aus, daß jenes Prinzip an sich ein empfehlenswerthes sei; sie hat sich aber mit Rücksicht auf die örtlichen Verhältnisse genöthigt gesehen, demselben nur eine beschränkte Durchführung zu geben. Der § 9 der Oesterreichischen Notariatsordnung vom 21. Mai 1855 bestimmt nämlich: Mit der Stelle eines Notars ist ein besoldetes Staatsamt niemals, die Advokatur aber nur auf dem Lande und in denjenigen Städten vereinbar, in welchen sich kein Landesgericht befindet.

Dagegen ist der Gesetzgebung mancher anderen, ja vielleicht der meisten Deutschen Staaten das Verbot der Vereinigung von Notariat und Advokatur unbekannt. In Preußen, mit Ausnahme der Rheinprovinz, in Sachsen, Hannover, Braunschweig hat theils die Gesetzgebung, theils die Praxis dahin geführt, daß es dort gegenwärtig verhältnißmäßig nur wenige Notare gibt, welche nicht zugleich Rechtsanwälte wären.

Preußische Gerichtsordnung, Theil III, Titel 7, §§ 3, 9, 16; Preuß. Gesetz über das Verfahren bei Aufnahme von Notariats-Instrumenten vom 11. Juli 1845, § 45 und Preuß. Organisationsverordnung vom 2. Januar 1849, § 30.

Sächsische Notariatsordnung vom 3. Juni 1859, §§ 6 und 90.

Hannöver'sche Notariatsordnung vom 18. Sept. 1853, §§ 2 und 3.

Braunschweig'sche Notariatsordnung vom 19. März 1850, §§ 4 und 27.

In Preußen besteht zufolge des § 30 der Organisationsverordnung vom 2. Januar 1849 die Regel, daß nur in den Städten von 50,000 und mehr Einwohnern besondere Notare (d. h. solche, welche nicht zugleich Rechtsanwälte sind) angestellt werden können. Die weitere Vorschrift des gedachten § 30, daß die künftig anzustellenden Rechtsanwälte des Ober-Tribunals und der Appellationsgerichte in der Regel nicht gleichzeitig Notare sein sollen, ist bis jetzt nur hinsichtlich der Ober-Tribunalsanwälte zur Ausführung gelangt (Deutsche Gerichts-Zeitung von 1862, No. 19).

Auch in Württemberg, wo neben den im eigentlichen Staatsdienste stehenden besoldeten Gerichtsnotaren und Amtsnotaren (d. h. Hilfsbeamten für die Bezirksgerichte und die Gemeindebehörden im Fache der nichtstreitigen Gerichtsbarkeit) noch sogenannte immatrikulirte, auf ihre freie Praxis angewiesene, Notare — wenn auch in geringer Zahl — bestehen, ist den Letzteren die gleichzeitige Ausübung der Advokatur, falls sie die vorschriftsmäßige Befähigung dazu nachgewiesen haben, nicht untersagt.

Württemb. Notariatsordnung vom 25. Oktob. 1808, § 5.

Es läßt sich nun aber nicht verkennen, daß die Vereinigung des Notariats mit der Advokatur gewisse nicht unerhebliche Nachtheile sowohl für die eine als für die andere Berufsart zur Folge hat, und wenn diese Nachtheile in manchen Ländern sich praktisch noch nicht sehr fühlbar gemacht haben, so erklärt sich dies daraus, daß dort die Geschäftsaufgabe und Bedeutung des Notariats, theils in Folge der gesetzlichen Bestimmungen über seinen Wirkungskreis, theils auch in Folge der Verkehrsverhältnisse eine äußerst mäßige, beziehungsweise wenig entwickelte ist, und daß hinsichtlich der Stellung der Advokatur die geläuterten Anschauungen der Neuzeit noch nicht völlig durchgedrungen sind.

1) Durch die Vereinigung leidet zunächst das Notariat.

So verschieden auch der Umfang des Notariats in den verschiedenen Gesetzgebungen bestimmt ist, so besteht doch immer sein Hauptberuf darin, daß es juristische Thatsachen zu beurkunden und dadurch bleibende, möglichst untrügliche Erkenntnißquellen für dieselben zu schaffen hat. Die Amtshandlung des Notars beansprucht allgemeinen, öffentlichen Glauben, sie fordert als ihr Recht das Vertrauen nicht blos des Einzelnen, sondern Aller. Die Verrichtungen der Advokatur hingegen, mit Einschluß der Advokatanwaltschaft, tragen — wenigstens äußerlich betrachtet — den Charakter der entschiedensten, schroffsten Parteinahme an sich. Wird das Publikum, werden namentlich die minder gebildeten Klaffen es in der Ordnung finden, wenn der Mann, welcher im Gerichtsfaale vor Jedermann's Augen als erklärter Diener der Parteiinterefsen auftritt, daheim in seiner Amtsstube sich in einen Träger obrigkeitlicher Gewalt verwandelt, in einen Beamten, welcher das Recht ausübt, juristischen Thatsachen, deren Dasein oder Nichtdasein in die Privatinterefsen auf's Tieffte eingreift, den Stempel der Gewißheit auf-zudrücken?

Mag auch die Gefetzgebung immerhin verbieten, daß der Notar, welcher zugleich Advokat ist, in Beziehung auf die specielle Angelegenheit, worin er bereits einer Partei advokatorische Dienfte geleistet oder auch nur zugesagt hat, nachträglich notarielle Verrichtungen ausübe:

Zu vergl. Preuß. Gefetz über das Verfahren bei Aufnahme von Notariatsinftrumenten, vom 11. Juli 1845 §. 6.

Hannöv. Notariatsordnung §. 27. Ziff. 3.

Sächf. Notariatsordnung §. 11. Ziff. 6. (wo übrigens Wechfel-protestaufnahmen von dem Verbote ausgenommen find).

Das Verbot für den einzelnen Fall reicht doch nicht aus, um die Mei-nung des Publikums mit der allgemeinen advokatorischen Berufsthätigkeit des Notars zu verföhnen. Es handelt sich auch in der That nicht um bloße Vorurtheile. Das Publikum muß unbedingt sich darauf verlafsen können, daß die juristischen Thatsachen und Vorgänge, welche der Notar mit recht-licher Wirkung gegen Alle beurkundet, mit dem höchsten Grade von Unbefangenheit beobachtet und dargestellt find. Dafselbe muß ferner un-bedingt darauf bauen können, daß die auf Antrag der Parteien beurkundeten Thatsachen und Vorgänge unter dem Schutze unverbrüchlicher Amts-verschwiegenheit ftehen und daß die Protokolle, Regiftraturen und Depositorien des Notars Dritten weder unmittelbar, noch mittelbar zugänglich find. Kann das Vertrauen des Publikums in diefem Punkte ein volles, rückhaltslofes, allgemeines fein, wenn der Notar, der Kenner fo vieler intimer Familien- und Geschäftsverhältnifse, der Bewahrer fo vieler bedeutfamer Urkunden, täglich in feinem Advokatenberufe den einfeitigen Par-teiinterefsen feine Dienste leiht oder zu leihen befugt ist?

Wohl mag auch hier der Gefetzgeber durch ein schützendes Verbot zu helfen fuchen, er mag aussprechen, daß Notare, welche zugleich Advokaten find, bei Rechtsstreitigkeiten, die aus den von ihnen aufgenommenen Urkunden ent-springen oder überhaupt auf die darin behandelten Rechtsverhältnifse sich be-ziehen, keine advokatorischen Dienste leisten dürfen.

Zu vergl. Oesterreich. Notariatsordnung §. 39.

Das Publikum wird in diefem Verbote keine hinreichende Beruhigung finden. Abgesehen davon, daß der advocirende Notar bei der Annahme des

4*

Mandats für einen Prozeß häufig gar nicht voraussehen kann, ob im Laufe des Streits Rechtsverhältnisse zur Sprache kommen werden, worüber er früher irgend einmal einen notariellen Akt aufgenommen hat, so ist die Gränze des Verbots eine völlig unsichere; denn eine Beziehung zwischen dem Gegenstande des Rechtsstreits und dem Gegenstande des Notariatsakts kann in den verschiedensten Abstufungen vorkommen, sie kann eine mehr oder minder nahe, eine mehr oder weniger greifbare sein. Selbst wenn eine Urkunde vor Gericht nicht benützt, wenn sie mit keinem Worte erwähnt wird, so kann schon die bloße Kenntniß ihres Inhalts für den advocirenden Notar vom größten Nutzen bei Führung des Rechtsstreits sein. Ueberdieß werden dem Notar bei Gelegenheit seiner notariellen Praxis eine Menge konfidentieller Verhältnisse bekannt, ohne daß sie zum Gegenstand der notariellen Beurkundung werden. Ferner stehen demselben gewöhnlich nicht blos seine eigenen Protokolle und Registraturen, sondern auch diejenigen seiner Amtsvorgänger offen, sei es, daß er solche selbst in Besitz übernommen hat oder daß sie in dem Archive einer Notariatskammer oder eines Gerichts hinterlegt sind. Er wird nicht selten in den Fall kommen, solche ältere Akten nachschlagen zu müssen. Wird nun der advocirende Notar alles das, was er auf völlig erlaubten Wegen gelegentlich erfahren hat, sofort, wenn er in den Gerichtssaal eintritt, vergessen können?

Dem Allem nach läßt sich wohl nicht bezweifeln, daß das öffentliche Vertrauen in das Notariat durch seine Vereinigung mit der Advokatur beeinträchtigt wird.

Daneben leidet aber das Notariat noch in anderer Hinsicht.

Rasches, augenblickliches Handeln ist bei manchen notariellen Verrichtungen unerläßlich, wenn nicht der Zweck verfehlt, die Begründung oder Erhaltung eines wichtigen Rechts vereitelt werden soll. Das Büreau des Notars muß stets geöffnet sein. Wie steht es hiemit, wenn der Notar advocirt? So lange das Prozeßverfahren ein wesentlich schriftliches ist, mag Derselbe seinem zweifachen Berufe auf dem Büreau nachgehen. Ist aber das Prozeßverfahren ein mündliches, so wird er, sofern er advociren will, die Zeit der Geschäftsstunden im Gerichtssaale zubringen, und die Parteien, welche seiner notariellen Thätigkeit bedürfen, werden entweder an der Thüre seines Büreaus umkehren müssen oder sie werden, was noch schlimmer für sie ist, von Schreiberei-Gehilfen bedient, berathen, hingehalten werden.

2) Durch die Vereinigung beider Berufsarten leidet aber auch die Advokatur. Die Autorität, welche der Notar als solcher ausübt, fließt unmittelbar aus der Staatsgewalt. Indem derselbe einer juristischen Thatsache den Stempel des öffentlichen Glaubens mit allgemein verbindlicher Wirkung aufdrückt, handelt er direkt im Auftrag und Namen des Staats.

Kurz, er bekleidet ein öffentliches Amt. Er befindet sich folgeweise auch in der Abhängigkeit, welche mit einem öffentlichen Amte nothwendig verbunden ist. Eine höhere Behörde, sei es eine gerichtliche oder staatsanwaltschaftliche, muß darüber wachen, ob seine Amtsführung in Beziehung auf Gesetzmäßigkeit und Raschheit der Geschäftsbehandlung, in Beziehung auf geordnete Führung und Aufbewahrung der öffentlichen Protokolle und Register und, falls er für den Staat Gebühren einzuziehen und abzuliefern hat (wie z. B. in Bayern), in Beziehung auf die Behandlung des öffentlichen Gebührenwesens untadelhaft ist.

Wenn also der Advokat zugleich als Notar practicirt, so wird er eben dadurch ein überwachter Beamter. Er opfert einen Theil der ihm für seinen Advokatenberuf höchst nothwendigen Unabhängigkeit. Er wird entweder zum Untergebenen der Gerichte, deren Handlungen zu bewachen, zu kritisiren und nach Umständen anzufechten seine Aufgabe ist, oder er wird zum Untergebenen der Staatsanwälte, welche nach der Natur ihres Berufs die mehr oder weniger abhängigen Organe der Staatsregierung sind.

Stehen etwa neben diesen Nachtheilen, welche aus der Vereinigung von Notariat und Advokatur entspringen, auch erhebliche Vortheile?

Es ist wahr, für den Notar ist der gleichzeitige Betrieb der Advokatur ein Sporn zu wissenschaftlicher Fortbildung, ein Schutz gegen handwerksmäßige Auffassung und Behandlung der notariellen Geschäfte, eine Quelle mancher nützlichen, im Bereiche des Notariats verwerthbaren, Erfahrungen. Allein bei wahrhaft ernstem Streben ist es dem Notar nicht unmöglich, auch auf anderem Wege seine wissenschaftliche Fortbildung zu sichern und die Erfahrungen der streitigen Rechtspflege sich zu Nutzen zu machen.

Uebrigens darf nicht übersehen werden, daß die Trennung des Notariats von der Advokatur nur an Orten durchführbar ist, wo beide Berufsarten von solchem Geschäftsumfang sind, daß jede derselben für sich allein ihren Mann ernährt.

Das Resultat meiner gutachtlichen Ansicht geht also dahin: .

Es ist wünschenswerth, daß das Notariat von der Advokatur, mit Einschluß der Advokatanwaltschaft, überall getrennt werde, wo der Geschäftsumfang beider Berufsarten ein selbstständiges Bestehen derselben ermöglicht.

B. Gutachten des Hof- und Gerichts-Advokat Dr. Kopp in Wien.

Indem ich der ehrenden Aufforderung der ständigen Deputation, über den II. die Freigebung der Advokatur und die Trennung des Notariats von der Advokatur betreffenden Antrag des Herrn Stadtgerichtsrathes Dr. Eberty ein Gutachten zu erstatten, nachkomme, kann ich mir das Mißliche der Aufgabe, eine schon seit Jahren von so vielen theoretischen und praktischen Celebritäten ventilirte Frage noch einmal und zwar vor der Elite des Deutschen Juristenstandes zu besprechen, nicht verhehlen. Bei so vielen trefflichen Vorarbeiten liegt die Versuchung nahe, dieselben kritisch zu excerpiren, die oft vorgebrachten Gründe und Gegengründe zusammenzustellen und sich dann für die eine oder die andere Ansicht zu entscheiden. Die Mühe wäre noch dadurch verringert, daß die Deutsche Gerichtszeitung im Jahre 1862 ein, wenn auch nicht erschöpfendes Repertorium der einschlägigen Literatur gebracht hat. Ich glaube jedoch der Absicht der ständigen Deputation besser zu entsprechen, wenn ich nicht diesen Weg einschlage, sondern über diese dem Prinzipe nach doch nachgerade spruchreife Frage meine allerdings resümirende Ansicht als die eines Fachmannes, der sich mit diesem Gegenstande schon mehrfach literarisch beschäftigt hat, vorlege.

Indem ich dem ersten Theile des Antrages: „die Anwaltschaft ist freizugeben", ohne Zögern und Rückhalt zustimme, gehe ich von dem Fundamentalsatze des freien Rechtsstaates aus, daß der freie Gebrauch jeder geistigen Kraft, die berufsmäßige Verwerthung alles Wissens und Könnens nur dann und insoweit einer Beschränkung durch das Gesetz unterworfen werden darf, als überwiegende unzweifelhafte Gründe aus Rücksicht auf das öffentliche Interesse diese Beschränkung nothwendig machen.

Ich füge aber sogleich bei, daß ich als einen solchen Grund die Möglichkeit, ja die Wahrscheinlichkeit, daß der freie Gebrauch zuweilen auch zum Mißbrauche führen könne, nicht ansehen kann. Diese Möglichkeit, diese Wahrscheinlichkeit ist unzertrennlich von allen freiheitlichen Institutionen, und kann andererseits durch die weitgehendsten beschränkenden Cautelen nicht ausgeschlossen werden. Es ist gewiß, daß jede polizeiliche, jede bevormundende Maßregel und sei sie noch so vexatorisch, auch wieder etwas Gutes insofern hat, als sie viel Schlimmes verhindert, aber das ist ja eben der prinzipielle Unterschied des Rechtsstaates vom Polizeistaate, daß man in ersterem, ohne sich sanguinischen Hoffnungen, idealistischen Träumereien hinzugeben, die unvermeidlichen Gefahren der Freiheit bei bewußter Erkenntniß derselben lieber mit in den Kauf nimmt, als aus Furcht vor ihnen auf die Freiheit selbst verzichtet, während man sich in der Hürde des Polizeistaates über tausend Beschränkungen mit dem behaglichen Gefühle tröstet, daß dadurch auch so manche Gefahr, wenn nicht beseitigt, so doch verringert wird.

Wer diesem Grundgedanken nicht zustimmt, der dürfte auf wissenschaftlichem Wege für die Freigebung der Anwaltschaft wohl kaum zu gewinnen sein. Ich stelle ihn daher als Axiom an die Spitze meines Gutachtens, um daraus die allein zulässigen Beschränkungen des Eberty'schen Satzes abzuleiten und den Werth der dagegen erhobenen Bedenken daran zu prüfen.

Dieselben Gründe, welche den Deutschen Juristentag bestimmten, für den Civilprozeß, wenigstens so weit er vor Richterkollegien verhandelt wird, den Anwaltszwang zu befürworten, dieselben Gründe sprechen dafür, daß die Ausübung der Anwaltschaft nur dem gestattet werde, der ein gewisses, durch allgemeine Gesetze gefordertes Ausmaß theoretischer und praktischer Fachbildung nachweisen kann. Diese Bedingung aber, so wie die Forderung des Anwaltszwanges läßt sich nicht etwa damit rechtfertigen, daß sonst einzelne Parteien durch ihre eigene oder ihrer ungeschulten Advokaten schlechte Vertretung Schaden leiden könnten, — das ist ihre Sache, denn der Staat bestellt erwachsenen Personen keinen Vormund, weder im Allgemeinen, noch für einzelne Fälle, und endlich kommt schlechte Vertretung auch durch studirte Rechtsfreunde alle Tage vor. Der durchschlagende Grund für jene Beschränkung, wie für den Anwaltszwang ist vielmehr die praktische Unmöglichkeit einer würdigen Rechtspflege ohne gelehrte Parteienvertreter, wenn man nicht das Verhandlungsprinzip mit Stumpf und Stiel ausrotten und einen rein inquisitorischen Civilprozeß schaffen will. Daß ohne gelehrte Parteienvertreter der Richter nicht blos, was den Rechtspunkt betrifft, auf sich allein angewiesen, sondern auch genöthigt wäre, das faktische Material herbeizuschaffen und zu ordnen, liegt so sehr auf flacher Hand, daß, wer an dem Verhandlungsprinzipe (wenn auch nicht in seiner theoretischen Schroffheit) einmal festhält, eines Beweises für die Unentbehrlichkeit rechtsgelehrter Anwälte nicht mehr bedarf.

Noch viel unleidlicher als im schriftlichen wäre im mündlichen Civilprozeß die Verhandlung mit ungelehrten Advokaten. Wenn im mündlichen

Civilprozesse die Termine nicht durch eine gute Instruktion vorbereitet und mit ökonomischer Benutzung der Zeit abgehalten werden, so wäre kein Staat im Stande, die zur Rechtspflege erforderliche Anzahl von tauglichen Richtern aufzutreiben und zu bezahlen. Bedenkt man noch, wie bei einem solchen Verfahren die Würde der Rechtspflege und die praktische Entwickelung der Rechtsinstitutionen leiden würde, so ist wohl der Einfall, daß das Erforderniß theoretischer und praktischer Vorbildung zum Anwaltstande entbehrt werden könnte, mehr als genügend widerlegt, und ich würde hiebei nicht einmal so lange verweilt haben, wenn ich nicht gewünscht hätte zu zeigen, daß der von mir vorausgeschickte Fundamentalsatz allerdings Beschränkungen der bürgerlichen Freithätigkeit im Staate zuläßt, in welcher Weise aber auch solche gerechtfertigt werden müssen.

Ich glaube nur noch, bevor ich zu einem anderen Punkte übergehe, bemerken zu sollen, daß auch Herr Stadtgerichtsrath Eberty, indem er dem allgemeinen Sprachgebrauche folgend, den Satz: die Anwaltschaft ist freizugeben, ganz allgemein hinstellte, die von mir geforderte Beschränkung als selbstverständlich betrachtete, da meines Wissens die entgegengesetzte Ansicht noch von keinem Sachverständigen ausgesprochen wurde und nur wenige es der Mühe werth fanden, sie auch nur zum Behufe der Widerlegung zu erwähnen.

Freigebung der Advokatie im Sinne des Eberty'schen Antrages ist demnach jene Einrichtung, vermöge welcher die Ausübung der Advokatie jedem im Vollgenusse seiner bürgerlichen Rechte befindlichen Staatsbürger gegen Nachweisung der vom Gesetze erforderten theoretischen und praktischen Ausbildung gestattet ist.

Der Antrag ist jedoch ungeachtet seiner positiven Formulirung dem Kerne nach mehr negativ als positiv; dafür spricht schon die Kürze und Allgemeinheit der Fassung. Die künftige Gestaltung, die Organisation der Advokatie ist darin nicht einmal im Keime gegeben, er polemisirt eigentlich nur gegen die Beschränkung der Zahl und will, daß derjenige, welcher den gesetzlichen Erfordernissen Genüge geleistet hat, ein Recht habe zur Ausübung der Advokatie, nicht aber ein Recht, um die Ernennung zum Advokaten zu bitten und auf diese Ernennung zu warten — kurz er ist die Negative des Zunft- und Konzessionssystems.

In dieser Beziehung aber hat die Zeit jedem Verfechter des Eberty'schen Antrags vorgearbeitet: er fordert in dem Jahrhundert, das die Gewerbefreiheit in Deutschland zur Herrschaft bringt, ja nichts anderes, als daß der Gedanke der Gewerbefreiheit auch auf die Advokatie angewendet werde.

Ob man nun das Wort „Gewerbe" auf die Advokatie anwende oder nicht, ist gleichgültig, der Sache nach ist die Advokatie als berufsmäßige Verwerthung geistiger Arbeit in der Absicht, zu erwerben, allerdings ein Gewerbe.

Durch diese Rangirung der Advokatie werden die weiteren intellektuellen und moralischen Erfordernisse eines ehrenhaften Advokaten keineswegs negirt, sondern nur nicht berührt, weil sie als einer höheren Sphäre angehörig sich gegen jede Normirung durch Staatsgesetze ihrer Natur nach sträuben. Wenn die Advokatie ein edlerer Beruf sein soll, als etwa ein Handwerk, so kann diese edlere Natur doch kein Grund sein zu größerer äußerer Beschränkung. Die Künste haben aus eben dem Grunde sich schon früher als „freie" zu erhalten gewußt, die Fabrik und der Großhandel waren die Zunftfessel früher abzustreifen im Stande, als das Kleingewerbe, und so galt von jeher die geistigere Natur eines Berufes, die höhere Bildung, die er erfordert, die angesehene Stellung, welche er verschafft, immer als Grund, die Ausübung desselben von der Beschränkung auf eine gewisse Zahl und von einer höheren Genehmigung zu emancipiren. Der Haupteinwand gegen die Gewerbefreiheit war und ist ja immer der, daß sie eine große Zahl gerade von minder gebildeten und minder urtheilsfähigen Personen verleitet, ohne Abwägung ihrer Kraft, ohne besonnene Erwägung der Umstände, ohne ausreichendes Betriebskapital, Geschäfte zu unternehmen, bei denen dann die Mehrzahl zu Grunde geht. Hat dieses Bedenken das Vordringen der Gewerbefreiheit nicht aufzuhalten vermocht, wie soll es bei der Advokatie geltend gemacht werden, deren Betrieb doch unter allen Umständen eine solche Befähigung und Bildung voraussetzt, wie sie von keinem Gewerbetreibenden gefordert und bei der Mehrzahl der letzteren auch nicht gefunden wird. Sollte man dem Juristen, der die Universität verlassen und ein Staatsexamen bestanden hat, nicht so viel Ueberlegung zutrauen, als dem Schneidergesellen, den die Lust anwandelt, sich selbst zu etabliren?

Der bedeutendste Einwurf gegen die Anwendung der Gewerbefreiheit auf die Advokatie geht dahin, daß bei den Gewerben, welche materielle Güter erzeugen, ein fast unbegrenzter Aufschwung der Produktion allerdings möglich und wünschenswerth ist, weil die durch Konkurrenz veranlaßte Billigkeit und Vorzüglichkeit der Waare auch die Nachfrage steigert und die allseitige Produktionssteigerung auch die allseitige Konsumtionsfähigkeit erhöht, während bei der Bearbeitung des Rechtsstoffes eine solche Steigerung der Produktion, ein solcher vermehrter Anreiz zur Konsumtion nur innerhalb sehr enger Grenzen möglich und wünschenswerth sei.

Es ist etwas an diesem Grunde, doch kann ich ihn nicht für durchschlagend erkennen. Auch auf materiellem Gebiete ist Ueberproduktion und ein solches Drücken der Preise möglich, daß die Existenz der Produzenten gefährdet ist und Unsolidität im weitesten Sinne des Wortes hervorgerufen wird. Am auffallendsten tritt dies bei jenen Gewerben auf, deren Absatzgebiet räumlich sehr ausgedehnt ist, bei der Großfabrik, dem Großhandel, am

empfindlichften in focialer Beziehung kann dies aber bei dem Kleingewerbe ge-
fchehen, das den Lofalbedarf verforgt und nicht in der Lage ift, neue Abfatz-
orte zu fuchen. Da ift die Konfumtionsfteigerung nur innerhalb enger Grenzen denkbar und kann daher übermäßige Konkurrenz leicht verderblich werden.
Andererfeits ift die qnantitative und qualitative Hebung der Produktion auch
bei der Advokatie fehr wohl möglich und wünfchenswerth und wird vermehrte
Nachfrage zur Folge haben, wenn erft durch die Freigebung der Advokatie
der Anlaß zu einer folchen Produktionsfteigerung gegeben wird. Verwohl-
feilerung der Rechtshülfe und der erhöhte Eifer der Advokaten werden naturgemäß auch die Geneigtheit des rechtfuchenden Publikums, fich des rechts-
freundlichen Beiftandes der Advokaten zu bedienen, fteigern, und diefe Steigerung verbunden mit der Furcht vor der Konkurrenz dürften doch hinreichen,
um die Beforgniß vor einem übermäßigen Zudrang zur Advokatie einigermaßen zu fchwächen.

In der Natur der Advokatie liegt aber auch ein Element, welches ihre
Freigebung bedeutend weniger bedenklich erfcheinen läßt, als die Gewerbefreiheit — ich meine die größere Verfatilität, welche der höheren Intelligenz
der allgemeinen Bildung innewohnt. Der durch die Konkurrenz erdrückte
Schufter wird fehr fchwer ein verwandtes Gewerbe finden, in das er übertreten könnte; für den Advokaten findet fich in einer Zeit, welche Intelligenz,
Bildung, Gefchäfts- und Menfchenkenntniß in allen möglichen Gefchäften zu
fchätzen und zu verwerthen weiß, viel leichter ein ehrenvoller Ausweg, eine
nutzbringende Befchäftigung, und daß diefe Anficht mehr als eine theoretifche
Vermuthung ift, beweift das vielleicht am meiften advokatenübervölkerte Deutfche
Land, Sachfen nämlich, deffen Advokaten nach dem Zeugniffe Sächfifcher Ju-
riften fich vielfach durch allerdings nichtadvokatifche Befchäftigungen, bei denen
fie aber durch ihre juridifchen Kenntniffe, ihre advokatifche Gewandtheit, ihre
allgemeine Bildung bedeutend unterftützt werden, ernähren, ohne daß dadurch
die Ehrenhaftigkeit des Standes und feine Achtung im Publikum gefchmälert
würde.

Wenn alfo das Prinzip der Gewerbefreiheit theoretifch richtig ift, und
ungeachtet der davon unzertrennlichen Gefahren fich praktifch bewährt, fo läßt
fich gegen feine Anwendung auf die Advokatie kein triftiger, aus der befon-
deren Natur der letzteren fich ergebender Grund einwenden.

Die Gegner der Freigebung der Advokatie thun auch fehr fchlecht daran,
wenn fie, um den Konfequenzen der Gewerbefreiheit auszuweichen, gegen die
Bezeichnung der Advokatie als Gewerbe proteftiren. Alle ihre Einwendungen
find ja nur der gewerblichen Seite der Advokatie entnommen.

Sie betonen immer nur die Gefahren der Konkurrenz, den bedrohten
Nahrungsftand der Advokaten, und als Konfequenz diefer Kalamität die Un-

folidität, die mindere Ehrenhaftigkeit des Standes. Das sind ja ganz genau die Gründe gegen die Gewerbefreiheit überhaupt.

Durch die Gewerbefreiheit soll ja der Arzt zum Charlatan, der Handwerker zum Pfuscher, der Kaufmann zum Betrüger werden, sie soll zur Anwendung unehrenhafter Mittel, um die Konkurrenten zu verdrängen, zur Fälschung der Waaren, zum Schwindel führen. Was daran Wahres und Falsches ist, welche überwiegenden Gründe trotzdem für die Gewerbefreiheit sprechen, ist bekannt. Dieser Kampf ist anderweitig ausgefochten worden — eignen wir uns einfach den Sieg an, wozu wir doch wahrlich berechtigt sind, wenn unsere Gegner ihre Waffen aus derselben Rüstkammer nehmen, aus der sich die Gegner der Gewerbefreiheit armirten. Oder soll gerade der Charakter des Advokaten, von dem höhere Ehrenhaftigkeit gefordert wird, so wenig Vertrauen verdienen, daß man ihm ein gewisses Einkommen garantiren muß, um ihn vor Abwegen zu bewahren — wahrlich auf ein solches Mißtrauensvotum kann würdiger Weise nur durch die Aufforderung geantwortet werden, dasselbe aus der Erfahrung zu rechtfertigen, aber nicht etwa durch Hinweisung auf einzelne Fälle, denen wir andere entgegenzusetzen bereit wären, sondern durch Hinweisung auf Länder und Zeiten, wo die Advokatie im Allgemeinen durch das Abstreifen der Zunft- und Konzessionsschranken depravirt worden wäre — diesen Beweis aber sind noch alle Gegner der Freigebung schuldig geblieben.

Sehen wir aber ab von der gewerblichen Seite der Advokatie, dann giebt es auch nicht einmal Scheingründe gegen ihre Freigebung.

In der Advokatie muß sich Wissenschaft und Kunst, Geschäfts- und Menschenkenntniß vereinigen, der Advokat soll der unabhängige, unerschrockene Vertreter der Rechte und Interessen seiner Parteien sein — was hat dies alles mit der Beschränkung der Zahl und dem Erlangen einer Konzession zu thun! Prüfungen sind gut, um den ganz Unfähigen auszuschließen, um ein Minimum von Wissen und Können zu garantiren, was darüber hinausgeht, das kann sich nur im Leben bewähren. Welche Behörde soll aus der Zahl der Kandidaten den würdigen Advokaten wählen, der ewig nur durch seine eigene Tüchtigkeit und das Vertrauen seiner Mitbürger berufen werden kann. Von Regierungswegen den Advokaten ernennen, ist gerade so weise, als wollte man von Regierungswegen den Volksvertreter designiren. Die Kandidaturzeit des Advokaten ist wahrlich keine Schule der Unabhängigkeit des Charakters, die Furcht, sich der Regierung mißliebig zu machen, kein Antrieb zur Offenheit und Geradheit.

Welchen Nutzen für die Reinheit des Advokatenstandes soll also das Konzessionssystem gewähren?

Ich schließe hiemit mein Gutachten über den ersten Theil des Eberty'schen

Antrages, indem ich die leitenden Gedanken, die schon so oft ausgeführt wurden, genügend angedeutet zu haben glaube. —

Was nun den zweiten Theil des Eberty'schen Antrages betrifft (das Notariat ist von der Anwaltschaft zu trennen), so kann ich mich wohl ganz kurz fassen.

Soll das Notariat eine Zukunft haben, so muß es von allen fremden Elementen frei bleiben, rücksichtlich frei werden.

Ein fremdartiges Element ist aber die Parteienvertretung. Wenn der Notar Urkunden verfaßt, wenn er eine Vermögenstheilung, die Auseinandersetzung sich kreuzender Ansprüche auf eine Verlassenschaft leitet, so soll er nicht blos die Rechte, sondern auch die Interessen aller betheiligten Personen in gleicher Weise wahrnehmen, und zur Vermeidung von Prozessen Vorschläge zur Güte machen, wobei die Billigkeit nicht minder zu berücksichtigen ist, als das strenge Recht, und endlich sollen die unter seiner Intervention zu Stande gekommenen Verträge und Ausgleichungen mit der Kraft öffentlicher Urkunden die konstituirten Rechtsverhältnisse fixiren. Eine solche unparteiische Stellung ist von dem berufsmäßigen Parteienvertreter, dem Advokaten kaum zu erwarten. Wenn er von seinem Klienten aufgefordert wird, einen Vertrag zu entwerfen, so ist es seine Pflicht, dabei das Interesse seines Klienten möglichst zu wahren, und letzterer wird es ihm nicht wenig verübeln, wenn er den andern Kontrahenten, statt diesem die Erhebung von Einwendungen zu überlassen, auf die gesetzlichen Folgen, auf die praktische Tragweite der gewünschten Bedingungen aufmerksam macht und so die Erfahrungssätze der Cautelarjurisprudenz in beiderseitigem Interesse zur Geltung bringt. Jene Einseitigkeit, welche immer nur die dem Klienten günstige Seite hervorhebt, liegt in der Natur des Advokaten und ist im Prozesse nicht nur unbedenklich, sondern nützlich und nothwendig, da sie ihr Gegengewicht in der Einseitigkeit der anderen Partei und ihre Ausgleichung in der Beurtheilung des zwischen und über den Parteien stehenden Richters findet. Bei den Akten der freiwilligen Gerichtsbarkeit fehlt dieses Gegengewicht und diese Ausgleichung, und fallen folglich die drei im Prozesse geschiedenen Rollen dem Notar zu. Eine solche Situation ist aber so sehr verschieden von der des Advokaten, daß die innere Unvereinbarkeit der Anwaltschaft und des Notariats ganz unverkennbar ist.

Indem ich sonach auch dem zweiten Theile des Eberty'schen Antrages zustimme, muß ich mir zur Wahrung meines individuellen Standpunktes doch die Bemerkung erlauben, daß mir die Zweckmäßigkeit des ganzen Notariatsinstitutes immer noch als offene Frage erscheint, in deren Erörterung jedoch, da der zu begutachtende Antrag den Bestand des Notariats überhaupt voraussetzt, hier nicht einzugehen ist. —

Die ständige Deputation hat mich ersucht, auch die Folge der Trennung der Advokatie von der Anwaltschaft in den Kreis meiner Prüfung einzubeziehen, welchem Wunsche ich mit Vergnügen nachkomme.

In den Ländern, in welchen der mündlich-öffentliche Civilprozeß nicht eine Schöpfung der Neuzeit, sondern ein historisches Produkt ist, findet man zwei streng gesonderte Stände von Parteienvertretern, welche wir mit den Worten Anwaltschaft und Advokatie bezeichnen. Niemand glaubt, daß der Unterschied etwa darin bestünde, daß der Anwalt schreibt und der Advokat spricht, wenn es auch wahr ist, daß der Anwalt mehr mit der Feder, der Advokat mehr mit dem gesprochenen Worte arbeitet. Der eigentliche in der Geschichte wurzelnde Unterschied ist aber socialer Natur.

Der Civilprozeß mußte sich seiner Natur nach von jeher in gewissen Formen bewegen, und seine Abschnitte mußten durch gewisse theils geschriebene, theils gesprochene Formeln charakterisirt werden. Die Kenntniß dieser Formen und Formeln nun, das Geschick, eine gute genügende Information aufzunehmen und das Beweismaterial zu sammeln, alles das, sowie eine nothdürftige Kenntniß des geschriebenen und ungeschriebenen Rechtes und des Gerichtsgebrauches konnte handwerksmäßig unter der Aufsicht eines erfahrenen Meisters erlernt werden. Dazu bedurfte man gerade keiner Wissenschaft, noch weniger einer höheren allgemeinen Bildung, sondern nur des ausdauernden Fleißes, fortwährender Uebung in einer Schreibstube; so konnte der Lehrling mit Kopiren beginnen, dann Geselle, endlich Meister werden. Da ohne gehöriger Instruktion des Prozesses, ohne fleißiges Sammeln der Thatsachen und Beweismittel die mündliche Verhandlung wirr und kraus durcheinandergehen und jeden Augenblick ins Stocken gerathen mußte, so waren derlei wohlroutinirte Leute ein unabweisliches Bedürfniß des Prozesses; die Parteien wurden also angewiesen, durch sie die Prozesse instruiren zu lassen und nur in ihrer Begleitung vor Gericht zu erscheinen — kurz sie wurden die vermittelnden Organe, durch welche die Parteien allein mit dem Gerichte verkehren konnten. Das Mittelalter sorgte dafür, daß jedes Geschäft seinen Mann nähre, es schuf Zünfte, machte die Geschäfte verkäuflich und erblich, und so wurde das Geschäft der Parteienvertretung ein recht einträgliches bürgerliches Gewerbe, die „Meister" waren gemachte Leute. So ist die Anwaltschaft entstanden. Ein ganz anderes war das Verhandeln, das Sprechen vor Gericht. Nicht als ob die Anwälte dazu unfähig oder davon ausgeschlossen gewesen wären; aber zu einer Zeit, da die Gesetze noch wenige und einfache waren, konnte immerhin die Partei selbst oder ein redegewandter Freund für sie den Fall vortragen. Klarheit und Lebendigkeit der Rede waren da die Hauptsache, für die Formalien sorgte schon der Anwalt und — jura noscit curia. —

Endlich brauchen wir nur auf Einen Namen des Alterthums — Cicero
— hinzuweisen, um zu zeigen, daß Rechtsgelehrsamkeit und forensische Beredsamkeit ganz verschiedene Dinge sind. Das Gewerbe der Anwaltschaft
überließ man billig den Meistern, welche dafür bezahlt wurden, wie Gevatter
Schneider und Handschuhmacher, — aber um die Ehre, den Freund, den Schutz-
befohlenen, den Mitbürger in hinreißender Rede vor einem zahlreichen Audi-
torium zu vertheidigen, mochte auch der Edelmann geizen, denn solche Thätigkeit brachte nicht Geldgewinn, aber Ehre, Ruhm und Beliebtheit, und da
auch auf diesem Felde natürliche Begabung und öftere Uebung den Meister
(aber nicht im Sinne des Handwerks) machen, so gab es von jeher angesehene
Männer, die sich diesem edlen Geschäfte gleichsam berufsweise widmeten —
und hier haben wir den Keim der Advokatie zu suchen.

Mit dem Entstehen der Rechtswissenschaft, mit der Einführung des
römischen Rechtes mußte in diesem Stande der Dinge eine gewisse Aenderung
eintreten. Vor rechtsgelehrten Richtern konnte der ungelehrte Redner nicht
ausreichen, wer da plaidiren wollte, mußte Studien machen — die jungen
Männer, welche sich auf den Hochschulen eine allgemeine wissenschaftliche und
specielle juridische Bildung angeeignet hatten, verwertheten ihre Bildung und
ihre Kenntnisse als Advokaten. Da konnte es wohl nicht ausbleiben, daß
der Advokat auch Ehrensold nahm, es wäre aber unwürdig gewesen, denselben
zu fordern oder gar zu bedingen, das ·Geld war eine dem Talente und dem
Eifer dargebrachte Huldigung, aber es gab dafür keinen Tarif.

Nicht jeder Advokat betrieb aber· die Advokatie als eigentlichen Beruf
und blieb dabei für's ganze Leben. Es ging damit wie etwa mit einem
jungen Manne von guter Familie, der ein paar Jahre in einer Armee dient,
um einen höheren Grad zu erlangen und dann als Kapitain oder Rittmeister
außer Dienst einen Rang zu behalten, der ihn für immer der höheren Gesellschaft ebenbürtig macht. Der junge Mann nun, der weder nach dem
Marschallsstabe, noch nach der Mitra geizt, bezieht die Hochschule, nimmt
einen Grad und läßt sich nach kurzer stage als Advokat inscribiren. Gefällt
ihm der Beruf, hat er Talent und Glück, so wird er ein wirklich ausüben-
der, vielleicht berühmter Advokat — er kann aber auch Advokat bleiben, ohne
weiter zu plaidiren. Der Name Advokat rangirt ihn in die Elite der Gesellschaft, er wird vielleicht Journalist, Volksvertreter, Minister, vielleicht aber
— wenn er Vermögen hat — bleibt er einfach Privatier, aber doch heißt
er Advokat.

Der berufsmäßige Advokat aber ist ein Kenner des Rechtes, er plaidirt
nicht nur, man bittet ihn auch vor Beginn des Prozesses um sein Gutachten,
seine Rathschläge, kurz er ist wirklicher Rechtsbeistand, nur das ganze Formel-
und Schreiberwesen bleibt ihm fremd.

Vieles hat allerdings die Zeit hierin geändert, aber das verschiedene Erdreich, in dem diese beiden Institutionen wurzeln, hat doch jeder von beiden einen gewissen Grundgeschmack gegeben, der ihnen eigenthümlich geblieben ist. Der Anwalt von heute ist ein gebildeter Mann, der ohne gründliche Rechtskenntniß nicht bestehen kann, und der Advokat von heute rechnet so gut wie der Lehrer und der Arzt auf eine entsprechende Belohnung, aber trotz alledem und alledem steht der Anwalt in socialer Beziehung unter dem Advokaten, er ist noch immer so etwas von einem Gewerbsmann, der nach der Taxe arbeitet, und ihn allein gehen alle Formalien an, während die Rede vor Gericht die mehr oder minder ausschließliche Domaine des Advokaten ist.

Was endlich die Advokatie und Anwaltschaft in den Rheinlanden und in Hannover betrifft, so kann ich es als bekannt voraussetzen, daß daselbst jene Französischen Institutionen eigentlich nur dem Namen nach bestehen. Wo der Anwalt zugleich Advokat ist, wo man vom Advokaten zum Anwalt (Advokat-Anwalt) avancirt, da kann von jenem historischen Unterschiede, jener socialen Bedeutung der beiden Stände keine Rede sein, ihr Unterschied ist kein essentieller, sondern nur ein graduller, der Advokat ist nur ein Anwalt mit beschränkten Befugnissen, der einstweilen unter der Aegide eines Anwalts ein gesetzliches Zwitterleben führt, bis ihn die Ernennung zum Anwalt trifft — an solche Zustände denkt wohl Niemand, wenn von Anwaltschaft und Advokatie die Rede ist.

Soll nun in Deutschland die Anwaltschaft von der Advokatie getrennt, oder richtiger gesagt, eine Anwaltschaft und eine Advokatie nach Französischem Muster (mit oder ohne Modifikationen) geschaffen werden?

Ich kann nicht anders, als diese Frage unbedingt und auf das entschiedenste verneinen.

Der Civilprozeß muß auch bei der reinsten Durchführung des Prinzipes der Mündlichkeit vom Anfang bis zum Ende als ein Ganzes betrachtet, sein ganzer Aufbau in Einem Geiste geleitet werden. Was der mündlichen Verhandlung vorhergeht, die Instruktion im weitesten Sinne des Wortes von der ersten Information bis zu der der Wechselrede vorausgehenden Stellung der Schlußanträge darf nicht als etwas Aeußerliches, oder auch nur minder Wichtiges gelten. So wenig die mündliche Verhandlung ein bloßes Schaugepränge, ein für das Publikum berechnetes Anhängsel des schon fertigen, in den Instruktionsschriften abgeschlossenen Prozesses sein darf, ebenso wenig darf der umgekehrte Fall eintreten, die Instruktion vernachlässigt, als ein bedeutungsloses Formelwesen betrachtet werden. Die mündliche Verhandlung soll entscheidend sein, aber damit dies ohne Gefährdung des Rechtes geschehen kann, muß sie die organische Spitze der Instruktion, nicht aber die letztere ein todtes Postament, die erstere ein ornamentaler Aufsatz sein.

Es ist die Tendenz unserer Zeit, den Gegensatz von Form und Inhalt, von Aeußerlich und Innerlich aufzuheben, die Formen zu vergeistigen, die Ideen zu verkörpern. Wie stimmt das mit dem Bestreben, den Prozeß in zwei Theile zu zerreißen und jeden einer anderen Hand zu übergeben? Der Beruf des Anwaltes wäre allerdings im Geiste unserer Zeit, welche das unscheinbarste Rädchen für nicht minder wesentlich hält, als den dem Laien auffallendsten und vielleicht auch kunstvollsten Theil einer Maschine — der Beruf des Anwaltes wäre gewiß nicht minder ehrenvoll als der des Advokaten, aber jenes Ansehen, welches dem geistvollen, gewandten Redner in öffentlicher Sitzung nicht entgehen kann, wird der „Schreiber", den das Gesetz gleich als einen Unwürdigen von jener glänzenden Rolle fernehält, nimmermehr beanspruchen können, mag auch immer sein Talent, sein Scharfblick, seine Erfahrung, seine juridische Bildung dem Prozeß jene Richtung gegeben haben, welche dem „Redner" zum Siege verhalf. Je weniger Ehre aber in einem Berufe zu erlangen ist, desto mehr wird er zum Gewinne ausgebeutet, und wenn es bei einer Arbeit nicht auf klare, gewinnende, geistvolle Darstellung und Entwicklung des Stoffes, sondern nur auf Beobachtung der Formalien und Ansammeln des Stoffes ankommt, so wird naturgemäß alle Aufmerksamkeit, alles Bestreben nur dahin gerichtet sein, die Formalien ängstlich, mit peinlicher gedankenloser Pünktlichkeit zu beobachten, und des Stoffes recht viel aufzuspeichern. So würde alles dahin drängen, den Anwalt zum Formelkrämer und Vielschreiber, zum geldgierigen Geschäftsmann herabzudrücken, während für den Advokaten, dem der Prozeßstoff als Halbfabrikat übergeben wird, die Versuchung nahe liegt, der geistreichen Phrase, der blendenden Schönrednerei zu huldigen. Die Französischen Zustände widersprechen diesem Bilde nicht. Wo aber ein Institut in der Geschichte wurzelt, dem Volksgeiste entspringt, da werden seine Mängel weniger gefühlt, und seine Härten durch die Zeit gemildert: auf unser Rechtsleben gewaltsam aufgepfropft würden sich aber die Extreme schroffer entwickeln und dem Deutschen Geiste unerträglich werden — oder aber auf dem fremdartigen Boden verkümmern.

Wir wollen aber keine Schreiberseelen und keine Phrasenmacher, keinen Troß, der für die stolzen Ritter die mindere Arbeit verrichtet, sondern eine Klasse gleich gebildeter Rechtsfreunde, die es nicht unter ihrer Würde finden, den Prozeß, den sie plaidiren, auch selbst zu instruiren.

Juridische Bildung und forensische Beredsamkeit sind allerdings verschiedene aber durchaus nicht unvereinbare Eigenschaften, die eben beide dem Advokaten unentbehrlich sind. Zudem verlangt man ja von dem Advokaten keine ungewöhnliche Beredsamkeit, sondern nur jene Klarheit der Darstellung, welche bei einiger Uebung die nothwendige Folge der Klarheit des Denkens ist.

Nur nebenbei mache ich noch die wohl selbstverständliche Bemerkung, daß durch die Trennung der Anwaltschaft von der Advokatie die Rechtspflege nothwendig vertheuert würde; welchen Standpunkt man daher immer bei der Beurtheilung dieser Frage einnimmt, dürfte das Resultat zu Gunsten meines Votums ausfallen.

C. Gutachten des Obergerichtsadvokat Vissering in Aurich.

Ich muß mich vorab zu einer allseitig erschöpfenden Erörterung der mir vorgelegten Frage außer Stande erklären. Es fehlen mir dazu nicht bloß die Kenntnisse, sondern auch, diesen Ausfall zu decken, die erforderlichen Hülfsmittel. Die nachfolgenden Zeilen sind daher auch weniger bestimmt, eine theoretische Lösung der Frage zu versuchen, als vielmehr das Zeugniß eines Praktikers über den gegenwärtigen Stand derselben beizubringen. Und auch hierbei werde ich mich möglichst kurz fassen, insbesondere in das Detail der Particulargesetze über die Advokatur nicht hineintreten.

I. Unter den Wortführern der freien Advokatur besteht über den Begriff, den sie mit diesem Ausdrucke verbinden, nichts weniger als Uebereinstimmung der Ansichten.

Ich werde hierauf später zurückkommen und dabei zugleich meine eigene Meinung anzugeben haben. Zunächst aber will ich ein Argument, mittelst dessen die Forderung der Freigebung von allen Anhängern derselben begründet zu werden pflegt, mit einigen Worten beleuchten.

Man beruft sich nämlich ganz allgemein auf das Beispiel von England und Amerika, theilweise auch von Frankreich.

Das hohe Ansehen, welches die Advokatur in diesen Ländern genießt, wird vorzugsweise aus der Freiheit erklärt, deren sich dort die Wahl und Uebung dieses Berufs zu erfreuen hat, und eben so wird der Verfall der Deutschen Advokatur wesentlich aus der staatsseitigen Absperrung und Beaufsichtigung derselben abgeleitet. Wie mir scheint, mit Unrecht.

Die Ursachen beider Erscheinungen liegen tiefer und sind in den Gesammtzuständen der betreffenden Staaten zu suchen.

In den genannten Nachbarländern hat nämlich die Advokatur im Laufe der Zeit eine politische Bedeutung erworben, welche sich auf Deutsche Verhältnisse ohne weiteres nicht übertragen läßt. In England und Amerika namentlich ist sie die Vorschule für die Staatsgeschäfte geworden, und sie würde dies ohne Zweifel auch bleiben, wenn zur Aufnahme in das corpus togatorum ſtatt einer vorgeſchriebenen Zahl von Mittagseſſen in Zukunft eine vorgeſchriebene Zahl von Staatsprüfungen gefordert würde.

In Deutſchland dagegen iſt die Advokatur als politiſche Inſtitution ganz in den Hintergrund getreten und hat ſchon ſeit Jahrhunderten anderen Trägern des öffentlichen Einfluſſes das Feld räumen müſſen. Augenblicklich iſt es, zumal in den Mittel- und Kleinſtaaten, die Bureaukratie, welche die Staatsmänner heranzieht, und auch dies würde beim Fortbeſtande der übrigen jetzt vorhandenen Zuſtände ohne Zweifel ſo bleiben, wenn auch für die Zu- laſſung zur Advokatur ſtatt der Staatsprüfungen die Mahlzeiten eingeführt würden.

Es ſteht hier überhaupt keine ſinguläre, in gewiſſem Sinne willkür- liche Erſcheinung, ſondern ein Produkt geſchichtlicher Entwickelung in Frage, welches als ſolches beurtheilt ſein will und nur in der Rückbeziehung auf den Geiſt und die Einrichtung des übrigen Gemeinweſens richtig verſtanden wer- den kann.

Wer dies verkennt, kurirt auf die Symptome und läßt den Sitz des Leidens unberührt.

Der politiſche Einfluß und in deſſen Gefolge der ſociale Rang, den ſich in England im Laufe des letzten Jahrhunderts die Advokatur errungen hat, konnte nur unter den dort gegebenen Vorausſetzungen entſtehen.

Die ganze Verfaſſung des Staats, die allgemeine Theilnahme ſeiner Bürger an den öffentlichen Angelegenheiten, die unbedingte Freiheit der Dis- kuſſion, die fortwährende Bewegung der Parteien und vor Allem die reale Macht, welche dort die öffentliche Meinung ausübt, alle dieſe Faktoren haben dazu beigetragen, einen Stand zu kräftigen und emporzuheben, welcher nach ſeinem ganzen Weſen dazu berufen iſt, rückſichtsloſer Wortführer der öffent- lichen Meinung zu ſein.

Da nun aber dieſe Vorausſetzungen in Deutſchland um dieſelbe Zeit zum Theile gar nicht, zum Theile nur ſehr unvollkommen und bruchſtücklich vorhanden, zum Theile ſogar in ihr gerades Gegentheil verkehrt waren, ſo iſt es meines Erachtens auch nur ſehr bedingt geſtattet, den Engliſchen Vor- gang auf Deutſche Zuſtände anzuwenden; von den Freiſtaaten Amerika's gar nicht zu reden.

Die Form hätten wir importiren mögen, aber die wirkenden Motive würden wir richtig zurückgelaſſen haben.

Ja es verdient ernſtlich erwogen zu werden, ob nicht dieſelbe Freiheit, welche in England ſich als zuträglich erwieſen hat, bei uns die entgegenge- ſetzte Wirkung hervorgerufen haben würde, zu der Zeit wenigſtens, als die Erſtarrung des öffentlichen Lebens den höchſten Grad erreicht hatte. Was nützt die Freiheit, wo kein Streben vorhanden iſt? und außerdem haben po-

5*

litische Körper das mit den natürlichen gemein, daß starke Naturen noch
Nahrung finden aus Stoffen, welche schwächeren Konstitutionen nur Verderben
bereiten würden. Manches hat sich in Deutschland seitdem zum Besseren ge-
wendet, manches Andere ist in der Vorbereitung begriffen; aber auch heute
noch stehen wir hinter englischem Muster unendlich weit zurück.

Was aber das Beispiel Frankreichs betrifft, so ist zunächst zu bemerken,
daß dort die Advokatur meines Wissens nicht frei ist, wenigstens nicht in
dem Sinne wie in England oder gar in Amerika, und nicht freier als in
einigen Deutschen Staaten. Hier fehlt es also der von mir bekämpften
Schlußfolgerung schon an der faktischen Prämisse.

Auch hier liegt indessen der wahre Grund für das größere Ansehen des
Standes in den allgemeinen Staatsverhältnissen.

Auf die Verfassung wird man sich freilich nicht berufen können und
noch weniger auf den Geist der Verwaltung, denn in diesen Dingen sind die
Franzosen erklärte Freunde der Veränderung. Aber auch in Frankreich herrscht
in politischer Beziehung ein regeres Leben und hat sich — nicht am wenigsten in Folge der vielfachen Umwälzungen — die öffentliche Meinung einen
ungleich größern Respekt gesichert, als in den stabilen Bruchstaaten des Deutschen Bundes.

II. Die Vertheidiger der freien Advokatur zerfallen unter sich in zwei
sehr verschiedene Parteien. Die Einen, die man auch die Radikalen nennen
kann, wollen gänzliche Aufhebung der Advokatur als eines gesonderten, vom
Staate anerkannten Berufsstandes; die Anderen, im Gegensatze zu Jenen die
Gemäßigten, wollen zwar den Stand als solchen konserviren, beanspruchen
aber innerhalb desselben freie Bewegung der Genossen. Die Ersten ent-
lehnen ihre Beweisgründe im Wesentlichen aus der Lehre von der Gewerbefreiheit. Ich kann indessen diesen Gesichtspunkt für zutreffend nicht halten.

Man kann ein Anhänger der Gewerbefreiheit, man kann ein Gegner
derselben sein, man kann sie als eine Zeitforderung betrachten, welche man
hinnehmen, mit der man wohl oder übel sich abfinden muß; auf alle Fälle
aber hat man' sich zunächst die Frage vorzulegen: ist denn die Advokatur
überhaupt ein Gewerbe?

Und diese Frage, dahin verstanden, ob der advokatorische Beruf eine
ausschließlich nationalökonomische Betrachtung gestattet, ob sich über denselben
vom volkswirthschaftlichen Standpunkte aus ein allseitig abschließendes Urtheil gewinnen läßt, ist meo voto entschieden zu verneinen. Nach der einen
Seite hin ist die Advokatur zwar ein bürgerlicher Berufsstand, nach der anderen aber ein wesentlicher Faktor der Rechtspflege.

Nun aber ist die Rechtspflege unbezweifelt eine der eigensten Domänen
des Staats überhaupt und ganz besonders des modernen Kulturstaats. Der

Staat ist der Gesellschaft dafür verantwortlich, daß — formales — Recht gesprochen und vollstreckt wird, daß dies ohne unnützen Zeitaufwand, daß es mit Vermeidung überflüssiger Kosten geschieht.

Wenn er daher von denjenigen, welchen er zur Erfüllung dieser seiner Aufgabe wichtige Funktionen anvertrauen soll, bestimmte Garantieen fordert, so mag es über Nothwendigkeit, Maß und Form der entsprechenden Vorschriften und Einrichtungen immerhin verschiedene Meinungen geben.

Aber die Erörterung derselben fällt lediglich in das Gebiet der Rechtspolitik, und die wirthschaftlichen Grundsätze über Monopol und freie Konkurrenz, über Preis und Begehr u. s. w. sind als unbezüglich aus der Frage auszuscheiden.

Ich weiß nicht, in welchem Sinne Herr Eberty seinen Antrag verstanden wissen will; würde aber mit der beantragten Freigebung etwa beabsichtigt, die „freie Konkurrenz" und was Dem anhängig auch in den Gerichtssaal einzuführen, so würde ich mich für einen entschiedenen Gegner erklären müssen. Ich würde eine solche Neuerung, wenn sie bei der gegenwärtigen Ordnung der Dinge überhaupt möglich wäre, für ein baares Unglück halten. Von Amerika abgesehen, wäre sie meines Wissens auch ohne jedes gleichzeitige Beispiel. Allein nur gänzliches Verkennen aller gegebenen Verhältnisse wird mit Amerikanischen Staatseinrichtungen in Deutschland experimentiren wollen, und außerdem ist es doch wohl die große Frage, ob wir Grund haben, die Amerikaner um ihre Justiz zu beneiden. Hier unten an der Küste wenigstens dürfte die Stimmung eine entgegengesetzte sein.

In England werden die Advokaten nicht wie bei uns von Staatswegen angestellt und beaufsichtigt, allein die „freie Konkurrenz" ist darum doch ausgeschlossen.

Es ergänzt sich dort nämlich der Stand in zunftähnlicher Einrichtung durch eigene Cooptation, und wenn es auch Niemandem verwehrt ist, sich zur Aufnahme zu melden, so muß doch Jeder bestimmte Vorbedingungen erfüllen. Auch übt in England die Sitte eine Macht, welche vollkommen ausreicht, den Stand vor unberufener Zudringlichkeit zu bewahren.

In Frankreich hat man hiervon die entgegengesetzte Erfahrung gemacht. Als die Regierung von 1792 die freie Advokatur proklamirt hatte, füllten sich die Gerichtssäle mit den wüstesten Elementen der Gesellschaft und wurden die Rechtsstreitigkeiten in einer Weise geführt, daß nach dem Zeugnisse eines Französischen Schriftstellers die ehrenwerthen Mitglieder des Standes förmlich die Flucht ergriffen und lieber ihren ganzen Erwerb preisgeben, als in solcher Gemeinschaft ihren Beruf fortsetzen wollten. Nach wenigen Jahren sah man sich denn auch schon genöthigt, das neue System wieder zu verlassen, die zurückgebliebene Lehre aber scheint dauerhafter Natur gewesen zu sein. Denn so oft auch später die Franzosen mit ihren bestehenden Einrichtungen wieder aufgeräumt haben, und so gründlich dies mitunter geschehen ist, man hat der „freien Konkurrenz" niemals wieder gestattet, auf dem Gebiete der Rechtspflege zu „wirthschaften".

Zu einem großen Theile müssen nun freilich die in Frankreich gesammelten Erfahrungen auf den dissoluten Charakter der damaligen Zeit zurückgeführt werden, und in so weit wäre die Wiederholung derselben zu einer anderen Zeit, unter anderen Umständen und auf einem anderen Staats- und Rechtsgebiete nicht gerade eine Nothwendigkeit. Ja es berechtigen, was insbesondere Deutschland angeht, verschiedene Gründe zu der Annahme, daß es in den Hauptstädten und den Sitzen des größeren Verkehrs den vorhandenen Kräften möglicherweise gelingen würde, den stürmischen Anlauf zu bewältigen, die untauglichen Elemente zurückzuweisen und sich die bildsamen zu assimiliren. Ueber den kleinen Rechtsverkehr und die entlegenen Provinzen aber würde sich, wie ich fürchte, eine Landplage von Unfähigkeit und bankerotter Gesinnung verbreiten, für deren verderbliche Einwirkung derjenige einen ungefähren Maßstab besitzt, welcher die Bauernadvokatur, wie sie schon jetzt vielerwärts besteht, aus der Nähe hat beobachten können.

Ist die Thätigkeit dieser Afteradvokaten, welche fast ausschließlich auf dem zweifelhaften Grenzgebiete zwischen dem Erlaubten und dem Unerlaubten wuchert, ein anerkanntes Unwesen, warum will man es verallgemeinern?

Daß man in dieser sublunarischen Welt ein Uebel nicht ganz ausrotten kann, ist noch kein Grund, es zu sanctioniren. Der Rechtspflege aber würde man, wie mir scheint, eine ihrer werthvollsten Garantieen entziehen, mindestens über die Advokatur eine Krisis heraufbeschwören, deren glücklichen Ausgang Niemand vorweg verbürgen kann. Und alles dieses zum Behufe unbeschränkter Durchführung eines Prinzips, von dem ich glaube gezeigt zu haben, daß es auf dem hier fraglichen Gebiete sich aus sich selbst beschränkt.

Diesem nach muß ich dem Eberty'schen Antrage, oder doch einem möglichen Mißverständnisse desselben gegenüber, für die Zulassung der Advokatur das Erforderniß eines Qualifikationsnachweises als unerläßlich bezeichnen.

Die Art dieses Nachweises ist zur Zeit bekanntlich in den verschiedenen Staaten verschieden regulirt. Im Ganzen aber gilt der Grundsatz, daß der Kandidat der Advokatur dieselben Anforderungen erfüllen muß, welche an die Aspiranten des Richteramts gestellt werden, und es scheint mir dies auch durchaus richtig zu sein. Ich sehe nicht, daß es leichter wäre, das Recht zu diskutiren, als Recht zu sprechen, zumal im mündlichen Verfahren, welches neben der Verhandlung der Parteianträge im Wesentlichen auch die Prozeßinstruktion auf den Anwalt überträgt. Außerdem dient gelehrte Bildung nicht blos dazu, den Geist zu kultiviren, sondern eben so sehr die Gesinnung zu veredeln und auf solche Art das „nobile officium" vor unsauberen Motiven zu schützen. Und endlich ist die Studiengemeinschaft das wirksamste Mittel, den Richterstand und die Advokatur zu einander in das richtige Verhältniß zu setzen. Nur wo sich beide Theile gegenseitig anerkennen und anregen, entwickelt sich die rechte Berufsfreude und gedeiht in der Praxis der wissenschaftliche Sinn.

III. Diejenigen Anhänger der Freigebung, welche vorhin als die gemäßigten bezeichnet sind, können sich mit diesen Ausführungen durchweg einverstanden erklären; sie fordern nur für den hiernach zur Advokatur Qualificirten unbedingte Zulassung und für den einmal Zugelassenen freie Wahl des Gerichtshofes, bei welchem er praktisiren will. Es ist nicht ganz ohne Bedeutung, daß diese Forderung zur Zeit am lebhaftesten von Preußischer Seite her erhoben wird. Die zahlreichen Stimmen, welche die Deutsche Gerichtszeitung in ihren letzten Jahrgängen dafür gesammelt hat, sind ziemlich ausnahmslos von Preußischen Juristen abgegeben, und es läßt sich nicht leugnen, daß diese für ihr Votum ein besonderes Motiv besitzen, welches auf die übrigen Staaten, bezw. unsere Berufsgenossen in denselben entweder überall nicht, oder doch nicht in gleicher Stärke zutrifft. In Preußen ist nämlich das richterliche Amt augenblicklich mit unbesoldeten Aspiranten auf etatmäßige Stellen in bedenklichster Weise überfüllt. Das ist ohne alle Frage ein schwerer Uebelstand für das Ganze, wie für sehr viele Einzelne. Da nun in Preußen zugleich die Advokatur geschlossen ist, so werden die Gegner der Freigebung — auch in dem jetzt erörterten Sinne derselben — nicht unterlassen zu bemerken, daß Diejenigen, welche unter dem Drucke eines vorhandenen Uebels selbst zu leiden haben, auch am leichtesten versucht sind, die bedenklichen Folgen des Heilmittels zu unterschätzen. Allein ich meines Orts muß gestehen, daß ich derartige Folgen überall nicht erwarte, vielmehr in dem Preußischen Vorgange eine Warnung erblicke, welche auch für das übrige Deutschland nicht verloren bleiben sollte.

Der „numerus clausus" stammt in der That aus überwundener Zeit. Er hängt, und zwar nicht blos historisch, mit der Anschauungsweise zusammen, welche den Regierungen die Funktionen der Vorsehung auf Erden überwies und wonach insbesondere die Gerichte nicht dürftiges — formelles — Menschenrecht zu sprechen, sondern die wahre höhere Gerechtigkeit herzustellen und zu dem Ende vor allem Anderen die Parteien unter Vormundschaft zu nehmen hatten.

Dieser Anschauung war die Advokatur ein widerstrebendes Element. Indem der Advokat wie ein wirklicher leibhaftiger Schäfer in das geträumte Idyll hineinragte, bekundete seine bloße Existenz schon die Unzulänglichkeit des Syſtems. Man hätte ihn daher am liebſten ganz beſeitigt, und in der That hat es dazu auch an Verſuchen nicht gefehlt.

Aber auch da, wo die Selbſtüberhebung dieſen höchſten Grad nicht erreichte, iſt die Geſetzgebung jener Zeit von einer Feindſeligkeit gegen die Advokatur inſpirirt, von welcher man ſich heute kaum eine Vorſtellung würde machen können, wenn nicht in den antediluvianiſchen Prozeßordnungen einiger Kleinstaaten einzelne Proben vorſorglich aſſervirt wären. Wer ſich daran ergötzen will, dem mag die Deutſche Gerichtszeitung von 1862 empfohlen ſein.

Faſt überall in Deutſchland galt die Advokatur der Staatsraiſon gradezu für ein Uebel, dem man nach Kräften entgegenwirken müſſe. Es geſchah dies in den verſchiedenen Staaten auf die mannichfaltigſte Weiſe.

Hier denuncirte man die Advokaten in officiellen Erlaſſen dem beſchränkten Unterthanenverſtande ungeſcheut als gefährliche Friedensſtörer und frivole Querulanten. Dort verdrängte man ſie aus ganzen Inſtanzen und belegte andere Inſtanzen mit Succumbenzſtrafen. Wiederum anderswo rückte man die Entſcheidungen der Gerichte durch Vorenthaltung der Gründe in die heilige Unnahbarkeit von Orakelſprüchen. Ueberall aber ſah man auf die Advokaten vornehm herab und betrachtete ihre Thätigkeit mehr oder minder als ein ſuspektes Gewerbe.

Da man ſie indeſſen doch nicht ganz entbehren konnte, da insbeſondere ihre Dazwiſchenkunft in manchen Fällen den Gerichten zu Statten kam und dieſen den Verkehr mit den Parteien und die Rechtſprechung erleichterte, ſo umgab ſich jeder Gerichtshof mit genau ſo vielen Handlangern ſeiner Geſchäfte, als ihm zu eigener Bequemlichkeit gerathen ſchien, und ſo iſt der „numerus clausus“ entſtanden.

Das Syſtem, welchem wir denſelben verdanken, iſt abgethan. Richtigere Vorſtellungen über die Aufgabe der Gerichte ſowohl, als die der Advokatur haben die letztere wieder zu Ehren gebracht und fangen an, ihr als ſelbſtſtändigem Organe des Rechtsſchutzes neben den erſteren einen gleichberechtigten Platz zu bereiten.

In einzelnen Ländern, wie z. B. in Hannover hat ſich der betreffende Prozeß ſchon ſo ziemlich vollzogen. Die Frage iſt jetzt, ob wir in die ſich allgemein vorbereitende neue Ordnung der Dinge die alte Einrichtung mit hinüber nehmen ſollen. Möglich wäre es ja immerhin, daß ſie auch jetzt noch einige Berechtigung beſäße, wenigſtens äußere Vortheile böte, welche ſie zur Beibehaltung empföhlen, und in der That wird dies von nicht Wenigen behauptet. Dieſe prophezeien, daß die Freigebung der Advokatur entweder die Prozeßluſt in das Ungemeſſene ſteigern, oder aber bei unzureichendem Erwerbe der Betheiligten ein gefährliches Proletariat erziehen werde. Dies iſt indeſſen eine reine Illuſion, welche zu einem guten Theile noch in dem eben geschilderten Vorurtheile gegen die Advokatur überhaupt, bei klareren Köpfen vielleicht auch in der Befürchtung wurzelt, daß, getragen von dem Geiste der Zeit, in der Advokatur ein politischer Rivale heranwächst, welchen das eigene Interesse gebietet, möglichst lange in polizeilicher Zucht zu halten. Auf die Länge bleibt die Zahl der Prozesse von der Zahl der Advokaten ebenso unbeeinflußt, wie die Zahl der Krankheiten von der der Aerzte. Wie die gelangweilten Naturen, denen der Morgenbesuch ihres Doktors zum Lebensbedürfnisse geworden ist, noch immer einen beflissenen Hausarzt gefunden haben, so hat es auch solchen Käuzen, die nun einmal mit der ganzen Welt im Streite liegen wollen, noch nie an einem dienstfertigen Advokaten gefehlt. Und das wird auch immer so bleiben. Was aber das befürchtete Proletariat angeht, so hat sich noch stets das eigene Interesse der Betheiligten als das wirksamste Korrektiv der Freiheit erwiesen. Es ist mit völliger Zuversicht anzunehmen, daß sich aus freier Wahl bei keinem Gerichte mehr Advokaten dauernd ansiedeln werden, als dort ihren Unterhalt finden, und dann, warum erhebt man nicht denselben Einwand gegen die fast in ganz Deutschland gestattete freie Besetzung der Aerzte?

Meines Erachtens hat der Staat die Grenze seiner berechtigten Einwirkung erreicht, wenn er zur Ausübung der Advokatur nur solche Personen zuläßt, welche sich über ihre Tüchtigkeit und Würdigkeit gesetzlich ausgewiesen haben, und deren getreue Pflichterfüllung demnächst in zweckentsprechender Weise beaufsichtigt; alles Uebrige aber liegt weder im Bereiche seiner Aufgabe, noch seiner Mittel. Ist vielmehr die Bahn vor unberufenen Mitbewerbern gesichert und sind gegen mögliche Ausschreitungen die nöthigen Schranken errichtet, so lasse man den zugelassenen Kräften volle Freiheit sich zu rühren und zu entfalten. Der Gewinn fällt unfehlbar dem Ganzen zu. Es ist einmal gesagt worden, daß unter dem Systeme der geschlossenen Zahl sich auf Kosten des Publikums ein unbewußtes pactum zwischen den Richtern und den Anwälten zu bilden pflege, dahin gehend, daß die Ersteren den Letzteren ein reichliches Auskommen und dahingegen Diese Jenen eine ungestörte Behaglichkeit verbürgen. Ich weiß nicht, ob dies richtig ist, muß es sogar, so weit meine eigene Erfahrung reicht, sehr bezweifeln. Aber ich weiß wohl, daß das Publikum jedenfalls nicht dabei zu Schaden kommt, wenn stete Zufuhr frischen Strebens in der Anwaltschaft den Wetteifer rege hält und die zu seinem Dienste bestimmten Kräfte nicht erst auf regiminelle Anweisung zu warten brauchen, bis sie einen Platz für ihre Wirksamkeit finden.

Diesem nach muß ich mich unter Vorbehalt der sub II. erörterten Beschränkung im Allgemeinen für die Annahme des Eberty'schen Antrages aussprechen. Ich kann hiervon auch keine Ausnahme für die Prokuratoren machen.

Bezeichnet man mit diesem Ausdrucke die Prokuratoren des schriftlichen Prozesses, so beruht deren ganze Existenz eben auf dem Systeme der geschlossenen Zahl. Ist diese beseitigt, so fällt auch jeder sachliche Grund für die Beibehaltung der Prokuratoren weg; oder man müßte denn das Gebührenwesen der Expeditionsstube für den eigentlichen Kern und den Schwerpunkt der Rechtspflegeordnung erklären wollen. Begreift man aber unter jenem Ausdrucke die Anwälte des neuen Verfahrens, so mag es sich zwar rechtfertigen, wenn man das Recht auf die Anwaltschaft an die Bedingung knüpft, daß der Betreffende schon eine (gesetzlich festzustellende) Frist als Advokat untadelhaft praktisirt habe. Indem nämlich das mündliche Verfahren die Prozeßinstruktion in die Hände der Anwälte legt, gestattet es diesen einerseits einen so unmittelbaren Einfluß auf die Geschäftsführung der Gerichte und überträgt es denselben andererseits in ihrer Stellung zu den Parteien eine so erhebliche Verantwortung, daß man nicht ohne Grund von ihnen besondere Garantieen fordern mag.

Allein dies wäre keine eigentliche Ausnahme von dem Grundsatze der Freigebung, sondern nur eine Verstärkung des Qualifikationsnachweises.

Eine wahre Ausnahme kann sich aber aus der Gerichtsverfassung ergeben. Ein Staat, welcher die Kollegialgerichte als Regel eingeführt hat, wird darum die Einzelrichter noch nicht ganz entbehren können. Er wird aber die Zuständigkeit derselben auf Bagatellsachen und gewisse Arten von Rechtsstreitigkeiten beschränken und es nicht dulden wollen, daß die von ihm zum Besten Aller verordnete Kompetenzbegrenzung im Interesse Einzelner — besonders der Advokaten — gestört werde. Dies zu hindern, hat er aber nur zwei Mittel, entweder den Einfluß der Privatwillkür auf die richterliche Kompetenz einzuschränken, oder aber die Niederlassung von Advokaten an den Sitzen der Einzelgerichte von seiner Erlaubniß abhängig zu machen.

IV. Der Antrag des Herrn Eberty ist ohne Zweifel von dem Wunsche diktirt, der Deutschen Advokatur in der Wiederherstellung ihres Ansehens zu Hülfe zu kommen. So dankbar die Anwaltschaft dies Bestreben zu acceptiren hat, zumal wenn es ihr aus dem Schooße des Richterstandes entgegenkommt, so muß doch bemerkt werden, daß die bloße Freigebung der Advokatur allein die Erreichung dieses Ziels noch nicht ermöglicht.

Abgesehen davon, daß nach dem vorhin Gesagten auch die allgemeinen politischen Verhältnisse direkt bestimmend einwirken, muß auf dem speciellen Gebiete der Gerichtsorganisation zu der Freigebung, d. h. zu der freien Bewegung der Standesgenossen innerhalb ihres Berufes, auch noch die Eman

cipation des Berufes selbst hinzutreten. Ich meine die Emancipation von
der Superiorität des Richterstandes.

Es seien mir auch über diesen Punkt, obwohl er streng genommen nicht
in den Bereich des Eberty'schen Antrages fällt, einige kurze Andeutungen
gestattet. Der Advokat ist öfter in der Lage, dem Richter mit empfindlicher
Kritik gegenüber treten zu müssen; man verlangt von ihm mit allem Recht,
daß er dies vorkommenden Falls ohne Furcht und Rücksicht thue. Man
muß ihn daher auch zum Richter völlig unabhängig stellen, und daß dies
so sei, auch nach außen hin zur Geltung bringen.

Der Englische Richter redet den Advokaten offiziell mit den Worten
„my brother" an, und der Französische Präsident ersucht ihn, vor dem mit
entblößtem Haupte versammelten Publikum bei Beginn der Verhandlung sich
zu bedecken.

Das sind zwar Aeußerlichkeiten, aber es äußert sich darin ein vollberech-
tigter Gedanke.

In den weitaus meisten Staaten Deutschlands hat man diesen Gedanken
noch nicht erkannt, ihm wenigstens keine Folge gegeben, ja in einigen sind
die Advokaten den Gerichten noch heute förmlich subordinirt.

Dies hat die Würde und das Ansehen des Standes mehr als vieles
Andere beeinträchtigt; die Würde, weil sich aus untergeordneter Stellung unfehlbar auch eine subalterne Gesinnung entwickelt; das Ansehen, weil das
Volk — zumal das Deutsche — den Maßstab für die sociale Rangschätzung
der Advokatur in deren Verhältniß zum richterlichen Amte zu suchen pflegt.

Die Mittel zur Abhülfe liegen nahe.

Zunächst vollzieht sich die von mir gewünschte Emancipation thatsächlich
schon durch das öffentlich-mündliche Verfahren. Der ganze Apparat desselben
wirkt coordinirend, rückt sogar — dramatisch wenigstens — die Thätigkeit
des Anwalts in den Vordergrund und giebt jedenfalls der Partei Gelegenheit, sich von der Pflichttreue und dem Kraftaufwande ihres Vertreters aus
unmittelbarer Wahrnehmung zu überzeugen.

Sodann ist aus den Taxordnungen die nach dem Umfange oder gar
nach dem inneren Werthe der gelieferten Arbeiten bewegliche Skala zu beseitigen. Das gesetzliche Honorar des Advokaten (von dem vertragsmäßigen ist
hier nicht die Rede) muß nach dem Werthe des Streitgegenstandes abgestuft,
für die einzelnen Prozeßhandlungen unabänderlich feststehen und alles richterliche Ermessen hierunter gänzlich ausgeschlossen sein. Das Gegentheil führt
auf beiden Seiten zu falschen Vorstellungen, eintretenden Falles auch zu fal-
schem Betragen.

Und endlich muß der Staat die ihm über die dienstliche und außerdienst-
liche Führung der Advokaten zustehende Disziplinargewalt von den Gerichten auf

die Anwaltskammern als auf Behörden übertragen, welche aus dem gremio der Advokaten selbst gewählt werden. Dies ist außerordentlich wichtig.

Der weiteren Begründung und Ausführung dieser Postulate muß ich mich hier zu meinem Bedauern enthalten. Wenn indessen der Deutsche Juristentag die Hannöverschen Gerichtsverfassungs- und Prozeß-Gesetze schon mehrfach zum Gegenstande seiner Verhandlungen gemacht hat, so darf ich die Aufmerksamkeit der Mitglieder auch namentlich auf die hier in Frage kommenden Parteien derselben hinlenken.

V. Herr Eberty hat seinem Antrage noch die Nachfüge gegeben, daß das Notariat mit der Advokatur nicht vereinbar sei, und auch hierüber ist von mir ein Gutachten gefordert. Ich sollte indessen meinen, daß der Deutsche Juristentag über diesen Punkt füglich zur Tagesordnung schreiten könnte. An sich untergeordneter Natur, gestattet er kaum eine prinzipielle Behandlung. Auf dem Felde der streitigen Gerichtsbarkeit ist das Richteramt mit der Advokatur ohne Zweifel unverträglich, und die Einrichtung, wonach hie und da Advokaten gleichzeitig als Stadtrichter, Patrimonialgerichtshalter u. s. w. fungiren, unbedingt verwerflich. Allein die jurisdictio voluntaria ist ein neutrales Gebiet, und es scheint mir durchaus Sache lokaler Regelung zu sein, ob man sie ausschließlich den Gerichten überweisen, oder auch die Advokaten zulassen, oder ob man behufs ihrer Verwaltung eine eigene Klasse von Offizianten bilden will. Festzuhalten ist meines Erachtens nur zweierlei: einmal, daß auch die freiwillige Gerichtsbarkeit — im großen Ganzen wenigstens — rechtsverständiger Leitung übertragen werden muß, und sodann, daß Niemand in einer Sache als Notar fungiren soll, in welcher er bereits als Advokat thätig gewesen ist.

№ 4.

Gutachten über den Antrag des Stadtgerichtsraths Dr. Eberty zu Berlin:

„III. Der Personal=Arrest wegen Schulden findet

    a) in Wechselsachen,

    b) wegen verweigerter Offenlegung des Vermögens,

    c) sonst nur bei nachgewiesenem Betruge

statt.“

A. Gutachten des Rechtsanwalts Calm in Bernburg.

Der Eberty'sche Antrag berührt einen sehr wunden Fleck des Civil-prozesses. Seitdem die konstituirende Versammlung in Frankreich am 9. März 1793 mit stürmischer Hast unmittelbar nach Creirung des Revolutions-Tribunals auf die Anträge Danton's und André's die völlige Abolition der contrainte par corps pour dettes dekretirt hatte — haben bis zu dieser Stunde Männer der Wissenschaft und Praxis die Frage über die Zulässigkeit der Schuldhaft vom moralisch-philosophischen, staats- und privatrechtlichen, volkswirthschaftlichen und internationalrechtlichen Gesichtspunkte aus eindringlich geprüft, in Büchern und Abhandlungen ihre Ansichten niedergelegt, andere haben dieselben, oft nicht ohne Leidenschaft und bittere Ironie, in den Parlamenten und Kammern vertheidigt.

Wie dieses Exekutionsmittel in Frankreich schon drei Wochen nach seiner Abschaffung für Forderungen des Staates an die Rechnungsbeamten wieder eingeführt und auf vielfache Klagen der Kaufleute und unter deren Einflusse durch Beschluß vom 14. März 1797 und durch die Gesetze vom 4. und 23. April 1798, durch den Code civil vom 2. März 1804 und die Gesetze vom 24. August 1804 und 10. September 1807 mit gesteigerter Härte, namentlich gegen Ausländer wiederhergestellt wurde, so hat auch die im Jahre 1848 durch die provisorische Regierung erfolgte Aufhebung nur ein kurzes Dasein gefristet und blos in wenigen Bestimmungen, wie in der Skala der Zeitbestimmungen, für die Haft den ausführlichen Vorschriften des Gesetzes vom 17. April 1832 derogirt.

In England scheiterten im Jahre 1835 die eifrigen Bemühungen Campbell's und seiner Gesinnungsgenossen für die möglichste Beseitigung der Schuldhaft an der durch politische Ereignisse herbeigeführten Auflösung des Parlaments.

In Deutschland bieten namentlich die Sächsischen Kammerverhandlungen aus den Jahren 1842 bis 1845 viele lehrreiche Momente für unsere Frage dar und gewähren zugleich die interessante Erscheinung, daß bedeutende Kaufleute und Industrielle unter den Abgeordneten zu den unbedingten Gegnern der Schuldhaft zählen.

Wenn in der Deutschen Reichsversammlung der Antrag Nauwerck's: „die Schuldhaft findet nicht mehr statt" weder Theilnahme noch eine eigentliche Debatte fand, so lag das nicht etwa in einer Verkennung seiner Wichtigkeit, sondern in der ungeeigneten, weil unvorbereiteten Hereinziehung einer civilprozessualischen Maßregel in den über die Freiheit und Unverletzlichkeit der Person im kriminal- und polizeirechtlichen Gebiete handelnden §. 7. (§. 8.) der Deutschen Grundrechte.

Es muß ferner davon Akt genommen werden, daß in den Reihen der Vertheidiger der Schuldhaft Männer der bewährtesten Humanität sich befinden, während Niemand die Gegner derselben philantropischer Schwärmerei zeihen wird, wenn er unter ihnen Richtern und Anwälten, Staatsmännern und Regierungsbeamten von erprobter Praxis begegnet. In Deutschland gebührt unserm Mittermaier das Verdienst, vor mehr als dreißig Jahren mit dem an ihm zu bewundernden reichen Ueberblicke des Deutsch- und fremdrechtlichen Materials seine Ueberzeugung von der Erfolglosigkeit und Gefährlichkeit des Personalarrestes in den meisten Fällen dargelegt zu haben, eine Ansicht, der er auch in späteren Abhandlungen treu geblieben ist.

So ist es denn dahin gekommen, daß es heute schwer sein dürfte, für oder gegen diese Institution eine Ansicht zu entwickeln, die nicht schon in den Reden, Berichten und Gutachten·der gesetzgebenden Versammlungen, in Motiven der Gesetzesentwürfe und Civilprozeßordnungen, in Büchern und Zeitschriften sich geltend gemacht oder doch ausgesprochen hätte.

Für die Deutschen Staaten bleibt nur der eine, nicht genug zu beklagende Uebelstand übrig, daß bei der wahrhaft erschreckenden Buntscheckigkeit der partikularrechtlichen Bestimmungen über unseren Gegenstand diejenige Stimme sich noch nicht hat hören lassen, welche allein in letzter Instanz den Streit zu schlichten haben wird, die Statistik. Ueber die wichtigsten Fragen tappen wir hier noch im Dunkeln.

Das Verhältniß der Arrestationen bei Civilschulden zu denen im Handel und kaufmännischen Verkehr, wie zu denen bei öffentlichen Abgaben, Gerichtskosten und Geldstrafen, der moralische Einfluß der Personalhaft auf die Familie und die Angehörigen des Schuldners, die volkswirthschaftliche Frage über die Einbuße der Gesellschaft an der Arbeitskraft der Verhafteten und an unfruchtbaren Arrestkosten, über die Nothwendigkeit dieses Exekutionsmittels für den Kredit und über die Anzahl simulirter Wechsel und Verschreibungen unter der Wechselklausel behufs Ermöglichung der sonst unzulässigen Haft — die Stellung des Wuchers und der geschäftliche Charakter, der Stand, Rang, das Geschlecht und Alter der Gläubiger und Schuldner, das Verhältniß im Kontingent der einzelnen Staaten und Provinzen nach dem Volksgeiste, dem industriellen und kommerziellen Charakter derselben, der Städte zu den Landbewohnern, der Hauptstädte wieder zu den Provinzialstädten, die Wirksamkeit der unendlich verschiedenen Haftdauer und der noch verschiedenern persönlichen Exemtionen, die Kosten der Haft für die Gläubiger und der Gefängnisse für den Staat, die Durchschnittssummen der Verhaftungen in Zeiten des Friedens und belebten Geschäftsverkehrs zu denen bewegten politischen Umschwungs und allgemeiner Landeskalamitäten, der Nachweis über die sittliche Korruption durch das an vielen Orten noch bestehende Zusammensein mit Straf- oder Untersuchungs-Gefangenen jeder Art, die Frage über die Wirkung des Müßiggangs auf die Arbeitstüchtigkeit des Verhafteten, die Eruirung der Haftgründe in der Person des Schuldners nach der Seite des Leichtsinns, des Betrugs und des Unglücks, und aus dem Charakter der einzelnen Rechtsverhältnisse, jenachdem sie ein Summenversprechen, Handlungen, Unterlassungen u. dgl. mehr involviren, die Vergleichung der Anzahl der Fallissemente und Güterabtretungen zur Schuldhaft, sowie eine Erörterung ihrer etwaigen Wechselbeziehungen, eine Vergleichung der Länder des Dotalsystems und der Gütergemeinschaft, straffer und laxer Mobiliar-Exekutions- und Subhastations-Ordnungen, der gütlichen Arrangements zwischen Gläubigern und Inhaftaten, der wirklichen Zahlungen und der resultatlosen Entlassungen, des Nutzens oder Schadens öffentlicher oder privater Wohlthätigkeit für Schuldgefangene, der Anzahl von Urtheilen in Civil- und Handelssachen zu der Masse der erfolgten Verhaftungen mit Bezugnahme auf den von Vielen hervorgehobenen Gesichtspunkt der Wirkung der Furcht vor Personalhaft, des täglichen Alimentensatzes zu den Preisen der Lebensmittel und den Anforderungen der Sanität, der successiven zur einmaligen befreienden, der primitiven und subsidiären Haft, der simultanen und successiven oder der gänzlich ausgeschlossenen Mobiliar-Exekution, der Rückfälligkeit entlassener Gefangener, der Anzahl der Manifestations- und Exurationseide unter den Meineiden — alle diese Fragen, deren Erschöpfung der enge Rahmen eines Gutachtens verbietet, kann auch nur die Statistik beantworten. Sie allein hat den Fürsprechern oder Gegnern der Personalhaft die eigentlichen Waffen zu reichen, deren diese bei allen Debatten und Deduktionen so wesentlich bisher entbehrten, daß die angebliche Utilitätsrücksicht selbst grundsätzliche Feinde der Schuldhaft zu ihren legislatorischen Fürsprechern gestempelt hat. Denn ein eigentlicher Gönner dieses äußersten Exekutionsmittels ist wahrlich nicht mehr zu finden, und es charakterisirt dasselbe so recht und giebt die eigentliche Stimmung wieder, wenn ein einflußreicher Gegner der Aufhebung dieses „nothwendigen Uebels" in der ersten Sächsischen Kammer erklärte:

„Der Ursprung des Schuldarrestes scheint mir in der That kein
anderer zu sein, als daß er ein Ueberrest und Surrogat der ehemaligen Schuldknechtschaft ist, bei welchem oft Rache und unreine
Motive mitwirken.

Durch diese der Freiheit so nachtheilige Maßregel werden Eltern,
Ehegatten, Freunde und Kinder gezwungen, für den Schuldner zu
zahlen, sie ist eine gesetzliche Erpressung, der ich nicht das Wort
reden kann.“

Da die allgemeinen Gründe für und wider die Personalhaft, welche sich
in den beiden Parömieen wiederfinden: „Qui non habet in aere, luat in
corpore“ und „der Kerker quält, aber er zahlt nicht“, so wenig hierher gehören, als eine rechtsgeschichtliche Erörterung der Entstehung und der Fortbildung dieses Instituts, so wende ich mich sofort zu dem Eberty'schen
Antrage.

Derselbe lautet:

I. Die Personalhaft wegen Schulden findet statt:
     a) in Wechselsachen.

An und für sich ist kein Grund zu ersehn, warum Wechselschulden vor
andern durch Personalhaft begünstigt sein sollen. Dazu kommt noch, daß
diese nur in wenigen Deutschen Staaten (wie z. B. Bayern, Hamburg) eine
subsidiäre und beschränkte Anwendung findet, während in den übrigen, namentlich seit Einführung der Allgemeinen Deutschen Wechselordnung, der im Römischen und alten Deutschen Rechte bei fast allen Verbindlichkeiten festgehaltene
Gesichtspunkt, daß die Person des Schuldners unmittelbar, resp. daß er mit
seiner Freiheit sofort für die Erfüllung übernommener Verbindlichkeiten hafte,
gesetzlich sanktionirt worden ist.

Zu der Ausdehnung der Wechselhaft hat die durch die neuere Theorie
längst verworfene Ansicht beigetragen, daß Wechselhaft und Wechselstrenge
identisch seien. Beide decken sich aber so wenig, daß Niemand zwischen Ungarischen Wechseln und denen anderer Länder einen inneren Unterschied finden
wird, obwohl dort wie in Genf die Wechselhaft aufgehoben ist.

Man wird eine materielle und prozessualische Wechselstrenge, welche die
Einrede der Kompensation, der nicht gezahlten Valuta ausschließt, möglichst
beschleunigtes Verfahren vorschreibt, Rechtsmitteln die Suspensivkraft nimmt,
Widerklagen gar nicht und Einreden nur bei augenblicklicher Liquidität der
Beweismittel gestattet, selbst den letztern Eideszuschiebung und sofort sistirbare
Zeugen nicht gleichstellt, ohne Gefährdung des ganzen Wechselinstituts so
wenig entbehren können, wie die möglichste Wahrung der Formen — aber
was die Wechselhaft anlangt, so kann man Baumeister in Hamburg nur
beipflichten, wenn er sie eine „Pferdekur gegen die angeblich eingerissene Un-

fitte der Nichtzahlung von Wechseln" nennt. Wenn die Freiheit der Person ein unveräußerliches Gut ist, wie Leben und Ehre, so daß man den Carpzov'schen Satz: „Niemand ist Herr seiner Glieder" unbedingt abwehren muß, so ist es irrationell, im angeblichen, bisher nicht erwiesenen Interesse des Krebits und Verkehrs die Verpfändung der Person, gleichsam die Begründung einer modifizirten Schuldknechtschaft zu gestatten. Der Zweck heiligt die Mittel nicht und durch die Acceptation der Verzichtleistung auf ein unveräußerliches Recht entsteht kein Kontrakt.

Die Wechselhaft ist aber nur so gefährlicher geworden, als die Ausdehnung der Wechselfähigkeit ihr ein täglich größeres Kontingent zuführt, Wucher und unredliche Geschäfte sich vielseitig dahinter verstecken und selbst in manchen Deutschen Ländern der Konkurs ohne Einfluß geblieben ist, so daß die widersinnige Erscheinung sich zeigt, daß Jemand, dessen Zahlungsunfähigkeit zu Tage liegt, durch das Uebel der Haft gezwungen werden soll, zum Nachtheile aller übrigen Gläubiger einen Einzelnen zu befriedigen und diesen dadurch zum Theilnehmer einer widerrechtlichen Handlung zu machen. Die Wechselhaft ist außerdem seit jüngster Zeit auch deshalb ein um so größeres Uebel geworden, als daneben eine gleichzeitige Erekution in das Vermögen des Schuldners gestattet ist, während doch in England, dessen übergroßer Mißbrauch der Schuldhaft notorisch geworden ist, der „Leib das Gut schützt", so daß nicht einmal eine succeffive, geschweige denn eine fimultane Mobiliarerekution dort erlaubt ist, gleichwie auch nach Römischem Rechte derjenige Gläubiger, welcher die prätorische Vermögensexekution gewählt hatte, auch wenn diese völlig refultatlos geblieben war, zur civilrechtlichen Erekution gegen die Person nie wieder zurückgreifen konnte. Man hat sogar in Sachsen die Zufügung der Wechselklausel bei Gelöbnissen von Geldzahlungen in allen Kontrakten erlaubt, also die vorausgehende Ueberweisung unter die Wechselhaft außerordentlich erweitert, obwohl in diesem Lande die durch die constitutio 21 P. II. vom Jahre 1572 zugelassene vertragsmäßige Unterwerfung unter die Schuldhaft schon im Jahre 1622 wieder völlig vergessen war. Dennoch wird ein einzelnes Volk die freiwillige Submiffion unter die Schuldhaft, welche die Wechselverbindlichkeit noch heute wie ihr Schatten begleitet, ohne Gefahr nicht einseitig aufheben können, weil der Wechsel der ganzen Handelswelt angehört, die Grenzen der Länder und selbst der Welttheile überspringt, so daß es bei der großen Bedenklichkeit ungestümen gesetzgeberischen Vorschreitens gegen Handelsgewohnheiten und gegen die Ansichten der Kaufleute allein von der Uebereinstimmung der Handelsvertreter unter den Kulturvölkern selbst abhängen wird, ob der Ausspruch Lafitte's sich realifiren läßt:

„Die Bedürfniffe des Handels verlangen die Personalhaft nicht, sie

6*

dient nur dem Wucher gegen unglückliche Familienväter nud leicht-sinnige Jünglinge. Der Handel, der Alles civilisirt, hat nicht nöthig seiner Sicherheit halber, zu Maßregeln zu greifen, welche die Zeiten der größten Barbarei zurückrufen."

II. Steht der Antrag sub a auf gemeinrechtlichem Boden, so verläßt er denselben in den beiden folgenden Punkten sub b und c. Für die Län-der des gemeinen Prozesses, in welchen die aus dem römischrechtlichen Ver-bote des eigenmächtigen Ergreifens und Festhaltens der Schuldner und ihrer Angehörigen erweiterte Regel des Kanonischen Rechts: „ut liber homo pro debito non teneatur" durch Usualinterpretation die Schuldhaft bis auf vereinzelte Spuren (Wechsel, Studenten) verdrängt hat, würden die Eberty-schen Positionen nicht als eine Beschränkung des Instituts zu begrüßen sein, sondern dessen völliger Wiedereinführung gleich stehn. Es hat sich aber in den maßgebenden Kreisen dieser Staaten ein Wunsch nach dem Wieder-aufleben der Schuldhaft meines Wissens bisher nicht im geringsten geäußert. Auch Länder mit besondern Prozeßordnungen haben theils jüngst den Per-sonalarrest fast gänzlich beseitigt, wie Meiningen durch das Gesetz vom 17. Juli 1862, theils zur Erweiterung der seit länger als hundert Jahren bestehenden Beschränkungen keine Veranlassung gehabt, wie Bayern. Es schweben also dem Herrn Antragsteller wohl nur die Bestimmungen Preußi-scher, Sächsischer und anderer Exekutionsordnungen vor.

Und von diesem partikularen Standpunkte aus muß man es billigen, wenn Herr Eberty die Schuldhaft durch das Wort nur im Satze c, welches eine bessere Redaktion sofort in die allgemeinen Eingangsworte setzen wird,

1) bei Handlungen und Unterlassungen gänzlich beseitigt wissen will. Das Römische Recht giebt für die Exekution derartiger Lei-stungen (facere, non facere) nicht den geringsten Anhalt, indem es immer die Verurtheilung in Geld vorschreibt. Es ist dabei von einem richtigen Takte geleitet worden. Denn ist es nicht ein Widerspruch und erfahrungsmäßig unwirksam, eine nur vom Willen des Leistenden abhängige, so zu sagen nicht fungible Handlung, das Drama eines Dichters, das Bild eines Künstlers, durch den Kerker erzwingen zu wollen, unbekümmert darum, daß die Seele der Dich-tung und der Genius des Bildes, wenn anders sie noch nicht ent-flohen sind, gewiß nicht mit ins Gefängniß ziehn? Und müßte man nicht konsequenterweise denjenigen in infinitum sitzen lassen, den weder Urtheil noch Geldstrafe von einer Servitutstörung ab-halten? Oder soll richterliche Willkür hier über die Dauer ent-

scheiden, da das Gesetz unmöglich alle Einzelfälle vorher bestimmen kann?

Freilich ist es richtig, daß die Kautionen und Geldstrafen oft ebensowenig als die Kosten der durch Dritte bewirkten Arbeiten, oder das durch juramentum in litem festzustellende Interesse einziehbar sein werden, aber man muß in solchen Fällen dem Gläubiger wie bei Civil- und Handelsschulden, die gleichfalls im allgemeinen nach dem Eberty'schen Antrage zur Kaptur nicht führen sollen, lieber ein „habeat sibi" zurufen, als daß man gesetzlich eine Maßregel statuirt, welche oft in eine wahre Tortur ausartet, das Unglück nicht minder straft als den bösen Willen, den Schuldner nach der herrschenden Volksansicht erniedrigt, den Handel entehrt, statt ihn schützt, übertriebenes Vertrauen und waghalsige Spekulationen eher provocirt als dämpft, in vielen Fällen ganz resultatlos nur die Kosten und damit des Gläubigers Bitterkeit und Rache mehrt, das Mittel zur Befriedigung dem Schuldner raubt, den Menschen zur Sache herabwürdigt, dem Grunde nach auf der Präsumtion beruht: der Schuldner könne und wolle nicht; welche das erreichen will, was oft nur die Freiheit vollbringen kann und endlich zuweilen, wie z. B. bei dem im Königreich Sachsen seit dem Jahre 1831 aufgehobenen Schuldthurmsprozeß, den Charakter einer reinen Strafe angenommen hat.

2) Es folgt ferner aus der Fassung des Antrages, daß bei fiskalischen Forderungen: Steuern, Abgaben und Geldstrafen der Personalarrest nicht einzutreten hat. Selbst wenn man bei Privatschulden die Haft zuließe, erheischt es die sittliche Stellung und Aufgabe des Staates, daß Forderungen desselben an seine Angehörigen nicht zu einem Exekutionsmittel führen, welches der Würde des Menschen nahe tritt und in der Person des Staatsbürgers dem Staate selbst Eintrag thut.

Die Römer, welche schon in der frühsten Zeit bei Staatseinkünften und einigen andern öffentlichen Forderungen eine pignoris capio zugelassen hatten, während ihnen bei Privatschulden ein solcher direkter Eingriff in das Vermögen des Schuldners als unciviilistisch und mit der Freiheit eines Staatsbürgers unvereinbar erschien, ließen zwar später den Personalarrest bei Steuerschulden und sonstigen Forderungen des Fiskus zu, selbst in Egypten, wo sie doch sonst die seit uralter Zeit bestehende Aufhebung jeder Schuldhaft respektirten, wie ein Edikt des Präfekten Tiberius Julius Alexander aus der Zeit des Kaisers Galba zeigt — aber Constantin I. und

Justinian verboten den Carcer bei Steuererhebungen und fiskalischen Schulden. Bei andern Völkern wurde freilich der Personalarrest später gerade hinsichtlich der fiskalischen Forderungen ausnahmsweise zugelassen, und selbst die Lehrbücher des gemeinen Prozesses kennen wenigstens noch eine Einlegung der Wache (Presser) in exigendis tributis et vectigalibus publicis. Es liegt aber wohl im Geiste der Humanität unserer Zeit, bei allen öffentlichen Forderungen zu den Bestimmungen jener Römischen Kaiser zurückzukehren. So kann man es gewiß nur billigen, daß in Preußen wegen Gerichtskosten kein Personalarrest verfügt werden soll, während die prozessualische Bestimmung im Königreich Sachsen, daß die Kosten von solchen Personen, welche das Armenrecht genießen und als muthwillige Litiganten unterlegen sind, mittelst Gefängnisses oder Handarbeiten beizutreiben seien, gewiß keine Nachahmung verdient.

Obwohl der Eberty'sche Antrag nur auf die Haftvollstreckung als Exekutionsmittel sich bezieht, was zur Vermeidung von Mißverständnissen in den Einleitungsworten besonders ausgedrückt zu werden verdient, so dürfte doch mit einigen Worten

3) der Personalhaft als Sicherungsmittel zu gedenken sein. Sie wird namentlich gegen Ausländer angewandt, wenn der Gläubiger darthun kann, daß er von der kompetenten Gerichtsobrigkeit seines Schuldners das Seinige gar nicht oder doch nur mit Beschwernissen erlangen kann. Muß man auch solche Repressalien ihrem innern Grunde nach mißbilligen, und verfehlen sie sehr oft ihren Zweck, so wird es doch noch lange währen, ehe man ihrer entbehren kann. Auch hier würde nur eine internationale Uebereinkunft über gegenseitige Vollstreckbarkeit der Erkenntnisse eine endliche Abhilfe gewähren. Wenn Prozeßrechtslehrer, wie z. B. Heffter, die Ansicht aufgestellt haben, daß in einem Deutschen Bundesstaate ein solcher Arrest gegen den Angehörigen eines andern Bundesstaates nicht mehr zuzulassen sein möchte, so entbehrt diese Meinung positiver Bestimmung, da der Deutsche Bund nur eine politische Bedeutung hat. Wohl aber wäre es endlich an der Zeit, daß dem vom Deutschen Juristentage auf den Antrag des Advokaten Dr. Mayersohn in Aschaffenburg ausgesprochenen Bedürfnisse „des baldigen Erlasses eines für alle Deutschen Staaten geltenden Gesetzes über die gegenseitige Vollstreckbarkeit der rechtskräftigen Civilerkenntnisse" in nächster Zeit abgeholfen werde. Bis jetzt bietet hierin nur Nassau ein nachahmungswerthes Beispiel, während einige andere

Deutsche Staaten durch Konventionen sich einen nothdürftigen Ausweg geschaffen haben. Endlich sei noch der in manchen Deutschen
Prozeßgesetzen erwähnten

4) so zu nennenden **Arbeitshaft** Erwähnung gethan, wonach der
Schuldner im Gefängnisse angehalten werden soll, durch Arbeit
oder Anstrengung seiner körperlichen und geistigen Kräfte dem
Gläubiger Befriedigung zu verschaffen. Von ihr gilt, was Koch
(Preuß. Civilp.) von der Exekution durch Arbeit überhaupt sagt,
daß sie „bei den heutigen Zuständen unanwendbar sei, weil das
Zwangsmittel gegen den widerwilligen Schuldner fehlt, und daß
sie ebenso erfolglos als ungebräuchlich geworden ist."

5) Nach diesen Erörterungen bemerke ich zu positio

b. „**Wegen verweigerter Offenlegung des Vermögens:**"

Zunächst ist darauf hinzuweisen, daß ein Gläubiger mit der bloßen
Offenlegung, sofern es sich nicht um bestimmte Sachen handelt, sich zumeist
nicht begnügen, sondern die **eidliche** Erhärtung des Verzeichnisses verlangen wird, so daß es wohl eigentlich heißen müßte:

„Wegen verweigerter Offenlegung des Vermögens und deren eid-
licher Erhärtung."

Selbst prinzipielle Gegner der Schuldhaft, wie Bayle-Mouillard in
seiner gekrönten Preisschrift de l'emprisonment pour dettes, Campbell
u. A. m. wollen dieselbe für diesen Fall wie en cas du dol ou de la
fraude als ultima ratio des Kredites zulassen.

Die Preußische Exekutionsordnung legt solches Gewicht auf den Offenbarungseid, daß nicht einmal Beamte und Militairpersonen, welche seiner
Ableistung sich weigern, der bis zu einem Jahre vollstreckbaren Haft sich
entziehn können, ohne daß jenes Gesetz andererseits zu der humanen Bestimmung der Dessau-Cöthenschen Prozeßordnung käme, wonach die Leistung
dieses Eides, wofern er nicht auf bestimmte Sachen oder Gattungen gerichtet ist, die Exekution durch Personalarrest ausschließt. Im Gegentheile verlangen noch manche Preußische Gerichte, wie auch die Praxis in einigen
Ländern des Sächsischen Rechts, die Leistung des Manifestationseides vor
jedem Antrage auf Personalarrest, während die meisten übrigen die entgegengesetzte Praxis befolgen. Nach dem Sächsischen Exekutionsgesetze vom 28.
Februar 1838 würde jener Fall unter die im §. 71 normirte Widersetzlich-
keit zu subsumiren sein, welche freilich immer eine vorausgehende Verurtheilung voraussetzt. Es soll sogar dort nach Biener's Zeugniß derjenige,
welcher den Manifestationseid verweigert und der Verheimlichung pfändbarer
Objekte verdächtig ist, eine kriminelle Verfolgung wegen Betruges (als de-
coctor dolosus) zu gewärtigen haben, eine Vorschrift, welche Wetzell auch

auf den gemeinen Civilprozeß ausdehnt, der diesen Eid als Beweismittel und bei der Unmöglichkeit eines Rechtsnachtheils im Falle seiner Verweigerung die Anwendung von Disciplinarstrafen zuläßt. Auch Hannover kennt Gefängnißzwang bei verweigertem Offenbarungseid. Und in der That ist die Vermuthung dringend nahe gelegt, daß derjenige Schuldner unredliche Absichten verfolgt oder dolose Handlungen verdecken will, welcher die eidliche Offenlegung seines Vermögens verweigert. Dennoch muß ich mich aus folgenden Gründen gegen die Statuirung dieser Ausnahmebestimmung erklären:

a) Es liegt auch beim Manifestationseid — wie beim Kautions- und Homagialeid, bei der Stellung einer Kaution u. dgl. m. nur eine Handlung vor, bei welcher der Herr Antragsteller doch die Personalexekution überhaupt ausschließt. Die exceptionelle Strenge, welche für den Manifestationseid gewünscht wird, ist nun aber bedeutungslos, wenn der Schuldner bei seiner Weigerung beharrt und so durch seinen Widerstand das gesetzliche Coactionsmittel überwindend, mit dem Ablauf der bestimmten Dauer der Haft für immer vor ähnlichen Maßregeln sicher sein wird.

Freilich haben wir noch Deutsche Staaten, in welchen der Schuldner bis zur Befriedigung des Gläubigers, also ad dies vitae incarcerirt bleibt, gleichwie in einigen Ascendenten gegen Descendenten und umgekehrt, Blutsverwandte und Verschwägerte gegen einander, Frauen gegen Ehemänner (z. B. wegen Alimente) Personalhaft vollstrecken lassen, aber keine Prozeßordnung unserer Tage wird solche Institutionen recipiren mögen.

b) Es artet jene Ausnahme leicht zu einem Erpressungsmittel aus, da sich wohl Verhältnisse denken lassen, in welchen der Schuldner weder sein Vermögen offen legen kann, ohne sich und nahe Personen an Ehre und Gut zu gefährden, noch den Eid zu leisten vermag, ohne zum Verbrecher herabzusinken. (Z. B. er ist Nießbräucher einer Kapitalforderung seiner Ehefrau, für welche solche als Abfindungssumme für ein vor der Ehe begangenes, von keinem ihrer Kinder und Bekannten bisher in Erfahrung gebrachtes Stuprum konstituirt war, oder er hat eine Forderung an seinen Sohn, welche er, um diesen nicht zu ruiniren, nur in mäßigen Raten beitreibt, jetzt aber der ganzen Strenge des Gläubigers überweisen lassen muß, oder der Schuldner ist ein Preußischer Handelsmann und das von ihm zu legende Manifest wiese nach, daß sein Aktivvermögen nicht die Hälfte der Schulden deckte, bevor er die neue Verpflichtung einging, wegen deren er jetzt gedrängt wird, so zwingt man ihn, sich entweder selbst wegen einfachen Bankeruts zu denunciren, oder ein unwahres Verzeichniß aufzustellen und zu erhärten, ein Dilemma, das aus moralischen Gründen sicher vermieden werden muß).

c) Manche Deutsche Staaten, wie z. B. Bayern, geben bei Eröffnung des Konkurses den Gläubigern das Recht, den Manifestationseid vom Kridar zu verlangen. Wo die Gesetze nun solches bei der bonorum cessio und bei Moratorien vorschreiben, liegt in der Verweigerung dieser Wohlthaten die rechtliche Folge des verweigerten Eides, aber in dem obigen Falle kann die Strafe der beharrlichen Nichtleistung ebenso wenig einen besondern Einfluß auf die Person des Schuldners ausüben (da er hier fast immer wegen geschehener Verschweigung und Beiseiteschaffung sich kriminell strafbar machen, also wohl sich hüten wird, mit der Wahrheit vorzugehn) noch für die Masse von Bedeutung sein, da erfahrungsmäßig selbst die abgeleisteten Eide ihr keinen Deut Zuwachs verschafft haben. Darum enthalten sich die Gläubiger jetzt fast durchweg eines solchen Antrags.

d) Es ist immer ein gefährliches Experiment, Personen, welche Vermögensobjekte bei Seite geschafft haben oder blos verschweigen, die Wahl zwischen dem Gefängnisse und dem Eide zu lassen. Der Drang der Umstände und Leichtsinn treiben ihn hier leicht dem Verbrechen in die Arme. Ich verweise auf die vielen falschen Angaben, welche erfahrungsmäßig bei Selbstschätzungen behufs Steueranlage und Vermögensmanifestationen zur Gewinnung des Bürgerrechts gemacht werden. Zu berücksichtigen bleibt noch, daß die den Manifestationseiden inserirte Versicherung „der spätern Namhaftmachung etwa außer Acht gelassener Objekte", welche manche Exekutionsordnungen vorschreiben, dem Schuldner auf den Fall der Anklage immer die Ausflucht des Irrthums, der Gedächtnißschwäche garantiren.

e) Es wird das indirekte Zwangsmittel des Würderungseides, der ja in Preußen selbst bei verweigertem Zeugnisse nach Erschöpfung aller Zwangsmittel zulässig ist, in manchen Fällen ausreichen, wie solches z. B. bei der Manifestation bestimmter Sachen die gemeinrechtliche Praxis bezeugt. Zwecklos wäre das juramentum in litem freilich, wenn es sich nicht blos um einzelne bestimmte Vermögensstücke, sondern um das ganze Vermögen handelte.

f) Die Praxis mancher Gerichte und die gesetzlichen Bestimmungen verschiedener Länder verlangen die Ausschwörung des Manifestationseides vor jeder Haftvollstreckung, außer wohl in Wechselsachen. Dort also keine Haft ohne Offenbarungsschwur, nach Herrn Eberty keine Haft nach solchem Eide. Wenn aber in jenem Falle der

Richter bei wiederholten Haftanträgen von ·einer neuen eidlichen
Manifestation absieht, es habe denn der Gläubiger solche unter Angabe bestimmter Rechtfertigungsmomente und Thatsachen beantragt
und diese glaublich gemacht, wie soll er sich in dem Eberty'schen
Falle bei wiederholten Gesuchen der Gläubiger verhalten? Wenn
der Schuldner wegen verweigerter Offenlegung seines Vermögens
dem A. gegenüber drei, sechs und zwölf Monate gesessen hat, soll
er dann immer von neuem verhaftet werden, wenn andere Gläubiger dieselbe nicht erzwingen können?

Während es äußerst selten vorkommt und schwer wahrscheinlich
zu machen sein wird, daß Jemand, der ein unzulängliches Vermögen
manifestirt hat, bald zu neuem Vermögen gekommen ist und so
zu einem abermaligen Manifestationseid gedrängt wird, so daß vielmehr neue Gläubiger an die erste Offenlegung sich halten und eine
unnütze Verhaftung vermeiden werden, so liegt andererseits die
Negative, daß Jemand einen Eid nicht leisten will, klar zu Tage
und wird eben diese Thatsache anreizen, verschwiegene Schätze zu
wittern und zum Ergötzen der Kreditoren für den obstinaten
Schuldner die Gefängnißthür in steter Bereitschaft halten.

g) Wenn der Schuldgefangene bereit ist, sein Vermögen zu offenbaren,
er bedarf aber zuvoriger genauer Information oder der Besichtigung
der von ihm zu inventarisirenden Gegenstände, soll er verpflichtet
sein, aus seinem Gedächtnisse im Carcer ein unvollständiges Verzeichniß anzufertigen und sich der Gefahr eines Meineids auszu-
setzen, oder soll er und auf wie lange und unter welchem Präjudize
entlassen werden, damit er genügendes Material sammele?

h) Manche Exekutionsordnungen berechtigen den Gläubiger, vor der
Haftentlassung des Schuldners den Manifestationseid oder die Be-
schwörung der Insolvenz (gleichsam den umgekehrten Ejurationseid
der Lex Poetelia) zuweilen verbunden mit dem eidlichen Ange-
löbnisse der baldmöglichen Befriedigung zu fordern. Erfahrungsmäßig nützen diese Eide in den allerseltensten Fällen, so daß man
wirklich legislatorische Bedenken tragen muß, an die Nichtleistung
einer vor der Schwelle des Gefängnisses drohenden Species derselben die Strafe oder das Compellens der Haft zu knüpfen.

Wenn endlich

i) die Haft wegen verweigerten Manifestationseides, wie oben im Eingange gezeigt wurde und wie noch manche Konkursordnungen für
den Kridar bestimmen, dem für solchen Fall der Kriminalprozeß
angedroht wird, das rein civilprozessualische Gebiet verläßt und in

das strafrechtliche übergreift, so ist solches noch bei weitem mehr der Fall mit der letzten Position des Antrags, welche lautet:

III. c) sonst nur bei nachgewiesenem Betruge.

Hier bleibt es sofort zweifelhaft, ob der Herr Antragsteller blos den civilrechtlichen dolus oder den strafbaren meint, er sei stellionatus oder die eigentliche escroquerie.

Wie die neuern Kriminalgesetze das Bestreben gezeigt haben, den civil-rechtlichen Betrug, welchen der vielgestaltige Verkehr unserer Tage so häufig mit sich bringt, auszuscheiden und vor den Civilrichter zu verweisen, so und noch mehr muß der Civilrichter sich hüten, bei dieser ohnehin in praktischer und legislatorischer Behandlung schwierigsten Partie des Strafrechts dem letztern angehörige Thatsachen vor sein Forum zu ziehn. Mag der Kriminal-richter diejenigen Täuschungen strafen, welche das nach der herrschenden Volks-ansicht nothwendige Maaß von Treue und Redlichkeit (öffentliche Treue und Glauben) verletzen — für den Civilrichter aber liegt keine Veranlassung vor, hier noch ein Accessorium der Strafe für denjenigen auszusprechen, der den verübten Schaden nicht heilen kann oder nicht will, oder gar für Fälle des Stellionats und civilrechtlichen Betrugs, welche das öffentliche Recht nicht ahndet, ein Surrogat zu schaffen, das innerer Begründung ebenso entbehrt, wie es den Zweck verfehlt. Im Pferdehandel kommen täglich Betrügereien vor, dennoch wird man es bei der redhibitorischen und der Würderungsklage genügen lassen und nicht als Zuwachs dieser Entschädigung, oder als Ersatz für deren Nichtleistung den Personalarrest einführen.

In pretio emtionis venditionis licere contrahentibus se circumvenire.

Uebrigens tauchen noch folgende specielle Bedenken gegen diese Antrags-position auf:

a) Es ist nicht zu ersehen, vor welchem Richter der Nachweis des Be-truges geführt sein soll.

Genügt hier das aus moralischer Ueberzeugung hervorgegangene Urtheil des Strafrichters, resp. das Verdikt der Geschwornen, oder soll ein den strikten Formen des Civilprozesses angepaßter Beweis, ein apellables Interlokut und eine Definitivsentenz erfordert werden? Wenn der Strafrichter absolvirt hat, darf dann eine nach-herige Kondemnation des Civilrichters eine analoge Strafe wegen Betruges schaffen? Und wenn der Civilbeweis mißlingt, was ist der betrogene Gläubiger besser gestellt, als in andern gewöhnlichen Fällen?

b) Es giebt Betrugsfälle, welche nicht gerade auf eine Vermögens-beschädigung hinauslaufen, wie z. B. arglistige Herbeiführung einer ehelichen Verbindung. Wenn diese, oft die härtesten, nicht vor den Civilrichter gelangen, warum sollen andere, die nur eine Verkürzung um einige Thaler involviren, durch den Zufall civilrechtlicher Kognition ein außerordentliches Zwangsübel mit sich führen?

c) Die sehr kasuistischen Bestimmungen des Französischen Rechts über die Schuldhaft im Falle eines Stellionats und des Vertrauensmißbrauchs beruhen größtentheils auf dem singulären Umstande, daß der Code pénal nur die manoeuvres frauduleuses eine peinliche Strafe nach sich ziehen läßt, d. h. nach Fölix, „wenn der Betrüger so fein ausgeklügelte Maßregeln getroffen hat, daß der Betrogene diesen Schlingen durch die gewöhnlichen Vorsichtsmaßregeln eines diligens paterfamilias nicht hat entgehen können." Der Personalarrest soll hier ein Mittel gegen den nicht peinlich strafbaren Schuldner sein, dessen mauvaise foi sich über den Civildolus erhebt.

Für Deutschland ist ein solcher Nothbehelf überflüssig, weil unsere Rechtsanschauung jeden eigentlichen Betrug als strafbar ansieht, die Mittel seiner Verübung nicht so einschränkt, wie der Code.

d) Bei aller Strenge des Französischen Civilrechts und der Unvollkommenheit der dortigen Hypothekenordnungen ergeben die statistischen Tabellen, daß in Paris kaum alle Jahre ein einziger Personalarrest wegen Stellionats vorkommt, daß in sieben bedeutenden Provinzialstädten die Gefangenliste eines Jahres drei Stellionatairs und sieben Verhaftete wegen abus de confiance nachwies, wie auch in Belgien in elf Jahren nur vierzehn Personen wegen bürgerlicher Schulden verhaftet sind. Und dabei klagen die Praktiker jenes Landes noch, daß manche Fälle des Stellionats nur Folge eines Irrthums oder fehlerhafter notarieller Akte seien, und sie wünschen lieber eine Erweiterung der Betrugsstrafen unter Hinweisung auf Deutsche Kriminalgesetze, als die Beibehaltung der Personalhaft en matière civile.

Es dürfte demnach für uns keine Veranlassung vorliegen, eine so singuläre Bestimmung des Französischen Civilrechts zu adoptiren, um so weniger als die dortigen Gesetze seit 1797 zu immer größerer Strenge reagirten und namentlich gegen die Ordonnanzen von 1667 und 1673 aus der blos fakultativen eine obligatorische Haft schufen.

e) Es ist nicht recht zu ersehn, wie sich der Herr Antragsteller das Verhältniß der Kriminalstrafe zum Personalarrest im Betrugsfalle denkt. Soll der zu vier Wochen verurtheilte Betrüger noch ein Jahr Schuldhaft erdulden können, resp. fünfzig Jahre, wenn er Hamburger ist und der verursachte Schaden sich auf 50,000 Mark beläuft, oder soll der zu fünf Jahren Gefängnißstrafe Verurtheilte noch die drei- und sechsmonatliche Personalhaft mancher andern Länder nachträglich absitzen?

Manche Deutsche Strafgesetzbücher sprechen in Betrugsfällen zur Gefängniß- noch eine Geldstrafe aus, welche im Nichtzahlungsfalle zu einer Verlängerung der Haft führt. Ist die letztere erfolgt, so liegt ja die Vermuthung auf der Hand, daß der fraudulose Schuldner entweder nicht zahlen kann, oder nicht will. Warum soll durch eine nach-hinkende Civilcarceration eine abermalige, gewiß meist unnütze Probe gemacht werden?

Soll ferner jede Theilnahme, wenn sie nachgewiesen ist, dasselbe Uebel nach sich ziehen, sollen Jugend und andere Strafbemessungs- und Milderungsmomente auf die Dauer der civilrechtlichen Haft eine analoge Anwendung finden, wird eine Begnadigung von Einfluß sein, soll dem Reichen, welcher die Vermögensbeschädigung heilen kann, die Kerkerthür geöffnet, selbst dem notorisch Armen aber verschlossen sein, nur damit die Rache seines Gegners gekühlt werde? Soll der Beschädigte einen besondern Prozeß anstrengen müssen, dessen Ausgang von der vorangegangenen kriminellen Verurtheilung unabhängig ist, oder darf er dem Kriminalverfahren als Civilpartei adhäriren?

Diese und noch viele andere wichtige Fragen läßt die unbestimmte Fassung des Eberty'schen Schlußantrags unbeantwortet.

f) Eine schleunige Exekution, gute Hypothekengesetze und Einrichtungen, strenge Bestrafung des Bankeruts, Aufhebung seiner bloßen Beschränkung auf Handelsleute und dergleichen Personen, so daß vielmehr Jedermann, der (es sei in Form von Darlehen, es sei durch Hinnahme kreditirter Waaren) bei bewußter Zahlungsunfähigkeit Schulden kontrahirt, als doloser Bankerutirer krimineller Ahndung verfällt, eine allgemeine Konkursordnung für Deutschland, welche der Unsterblichkeit der Gantprozesse in manchen Ländern steuert, ein Gesetz zur Anfechtung der Rechtshandlungen zahlungsunfähiger Schuldner außerhalb des Konkurses an Stelle der in allen Ecken und Winkeln kontroversen Bestimmungen der gemeinrechtlichen Actio Paulliana — solche allgemeinen Institutionen und Gesetze werden die Betrugsfälle mindern, und wo sie dennoch sich ereignen, wird die öffentliche Repression des Kriminalgesetzes statt der willkürlichen Strafe durch den Gläubiger einzutreten haben.

Muß ich sonach aus innern Gründen gegen die beiden Positionen b. und c. mich erklären und namentlich betonen, daß die Länder des gemeinrechtlichen Civilprozesses und andere die Schuldhaft außer in Wechselsachen als Exekutionsmittel nicht nur nicht wünschen, sondern von sich abwehren, entrückt ferner das Verkehrsgebiet des Wechsels die Frage über Aufhebung der fast überall bestehenden Wechselkaptur einem einzelnen Handelsvolke, so muß ich bei aller Vorliebe für die möglichste Beschränkung und allmälige Beseitigung der Schuldhaft noch aus einem ganz andern Grunde gegen den Eberty'schen Antrag in seinem vollen Umfange mich aussprechen.

Die angeregte Frage berührt nämlich so wesentlich verschiedene andere Theile einer künftigen Deutschen Exekutionsordnung, daß sie als losgerissenes Moment derselben nicht zu behandeln ist, ohne die Unmöglichkeit einer spätern Einfügung zu riskiren. Man muß sich aber aus praktischen, legislatorisch-politischen Gründen hüten, ein allgemeines Prinzip aufzustellen, wenn Dutzende verschiedener Anwendungen desselben noch gestattet sind. Ich erinnere nur an die Exemtionen.

Ist es nicht eine Rechtsanomalie, daß in Preußen Beamte der einjährigen Haft wegen Civilschulden nicht unterworfen werden können, während sie in Wechselsachen fünfjährige Incarcerirung befürchten müssen? In Sachsen schützt das milde Gesetz vom 7. Juni 1849 Siebenzigjährige, Eltern, Kinder, Blutsverwandte, Ehegatten u. dgl. m., in andern Ländern darf mit empörender Härte gegen die Freiheit von Personen vorgegangen werden, denen doch hinsichtlich der Realexekution das beneficium competentiae zusteht. Hier sind Frauen, wie nicht blos Justinian, sondern auch ein Gesetz der Vandalen aus Gründen des Schaamgefühls vorschrieb, von der Haft befreit, dort alle incarcerirbar, dort wieder blos die Handelsfrauen.

Und nun denke man erst an die weder in ein System, noch auch nur in eine übersichtliche Liste zu bringende Verschiedenheiten der Haftdauer.

Sollen diese Verschiedenheiten bestehn bleiben, oder sollen nicht vielmehr aus Einem Gusse die Regel, die Ausnahmen und die Art des Verfahrens bei beiden in einer Deutschen Exekutionsordnung, resp. in Einem Deutschen Civilprozesse bestimmt und so Gemeingut aller Deutschen Staaten werden?

Selbst wenn eine solche Hoffnung noch auf lange Zeit unrealisirbar bliebe, so ist es doch immer besser, die jetzigen Prozeßübelstände mit Aussicht auf eine dereinstige allgemeine gründliche Besserung noch zu ertragen, als hie und da durch Flickereien und Ausbesserungen das spätere Einigungswerk zu erschweren oder etwa als überflüssig in noch weitere Ferne zu rücken!

Ich stelle deshalb anheim:

> über den Antrag des Herrn Stadtgerichtsraths Eberty zur motivirten Tagesordnung überzugehn.

B. Gutachten des Stadtrichters Primker in Breslau.

Der zur Begutachtung herausgehobene Antrag des Herrn Dr. Eberty (Deutsche Gerichts-Zeitung S. 218, 1861, S. 222.):

> „Der Personalarrest wegen Schulden findet statt a) in Wechsel-sachen, b) wegen verweigerter Offenlegung des Vermögens, c) sonst nur bei nachgewiesenem Betruge,"

hat es lediglich mit der Schuldhaft wegen Geldschulden zu thun. Die damit verwandte Frage, in wie weit die Freiheitsentziehung als vorläufige Sicher-heits- (Arrest) Maßregel, oder im öffentlichen Interesse während des Kon-kurses, oder als Strafe des Ungehorsams gegen richterliche Verfügungen ge-rechtfertigt sei, gehören hiernach nicht in das Bereich des Gutachtens. Das-selbe hat sich lediglich mit der Frage zu beschäftigen:

In wie weit die Einsperrung in den Schuldthurm als Exekutions-mittel wegen einer Geldschuld zu statuiren sei.

Vom Standpunkt des strengen Rechts aus muß man sich für die un-beschränkte Zulässigkeit des Personalarrestes erklären. Das Recht des Gläu-bigers aus dem Erkenntniß geht, wie jeder obligatorische Anspruch unmittel-bar nur auf eine Leistung des Verurtheilten, und nur insofern diese Leistung aus dem Vermögen des Schuldners zu bestreiten ist, auch auf einen Ver-mögensbestandtheil, aber nicht so, daß dieser dem Recht des Gläubigers ver-möge der Obligation selbst unmittelbar unterworfen wäre. Aus der Natur der Obligation folgt nur die Forderung, daß der Schuldner zahle; daß der Gläubiger ohne das Medium des Schuldners sich selbst aus den Gütern des Schuldners bezahlt mache, ist eine Ueberschreitung des Rechts der Obligation. Die Person ist allein obligirt, an die Person muß sich der Gläubiger halten, von dem Schuldner muß es abhängen, ob er sich mittelst seines Vermögens lösen will.

Das alte Römische Recht hat diesen juristischen Gedanken streng durch-geführt. Der zahlungsunfähige Schuldner wurde trans Tiberim verkauft, seit der lex Poetelia 428 p. u. c. dem Gläubiger als Schuldknecht zugesprochen. Erst seit dem 7ten Jahrhundert konnte der Gläubiger, wenn auch nur auf einem Umwege, an das Vermögen seines Schuldners ohne dessen Willen kommen, mittelst der missio in bona Rutiliana. Der Gläubiger hatte nunmehr die Wahl zwischen der civilrechtlichen Exekution gegen die Person, oder der prätorischen gegen das Vermögen. Hatte er die letztere gewählt, so konnte er auf die, erstere nicht mehr zurückkommen, die Person blieb frei; war der Gläubiger durch die bonorum venditio nicht befriedigt, so konnte er bei etwaigem späteren Erwerb des Schuldners nur wieder zur missio und venditio greifen. Durch die lex Julia (von Cäsar oder Augustus) wurde eine Beschränkung dieser Wahl in die Hände des Schuldners gelegt. Der Schuldner sollte durch freiwillige Abtretung seiner Güter (cessio bonorum) seinem Gläubiger zuvorkommen und dadurch die Personalexekution vermeiden können. Eine unmittelbare Exekution in das Vermögen, zu dem Zweck, gerade nur so viel Sachen dem Schuldner wegzunehmen, als es zur Befriedigung des Gläubigers nothwendig ist. Diese pignoriscapio trat wegen Privatschulden erst in der späteren Kaiserzeit ein (zuerst erwähnt in einer Konstitution des Kaisers Antoninus Pius l. 31 de re jud. 42. 1.). Die Schuldhaft wurde seitdem nur noch zugelassen gegen den insolventen Schuldner, welcher nicht bonis cedirt hatte oder dazu nicht verstattet war, nachdem sich also die Exekution in das Vermögen fruchtlos ergeben. (Puchta Institutionen II. §§. 179. 188. 229. 162. III. §. 269. Jhering Geist des Römischen Rechts Bd. 2. §. 31. Weiß Rechtslexikon Bd. 4. S. 107.) Die Schuldhaft, welche in der Blüthe des Römischen Rechts das einzige prinzipale Mittel war, durch welches der Gläubiger sein Recht aus dem Judikat realisiren konnte, war solchergestalt zu einem subsidiären Rechtmittel, einer Art öffentlicher Strafe gegen den insolventen Schuldner zusammengeschrumpft. Dies war der Standpunkt des Römischen Rechts, als seine Reception in Deutschland stattfand. Hier hatte die gemeinverständige Betrachtungsweise, welcher jeder Umweg thöricht erschien, wo auf eine direktere und sofort zum Ziele führende Art zu helfen war, die streng juristische Auffassung, welche im älteren Römischen Recht die Exekution nur gegen die Person zuließ, von vornherein gar nicht aufkommen lassen. Für alle Verbindlichkeiten aus Verträgen haftete zunächst und prinzipal stets das Vermögen des Schuldners; erst dann, wenn dasselbe zur Befriedigung des Gläubigers nicht führte, hielt man sich an die Person des Schuldners. Entweder übergab er sich freiwillig dem Gläubiger als Knecht, um bis zur Zahlung der Schuld für ihn zu arbeiten, oder er wurde, wenn es zur Klage gekommen war, vom Richter dem Gläubiger als Schuldknecht zugesprochen (zur Hand und Halfter). Die Kapitularien und Volksrechte, nicht minder die Rechtsbücher des Mittelalters erwähnen diese Schuldhaft häufig, sie beschränkten sich jedoch meistentheils auf die Bestimmungen, wie der Gläubiger seinen

Schuldner in der Schuldknechtschaft zu halten und zu verpflegen hat. Der Schwabenspiegel bestimmt noch, daß wenn der Gläubiger den ihm zugesprochenen Schuldner nicht behalten will, der Schuldner schwören muß, Alles, was er über seine Nothdurft erübrigte, dem Gläubiger abzugeben. Allmählig ist die Einsperrung in den Schuldthurm an die Stelle dieser Schuldhaft getreten. Die Nürnberger Reformation von 1564 erwähnt dies schon als alten Brauch. In manchen Stadtrechten treten eigenthümliche Bestimmungen hervor. Nach dem Bamberger Stadtrecht wurde der insolvente Schuldner zuerst 3 mal 24 Stunden in des Büttels Stube eingesperrt, ob Jemand gut für ihn sagen möchte. Hierauf wurde seine Habe verkauft und er mit dem vorher erwähnten Eide des Schwabenspiegels belegt und damit zum geschworenen Schuldner des Gläubigers gemacht. So lange er dieses war, mußte er am rechten Bein baarschenkel und baarfuß gehen und nicht längere Kleider als bis auf die Knie tragen. Nach dem Wiener Stadtrecht von 1435 wird der Beklagte, wenn er nicht bezahlt und auch kein Pfand besitzt, 14 Tage lang auf Kosten des Klägers beim Nachrichter in Haft gehalten, dann findet ein Gerichtstag statt, und der Kläger kann sich selbst des Schuldners auf 14 Tage unterwinden. Verstreicht auch die Frist fruchtlos, so wird wieder Gericht gehalten und der Beklagte losgelassen. Er muß dem Gläubiger schwören, von Allem, was er verdienen würde, den dritten Pfennig zur Abtragung seiner Schuld zu verwenden. In diesen Stadtrechten tritt bereits eine Reaktion gegen die Strenge des alten Schuldrechts, die Tendenz auf Abkürzung der Schuldhaft hervor. Diese Strenge war um so empfindlicher, als sie partikularrechtlich nicht überall dadurch gemildert war, daß der unglückliche Schuldner sich durch die cessio bonorum von der Schuldhaft befreien konnte. (Eichhorn Deutsche Staats- und Rechtsgeschichte §§. 377. 463. 456. 462. 574. 575. 576. 594. Walter Deutsche Rechtsgeschichte §§. 565. 682. 679. 680. 688. 761. Mittermaier Deutsches Privatrecht §. 279. Stobbe zur Geschichte des Deutschen Vertragsrechtes, insbef. Obstagium S. 179. ff.) So war Alles zur Aufnahme des Römischen Rechts vorbereitet, insbesondere da das kanonische Recht die persönliche Schuldhaft als Vollstreckungsmittel nicht gelten ließ. Die Reception des Römischen Rechts in dieser Materie vollzog sich daher ohne Schwierigkeit, und es ist ein gemeinrechtlich unbestrittener Rechtsgrundsatz, daß, abgesehen von Wechselsachen, die persönliche Haft kein zulässiges Exekutionsmittel mehr ist, daß sie also nur eintritt als eine Art öffentlicher Strafe gegen den insolventen Schuldner, der sich nicht zur cessio bonorum qualificirt hat. (Weiske Rechtslexikon Bd. 4. S. 107.) Partikularrechtlich hat sich jedoch das germanische Schuldrecht insofern erhalten, als die Schuldhaft als subsidiäres Exekutionsmittel beibehalten ist, jedoch gemildert durch das römischrechtliche Prinzip der Verstattung des unglücklichen Schuldners zur cessio bonorum. Die Gesetzgebung Desterreichs und Preußens geht von diesen Grundsätzen aus. Die Schuldhaft tritt (abgesehen von Wechselsachen, wo sie gleichzeitig mit der Vermögensexekution zugelassen ist) regelmäßig ein, wenn die Exekution in das Vermögen fruchtlos gewesen ist. (Art. 348. Oesterreichs Allgem. Gerichtsordnung. §. 143. Tit. 24. Th. I. Preußens Allgem. Gerichtsordnung.) Der Personalarrest dauert wegen Wechselschulden fünf Jahr, wegen anderer Schulden ein Jahr. Wenn jedoch der Gläubiger nachweist, daß der Schuldner ihn durch falsche Vorspiegelungen zum Leihen verleitet oder sonst arglistig behandelt hat, so soll nach Oesterreichischem Recht der Richter von Amtswegen verfahren und eine der Arglist angemessene Strafe verhängen. Nach der Preußischen Gerichtsordnung soll eine Verlängerung des Arrestes stattfinden, wenn die Wahrscheinlichkeit vorhanden ist, dem Gläubiger durch den fortdauernden Arrest ein Mittel zur Befriedigung zu gewähren, oder wenn der Schuldner durch einen unmoralischen Lebenswandel sein Zahlungsunvermögen sich zugezogen hat. Im Englischen Recht ist das Schuldrecht noch strenger. Der Gläubiger hat die Wahl zwischen Vermögens- und Personalexekution. Wählt er die Letztere, so erläßt der Sheriff den Befehl, den Beklagten zu verhaften und so lange gefangen zu halten, bis er den Gläubiger befriedigt haben werde (capias ad satis faciendum). Diese ihrer Dauer nach unbeschränkte Schuldhaft galt ursprünglich unbedingt als Befriedigung des Gläubigers und schloß jede andere Exekution aus, so daß nicht nur die Erben eines im Gefängniß verstorbenen Schuldners nicht weiter belangt werden konnten, sondern sogar der Schuldner selbst, welcher vermöge des Privilegiums der Parlamentsmitglieder in Freiheit gesetzt werden mußte, von der Schuld völlig liberirt war. Dies ist durch die Gesetzgebung unter Jacob I. insoweit geändert worden,

a) daß ein Parlamentsmitglied, sobald das Privilegium erlischt, von Neuem verhaftet werden kann,

b) daß der Gläubiger eines im Gefängniß gestorbenen Schuldners sich gerade so an dessen Nachlaß halten kann, wie wenn er das capias ad satis faciendum nie ausgewirkt hätte,

c) daß, wenn der Schuldner entweicht, es dem Gläubiger freisteht, ihn von Neuem verhaften zu lassen, oder sich an sein Vermögen zu halten.

Abgesehen von diesen Ausnahmen, ist es aber heut noch Rechtens, daß „der Leib das Gut schützt", und daß die Exekution gegen die Person und die Exekution gegen das Vermögen auch nicht einmal successive anwendbar sind. Durch das Gesetz vom 26. August 1846 ist die Personalexekution für Schulden bis 20 Pfund aufgehoben. Wenn sich aber findet, daß der Schuldner betrügerisch gehandelt hat, so soll ihn der Richter zu einer Gefängniß-

7*

strafe von 40 Tagen verurtheilen oder an die Affifen verweisen. Der Kläger soll sich trotzdem an das Vermögen des Schuldners halten dürfen, da auch in diesem Falle durch den Verhaft die Schuld nicht getilgt ist. (J. Rüttimann, der Englische Civilprozeß, Leipzig 1851). Auch in Nordamerika ist die körperliche Haft das allgemeine Rechtsmittel, den Schuldner zur Erfüllung seiner Verbindlichkeit zu zwingen. Humanitätsrücksichten haben in den meisten Staaten zu einer Einschränkung der Schuldhaft geführt. Am weitesten ist die Gesetzgebung des Staates Massachusets gegangen. Die Schuldhaft ist daselbst im Jahre 1857 im Prinzip abgeschafft. Die Fälle, in denen eine Verhaftung gestattet ist, sind Betrug und was dem gleich erachtet wird, nämlich:

1) wenn der Schuldner seit dem Kontrahiren der Schuld oder seit dem Entstehungsgrund der Klage in betrügerischer Weise sein Vermögen ganz oder theilweise verheimlicht oder Anderen übertragen hat, in der Absicht, sich diese Vermögensrechte selbst zu sichern, oder doch seine Gläubiger darum zu bringen;

2) wenn der Schuldner schon beim Eingehen des Kontraktes, aus dem die Forderung entsprang, die Absicht hatte, denselben nicht zu erfüllen;

3) wenn der Schuldner sein Habe im Hazardspiel oder einem andern, durch die Gesetze der Republik verbotenen Spiele verschleudert hat.

Um die Inhaftirung eines Schuldners zu erlangen, muß der Gläubiger dessen Forderung nicht beitreibbar, vor einem Richter oder einem andern im Gesetz bezeichneten Beamten eidlich erhärten, daß er an eine oder alle der im Gesetz aufgeführten Beschuldigungen des Betruges glaube und Grund habe zu glauben. Diese eidliche Aussage (Affidavit) wird nebst dem Zeugniß der obrigkeitlichen Person, daß sie überzeugt sei, es sei aller Grund vorhanden, an die Wahrheit der vorgebrachten Anschuldigung zu glauben, dem Exekutionsbefehl beigelegt, und dann wird der Verhaftsbefehl vollzogen. Diese Prozedur findet aber nur statt für eine Forderung im Betrage von 20 Dollars excl. Kosten. (cfr. das im Preuß. Justiz-Ministerial-Blatt 1860, S. 103 ff. abgedruckte Gutachten.) —

Anders ist der Verlauf, welchen die Gesetzgebung über diese Materie in Frankreich genommen hat. Zu Anfang der Französischen Revolution wurde der Schuldarrest zwar dem Prinzip nach abgeschafft, jedoch schon durch das Gesetz vom 4. April 1798 wieder eingeführt. Der Code Napoléon hat die Schuldhaft nur in einigen festbestimmten Ausnahmen (welche meist Fälle betreffen, wo das in eine Person aus besonderen Gründen oder unter besonderen Umständen gesetzte Vertrauen getäuscht wird, wegen aller, öffentlichen Beamten, Notaren ꝛc. anvertrauten Gelder) beibehalten (Art. 2059—2070).

Das Gesetz vom 17. April 1832 hat diese Fälle noch vermehrt und die ganze Materie neu geregelt. Danach beruht das Französische System auf folgenden Grundsätzen:

1) Die Schuldhaft ist zulässig als Regel wegen aller Handelsschulden, d. h. derjenigen Verbindlichkeiten, welche aus Rechtsgeschäften entspringen, die der Code de commerce für actes de commerce erklärt. In ordentlichen bürgerlichen Rechtssachen findet sie nur ausnahmsweise in dem durch Art. 2059—2070, §. 7 des Gesetzes vom 17. April 1832 bestimmten Umfange statt. Verurtheilungen, welche von den Handelsgerichten gegen Nichthandelsleute aus Wechselunterschriften ergangen sind, haben jedoch den persönlichen Verhaft nicht zur Folge, wenn nicht jene Unterschriften Handels-, Wechsel-, Bank- oder Maklergeschäfte zum Grunde gehabt haben. Gegen Fremde findet der Personalarrest statt aus jedem Urtheil, welches zu Gunsten eines Franzosen gegen einen Fremden ergangen ist, der in Frankreich keinen Wohnsitz hat, ohne Unterschied zwischen bürgerlichen und Handelsschulden.

2) Wenn die Hauptsumme der Schuld in Nichthandelssachen unter 300 Fr., in Handelssachen unter 200 Fr., gegen Fremde unter 150 Fr. beträgt, ist die Personalhaft ausgeschlossen.

3) Durch Vollstreckung des Personalarrestes wird die Verfolgung und die Exekution in Ansehung des Vermögens nicht verhindert oder aufgeschoben, sie findet also gleichzeitig mit der Exekution in das Vermögen statt.

4) Es muß darauf stets erkannt und in dem Erkenntniß auch die Dauer bestimmt werden (1—10 Jahre bei Nichthandelssachen, 1—5 Jahre bei Handelssachen, 2—10 Jahre gegen Fremde).

Dies System gilt im Großen und Ganzen auch in denjenigen Deutschen Ländern, in welchen der Code Napoléon noch Geltung hat, in den Preuß. Rheinprovinzen jedoch mit denjenigen Modifikationen, welche die Einführung der Allgemeinen Deutschen Wechselordnung und des Deutschen Handelsgesetzbuches nothwendig gemacht haben, sowie ohne Beibehaltung der Feindseligkeit des Französischen Rechts gegen die Fremden. Nach Art. 50 des Preuß. Einführungsgesetzes zum Handelsgesetzbuch muß von dem Rheinischen Handelsgericht, sobald es beantragt wird, auf Personalarrest erkannt werden

1) gegen Kaufleute wegen aller Verbindlichkeiten aus Handelssachen,

2) gegen Nichtkaufleute, wenn die Verbindlichkeit aus einem Geschäfte stammt, welche auf Seiten dieses Nichtkaufmanns ein Handelsgeschäft ist,

3) gegen Jedermann wegen Wechselschulden.

In allen diesen berührten Schuldgesetzgebungen ist jedoch der Härte, welche die Vollstreckung der Personalhaft für unglückliche Schuldner enthält, die Spitze dadurch abgebrochen, daß die cessio bonorum stets das Mittel gewährt, um die Person des Schuldners vor Angriffen des Gläubigers zu retten. Die neueren Konkursgesetzgebungen Frankreichs 1838, Belgiens 1838, Englands 1849, Preußens 1855 haben zwar die cessio bonorum aufgehoben, doch an deren Stelle das sogenannte Entschuldbarkeitsverfahren eingesetzt, welches materiell dieselben Wirkungen wie die cessio bonorum erzeugt und sich nur formell von ihr dadurch unterscheidet, daß es am Schluß des Fallissements stattfindet, woselbst der Richter auf Grund der, durch die Verhandlung gewonnenen Ueberzeugung durch ein Resolut oder Certifikat ausspricht, ob der Schuldner entschuldbar sei oder nicht. Der entschuldbar erachtete Schuldner wird dadurch von der Personalhaft wegen aller Schulden frei, die im Konkurse angemeldet worden sind oder hätten angemeldet werden müssen. Um die Härten zu verhüten, die für den Schuldner daraus hervorgehen können, daß dieses Entschuldbarkeitsverfahren erst am Schlusse des Konkurses stattfindet, bestimmen diese Gesetzgebungen wesentlich übereinstimmend: daß nach der Konkurseröffnung Exekutionen auf Vollstreckung des Personalarrestes zum Zweck der Befriedigung einzelner Gläubiger weder fortgesetzt, nach eingeleitet werden dürfen. Den Gefahren, welche durch den Wegfall der Personal-Exekutionen dem Kredit und dem Verkehr erwachsen könnten, indem dadurch namentlich die Wechsel im Konkurse verlieren könnten und zu befürchten sein möchte, daß Gemeinschuldner die Konkurseröffnung absichtlich herbeiführen, ist insbesondere in der Preußischen Konkursordnung dadurch vorgebeugt, daß die Verhaftung des Gemeinschuldners in das Ermessen des Konkursgerichts gestellt ist, daß diese Verhaftung erfolgen muß, wenn er der Flucht verdächtig ist, oder sich zur Zeit der Konkurseröffnung bereits in Schuldhaft befindet, und daß sie in der Regel erfolgen soll, wenn er den Vorschriften über die Verpflichtung zur Anzeige über die Zahlungseinstellung, sowie zur Uebergabe der Handelsbücher und der Bilanz nicht genügt hat, oder wenn Wechselklagen gegen ihn angestellt sind oder Wechselproteste gegen ihn erhoben werden. In allen diesen Fällen, wo das Gericht die Haft beschlossen hat, soll dieselbe nicht länger dauern, als es zur Förderung und Sicherstellung der Verhandlung im Konkurse nöthig ist. Die Eröffnung des Konkurses befreit sonach jeden Schuldner, der einigermaßen Anspruch auf Nachsicht hat, von der Personalhaft. Die Verhaftung des Schuldners bei Eröffnung des Konkurses findet nur statt im öffentlichen Interesse, wie im Interesse der Gesammtheit der Gläubiger und hört auf, sobald dieses Interesse befriedigt ist.

In Oesterreich wurden im Jahre 1859 einige Verordnungen über das Vergleichsverfahren von protokollirten Handels- und Gewerbsleuten und Fabrikanten zu dem Zweck eingeführt, um außerhalb des strengen Konkursverfahrens die Befriedigung der Gläubiger unter Berücksichtigung der Lage des Schuldners herbeizuführen. Der oberste Oesterreichische Gerichtshof hatte durch den Plenarbeschluß vom 7. November 1860 angenommen, daß der bewilligte und vollzogene Personalarrest durch die selbst an demselben Tage bewilligte Einleitung des Vergleichsverfahrens nicht aufgehoben werde. Am 17. Dezember 1862 ist jedoch ein neues Gesetz über denselben Gegenstand ergangen, in dessen §. 12., der in den älteren Gesetzen fehlte, es heißt:

„Das Ausgleichsverfahren darf weder hindern in den Fällen, in welchen es nach den Bestimmungen der Konkursgesetze wegen Verdachts der Flucht oder anderer Umstände zur Sicherheit der Gläubiger nothwendig erscheint, sich der Person des Schuldners zu versichern ꝛc."

Es ist also hierdurch indirekt die Zulässigkeit der Verhaftung auf Antrag eines einzelnen Gläubigers ausgeschlossen und im Wesentlichen das Prinzip adoptirt, welches den neueren Konkursgesetzen zu Grunde liegt. —

Durch diese historische Darstellung der Gesetzgebung über den Personalarrest ist die erforderliche Grundlage gewonnen, von welcher aus sich die Stellung des zu begutachtenden Antrages zu der bestehenden Deutschen Gesetzgebung bestimmen läßt. Dieser Antrag enthält dem Gemeinen Recht gegenüber eine Ausdehnung, den Partikularrechten Oesterreichs und Preußens gegenüber eine Beschränkung der Schuldhaft. Die Tendenz des Antrages geht im Wesentlichen dahin, daß der Personalarrest als Regel aufgehoben und nur in einigen beschränkten Fällen beibehalten werde. Daß das Prinzip der Schuldhaft vom Standpunkt des strengen Rechtes streng ausgeführt sei, ist bereits dargethan. Aber auch die Zweckmäßigkeit spricht dafür. Es ist nicht blos Aufgabe des Rechts, begangenes Unrecht auszugleichen, sondern auch Unrecht zu verhüten. Der Gesetzgeber soll nur solchen Rechtssätzen seine Sanktion ertheilen, die bewirken, daß womöglich der Streit, das Unrecht vermieden werde. Die Gesetzgebung über Schuldsachen muß daher nicht nur den Zweck verfolgen, dem Gläubiger in der Exekutionsinstanz die erforderlichen Mittel zu gewähren, seine Befriedigung aus dem Vermögen des Schuldners herbeizuführen, sondern auch den Gläubiger vor Verlust zu hüten, dafür zu sorgen, daß die Insolvenzerklärung nicht eine vortheilhafte Spekulation werde, daß die Leute nicht das Privilegium erhalten, anderer Menschen Habe ohne deren Vorwissen und Einwilligung zu gefährden. Die Gesetzgebung muß daher nicht nur allein den repressiven, sondern auch den präventiven Zweck verfolgen. Die Androhung des Personalarrestes entspricht aber beiden Zwecken, die Schuldhaft ist einmal der sicherste Weg, auf welchem die Befriedigung des Gläubigers am sichersten und wirksamsten herbeigeführt wird. Der

Schuldner wird in den überwiegend meisten Fällen Alles aufbieten, um seine von vorn herein bedrohte Freiheit auf Kosten seines Vermögens zu retten. Der Gläubiger wird der Mühseligkeiten und Kostspieligkeit der Erforschung und Realisirung der Aktiva überhoben. Er erhält zugleich einen wirksamen Schutz gegen die Kollusionen und anderen unredlichen Handlungen, durch welche es dem Schuldner allzuoft gelingt, sein Vermögen bei Seite zu schaffen. Die Furcht vor der Schuldhaft trägt ferner dazu bei, das leichtsinnige Schuldenmachen zu verhüten, und befördert dadurch nicht nur die Rechtlichkeit in pekuniären Beziehungen, also die öffentliche Moral, sondern auch das wirthschaftliche Gedeihen eines Volkes, welches wesentlich davon abhängt, daß die Menschen auf ihre gegenseitigen Verpflichtungen sich verlassen können. Die Einwendungen, welche gegen die Richtigkeit dieses Prinzips erhoben werden könnten, dürften nicht stichhaltig sein.

Es soll nicht geläugnet werden, daß die Vollstreckung der Schuldhaft in manchen Fällen eine Härte für den Schuldner in sich schließt. In dem Vermögensverhältniß aber muß die Herrschaft des Rechtsgesetzes vollständig durchgeführt werden, ohne Rücksicht auf ·die sittliche oder unsittliche Ausübung dieses Rechtes. Es ist ebenso hart und unsittlich, wenn der Reiche einem durch Unglücksfälle verarmten Familienvater unerbittlich die letzte Habe wegnimmt, als wenn der Gläubiger seinen Schuldner in den Schuldthurm sperren läßt und dadurch der Familie die Unterstützung ihres Hauptes entzieht. Jede Exekution ist hart. Der ausschweifenden Härte, welche in der lebenslänglichen Freiheitsberaubung, welche vielleicht in der Zulassung der Schuldhaft für eine kleinere Schuld liegen würde, ist bereits von den Deutschen Partikulargesetzgebungen dadurch entgegengetreten, daß· die Schuldhaft auf wenige Jahre beschränkt ist. Die Zulassung des Schuldners zur cessio bonorum und das an deren Stelle getretene Entschuldbarkeitsverfahren tragen jener möglichen Härte schon in einem solchen Grade Rechnung, daß man kaum weiter gehen kann. Es ließe sich jedoch höchstens noch rechtfertigen, daß in denjenigen Ländern, in welchen die cessio bonorum aufgehoben ist, auch dem nicht konkursmäßigen Schuldner die Befreiung von der Personalhaft nachgelassen wird, wenn er nachweist, daß er sich zur cessio bonorum qualificirt. Wollte man noch weiter gehen, so würde man sich wohl dem Tadel aussetzen, welchen John Stuart Mill in seinen Grundsätzen der politischen Oekonomie ausspricht:

„Die Humanität, wie sie heut in der Mode ist und eigentlich nicht viel mehr bedeutet als eine Scheu irgend welche Pein zu verlängern, sieht wohl gar in dem Umstande, daß Jemand frembes Gut verloren oder vergeudet hat, einen besonderen Grund zur Nachsicht. Alle unangenehmen Folgen, welche das Gesetz früher ·an einen solchen Vorgang knüpfte, hat man allmählig gemildert; wie früher

Infolvenz als Verbrechen behandelt wurde, so thut man jetzt alles, um sie kaum als Unglück erscheinen zu lassen."

Daß man in Amerika diese Bedenken überwunden und mit der Aufhebung der Schuldhaft vorgegangen ist, kann nicht als Argument gebraucht werden. Denn einmal sind die Rechtsverhältnisse Nordamerika's der Art gestaltet, daß eine Aufhebung des Personal-Arrestes in dem Umfange, in welchem dies geschehen ist, den Personal-Kredit nicht unmöglich macht. Das Amerikanische Recht kennt keine Vorrechte, selbst nicht für Wechselschulden. Durch die Verurtheilung des Schuldners wird das Vermögen des Schuldners gebunden. Er wird von dem Tage, wo das Urtheil in das hiezu bestimmte Register eingetragen wird, unfähig über sein Vermögen zum Nachtheil des Gläubigers zu verfügen. Der Gläubiger hat also gegen solche Akte ein Anfechtungsrecht, welches viel weiter geht als die actio Pauliana, oder selbst die neueren Französischen und Preußischen Anfechtungs-Gesetze. Sodann sind auch die wirthschaftlichen Verhältnisse Amerika's ganz anders als die unsrigen. Amerika bedarf zu seiner wirthschaftlichen Entwickelung der Urbarmachung der ungeheuren Strecken Landes, der Erschaffung von Eisenbahnen, Kanälen und Straßen im großartigen Maaßstab. Derartige Unternehmungen sind dem Lande nützlich, ruiniren aber den Einzelnen*), da sie für ihn den Impuls zu seinen Kräften übersteigende Spekulationen enthalten. Die Deutschen Gesetzgebungen sind bemüht, der Spekulationswuth entgegenzutreten oder mindestens derselben keinen Vorschub zu leisten. Die Amerikanische Gesetzgebung kann es aus staatswirthschaftlichen und politischen Gründen für zweckmäßig erachten, zeitweise einen anderen Weg einzuschlagen. Diese Momente dürften die Erscheinung erklären, daß man in Amerika zu einer Aufhebung des Personalarrestes geschritten ist, während die Tendenz der neueren Kontinentalgesetzgebung offenbar dahin geht, den Personal-Arrest wenigstens in Handelssachen für unentbehrlich zu erachten. Bei den legislatorischen Vorarbeiten über das Deutsche Handelsgesetzbuch ist wenigstens stets die Meinung vorherrschend gewesen, daß die Schuldhaft als das wirksamste Mittel zur Aufrechthaltung der Solidität des Verkehrs und gleichzeitig als Mittel zur Beförderung des Personalkredits eine unentbehrliche Stütze des

---

*) In dem Werke von Th. Thooke u. W. Newmark die Geschichte und Bestimmung der Preise heißt es: In dem Haschen nach dem täuschenden Bilde von Reichthümern, ließen sich die mittleren Klassen in Verbindlichkeiten ein, mit 5 Jahren zu erfüllen, was vorsichtige Leute in 20 Jahren zu leisten übernommen hatten. Die übereilt eingegangene Arbeit wurde um den Preis tausendfältiger stiller Leiden, der schwersten persönlichen Opfer, Entbehrungen und Anstrengungen ausgeführt, aber die Buße wurde gezahlt; das thatsächliche Resultat ist, das wir ein vollständiges Eisenbahnsystem erhalten haben.

Handelsverkehrs sei (S. 563 der Motive des Preuß. Entwurfes des Allgem. Handelsrechts). Ohne eine durchgreifende Reform der Gesetze über die Vorrechte im Konkurse und Prioritätsverfahren, sowie über die Anfechtung der Handlungen eines zahlungsunfähigen Schuldners wird man sich niemals zur Aufhebung des Personal-Arrestes in Deutschland entschließen können.

Ein zweiter Einwand ist, daß die Personal-Exekution nur Racheakt sei, und dem Zweck der Exekution, Befriedigungsmittel für den Gläubiger zu verschaffen, nicht entspreche. Hiebei wird aber der präventive Zweck, den jede Gesetzgebung über Schuldsachen verfolgen würde, gänzlich übersehen und irrthümlich für einen Rachezweck ausgegeben. Der Personal-Arrest soll ferner darum unstatthaft sein, weil er ein psychologischer Zwang für die Angehörigen des Schuldners enthalte, zu seinen Gunsten zu interveniren. Diese Absicht wird und kann auch vom Gesetzgeber nicht beabsichtigt werden. Sie ist eine von denjenigen Wirkungen, welche zufällig, ohne vorhergesehen werden zu können, durch Vollstreckung der Schuldhaft eintreten können. Wenn sie eintritt, so geschieht dadurch Niemand Unrecht, der Gläubiger erhält nur das, was ihm von Rechtswegen gebührt. Es ist völlig unersindlich, wie dieses Argument gegen die Zulässigkeit des Personal-Arrestes geltend gemacht werden kann.

Beide Einwendungen treffen überhaupt nur den Personal-Arrest so weit dieser nur ein subsidiäres Rechtsmittel ist. Wo derselbe als prinzipales Exekutionsmittel gilt, kann man ihm weder die Tendenz eines psychologischen Zwanges gegen die Angehörigen des Schuldners, noch eine Rache gegen den insolventen Schuldner selbst unterschieben, da es in dem Zeitpunkt, wo die Schuldhaft verhängt wird, noch völlig unentschieden ist, ob der Schuldner die erforderlichen Mittel zur Befriedigung des Schuldners besitzt oder nicht, ob er nicht zahlen will oder ob er nicht zahlen kann. Beide Argumente können daher nicht gegen das Prinzip des Personal-Arrestes überhaupt, sondern nur gegen das Prinzip der Subsidiarität der Schuldhaft in's Feld geführt werden. Die Subsidiarität der Schuldhaft allerdings ist, sowohl vom Gesichtspunkt des strengen Rechts als dem Standpunkt der Zweckmäßigkeit unhaltbar und kann nur durch die Sitte, das Herkommen, den Umstand, daß sie einmal besteht, gehalten werden, denn sie bürdet dem Gläubiger gerade alle die Unbequemlichkeiten und Weiterungen in Vollstreckung der Vermögens-Exekution auf, welche durch den Personal-Arrest vermieden werden sollen. Ein Schuldner, der den Manifestations-Eid abgeleistet, oder der es zur Offenlegung seines Vermögens hat kommen lassen, wird kaum durch eine einjährige Haft vermocht werden können, seine verborgene Habe herzugeben. Die Hoffnung, durch die Verschleppung der Vermögens-Exekution Frist zu gewinnen, ist mächtiger als die Furcht, schließlich doch noch in Personal-Arrest zu kommen. Die subsidiäre Schuldhaft erfüllt also die beiden Zwecke, welche die Gesetzgebung über Schuldsachen verfolgen soll, nur unvollkommen, da sie nur unvollkommen darauf hinwirkt

    a. den Schuldner zu bestimmen, es nicht erst zur Exekution kommen zu lassen,

    b. falls es zur Exekution kommt, dem Gläubiger ein Mittel zu gewähren, durch welches er am raschesten und sichersten seine Befriedigung erhält.

Es mag nicht räthlich erscheinen, in den Ländern, wo sie besteht, ihr sofort die Prinzipal-Schuldhaft ausnahmslos zu substituiren, weil das Herkommen geschont werden muß, und weil sie in Nichthandelssachen auch kein so absolutes Erforderniß für den Verkehr ist. In Handelssachen aber, wo Alles darauf ankommt, daß die Verbindlichkeiten prompt erfüllt werden, ist die Prinzipal-Schuldhaft als ein heilsames Korrektiv für den Schuldner „prompt zu erfüllen", fast unentbehrlich. Derselbe Grund, welcher zur Kumulation der Vermögens- und Personal-Exekution in Wechselsachen geführt hat, greift auch in Handelssachen durch. Es fehlt, nachdem der Wechsel eine allgemeine Verkehrsform geworden, an einem haltbaren Grunde die Buchschulden, die Verbindlichkeiten aus Handelsbillets und Assignationen im Punkte der Exekution anders zu behandeln als Wechselschulden. Die Gleichstellung aller Handelsschulden würde keinen gewaltsamen Eingriff in bestehende Sitten und Gebräuche enthalten, weil das handeltreibende Publikum an die Wechselstrenge längst gewöhnt ist, und mit Hinblick auf dieselbe seine Operationen einrichtet. Dazu kommt, daß die Personalhaft als Prinzipal-Exekutionsmittel bereits in einigen Theilen Deutschlands, wo der Code gilt, besteht und sich daselbst praktisch bewährt hat. Sie ist deßhalb auch durch das Gesetz vom 9. Juni 1849 im Königreich Sachsen eingeführt in allen Sachen, welche nach der Leipziger Handelsgerichtsordnung entschieden werden. Das Deutsche Handelsgesetzbuch ist ferner bei einer Begriffsbestimmung des Handelsgeschäftes davon ausgegangen, daß an diesen Begriff eine gemeinsame Deutsche Gesetzgebung über den Personal-Arrest angelehnt werden könnte.

Aus diesen Gründen dürfte die in dem Antrage des Herrn Dr. **Eberty** angestrebte Reform nur dahin zu befürworten sein,

    daß es für wünschenswerth erachtet wird, in Handelssachen die Personal-Exekution als prinzipales Exekutionsmittel und gleichzeitig mit der Vermögens-Exekution zu gestatten.

Inwieweit diese Materie aber nur in Verbindung mit der Reform des Konkursrechts und der Gesetzgebung über die Handelsgerichtsbarkeit überhaupt neu geregelt werden kann, muß dahin gestellt bleiben.

Gutachten über die Gesetzgebungsfrage:

„Soll, was den Beweis in bürgerlichen Streitsachen betrifft, das Urtheil nach freier richterlicher Ueberzeugung ohne fest= bindende Beweisregeln erfolgen?"

A. Gutachten des Gerichts-Assessors Makower in Berlin.

Die vorliegende Frage ist meines Erachtens zu bejahen.

Auf eine gründliche Erörterung des Prinzips hier einzugehen, ist, wie ich glaube, kein Bedürfniß, weil, abgesehen von den vielen Werken und Abhandlungen, welche sich mit dieser Frage beschäftigen, dem Juristentage über dieselbe bereits vier Gutachten von den Herren Brauer, Plathner, Bornemann jr. und Bernays (Verhandlungen des Juristentags II. Bd. 1, S. 104 und 122, III. Bd. 1, S. 119 und 128) erstattet sind, und ein weiteres Material sich aus den bei dem Juristentage gepflogenen Debatten (II. Bd. 2, S. 527. und III. Bd. 2, S. 160) ergiebt. 98 *100*

Ich erlaube mir deshalb nur, in dem Nachstehenden die Frage selbst — deren Tragweite von Einigen überschätzt zu sein scheint — zu präcisiren und einigen Einwürfen zu begegnen, welche gegen die Bejahung derselben erhoben worden sind.

Es wird gefragt, ob — was den Beweis in bürgerlichen Streitsachen betrifft — das Urtheil nach freier richterlicher Ueberzeugung ohne fest bindende Beweisregeln erfolgen solle? — Der Eingang der Frage enthält eine Beschränkung, welche manchmal übersehen worden ist; es handelt sich nur darum, zu bestimmen, wie der Richter bei der Feststellung von Thatsachen auf Grund eines aufgenommenen Beweises sich verhalten soll. Wenn die thatsächlichen Behauptungen einer Partei von der anderen ausdrücklich zugestanden worden, oder nach den Prozeßregeln in contumaciam als zugestanden anzusehen sind, so wird über dieselben kein Beweis erhoben, und es kann deshalb in beiden Fällen gar nicht die Frage auftauchen, wie der Richter den aufgenommenen Beweis zu würdigen habe. Hieraus ergiebt sich, daß man die aufgeworfene Frage bejahen kann, ohne irgendwie den Grundsätzen über das Geständniß und die Kontumaz, welche man für die richtigen hält, Eintrag zu thun.

Ebenso wenig kollidirt eine Bejahung der Frage mit der Verhandlungsmaxime (Verhdl. III. Bd. 1, S. 116), welche ohne Zweifel die einzig mögliche Grundlage einer künftigen Deutschen Prozeßordnung bildet; denn bejaht wird nur, daß der Richter das Resultat des aufgenommenen Beweises nach freiem Ermessen würdigen solle, nicht aber wird eine Meinung darüber ausgesprochen, ob der Richter Beweise anordnen könne, welche von den Parteien gar nicht angetreten worden sind. Diejenigen, welche einen Eingriff in das Verhandlungsprinzip befürchten, meinen nun zwar: der Richter werde bei Würdigung des aufgenommenen Beweises nach freiem Ermessen seine zufällige Privatwissenschaft benutzen, und also sein Urtheil auf Thatsachen stützen, welche die Parteien nicht vorgebracht haben (Verhdl. III. Bd. 1, S. 116); diese Befürchtung berührt jedoch, wie ich glaube, nicht die hier besprochene Frage, vielmehr richtet sie sich gegen das Verhandlungsprinzip selbst, mag der Richter von positiven Beweisregeln befreit sein oder nicht. Auch im ersteren Falle muß er die Gründe seiner Entscheidung, also z. B. weshalb er diesem Zeugen, dieser Urkunde keinen Glauben beizumessen hat, in seinem Urtheile angeben, und es kann — ohne gegen das Prinzip der freien Beweiswürdigung zu verstoßen — bei Strafe der Nichtigkeit verordnet werden, daß er sich hiebei nicht auf Thatsachen stützen dürfe, welche von den Parteien nicht angeführt sind, über welche sie nicht gehört sind, oder welche sich nicht aus den Beweismitteln selbst ergeben.

Man hat ferner eine Gefahr darin gefunden, daß in (politisch) bewegten Zeiten lediglich „die richterliche Willkür entscheiden solle an Stelle derjenigen Gesetze, welche die Gesammtlogik und die Gesammtintelligenz festgestellt haben." (Verhdlg. III. Bd. 1, S. 117.) Es ist jedoch durchaus irrig, daß der Richter, welchem freies Ermessen bei der Würdigung aufgenommener Beweise eingeräumt ist, bei dieser Beurtheilung willkürlich verfahren dürfe. Er genügt seiner Pflicht nur dann, wenn er gewissenhaft die erhobenen Beweise prüft und die hiedurch erlangte Ueberzeugung, welche sie auch immer sei, ausspricht; dagegen darf er keineswegs nach seinem Belieben vorgeben, diese oder jene Ueberzeugung erlangt zu haben. Im Prinzipe liegt daher die angedeutete Gefahr nicht; daß trotzdem willkürliche Entscheidungen vorkommen können, soll nicht geläugnet werden, aber Nichts rechtfertigt die Annahme, daß der Richter, welcher entschlossen ist, nach seinem Belieben ohne Rücksicht auf seine Pflicht und das Gesetz vorzugehen, vor dem Schlagbaume der positiven Beweisregeln, welche doch auch nur eine gesetzliche Schranke bilden, still stehen wird.

Endlich muß noch erwähnt werden, daß die Bejahung der aufgeworfenen Frage keineswegs der anderweitigen präjudicirt, ob es zweckmäßig ist, für Ansprüche, welche auf Urkunden gestützt werden, gewisse Specialprozesse zuzulassen. (Verhdlg. III. Bd. 1, S. 112.) Für die Gestattung von dergleichen Prozeßarten ist die Beweiskraft der Urkunden nicht immer das

entscheidende Moment, wie z. B. nicht bei dem Wechselprozesse; selbst wo sie
es ist, könnte man immerhin auf Grund gewisser öffentlicher Urkunden die
Einleitung eines bestimmten Verfahrens gestatten, und doch dem Richter im
weiteren Verlaufe des Prozesses die freie Würdigung des durch die Urkunde
erbrachten Beweises überlassen. *)

Aus dem Vorstehenden ergiebt sich, daß diejenigen sich beruhigen können,
welche in den vorerwähnten Beziehungen gefährliche Rückwirkungen
des empfohlenen Grundsatzes auf anderweitige Grundsätze des Prozeßrechts
befürchten. Es sei gestattet, diesen Ausführungen, welche bestimmt waren,
näher anzugeben, was durch den vorgeschlagenen Grundsatz nicht betroffen
werden solle, noch hinzuzufügen, welche Tragweite demselben bei der praktischen Durchführung zu gewähren sein dürfte. —

Es kommt darauf an, dem Richter bei der Beurtheilung der aufgenom-
menen Beweise freies Ermessen einzuräumen, ihn zu entbinden von den
mannigfachen, in den verschiedenen Partikulargesetzen verschieden normirten
Beweisregeln. Gerade ihre Verschiedenheit beweist, daß sie in ihrer positiven
Gestaltung nicht mit Nothwendigkeit aus der Natur der Sache sich ergeben,
daß vielmehr das gemeinsame Substrat der Erfahrung von den verschiedenen
Gesetzgebungen mehr oder weniger willkürlich ausgebaut worden ist. Die im
Laufe der Jahrhunderte gewonnenen Erfahrungssätze sollen nun keineswegs
beseitigt werden; es soll nur nicht eine starre gesetzliche Regel aus dergleichen
Sätzen gebildet werden, eine Regel, welche die Nüancirungen des einzelnen
Falles außer Betracht lassen muß. Im Beweisrecht, wie auf vielen anderen
Gebieten, in denen die Mannigfaltigkeit der Fälle sich der durchgreifenden
Regel entzieht, müssen solche Sätze der Wissenschaft und der Fortbildung
durch diese überlassen werden. Die Aufhebung der gesetzlichen Beweisregeln
soll also nur die betreffenden Gesetze, nicht die Regeln treffen, welche, soweit
sie innerlich wahr sind, durch die Wissenschaft werden erhalten werden und
auf diesem Wege in die Praxis der Gerichte gelangen werden.

Von diesem Gesichtspunkte aus halte ich die gesetzliche Regelung der
Beweiskraft von Urkunden und Zeugen als nicht wünschenswerth, insbesondere auch nicht in Betreff der öffentlichen Urkunden. Untadelhaften Zeugen,
unangefochtenen, vielleicht gar lediglich zum Zwecke des Beweises von Beamten,

---

*) Hiedurch möchte ich aber keineswegs der Beibehaltung des Mandatsprozesses,
welcher nur bei richterlicher Prozeßleitung möglich ist, das Wort reden. Durch das
Institut der exekutorischen Urkunden kann derselbe wohl entbehrlich gemacht werden.
Prozeßarten, welche nur zu provisorischen Entscheidungen führen, weil nur eine beschränkte Vertheidigung mit liquiden Einreden zulässig ist, während die illiquiden
Einreden ad separatum zu verweisen sind, scheinen mir ein Uebel zu sein, welches
man möglichst vermeiden muß.

welche öffentlichen Glauben haben, errichteten Urkunden wird der Richter, wenn es ihm nicht an der gewöhnlichen Einsicht gebricht, die Glaubwürdigkeit nicht versagen. Viel mehr läßt sich hierüber auch im Gesetze nicht bestimmen. Wie viel Beweiskraft der Richter den Zeugen beimessen solle, wenn sie wegen verwandtschaftlichen, freundschaftlichen, vermögensrechtlichen Interesses, wegen physischer oder geistiger Mängel minder glaubwürdig erscheinen, wie viel den Urkunden, wenn sie an den erheblichen oder anderen Stellen Rasuren, Durchstreichungen, Zusätze enthalten, äußere Mängel der Form an sich tragen, *) wenn Kollisionen zwischen mehreren öffentlichen Urkunden vorliegen, wenn die Aussteller derselben der sonst verübten Fälschungen überführt sind, alle diese und ähnliche Fragen entziehen sich einer durchgreifenden gesetzlichen Regelung. Will man auch — freilich willkürlich — durchschneiden und den Richter verpflichten, in allen solchen Fällen nicht definitiv nach seiner Ueberzeugung, sondern nur auf einen nothwendigen Eid für eine der Parteien zu erkennen, so macht man doch wesentlich die richterliche Ueberzeugung zum entscheidenden Faktor.

Um aber eine angemessene Grundlage für die richterliche Ueberzeugung von dem Sachverhalt zu schaffen, und hiedurch unrichtigen Feststellungen vorzubeugen, dürfen die Parteien möglichst wenig in der Wahl der Beweismittel beschränkt werden; deshalb scheint mir der Ausschluß ganzer Kategorien von Beweismitteln bei diesem Systeme sehr gefährlich. Es läßt sich rechtfertigen, wenn gewisse Personen (nahe Verwandte, Geistliche, Aerzte, Sachwalter ꝛc.) unter Umständen von der Zeugenpflicht entbunden werden, — denn der Staat hat noch für andere Interessen zu sorgen, als daß es seinen Bürgern möglich werde, Beweise in Prozessen zu erbringen — es scheint mir jedoch nicht angemessen, bei Rechtsstreitigkeiten, welche eine gewisse Summe überschreiten, den Zeugenbeweis unbedingt auszuschließen, oder ihn nur bei einem Anfange von Beweis durch Urkunden zuzulassen. Nicht die Vertauschung der gemeinrechtlichen Beweisregeln mit einem anderen Systeme positiver Beweisregeln wird gewünscht, sondern die Beseitigung jener zu Gunsten des freien richterlichen Ermessens.

Eine Frage macht hiebei besondere Schwierigkeiten, die Behandlung des Parteieneides. Faßt man denselben lediglich als ein Zeugniß in eigener Sache auf, so ließe sich konsequent gar nichts Anderes bestimmen, als daß der Richter die Beweiskraft des geleisteten Eides nach freiem Ermessen zu würdigen habe, zumal der Eidesleister immer eine vorzüglich am Ausgange

---

*) Z. B. an der Ausfertigung einer Urkunde fehlt das Siegel, aber doch sind Spuren da, daß ein solches früher vorhanden war, oder die Urkunde enthält nur noch lose Blätter u. dgl. m.

der Sache interessirte Person ist. *) Es tritt jedoch für die deferirten Eide
der Umstand hinzu, daß sie nicht lediglich als Beweismittel angesehen werden
können. Von jeher hat man in der Eidesdelation ein vertragliches Moment
gefunden. In der Zu- oder Zurückschiebung kann man die Erklärung einer
Partei finden, das vom Gegner Beschworene für wahr annehmen zu wollen.
Von diesem Gesichtspunkte aus wäre der Richter in Folge des den Parteien
in Civilprozessen zustehenden Dispositionsrechts gebunden, die durch den Eid
gewonnene Grundlage als die durch den Willen der Parteien festgestellte so
anzusehen, als ob diese Grundlage von Anfang an nicht bestritten worden
wäre. **) Um eine Uebereinstimmung für eine gemeinsame Civilprozeßordnung
zu gewinnen, wird es mit Rücksicht auf die bisherige Gewöhnung und Volks-
anschauung wohl nothwendig sein, für die Wirkungen der Parteieide die
bisherigen positiven Beweisregeln beizubehalten. Eine Verschiedenheit in
der Behandlung der deferirten und der nothwendigen Eide eintreten zu
lassen, erscheint nicht angemessen, obschon bei den Letzteren das vertragliche
Moment nicht zutrifft. Läßt man den Reinigungseid ganz fallen, was wegen
der Befugniß des Beweisführers zur Eidesdelation ohne Gefahr geschehen
kann, so bleibt nur noch der Erfüllungseid bestehen, und von diesem wird
erfahrungsmäßig in den Ländern, welche dem Richter freies Ermessen bei der
Beurtheilung der aufgenommenen Beweise einräumen, nur spärlich Gebrauch
gemacht.

In dem Sinne der vorstehenden Ausführungen würde ich die Bejahung
der aufgeworfenen Frage dem Juristentage empfehlen.

---

*) Nicht selten kommen die Richter durch die positiven Beweisregeln über die
Wirkung der geleisteten Parteieide mit ihrer Ueberzeugung in Konflikt, denn es
kommt vor, daß Parteien bei der Ableistung sich so benehmen oder solche Erklärungen abgeben, daß die Richter erhebliche Bedenken haben, ob die Parteien mit gutem
Gewissen den (vielleicht rechtskräftig erkannten) Eid leisten können.

**) Vergeblich hat die gesetzliche Beweistheorie versucht, eine angemessene Rege-
lung der Beweiskraft von deferirten Eiden zu finden, wenn von mehreren Vertretern
einer Partei Einige annehmen, Einige zurückschieben, oder Alle annehmen, aber nur
Einige leisten, Andere verweigern, oder wenn bei untheilbaren Objekten von mehreren Litiskonsorten nur Einige schwören, Andere die Leistung des Eides verweigern,
oder bei subjektiven Klagekumulationen Einige der Kläger pro und Einige der Verklagten contra schwören. Hier hilft überall nur das freie richterliche Ermessen aus.

B. Gutachten des Ober=Landesgerichtsraths Dr. Freiherr v. Sacken in Wien.

Den Wortlaut der vorliegenden Frage, sowie die bisherige Behandlung derselben von Seite des Deutschen Juristentages geben dem Zweifel über den eigentlichen Sinn, über die Tragweite derselben Raum. Einerseits scheint es, als handle es sich nur um die Prüfung, um die Würdigung der Beweiskraft der vorgebrachten Beweise — und diese Annahme ergiebt sich insofern aus dem Wortlaute der Frage, als derselbe nur vom Urtheile spricht und als die freie richterliche Ueberzeugung wohl erst bei der das Urtheil begründenden Würdigung der Beweise zur Geltung kommen zu können scheint. Andererseits zeigen aber die bisherigen Verhandlungen, namentlich jene auf dem dritten Juristentage, daß die Frage von Vielen in einem weit größeren Umfange aufgefaßt wurde, daß insbesondere die Verfechter der sogenannten freien Beweistheorie die Frage, sowie ihre Beantwortung auf das ganze weite Gebiet der Vorschriften über den Beweis ausgedehnt wissen wollten. Ich kann die Vermuthung nicht unterdrücken, daß diese verschiedene Auffassung der Frage zum Theile Ursache ist, daß der Juristentag noch zu keinem Be-schlusse über dieselbe gelangt ist; ich besorge aber auch, daß die künftigen Verhandlungen zu keinem Resultate führen werden, wenn man sich nicht ent-schließt, die Frage entweder zu beschränken, oder zu theilen.

Nach meiner Ansicht wären folgende Gruppen der Beweisregeln ins Auge zu fassen: 1) die Regeln über die Beweispflicht, 2) jene über die Be-weisführung, 3) jene über die Würdigung der Beweise. Bevor ich aber daran gehe, die vorgelegte Frage nach diesen 3 Abtheilungen zu beantworten, muß ich mir noch die Vorfrage erlauben, was denn eigentlich die Aufgabe des Juristentages bezüglich der Gesetzgebungsfragen ist? Es ist nämlich mehrfach die Behauptung aufgestellt worden, es handle sich nur darum, daß der Juristentag sich für das Prinzip ausspreche, die Ausführung möge der Gesetzgebung überlassen bleiben; der Juristentag habe seine Aufgabe erfüllt, wenn er im Großen die Richtung bezeichnet habe, ja von einer Seite wurde sogar betont, der Juristentag möge sich getrost für das Prinzip aussprechen, denn es sei schon dafür gesorgt, daß dasselbe durch die Gesetzgebung nicht gleich zur vollen Geltung kommen werde. Dieser Auffassung der Aufgabe des Juristentages vermag ich nicht beizustimmen. Wenn der Juristentag durch seine Beschlüsse auf die Gesetzgebung einen Einfluß üben, wenn er sich nicht auf das doktrinäre Gebiet begeben und dadurch seiner eigentlichen Bedeutung und Wirksamkeit verlustig machen will, so muß er sich in Gesetzgebungsfragen auf den Standpunkt des Gesetzgebers insofern stellen, daß er nur dasjenige zum Beschlusse erhebt, was er gesetzlich statuiren würde, wenn er das Recht der Gesetzgebung hätte. Seine Aufgabe kann es daher nur sein, dem Bedürfnisse des Rechtslebens, insoweit es in dem gegenwärtigen Stadium der Entwicklung wirklich vorhanden ist, Ausdruck zu geben und die Mittel zur Befriedigung desselben zu bezeichnen, nicht aber die muthmaßlichen Endziele der Entwicklung in allgemeinen Umrissen hinzustellen. Ich glaube daher in Anwendung auf die zur Begutachtung gestellte Frage die Aufgabe des Juristentages nicht dahin auffassen zu können, daß er die Nützlichkeit oder Schädlichkeit der Beweisregeln in einem ideal konstruirten Civilprozesse untersuche; er kann vielmehr, nach meiner Ansicht, nur auf Grundlage der bestehenden oder zunächst mit Zuversicht zu erwartenden Gestaltung des Civilprozesses erwägen, ob die Beweisregeln oder welche nnter ihnen in demselben werden entbehrt werden können, weil sie schädlich, oder was fast gleichbedeutend ist, überflüssig sind. Nur die aus dieser Untersuchung resultirende Entbehrlichkeit könnte das Aufgeben der Beweisregeln rechtfertigen. Ergiebt die Untersuchung dieses Resultat nicht in einer über allen Zweifel erhabenen Weise, dann kann wohl an die Abschaffung dieser Regeln nicht gedacht werden, denn das Bestehende soll nur beseitigt werden, wenn es überflüssig, schädlich ist, wenn es dem gegenwärtigen Stadium der Entwicklung des Rechtslebens nicht entspricht, oder dessen fernere Entwicklung hemmt.

Nach der Bezeichnung dieses meines Standpunktes — die mir nicht ganz überflüssig erschien, weil namentlich bei den Verhandlungen des dritten Deutschen Juristentages von gewichtigen Stimmen ein ganz verschiedener eingenommen worden ist — will ich es versuchen, die vorgelegte Frage der erhaltenen ehrenden Aufforderung zufolge zu begutachten.

Die erste Gruppe der gesetzlichen Beweisvorschriften regelt die Fragen, was ist Gegenstand des Beweises? und wer hat zu beweisen? In dieser Beziehung glaube ich mich ohne Anstand für die Entbehrlichkeit gesetzlicher Vorschriften aussprechen zu können. Es ist wohl kein Zweifel, daß darüber gewisse Regeln walten und beobachtet werden müssen; daraus folgt aber nicht, daß sie von dem Gesetzgeber zu statuiren sind; denn diese Regeln sind wesentlich doktrinärer Natur, und es wird auch der Gesetzgeber, wenn er nicht einer ebenso gefährlichen als ungenügenden Kasuistik sich hingeben will, auf die Aufstellung eines oder einiger allgemeiner Sätze sich beschränken müssen. Nun können wir nach dem gegenwärtigen Stande der Gerichtsorganisation wohl voraussetzen, daß den Richterstuhl nur wissenschaftlich gebildete Männer einnehmen werden, deren juristische Geistesoperationen derart geschult sind, daß sie in dieser Beziehung nicht leicht auf Abwege kommen werden. Vor solchen Abwegen vermöchte sie aber auch der Gesetzgeber kaum zu schützen, was ist z. B. mit dem Satze factum alleganti incumbit probatio gewonnen? Jeder Richter wird schon vielfach die Erfahrung gemacht haben, wie schwierig, wie zweifelhaft oft die Anwendung dieses Satzes auf die konkreten Fälle ist. Für diese Anwendung kann er den Leitfaden nicht im Gesetze, sondern nur in seinem wissenschaftlich gebildeten Kopfe, in der juristisch geschulten Denkweise finden.

Die Oesterreichische Gesetzgebung hat auch in dieser Beziehung eine sehr anerkennenswerthe Enthaltsamkeit bewiesen. Nur einige wenige Sätze hat dieselbe aufgestellt; die weitere Entwicklung war der Doktrin, die Anwendung derselben auf die konkreten Fälle den Praktikern überlassen. Ich glaube nicht zu irren, wenn ich behaupte, daß sich in dieser Beziehung nicht nur keine Lücke in den Gesetzen fühlbar gemacht habe, sondern daß auch die darin enthaltenen wenigen Bestimmungen leicht hätten entbehrt werden können, weil sie eben so allgemeiner Natur sind, daß sie einerseits der Auffassung und daher auch der Mißdeutung und den Irrthümern den weitesten Spielraum offen ließen, andererseits auch ohne gesetzliche Normirung nicht außer Anwendung hätten kommen können.

Dasselbe gilt von den Normen über den Gegenbeweis, über die Gemeinschaftlichkeit der Beweismittel, über Theilbarkeit oder Untheilbarkeit des Geständnisses. Ueber alle diese Materien beobachtet das Oesterreichische Gesetz fast ein unbedingtes Stillschweigen, und zwar, wie ich glaube, nicht zum Nachtheile der Rechtspflege.

Anders verhält es sich nach meiner Ansicht mit der zweiten Gruppe mit jenen gesetzlichen Vorschriften, welche die Zulässigkeit der Beweismittel und die Art der Beweisführung oder Beweisaufnahme betreffen. Bezüglich dieser Regeln ist es mir, offen gesagt, geradezu unbegreiflich, wie die Entbehrlichkeit derselben befürwortet werden kann. An dem Bestande dieser Regeln ist die Rechtssicherheit in hohem Grade betheiligt, und zwar an der Feststellung derselben durch die Gesetzgebung; denn auf diesem Gebiete kann auch die Wissenschaft sie nicht ersetzen.

Was zuerst die Zulässigkeit der Beweismittel anbelangt, so kann nicht übersehen werden, wie sehr der Bestand positiver Regeln auf den rechtlichen Verkehr, auf die Sicherheit desselben zurückwirkt, wie nothwendig es ist, daß Jedermann wisse, welcher Beweismittel er sich zu versichern habe, um sein Recht vor Angriffen zu schützen.

Es ist ferner ein Recht eines jeden, der in einen Civilprozeß verwickelt ist, daß nur solche Beweismittel gegen ihn gebraucht werden, welche aus der Natur und Gestaltung des rechtlichen Verkehrs sich ergeben, welche der Gesittung entsprechen und gegen welche er sich auch vertheidigen kann, so daß er nicht der Gefahr ausgesetzt werde, vor einem Richter zu stehen, welcher vielleicht aus Vorliebe für alte Institutionen jene der Eideshelfer für zuläßig erachtet, oder aus Hang zum Mysticismus auf noch größere Abwege geräth.

Es ist endlich nicht nur der einzelne Prozeßführende, sondern es ist die Gesammtheit eines Volkes daran betheiligt, daß in dieser Richtung eine gewisse Gleichförmigkeit und Einheit im Gange der Rechtspflege stattfinde, und daß es nicht von äußerlichen und zufälligen Umständen wie jenen des Wohnsitzes u. dgl. abhänge, ob man sein Recht durch die einen oder die anderen Mittel durchsetzen könne.

Man kann sich nicht mit der Zuversicht trösten, daß solche grelle Differenzen, solche Verirrungen nicht vorkommen werden, und daß, wenn sie vorkommen, durch andere Mittel, sei es durch den Instanzenzug, sei es durch die Oberaufsicht des Staates über die Rechtspflege, werde abgeholfen werden. Denn in welche Richtungen der menschliche Geist und auch der gebildete gerathen kann, ist nicht zu bemessen, und die Erfahrung weiset in dieser Beziehung täglich die wunderlichsten Erscheinungen auf. Der Rechtszug aber und disciplinäre Maßregeln sind nur ein trauriger Nothbehelf, denn sie setzen immer schon ein geschehenes Unrecht voraus.

Manche dieser gesetzlichen Vorschriften über die Zulässigkeit der Beweismittel greifen auch über das Gebiet des Privatrechtes hinaus. Wenn z. B. die Gesetzgebung in Frankreich die Zulässigkeit des Zeugenbeweises beschränkt hat, so geschah es gewiß aus höheren Rücksichten, sei es, weil die Eigenthümlichkeit des dortigen Volkscharakters, die größere Beweglichkeit und mindere Bedächtigkeit derselben, wie manche behaupten, die Unzuverläßigkeit des Zeugenbeweises erhöht, sei es, weil man im Interesse der allgemeinen Rechtssicherheit den rechtlichen Verkehr in die schriftliche Form zu drängen für nothwendig, oder doch für zweckmäßig erachtete. Wenn nun in einem Lande solche höhere Rücksichten bestehen, so kann es nicht einem einzelnen Richter oder Gerichte freigestellt sein, sich über dieselben hinwegzusetzen. Wenn umgekehrt, wie es in Deutschland mit wenigen Ausnahmen der Fall ist, die unbeschränkte Zulässigkeit des Zeugenbeweises in dem Rechtsgefühle, in der Sitte und in der Gestaltung des rechtlichen Verkehres tief begründet ist, soll es einem mysanthropischen Richter, den vielleicht traurige Erfahrungen zu einem vollständigen Mißtrauen in die Glaubwürdigkeit seiner Nebenmenschen gebracht haben, gestattet sein, Zeugen für unzulässige Beweismittel zu erklären? Aehnliches gilt vom Parteieneide, bezüglich dessen die höchsten staatlichen Rücksichten erheischen, daß ein maßvoller Gebrauch dieses Beweismittels gesichert werde.

Endlich ist nicht zu vergessen, daß der Richter nothwendig mit der Gewalt ausgestattet werden muß, zur Herbeischaffung von Beweismitteln nöthigenfalls auch Zwangsmaßregeln anzuwenden; diese Gewalt würde aber zur größten Bedrückung der Prozeßparteien und Dritter führen können, wenn sie nicht durch positive Vorschriften namentlich bezüglich der Gattung der zulässigen Beweismittel gehörig eingeschränkt wäre. —

Die gesetzlichen Vorschriften über die Art der Führung, der Aufnahme der Beweise sind geradezu eine Grundbedingung einer regelmäßigen Prozedur. Sie erscheinen mir ebenso unentbehrlich, wie alle anderen Normen über den Gang des gerichtlichen Verfahrens; die Gesetzgebungen aller civilisirten Völker haben es für nothwendig erachtet, die Art der Verhandlung eines Rechtsstreites vor Gericht auf ganz bestimmte Weise zu regeln; die Art des Anhängigmachens, der Vorbereitung und der Verhandlung eines Prozesses muß sich in bestimmten, gesetzlich geregelten Bahnen bewegen, und es ist nicht abzusehen, warum der für den Beweis gewidmete Theil des Prozesses eine andere Behandlung erheischen oder vertragen sollte, warum die Vorführung der Beweismittel und die Beweisaufnahme einem schranken- und regellosen Verfahren sollte preisgegeben werden können.

Es ist so oft in der Debatte über die Nothwendigkeit der Beweisregeln auf die Analogie des Strafverfahrens hingewiesen worden. Der Hinblick auf das strafgerichtliche Verfahren und dessen Entwicklung in neuerer Zeit führt aber bezüglich dieser zweiten Gruppe der Beweisregeln nur zur Anerkennung ihrer Unentbehrlichkeit, ja zur Ueberzeugung, daß die Bedeutung dieser Regeln in eben dem Maße wachse, als das freie Ermessen des Richters bei der Würdigung der Kraft der Beweise erweitert wird. In allen neueren Strafprozeßordnungen, insbesondere in denjenigen, welche der gesetzlichen Regelung der Kraft der Beweise entsagt haben, finden wir eine große Menge in das kleinste Detail gehender Vorschriften, welche die Produktion und Aufnahme der Beweise mit allen möglichen Kautelen und Schranken umgiebt; in diesen beschränkenden Formen liegt der hauptsächlichste und anerkannt nothwendige Schutz gegen eine regel- und schrankenlose Willkür, und es kann der ganze Komplex dieser Vorschriften mit dem daran hängenden Systeme von Nichtigkeiten als eine Art von Surrogat der Beweiswürdigungsregeln, oder doch wenigstens als ein Gegengewicht angesehen werden, welches in die Form

der Beweisführung gelegt, dem sonst zu großen Uebergewichte des freien Ermessens bezüglich des inneren Werthes der Beweise entgegenwirken soll.

Denselben Weg wird meines Erachtens auch die Civilprozeßgesetzgebung
einschlagen müssen, und es wird von dem Aufgeben dieser Gattung von gesetzlichen Vorschriften über den Beweis immer weniger die Rede sein können,
je mehr dem richterlichen Ermessen in anderer Beziehung das Feld der freien
Thätigkeit eröffnet wird.

Bevor ich nun zu der dritten Gruppe der Beweisregeln übergehe, glaube
ich noch der, wenigstens bisher in keiner Civilprozeßordnung mangelnden gesetzlichen Vorschriften über die rechtlichen Wirkungen des Ausbleibens, über
die Contumaz, erwähnen zu sollen, weil auch bezüglich dieser Normen die
Entbehrlichkeit schon behauptet worden ist, ich aber diese Ansicht nicht zu
theilen vermöchte. Es dürfte wohl kaum einem Zweifel unterliegen, daß in
der Civilrechtspflege das Ausbleiben der Prozeßpartei von der gerichtlichen
Verhandlung des Rechtsstreites mit rechtlichen Wirkungen, mit Rechtsnach-
theilen bezüglich des in Verhandlung stehenden Rechtsverhältnisses verbunden
sein muß, denn direkte Zwangsmaßregeln zum Erscheinen vor Gericht sind
schon nach der Natur der zu verhandelnden Rechte unzulässig, weil Niemand
gezwungen werden kann, ein Privatrecht, dessen er sich willkürlich begeben
kann, vor Gericht geltend zu machen oder gegen einen Angriff zu vertheidigen.

Worin soll nun diese rechtliche Wirkung bestehen, wenn sie nicht durch
ein positives Gesetz festgesetzt ist? Nach den Gesetzen der Logik kann aus
dem Nichterscheinen einer Prozeßpartei gar nichts anders gefolgert werden,
als daß sie eben durch ihr Ausbleiben die gerichtliche Verhandlung und Entscheidung verhindern, sich derselben nicht unterziehen wolle; es kann darauf
weder die Vermuthung des Zugeständnisses, noch jene des Abläugnens gegründet werden. Die Annahme nach der einen oder der anderen Richtung
ist eine rein willkürliche, eine Maßregel der Zweckmäßigkeit, und es hat auch
jede dieser beiden entgegengesetzten Annahmen in den Prozeßgesetzen ihre Vertretung gefunden. Es ist zwar behauptet worden, daß es naturgemäß sei
und daher keiner positiven Festsetzung bedürfe, daß das Ausbleiben die Vermuthung des Zugeständnisses begründe; dagegen erlaube ich mir nur zu bemerken, daß nur zu häufig die Begriffe des Natürlichen und Gewohnten verwechselt werden, daß man oft für das Selbstverständliche hält, was man
lange an der Hand positiver Normen zu üben gewohnt war. Ich glaube
vielmehr, daß ohne eine gesetzliche Vorschrift gar keine Gewähr besteht, daß
nicht der eine Richter aus dem Ausbleiben das Zugeständniß, der andere das
Abläugnen folgere, es scheint mir sogar, daß ein Richter, der sich von den
Nachwirkungen der bisherigen positiven Vorschrift freigemacht hat, weder die

eine, noch die andere Folgerung machen könne und werde, weil jede derselben auf einer Fiktion beruht, die eben nur gesetzlich aufgestellt werden kann, aber auch aufgestellt werden muß, weil es nothwendig ist, daß Jedermann wisse, welchem Rechtsnachtheile er sich durch das Ausbleiben aussetze.

Ich komme nunmehr zu der dritten Gruppe der Beweisregeln, zu jenen über die Beweiskraft, und dadurch wohl zu dem eigentlichen Gegenstande der Debatte.

Diese Beweisregeln sind, ruft man aus, die Reste der Ueberlieferungen der Scholastik. Zugegeben; was soll aber damit für die Beantwortung der Frage gewonnen sein? Auch die Scholastik hatte ihre Berechtigung; die Prinzipien und Theorien derselben waren auch keine willkürlichen Erfindungen Einzelner, denn unmöglich hätten sie die Gebiete des Lebens und der Wissenschaft in einem solchen Maße beherrschen können, wenn sie nicht in der damaligen Zeit, in dem Bedürfnisse gewurzelt hätten. Niemand wird läugnen, daß die Jetztzeit dem Kampfe nach der Befreiung des Geistes von diesem Einflusse gewidmet ist; auch auf dem hier speciell in Frage stehenden Gebiete ist dieses Streben deutlich erkennbar. Nicht nur in der Wissenschaft ist der Kampf gegen das die Freiheit des Denkens, des Urtheilens beengende Schema von bindenden Vorschriften lebhaft entbrannt, sondern auch in den Gesetzgebungen, auf den Richterstühlen ist die Theilnahme an demselben zu finden. Ich vermag in letzterer Beziehung nur von Oesterreich zu sprechen; hier zeigt aber der Ueberblick einer großen Anzahl von Richtersprüchen, wie ihn eine Sammlung der Judikaturen des obersten Gerichtshofes gewährt, die bemerkenswerthe Thatsache, daß in nicht wenig zahlreichen Fällen das Bedürfniß nach einer Abweichung von der strengen Anwendung der Beweisregeln in den Erkenntnissen zum Ausdruck gekommen ist. Auch die Oesterreichische Gesetzgebung hat durch die in den letzten Decennien für den Civilprozeß erlassenen Gesetze dieses Bedürfniß anerkannt und der Freiheit des richterlichen Urtheiles einen größeren Spielraum gewährt. Es scheint mir daher unzweifelhaft, daß die Entwicklung des Civilprozesses nach dem Ziele der völligen Befreiung von diesen Regeln vorwärts schreite, daß die Freiheit des richterlichen Urtheiles siegreich aus dem Kampfe hervorgehen werde. Aber ebenso klar halte ich es, daß das Ziel noch nicht erreicht, der Kampf nicht beendet sei, daß die Vorbedingungen noch nicht vorhanden seien, auf deren Grundlage allein die Gesetzgebung berechtigt wäre, die volle Freiheit des richterlichen Urtheiles gesetzlich zu sanktioniren.

Es handelt sich bei der Frage um den Bestand der Beweiswürdigungsregeln auch keineswegs darum, ob man den Zweck des Civilprozesses in der Ermittlung der formellen oder der materiellen Wahrheit finde; ich vermag weder einzusehen, daß darin das unterscheidende Merkmal zwischen den Anhängern der einen und anderen Ansicht gelegen sei, noch auch daß überhaupt der Zweck des Civilprozesses ausschließend in der einen oder anderen Richtung gefunden werden könne. Sowie einerseits unter allen Umständen kein Civilprozeß ohne formelles Recht gedacht werden kann, ohne formelle Schranken, welche der Ermittlung des materiellen Rechtes gewisse Grenzen ziehen — Schranken, welche theils aus dem freien Dispositionsrechte der Parteien über ihre Rechte, theils aus dem Bedürfnisse nach der Rechtskraft der Erkenntnisse fließen — so war es zuverlässig auch niemals der Zweck irgend eines Civilprozeßverfahrens, nur formelles Recht im Gegensatze zum materiellen Rechte festzustellen. Ich glaube vielmehr, daß zu allen Zeiten der Zweck des Streitverfahrens der gleiche war, nämlich eine dem wirklichen Rechte möglich nahe kommende Rechtsprechung. Der Unterschied liegt nur in der Wahl der Mittel, durch welche man diesen Zweck am besten und sichersten zu erreichen glaubt. Bei der Unvollkommenheit aller menschlichen Einrichtungen wird von beiden Seiten vornherein zugegeben werden müssen, daß Irrthümer, Fehlgriffe weder durch die einen, noch durch die anderen Mittel unbedingt vermieden werden können, daß es sich daher nur darum handeln könne, welche Mittel im Großen und Ganzen die Erreichung des gleichen Zieles am besten verbürgen. Die Einen glauben die beste Bürgschaft darin zu finden, daß sie gewisse Regeln aufstellen, welche abstrahirt aus den allgemeinen Denkgesetzen, aus der Erfahrung, aus den Bedürfnissen und dem Wesen des rechtlichen Verkehres mit der größten Wahrscheinlichkeit und für die größte Mehrzahl der Fälle zur Erkenntniß der Wahrheit führen werden, wobei zwar die Gefahr der Unzulänglichkeit oder selbst der Zweckwidrigkeit dieser Regeln in einzelnen Fällen allerdings vorhanden sein könne, aber für die im Großen verbürgte Rechtssicherheit um so mehr mit in den Kauf zu nehmen sei, als sie doch noch viel kleiner sei, als jene der gänzlichen Freiheit des richterlichen Urtheiles, ja gegen den Vortheil, daß Jedermann wisse, wie er sein Recht gegen jeden Angriff sichern könne, fast ganz verschwinde. Die Andern hingegen glauben, daß diese Regeln, insofern sie den Denkgesetzen, den Bedürfnissen und der Natur des Verkehres wirklich entsprechen, von dem Richter auch ohne gesetzliche Vorschrift werden angewendet werden, und daß sie ihn nur in der Anpassung derselben auf den konkreten Fall beengen und hindern und dadurch zu einem dem erkannten wirklichen Rechte nicht entsprechenden Urtheile nöthigen. In diesen Ansichten prägen sich die Anschauungen zweier großen Zeitrichtungen aus; die Periode des Mißtrauens in die individuelle Vernunft und Gewissenhaftigkeit, welches alles von Staatswegen in vorgeschriebene Bahnen zu lenken sich verpflichtet sah, und die Periode des Dranges nach der Freiheit gegen unnöthige und auch schädliche Fesseln des Geistes, nach Selbstbestimmung, sind durch diese Ansichten repräsentirt.

Aber nicht nur diese großen Wandlungen in der Entwicklung des menschlichen Geistes, sondern auch äußere Umstände und Einrichtungen sind hier von maßgebendem Einflusse; ich meine die ganze Art der Verhandlung des Rechtsstreites und die Gerichtsorganisation. Wirft man nämlich einen Blick auf die vormalige Organisation der Gerichte in Deutschland, als großentheils Patrimonialgerichte und neben ihnen privilegirte Gerichtsstände bestanden, die Justizpflege mit der Verwaltung fast durchgehends vereinigt, die erstere vorwiegend in der Hand von Einzelrichtern, und bei fast allen Richtern von einer wahren Unabhängigkeit kaum eine Spur zu finden war, bringt man ferner in Betracht das schriftliche und geheime Prozeßverfahren, welches den Richter ebenso sehr der nothwendigen Kontrolle entzog, als es ihm dem Leben und daher auch einer richtigen Auffassung der Verhältnisse des Lebens und Verkehres entfremdete, so wird man nicht anstehen können zu erklären, daß die positiven Beweisregeln eine wahre Wohlthat, ja eine Nothwendigkeit zum Schutze gegen Irrthum und Willkür gewesen sind. In diesen beiden Richtungen ist nun freilich Vieles anders und besser geworden, aber gar Manches bleibt noch zu thun; aller Orten wird gestrebt, gearbeitet, gerungen; aber eines entsprechenden Resultates hat sich nur der kleinere Theil von Deutschland zu erfreuen. Die Vorbedingungen für die eine gute und unabhängige Rechtspflege verbürgende Gerichtsorganisation sind bisher in der Mehrzahl der Deutschen Staaten noch nicht ins Leben getreten, und das mündliche und öffentliche Prozeßverfahren, sei es auf Grundlage eines gemeinsamen Gesetzes, oder auf Grundlage von Partikulargesetzen, ist für die Mehrzahl noch ein Gegenstand der Sehnsucht. Es ist nun allerdings richtig, daß die Beschlüsse des Juristentages in Ansehung der Civilprozeßgesetzgebung im Zusammenhange genommen werden müssen, und daß daher die Frage über die Aufhebung der Beweisregeln nur mit Rücksicht auf frühere Beschlüsse, insbesondere auf diejenigen über die Mündlichkeit und Oeffentlichkeit des Prozeßverfahrens in Betracht kommen kann. Allein es scheint auch nicht übersehen werden zu dürfen, daß die Reformen in der Gerichtsorganisation und namentlich jene im Verfahren nicht sogleich die Wirkungen hervorbringen werden, welche doch jedenfalls die Vorbedingung für die Befreiung des richterlichen Urtheiles von Beweisregeln wären. In der großen Mehrzahl werden die Richter dieselben bleiben; auch in den neuen Organismus und zur Handhabung des neuen Verfahrens werden eben jene Richter übertreten, welche unter den alten Zuständen und Formen geschult worden sind und gewirkt haben und nicht mit einem Schlage den alten Menschen ablegen können. Die wohlthätige, die läuternde und erhebende Wirkung der neuen Zustände, des neuen Verfahrens wird nur nach einiger Zeit hervortreten, und erst durch diesen Einfluß wird der Richterstand auf jenen Punkt der Entwicklung gebracht sein, welche ihn

zur ferneren Befreiung von den sein Urtheil regelnden Vorschriften reif erscheinen lassen wird. Wenn man mir dagegen einwenden wollte, daß man
ins Wasser gehen muß, wenn man schwimmen lernen will, so würde ich
darauf erwidern, daß man auch Niemanden schutzlos ins Wasser wirft, der
nicht schwimmen kann, sondern daß man ihn eben schwimmen lehrt.

Nur nebenbei möchte ich mir auch die Bemerkung erlauben, daß auch
bezüglich des erwarteten Einflusses der Mündlichkeit des Verfahrens auf die
Frage der Beweisregeln einige Vorsicht nothwendig sei. Es ist nämlich
eine fast in allen Ländern, insbesondere in den größeren Staaten gemachte
Erfahrung, daß ungeachtet aller Vorschriften der Prozeßordnungen, die unmittelbare Aufnahme der Beweise vor dem erkennenden Gerichte nicht in dem
gewünschten Maße, nicht in jener Ausdehnung und Allgemeinheit, wie es im
Strafverfahren geschieht, stattfinde, daß die Beweisaufnahmen (insbesondere
auch Zeugenvernehmungen) vor Richterkommissären erfolgen, so daß dem erkennenden Gerichte nur die schriftlichen Beurkundungen vorliegen, somit jene
vielfachen, die Würdigung der Beweiskraft oft sehr beeinflussenden Momente,
die sich eben nicht zu Protokoll nehmen lassen, für die Beurtheilung entgehen. Gegenüber diesen Erfahrungen, wie sie namentlich auch aus Hannover vorliegen, kann man sich kaum der Hoffnung hingeben, daß das Prinzip
der Unmittelbarkeit bei der Beweisaufnahme in seiner vollen Reinheit werde
durchgeführt werden können; es wird daher auf den Ersatz, den man in dieser
Unmittelbarkeit für die Beweisregeln sieht, nicht mit zu großer Zuversicht gezählt werden können; es werden daher auch die Gefahren nicht ganz zu beseitigen sein, welche hervortreten müssen, wenn die Gerichte ohne Beweisregeln auf Grundlage schriftlicher, von anderen Gerichtspersonen geleiteten
Beweisaufnahmen urtheilen.

Von weit größerem Belange erscheint mir dagegen der Einfluß des Bestandes der Beweisregeln auf die Gestaltung, auf die Wirkung, ja auf die
Ausführbarkeit eines Instanzenzuges quoad factum. Es ist schon beim
mündlichen Verfahren überhaupt eine mißliche Sache mit dem Rechtsmittel
der Berufung. Soll nämlich die Berufung einen wirklichen Schutz gewähren,
so muß dem Berufungsrichter das faktische Materiale in ebenso verläßlicher
Weise vorgeführt werden, wie es vor dem ersten Richter geschah, das heißt,
es muß — die Mündlichkeit des Verfahrens vorausgesetzt — die ganze mündliche, unmittelbare Streitverhandlung vor dem Berufungsrichter wiederholt
werden.

Daß es sehr großer Schwierigkeiten unterliege, dieser Anforderung zu
genügen, daß alle Auskunftsmittel, die man in den Verhandlungsprotokollen,
in den Entscheidungsgründen und dem Thatbestande (qualités) der Urtheile,
in dem Zertheilen des Verfahrens in einzelne Abschnitte gesucht hat, einer-

seits nicht genügend, andererseits mit wesentlichen anderen Nachtheilen verbunden seien, dürfte als allgemein anerkannt gelten. Wenn aber auch die vollständige Wiederholung der Verhandlung in zweiter Instanz durchgeführt werden kann, so bleibt noch immer der gerechte Zweifel, ob denn die Ergebnisse dieser zweiten Verhandlung auch die richtigeren seien, ob die Depositionen eines Zeugen in der zweiten Instanz, insofern sie von jenen der ersten Instanz abweichen, auch die glaubwürdigeren seien. Diese den Werth der Berufung alterirenden Wirkungen des mündlichen Verfahrens werden aber noch wesentlich gesteigert werden, wenn die Regeln über die Würdigung der Beweiskraft fallen, wenn an die Stelle der Anwendung gesetzlicher Regeln auf einen konkreten Fall die Frage richterliche Ueberzeugung treten soll, bei welcher die Unmittelbarkeit der Beweisaufnahme (auch in zweiter Instanz) immer unentbehrlicher wird, die Möglichkeit einer Kritik der Entscheidung des ersten Richters immer mehr schwindet, so daß die naturgemäße Entwickelung — wie es sich bereits gegenwärtig im Strafverfahren zeigt — zum gänzlichen Aufgeben der Berufung drängen und in kürzester Zeit auch führen müßte. Diese Konsequenz der Frage über den Bestand der gesetzlichen Beweisregeln darf nicht aus den Augen gelassen werden, wenn man von dem Standpunkte ausgeht, den ich einnehmen zu sollen geglaubt habe, daß es sich nämlich nicht blos um die Aufstellung eines Prinzipes in abstracto, sondern um die Untersuchung handle, ob denn die vorhandenen Zustände, das Rechtsgefühl und die bestehenden Gewohnheiten und Anschauungen das Aufgeben der gesetzlichen Beweisregeln mit allen seinen Konsequenzen als zulässig erscheinen lassen. Soweit nun meine Erfahrungen reichen, wurzelt das Bedürfniß nach dem Rechtsmittel der Berufung so tief in der Gewohnheit und in den Anschauungen des Volkes, daß man es kaum wagen dürfte, dasselbe den Rechtsuchenden zu entziehen, auch die bestehende und die mögliche Organisation der Gerichte in den ersten Instanzen ist nicht durchgehend auf jener Stufe, daß die Möglichkeit einer Remedur entbehrlich erscheinen kann.

Noch möchte ich mir erlauben eines Argumentes kurz zu erwähnen, welches auch in die Debatte über die Beweisregeln hineingezogen wurde, aber, wie ich glaube, mehr zur Verwirrung, als zur Klärung der Sache beigetragen hat. Die Wortführer der Beweisregeln haben nämlich wiederholt behauptet, das Aufgeben derselben führe zur Inquisitionsmaxime im Civilprozesse. Nach meiner Anschauung hat die Frage über den Bestand der gesetzlichen Beweisregeln — insofern damit nur die Beweiswürdigungsregeln gemeint sind — mit der Gestaltung des Civilprozesses nach der Verhandlungs- oder Inquisitions-Maxime gar nichts zu thun. So wie im Civilprozesse nach allen Schattirungen der Verhandlungs- und Inquisitions-Maxime bei gesetzlichen Beweisregeln verfahren werden kann — und daß dies der Fall sei, zeigen

die bestehenden Prozeßgesetze — so läßt sich auch die Durchführung der Verhandlungs-Maxime in dem überhaupt wünschenswerthen Maße ungeachtet des
Wegfallens dieser gesetzlichen Regeln sehr gut denken, denn dem Richter bleibt
alle geforderte Freiheit des Urtheilens, wenn er auch nur auf die von den
Parteien vorgeführten Thatsachen und Beweismittel beschränkt bleibt. —

Nach diesen kurzen Betrachtungen über die wesentlichen Vorbedingungen
und Konsequenzen der Entscheidung der Frage über die Beweiswürdigungs-
Regeln glaube ich meine Ansicht dahin aussprechen zu sollen, daß allerdings
eine bedeutende Verminderung und Vereinfachung derselben, eine ausgedehn-
tere Wirksamkeit der freien richterlichen Ueberzeugung — welche ja niemals
g a n z ausgeschlossen war — eintreten könne und solle, daß jedoch das unbedingte Aufgeben aller gesetzlichen Regeln für die Würdigung der Beweiskraft nicht zu befürworten wäre.

Es würde wohl die Grenzen meiner Aufgabe überschreiten, wenn ich
diese meine Ansicht nach allen Details der Beweisregeln durchführen wollte;
nur einige Andeutungen seien mir zur näheren Präzisirung meiner Ansicht
erlaubt:

Daß die ganz mechanische Abwägung der Beweiskraft nach Bruchtheilen
($\frac{1}{4}$, halber, $\frac{3}{4}$ Beweis) nicht zu billigen sei, darüber ist man wohl aller
Orten einig; die Unterscheidung des vollen und des unvollständigen Beweises
wird jedenfalls genügen; diese Unterscheidung aber wird, wenn überhaupt noch
gesetzliche Regeln über die Beweiskraft beibehalten werden sollen, nicht zu
entbehren sein.

Dagegen dürften alle gesetzlichen Vorschriften über die Kraft einer Gattung von Beweismitteln im Verhältnisse zu anderen Beweismitteln aufzugeben sein. Es läßt sich nicht im Allgemeinen festsetzen, welches Beweismittel vor dem anderen den Vorzug verdiene, welches das stärkere sei, die
größere Gewähr in sich trage, — wann und unter welchen Bedingungen sich
Beweise gegenseitig die Wage halten oder überwiegen. Diese relative Kraft
eines Beweises läßt sich immer nun im konkreten Falle beurtheilen. Man
kann unmöglich die Kraft zweier entgegenstehender Zeugenbeweise nur nach
der Zahl der Zeugen, oder die verschiedenen Kunstbefunde nach der Zahl der
Sachverständigen abwägen; es läßt sich nicht — die Zulässigkeit des Zeugenbeweises gegenüber dem Urkundenbeweise überhaupt vorausgesetzt — für alle
Fälle vorhinein bestimmen, wieviele Zeugen nothwendig seien, um den Beweis
durch eine Urkunde zu entkräften u. s. f. Es fehlen hier alle Anhaltspunkte
zu einer allgemeinen Klassifikation der Beweise; die verschiedenen Eventualitäten und Konstellationen, die hier vorkommen können, sind ganz unüber-
sehbar und eben deshalb besteht die größte Gefahr, daß jede solche Regel in
ihrer Anwendung ihren eigentlichen Zweck, zur Ermittelung der Wahrheit zu

führen, nicht nur verfehle, sondern demselben häufig geradezu entgegenarbeite. Bezüglich des Parteien-Eides scheint es zwar als ob ihm der letzte Rang unter allen Beweismitteln angewiesen werden müsse; allein dies betrifft nicht die Beweiskraft des Eides im Verhältnisse zu anderen Beweismitteln, sondern nur die Bedingungen seiner Zulässigkeit und Anwendbarkeit als letztes Refugium bei dem Mangel oder Fehlschlagen aller anderen Beweise.

Was nun die einzelnen Kategorien der Beweismittel betrifft, so hat sich die Unzulänglichkeit und Schädlichkeit der gesetzlichen Regeln über die Beweiskraft in erster Linie bei dem Zeugenbeweise fühlbar gemacht. Dies erklärt sich aus der Natur des Beweismittels. Die Momente, auf denen die Glaubwürdigkeit einer Zeugenaussage beruht, sind größtentheils rein innerliche, in der Subjektivität der Zeugen wurzelnd; die gesetzlichen Regeln hingegen können sich immer nur an gewisse äußere Umstände und Verhältnisse anklammern, aus welchen sich für diese inneren Momente eine Vermuthung ergeben soll. Das Fehlerhafte und Mangelhafte dieses indirekten Vorganges kann wohl nicht verkannt werden, es wird eben erst dadurch recht fühlbar, wenn derselbe zur ausschließlichen Norm erhoben und dadurch der direkte Weg zur Erkenntniß aller dieser Momente dem Richter verschlossen wird. Auch die unübersehbare Mannichfaltigkeit dieser Momente, welche so groß ist als jene der menschlichen Individualitäten überhaupt, läßt es geradezu als eine Unmöglichkeit erscheinen, dieselben nur einigermaßen erschöpfend zu schematisiren. Es fehlen bezüglich des Zeugenbeweises die Anhaltspunkte für die gesetzliche Regeln, es fehlt auch die Möglichkeit den Zweck zu erreichen. Die Gefahr, daß diese Regeln nicht zur richtigen Erkenntniß über den Werth des Beweismittels und somit auch zur Erkenntniß der Wahrheit führen, ist daher eine sehr große, und jedenfalls eine größere, als wenn dem Richter der Weg eröffnet wird, die Glaubwürdigkeit eines Zeugen und die Beweiskraft seiner Aussage nach allen Umständen des konkreten Falles zu beurtheilen. Fehler und Irrthümer sind im letzteren Falle wohl keineswegs ausgeschlossen — wo wäre dies garantirt! — aber im Großen und Ganzen müssen die Erfahrungen und die Menschenkenntniß des Richters als ein verläßlicherer Wegweiser angesehen werden, als gesetzliche Normen, welche etwas regeln wollen, was sich seiner Natur nach jeder Regel entzieht;*) bei dem Zeugenbeweise dürfte es daher genügen, wenn nebst den Vorschriften über die Art der Aufnahme dieses Beweises festgesetzt wird, welche Personen sich der Pflicht zur Zeugenschaft entschlagen, welche aus staatlichen oder religiösen Rücksichten zur

---

*) Im Großen und Ganzen werden daher die Gefahren für die Erkenntniß der Wahrheit bei den Beweisregeln größer sein, als bei dem Walten der freien richterlichen Ueberzeugung.

Zeugenschaft entschlagen, welche aus staatlichen oder religiösen Rücksichten zur Zeugenschaft nicht berufen werden können, und welche von dem Gegner abgelehnt werden können. Alle übrigen Vorschriften über Verwerflichkeit, Bedenklichkeit der Zeugen, über die erforderliche Zahl derselben, über die Beweiskraft ihrer Aussagen sollten hingegen aufgegeben werden, und zwar selbst dann, wenn es nicht möglich sein sollte, wie ich mir oben anzudeuten erlaubte, das Prinzip der Unmittelbarkeit für die Aufnahme der Beweise zur vollen Wirksamkeit zu bringen, denn das Bedürfniß nach der Befreiung von diesen Regeln hat sich sogar schon bei dem rein schriftlichen Verfahren in unverkennbarer Weise geäußert.

Aehnliches gilt von dem Beweise durch Sachverständige. Die Beweiskraft des Gutachtens eines Experten beruht theilweise auf subjektiven Momenten, nämlich auf der allgemeinen und auf der sachlichen Vertrauenswürdigkeit des Experten selbst, theils auf objektiven, nämlich auf der Gründlichkeit und Folgerichtigkeit seiner Depositionen. Alle diese Momente lassen sich aber nur im konkreten Falle würdigen. Nicht die Zahl der Sachverständigen, welche ein Gutachten abgegeben haben, kann den Werth ihres Ausspruches begründen, sondern nur die aus den eben erwähnten Momenten resultirende Glaubwürdigkeit, und das Majoritätenprinzip, welches nothwendigerweise zur Anwendung kommen muß, wenn die Beweiskraft der Gutachten gesetzlich geregelt, wenn dieselben der eigenen Prüfung und Beurtheilung des Richters nach ihrem inneren Werthe entzogen werden wollen, dürfte wohl auf keinem Gebiete eine geringere Berechtigung haben.

Wesentlich verschiedene Rücksichten treten hingegen bei dem Beweise durch Urkunden in den Vordergrund. Vor Allem ist zu erwägen, daß Urkunden über Rechtsgeschäfte in der Regel in der Absicht errichtet werden, die Rechte zu sichern, ein Beweismittel für dieselben zu schaffen. Dieser Zweck kann nur mit Zuverlässigkeit erreicht werden, wenn bei der Errichtung der Urkunde bekannt ist, welche Eigenschaften der Richter von derselben fordern werde, um sie als beweiskräftig anzusehen, wenn ferner die Sicherheit besteht, daß der Richter die mit gewissen Erfordernissen errichtete Urkunde auch wirklich als beweiskräftig betrachten werde. Dies dürfte ein kaum zu bezweifelndes Bedürfniß des privatrechtlichen Verkehres sein, welches, wenn ich nicht irre, auch von Jenen anerkannt wird, die auch bezüglich dieses Beweismittels der freien richterlichen Ueberzeugung das Wort sprechen; sie erblicken nur in derselben keine Gefahr für die Befriedigung dieses Bedürfnisses. Meines Erachtens kann aber diese Gefahr nicht als ausgeschlossen betrachtet werden, denn wo läge die unbedingte Gewähr dafür, daß nicht in dem Kopfe eines Richters Bedenken gegen eine mit allen Vorsichten errichtete und dem realen Rechtsverhältnisse entsprechende Urkunde auftauchen, oder daß nicht einer mangelhaften Urkunde oder einer **scriptura propria** eine zu große Beweiskraft beigemeffen werde? Die Sicherheit ist jedenfalls beffer verbürgt. wenn die Erforderniffe und die daran geknüpfte Beweiskraft einer Urkunde gefeßlich geregelt find, und es könnte sich nur darum fragen, ob die mit solchen Regeln verbundenen Nachtheile nicht die Vortheile diefer größeren Sicherheit überwiegen. Solche Nachtheile find aber meines Erachtens nicht vorhanden. Allerdings giebt es viele Umstände, welche auf die Beweiskraft einer Urkunde von dem größten Einfluffe find, und welche nur im konkreten Falle beurtheilt werden können; diese beziehen sich aber auf andere Thatsachen, als diejenigen, über welche die Urkunde Beweis machen soll. Ist die Echtheit zweifelhaft, dann handelt es sich darum, ob überhaupt eine Urkunde vorhanden sei, und es wird dann auf den Beweis über die Thatsache der Errichtung der Urkunde ankommen; ist es zweifelhaft, ob die Urkunde der wahren Willenserklärung entspreche, ob diese frei, ernstlich gewesen sei, ob die Urkunde nicht blos zum Scheine errichtet worden sei, so wird es in allen diesen Fällen auf den Beweis von Thatsachen ankommen, welche so zu sagen außerhalb der Urkunde gelegen find, von Thatsachen, welche von jener verschieden find, welche durch die Urkunde erwiesen werden will. In allen diesen Fällen wird der Richter die Kraft dieser Beweise gegen jenen der Urkunde abzuwägen haben, aber es kann dies nicht hindern, einer Urkunde eine Beweiskraft gefeßlich infofern und so lange beizulegen, bis sie nicht durch solche andere Beweise entkräftet ist.

Hiezu kommt aber noch die Erwägung, daß eine Urkunde, deren Beweiskraft von den Streittheilen selbst nicht angefochten wird, auch von dem Richter unbedingt als beweiskräftig angesehen werden muß; auch darin unterscheidet sich die Urkunde wesentlich von anderen Beweismitteln, indem es nicht mehr auf die richterliche Ueberzeugung ankommen kann, wenn die Parteien selbst über die Gebrechen einer Urkunde hinausgehen.

Die Rückwirkung der Beweisregeln auf den Verkehr tritt bei gewissen Gattungen von Urkunden noch besonders in den Vordergrund. Wollte man die Beweisregeln aufgeben, dann ist es wohl gewiß sehr unsicher, ob den Büchern der Kaufleute von den Richtern irgend eine Beweiskraft werde beigelegt werden; und doch hat man es als ein wahres Bedürfniß des Handels angesehen, dieser Gattung der **scripturae propriae** eine bevorzugte Stellung einzuräumen, welches Bedürfniß auch in dem unter dem Einfluffe der Debatte über die Nothwendigkeit der Beweisregeln zustandegekommenen Deutschen Handelsgefeßbuche seine Anerkennung gefunden hat.

Ich glaube daher, daß bezüglich des Urkundenbeweises die gefeßlichen Beweisregeln nicht entbehrt werden können.

Noch erübrigt mir, über den Eid zu sprechen. Die Bestrebungen der

Wissenschaft und der Gesetzgebungen gehen zwar dahin, der zu häufigen Anwendung dieses Beweismittels zu steuern; es gehört die Verminderung der
Beweise durch den Eid auch zu den segensreichen Wirkungen, welche man sich
von der Reform des Civilprozesses, von der Unmittelbarkeit und Oeffentlichkeit des Verfahrens, von dem größeren Spielraume des richterlichen Ermessens,
von der Einschränkung der gesetzlichen Beweisregeln wohl mit Recht verspricht.

Dessen ungeachtet wird der Parteieneid für die Fälle, wo es an anderen
Erkenntnißquellen gebricht, nie ganz zu entbehren sein. Eben deshalb ist es
aber auch unbedingt nothwendig, daß dem vor Gericht abgelegten Eide der
Charakter einer ernsten, heiligen und den Streit über die zu beschwörende
Thatsache entscheidenden Handlung gewahrt bleibe; deshalb ist es ferner nothwendig, daß die Ablegung eines falschen Eides als Verbrechen behandelt, daß
aber auch andererseits die Wahrheit und Beweiskraft des Eides so lange als
unbestritten und unbezweifelt dastehe, bis nicht das Falsche desselben durch
das strafgerichtliche Erkenntniß erwiesen ist. Sollte es dem Richter freistehen
aus Umständen, welche noch keine Inzichten des Verbrechens begründen, an
der Wahrheit des Eides zu zweifeln und demselben die Beweiskraft abzusprechen, so würde dem Eide seine ganze Bedeutung genommen, ja es könnte
sogar zweifelhaft werden, ob noch ein rechtlicher Grund bestehen würde, die
Ablegung eines falschen Eides als ein Verbrechen zu strafen. Dasselbe gilt
von der Verweigerung des Eides; der Richter soll und darf einen Eid nicht
auferlegen, wenn er ihn nicht für die streitige Thatsache als entscheidend ansieht; hat er ihn aber auferlegt, dann ist kein Platz mehr für das richterliche
Ermessen über die rechtlichen Folgen der Verweigerung. —

Ich muß mich darauf beschränken, diese eine Seite hervorzuheben; es
würde wohl zu weit führen, näher darauf einzugehen, wie die Natur des zu-
geschobenen Eides (des Haupteides nach Oesterreichischer Terminologie), bei
welchem die Parteien selbst den Beweis über die streitige Thatsache von der
Eidesablegung abhängig machen, jedes weitere richterliche Ermessen ausschließe,
wie das Rechtsgefühl, ja die öffentliche Moral darunter leiden würde, wenn
ein Richter die Wahrhaftigkeit eines Eides bezweifeln, auf diese Zweifel sein
Urtheil gründen dürfte, ohne daß nur Inzichten einer verbrecherischen Handlung vorliegen.

Wenn aber das richterliche Ermessen bei der Würdigung der Beweiskraft des Eides nach der Natur der Sache ausgeschlossen sein muß, dann
sind auch die gesetzlichen Beweisregeln nothwendig, weil nur durch diese die
volle Sicherheit erreicht wird, daß das richterliche Ermessen eben nicht zur
Geltung komme; dies wird aber auch durch Interessen und Rücksichten gefordert, welche über das rein privatrechtliche Gebiet hinausgehen. —

Ich habe somit, soweit es Zeit und Kräfte erlaubten, in allgemeinen

9*

Umrissen meine Anschauungen über die Frage dargelegt. Neues in der Sache zu sagen, darauf mußte ich, Angesichts der ebenso ausgezeichneten als erschöpfenden Bearbeitungen dieser Frage, wohl von vornherein verzichten; es konnte mir nur darum zu thun sein, die wesentlichsten Gründe meiner Antwort auf die vorgelegte Frage vorauszuschicken. Diese Antwort kann ich nun weder mit einem unbedingten Ja, noch mit einem unbedingten Nein ertheilen, und es sollte meines Erachtens der Juristentag, vorbehaltlich seines Votums über speciellere Fragen aus diesem weiten Gebiete, über die vorliegende Frage zur Tagesordnung übergehen.

Gutachten über die Anträge des Kreisrichters Zenthöfer zu Rybnick:

(Verhandl. des III. D. J.-T. Bd. 1, Nr. 21 der Anträge.)
betr. das Civilprozeßverfahren.

———————

A. Gutachten des Hofraths und Landesgerichts=Vice=Präsidenten Ritter von Weizelbaum in Wien.

Die Anträge des Herrn Kreisrichters Zenthöfer lauten:

1) Die durch eine öffentliche qualificirte Urkunde beglaubigte Befugniß, beziehungsweise Obliegenheit, ist, im Falle sie nicht von einer sogenannten Suspensivbedingung abhängt, innerhalb einer bestimmten Frist ohne vorherigen Prozeß exekutionsfähig.

Eine öffentliche Urkunde ist unzweifelhaft eine von einer öffentlichen (Staats= oder Gemeinde=) Behörde, oder einem öffentlichen Amte, oder einer einzelnen vom Staate oder von der Gemeinde mit einer öffentlichen Funktion betrauten Person ausgestellte Urkunde; was unter „qualificirt" verstanden werde, ist mehr ungewiß; doch ist anzunehmen, daß darunter verstanden werde, die Urkunde sei über eine Amtshandlung der Behörde, des Amtes oder des einzelnen Funktionärs innerhalb des gesetzlichen Wirkungskreises und mit allen zur Beweiskräftigkeit erforderlichen Förmlichkeiten ausgestellt.

Es fragt sich aber weiter, ob hier alle Arten öffentlicher Behörden, Aemter und Funktionäre verstanden werden sollen? Auch die Finanz= und Steuerbehörden sind öffentliche Behörden; Verwaltungsämter der Staatsfabriken, Staatseisenbahnen und Straßen, der verschiedenen Militärverwaltungszweige, der Staatsmonopole sind öffentliche Aemter; das Forstaufsichtspersonal, die Führer der Geburts=Trau= und Sterberegister, Notare und viele andere mehr sind öffentliche Funktionäre. Bei jeder dieser Behörden, Aemter und jedem Funktionär können aus Anlaß ihrer Amtshandlungen Privatrechte zur Sprache gebracht werden, ja es ist in den meisten Fällen gar nicht möglich, daß solche nicht berührt werden; sie werden von den Behörden anerkannt, abgesprochen, von andern Privatpersonen zugestanden: z. B. bei einer Zollanforderung wird eine dritte Person als Eigenthümer der Waare anerkannt, es wird der Zoll von Jemanden zur Zahlung übernommen, dessen Rückersatz versprochen; bei Verwaltungsgegenständen treten Lieferungs-, Pachtverhältnisse ein; einverständliche Verabredungen über Privatrechte können überall vorkommen und müssen von den Behörden und Aemtern in ihren Ausfertigungen pflichtgemäß bezeugt werden.

Schwerlich wird es in der Absicht des Herrn Antragstellers gelegen sein, allen öffentlichen Urkunden in Bezug auf die durch selbe beglaubigten Privatrechte die Exekutionsfähigkeit zu ertheilen; denn die Amtshandlung dieser Behörden und Aemter ist nicht auf die Erhebung und Richtigstellung der Privatrechtsverhältnisse der Parteien gerichtet, und wenn diese Privatrechte auch aus einer solchen Veranlassung zur Sprache kommen, ja wenn sie auch zwischen den Parteien selbst verhandelt und zugestanden werden, so haben diese Erhebungen, selbst das von der Partei ausgesprochene Zugeständniß keinen absoluten Werth, sondern nur einen relativen mit Rücksicht eben auf den Zweck der Amtshandlung; oft sind auch die Organe dieser Behörden und Aemter gar nicht geeignet, die Feststellung der Privatrechte so aufzufassen und zu formuliren, daß es gerathen wäre, auf ihre Beurkundung hin eine Exekution zu bewilligen.

Wollte man aber, um die Qualificirung näher zu bestimmen, den Antrag auf einige Arten der öffentlichen Urkunden beschränken, z. B. auf die Exekutionsfähigkeit der Notarsurkunden, so wäre dies ein von dem ursprünglichen ganz abweichender selbstständiger Antrag, der für jede Art der als qualificirt zu bezeichnenden Urkunden eine eigene Begründung fordert.

Gelegenheitlich sei hier bemerkt, daß z. B. die Oesterreichische Regierung die Frage, ob Notarsurkunden ohne weiteres exekutionsfähig sein sollen, schon in Erwägung genommen hat. Das Notariat ist aber in Oesterreich noch zu neu, um sich schon jenes Vertrauen erworben zu haben, das nothwendig ist, um seinen Urkunden im Privatstreite unbedingt die Exekutionsfähigkeit zu gewähren. Dagegen erklärt das Oesterreichische Gesetz, außer den Urtheilen der Civil- und Strafgerichte, auch den gerichtlichen Vergleich für exekutionsfähig; aber nicht jeden vor Gericht geschlossenen Vergleich, sondern nur den Vergleich über einen bereits anhängigen Streitgegenstand; weiter die Vergleiche, welche (über privatrechtliche Gegenstände) vor den Polizeibehörden geschlossen werden, insofern der Streitgegenstand eben zum Vergleichsversuche oder zur Entscheidung dort angebracht werden konnte.

Es sind daher allerdings einige öffentliche Urkunden zur Exekutionsertheilung qualificirt; welche aber überhaupt als solche erkannt werden sollen, hängt von der Einrichtung der einzelnen Behörden und Aemter ab, und kann durchaus nicht für alle Länder im Allgemeinen ausgesprochen werden.

Nach allem diesen muß sich gegen den gestellten Antrag in seiner Allgemeinheit ausgesprochen werden. —

2) „Der Streit über eine privatrechtliche Befugniß beziehungsweise Obliegenheit ist versuchsweise ohne ordentlichen Prozeß in der Art beizulegen, daß

    a) das Erkenntniß nach dem gesetzlich statthaft erfundenen Antrage des Berechtigten ertheilt, und bei unterbliebener Erhebung des dem Verpflichteten dagegen innerhalb einer bestimmten Frist zuläsfigen Widerspruchs für wirksam erklärt, eventuell

    b) auf den Antrag des dergestalt in Anspruch genommenen Verpflichteten zwischen diesem und dem Berechtigten, ebenso wie auf den gemeinschaftlichen Antrag beider Theile ein Vergleich vermittelt wird."

Der Antrag ad a. hat theilweise seine praktische Lösung gefunden:

Durch die Zahlungsauflage in Wechselprozessen, wogegen allfällige Einwendungen binnen 3 Tagen eingebracht werden können; und durch die sogenannte Mandatsklage im Oesterreichischen Prozeß, wo auf Grundlage einer Notariatsurkunde oder öffentlichen Urkunde der richterliche Ausspruch auf Leistung einer Verbindlichkeit, ähnlich der wechselrechtlichen Zahlungsauflage ohne alle Verhandlung erfolgt und dem Geklagten nur vorbehalten ist, seine Einwendungen binnen 14 Tagen einzubringen. Beide Fälle haben sich auf das Vollständigste bewährt.

Es liegt jedoch in diesen Fällen dem Begehren des Berechtigten eine nur schwer anzufechtende Urkunde zum Grunde und deshalb konnte die Gesetzgebung die Wirksamkeit des gerichtlichen Erkenntnisses im Falle des unterlassenen Widerspruches bis zur Exekutionsfähigkeit ausdehnen.

Wenn aber das Klagebegehren zwar an und für sich nach den Gesetzen statthaft ist, ohne jedoch durch irgend eine Urkunde beglaubigt zu sein, dann wäre es nicht gerechtfertigt, einen exekutionsfähigen Ausspruch zu erlassen, weil dann das Recht der Partei doch noch zu problematisch ist. Dahin ist aber auch der Antrag des Herrn Antragstellers nicht gerichtet, er verlangt für einen solchen Fall nur, daß dem Erkenntnisse des Gerichtes eine Wirksamkeit beigelegt werde.

Welcher Art diese Wirksamkeit sei, ist in dem Antrage nicht ausgedrückt, sie könnte höchstens prozessualischer Natur sein, daß dadurch ein Schritt des Prozesses, eine Beweisführung abgekürzt, wohl auch ganz vermieden werde. Dann paßt aber der Antrag nicht für alle Prozeßformen und ist nicht allgemeiner Natur. Ich halte daher dafür, der Antrag 2 ad a. sei theilweise durch die Praxis überholt, theilweise nicht für alle Prozeßformen anwendbar, daher abzulehnen.

Ad b.

Nach Oesterreichischem Gesetze steht den Streittheilen frei, in jedem Stadium des bereits anhängigen Prozesses entweder einverständlich oder selbst einseitig die Bitte um Vergleichsvermittlung bei Gericht anzubringen, doch darf durch einen solchen Vergleichsversuch der Lauf des Prozesses nicht gehemmt werden. Dem Richter ist hiebei jede Pression der Parteien untersagt.

Es hat sich gegen diese Anordnung in der Praxis kein Anstand ergeben, und es läßt sich nicht wohl denken, was an anderen Orten oder bei einer anderen Prozeßform für Hindernisse entgegentreten sollten. Es wird bei einem solchen Vergleichsversuche eine einfache Tagsatzung angeordnet und dadurch den Parteien Gelegenheit zur Verständigung gegeben. Die Einwirkung des Gerichtes ist der Klugheit des Kommissärs anheimgestellt. Erscheint ein Streittheil nicht, verweigert er den Vergleichsabschluß, so hat die Tagsatzung eben gar keine prozessualische Wirkung, und da der Lauf des Prozesses nicht gehemmt wird, so bleibt nicht einmal der Chikane ein Wirkungskreis. In vielen Fällen kommt es doch zu dem gewünschten Vergleiche.

Der Antrag, daß eine Vergleichsvermittlung auf Einschreiten eines oder beider Streittheile vom Gerichte eingeleitet werde, ist daher kaum aus irgend einem Grunde zurückzuweisen.

Bei den Vorzügen, die ein gerichtlicher Vergleich durch allsogleiche Exekutionsfähigkeit, durch die Schwierigkeit einer Anfechtung, die Unmöglichkeit einer Restitution und dergleichen genießt, sind allerdings schon Fälle vorgekommen, daß derlei Vergleiche in fraudem dritter Personen nur zum Scheine abgeschlossen wurden. Allein einzelne Fälle des Mißbrauches und die Möglichkeit eines Betruges sind nie zu vermeiden und können keinen Grund abgeben, eine im Allgemeinen wohlthätig wirkende Anordnung zu unterlassen. —

> 3) „Bei einer im Streite über eine privatrechtliche Befugniß beziehungsweise Obliegenheit unter den Parteien über die Thatfrage stattgehabten Verständigung ist, vorbehaltlich der Nichtigkeitsbebeschwerde, über die Rechtsfrage ohne ordentlichen Prozeß zu entscheiden."

Dieser Antrag betrifft lediglich eine prozessualische Form, er hat für alle jene Länder keinen Werth, deren Prozeßform er nicht angepaßt werden könnte, und deshalb bin ich für dessen Zurückweisung von Seite des Juristentages; denn der Juristentag soll doch nur über solche Sätze sich aussprechen, die eine allgemeine Geltung haben. Der hier gestellte Antrag aber könnte z. B. dem Oesterreichischen Prozesse in keiner Weise angepaßt werden. Es muß vorher abgewartet werden, ob ein und welches Prozeß- verfahren für ganz Deutschland vereinbart wird, und dann erst kann er- wogen werden, ob der Antrag zweckmäßig sei.

B. Gutachten des Obergerichtsadvokat Dr. Ladenburg in Mannheim.

Der Antrag des Herrn Kreisrichter Zenthöfer, über welchen ich zu einem Gutachten aufgefordert bin, bezweckt, bei Geltendmachung einer privatrechtlichen Befugniß beziehungsweise Obliegenheit einem prozessualischen Verfahren überhaupt oder wenigstens einem ordentlichen Prozeß vorzubeugen. Deßhalb wird vorgeschlagen:

I. „die durch eine öffentliche, qualificirte Urkunde beglaubigte privatrechtliche Befugniß beziehungsweise Obliegenheit ist, im Falle sie nicht von einer sogen. Suspensiv-Bedingung abhängt, innerhalb einer bestimmten Frist, ohne vorherigen Prozeß, exekutionsfähig."

Nach dem bis jetzt geltenden Verfahren kann auf den Grund einer öffentlichen Urkunde ein **mandatum sine clausula**, und erst dann, wenn dagegen keine Einsprache erfolgt, die Exekution erwirkt werden. (Bayer, summarische Prozesse §. 8 u. f.)

Nach dem Vorschlag würde dagegen sofort die Exekution beantragt werden können und dadurch das Gesuch um unbedingten Befehl sowie die Erlassung desselben von Seiten des Gerichts in Wegfall kommen. Der dadurch erzielte Gewinn erscheint keineswegs so bedeutend, um deßhalb von den Grundsätzen des bisherigen Verfahrens abzuweichen.

Anders würde sich die Sache in den Ländern gestalten, in welchen die Vollstreckung überhaupt ohne Intervention der Gerichte stattfindet. In diesen Ländern kann der Vorschlag die Bedeutung haben, daß der Inhaber einer öffentlichen Urkunde, dieselbe ohne Dazwischenkunft des Gerichts vollziehen lassen kann. Dadurch wäre eine Erleichterung der Rechtshülfe für den Rechtsuchenden und eine Erleichterung der Gerichte bezüglich der ihnen obliegenden Geschäfte erreicht.

In Frankreich und in den deutschen Ländern, in welchen das französische Gerichtsverfahren eingeführt ist (Rheinpreußen, Rheinhessen u. Rheinbaiern), findet die Vollstreckung durch die **huissiers** (Gerichtsboten) selbstständig statt.

In diesen Ländern giebt es auch vollstreckbare öffentliche Urkunden; es sind dies die Notariatsakte, welche einen Vollzugsbefehl enthalten: (Code de procédure a. 545.)

In gleicher Weise hat die hannoversche Prozeß-Ordnung die Vollstreckung den Gerichtsvoigten zugewiesen (§. 531). Der richterlichen Mitwirkung bedarf es dabei nur soweit, als solche bei einzelnen Arten der Vollstreckung ausdrücklich vorgeschrieben ist. Nach demselben Gesetz (§. 528) können nicht nur Urtheile, sondern auch die von einheimischen Gerichten oder Notaren aufgenommenen Urkunden der freiwilligen Gerichtsbarkeit, sobald darin sofortige Zwangsvollstreckung ausbedungen ist, durch die Gerichtsvoigte vollstreckt werden. Man ersieht hieraus, daß ein gewisser Zusammenhang besteht zwischen der Vollstreckbarkeit öffentlicher Urkunden und der Vollstreckung durch selbstständige Beamte, ohne Dazwischenkunft der Gerichte. Es ist zugleich bemerkenswerth, daß nach beiden Gesetzbüchern nur diejenigen Akte vollstreckbar sind, welche eine darauf bezügliche Klausel enthalten. (Code de pr. a 545. Hannoversche Prozeß-O. §. 529.)

Es hat dies vielleicht darin seinen Grund, daß man denjenigen Beamten, welche die Vollstreckung vorzunehmen haben, dadurch die Möglichkeit gewährt, sofort zu erkennen, ob sie den Akt vollziehen können oder nicht. Diese Bestimmung hat allerdings keinen Werth für diejenigen Länder, in welchen die Vollstreckung erst stattfinden darf, nachdem das Gericht eine desfallsige Verfügung erlassen hat. — Da es sich nach dem Vorschlag des Herrn Antragstellers lediglich um Ersparung des unbedingten Zahlbefehls handeln kann, wie schon oben hervorgehoben ist, so dürfte in Betracht kommen, daß die beiden erwähnten Gesetzgebungen ausdrücklich verlangen, daß der Vollstreckung ein Zahlbefehl vorausgehe. (Code de pr. a. 583, 636 und 673. Hannoversche Proz.-Ord. §. 535.)

Der Grund scheint wohl der, daß dem Schuldner Gelegenheit gegeben werden solle, die Vollstreckung durch Erfüllung der Verbindlichkeit oder durch Einsprache im Falle er Einreden vorzutragen hätte, abzuwenden. (Vergl. Hannov. Proz.-Ord. §. 575.)

Es erscheint deshalb kaum rathsam, dem Gläubiger zu gestatten, Exekution unmittelbar ohne vorausgehenden Zahlbefehl nachzusuchen. Dadurch zerfällt allerdings der ganze Vorschlag, wenn man ihn nicht dahin erweitern will, daß die Vollstreckung überhaupt durch die dafür bestellten Beamten selbstständig, ohne Mitwirkung der Gerichte, vorgenommen werden kann. Mit dieser Erweiterung hat er eine viel größere Tragweite, als der Herr Antragsteller vielleicht vorausgesehen hat. Ich kann es eben darum nicht für meine Aufgabe betrachten, den so erweiterten Antrag einer Prüfung zu unterziehen. Vielmehr wird es genügen, bezüglich des gestellten Antrags zu bemerken:

1. Es ist nicht recht klar, was der Herr Antragsteller unter einer „qualificirten" Urkunde verstanden wissen will.

2. Da in dem Antrage der Fall, wenn die Verbindlichkeit von einer Suspensiv-Bedingung abhängig gemacht ist, ausdrücklich erwähnt, und nur in diesem Fall die Vollstreckung ausgeschlossen ist, so müßte man annehmen, daß die Vollstreckung in allen andern Fällen stattfinden soll. Das kann nicht die Meinung des Herrn Antragstellers sein, vielmehr wird überall erfordert, daß die betreffende Forderung fällig sei.

Dergleichen Voraussetzungen sind allerdings selbstverständlich und bedürfen daher keiner besondern Erwähnung. (Vergl. Hannoversche Pr.-O. §. 528.)

Man darf aber nicht eine einzige Voraussetzung erwähnen und die übrigen übergehen, sonst erzeugt man die irrthümliche Meinung, daß die nicht erwähnten Voraussetzungen in Wegfall kommen sollen.

II. „Der Streit über eine privatrechtliche Befugniß beziehungsweise Obliegenheit ist versuchsweise ohne ordentlichen Prozeß in der Art beizulegen, daß

a) das Erkenntniß nach dem gesetzlich statthaft erfundenen Antrage des Berechtigten ertheilt und bei unterbliebener Erhebung des dem Verpflichteten dagegen innerhalb einer bestimmten Frist zulässigen Widerspruchs für wirksam erklärt, eventuell

b) auf Antrag des dergestalt in Anspruch genommenen Verpflichteten zwischen diesem und dem Berechtigten, ebenso wie auf gemeinschaftlichen Antrag beider Theile ein Vergleich vermittelt wird."

Der Vorschlag unter a weicht nicht wesentlich von dem ab, was man unter dem bedingten Mandatsprozeß versteht. Der Beklagte wird aufgefordert, den Kläger binnen bestimmter Frist klaglos zu stellen, oder seine Einwendungen gegen die ihm zugestellte Klage vorzubringen. (Bayer l. c. §. 6.)

Thut der Beklagte weder das Eine noch das Andere, so erfolgt auf Anrufen des Klägers ein unbedingtes Mandat, und dann auf abermaliges Anrufen die Vollstreckung. Der Beklagte kann aber dem dadurch vorbeugen, daß er rechtzeitig, d. h. innerhalb der zur Befolgung des Mandats gesetzten Frist seine Einwendungen gegen die Klage vorbringt. Nun wird der Prozeß wie jeder andere behandelt.

Schon Bayer sagt in Bezug auf diese Prozeßart im §. 16: „Wäre nicht die Form dieser Mandate abweichend von der Form der Dekrete, welche im ordentlichen Prozeß auf die Klage erlassen werden, so würde man sie ohne Anstand in allen Fällen gebrauchen können."

Diese Bemerkung ist durchaus richtig; der Beklagte kann in allen Fällen aufgefordert werden, dem Begehren des Klägers zu entsprechen oder seine Einwendungen gegen dieses Begehren vorzutragen; der gemachte Vorschlag erscheint insoweit ganz unbedenklich; nur möchte in Frage stehen, ob dadurch der beabsichtigte Zweck erreicht wird?

In dem Großherzogthum Baden besteht eine dem Vorschlage ähnliche Einrichtung. Es kann nämlich Jedermann wegen Forderungen, welche einen bestimmten Betrag an Geld oder andern vertretbaren Sachen zum Gegenstand haben, einen bedingten Zahlbefehl bei Gericht verlangen; man braucht deshalb keine förmliche Klage anzustellen, sondern man giebt nur die Größe der Forderung und den Entstehungsgrund derselben (Kauf, Miethe, Darlehn u. s. w.) an, und bittet mündlich oder schriftlich um einen bedingten Zahlbefehl. Dieser enthält den Befehl an den Beklagten, den Kläger zu befriedigen oder der Forderung zu widersprechen. Der Beklagte kann mündlich oder schriftlich widersprechen, dann wird der Kläger davon benachrichtigt. Damit ist das Verfahren zu Ende, der Kläger muß nunmehr eine förmliche Klage einbringen. Hat aber der Beklagte nicht widersprochen, so erfolgt auf Anrufen ein unbedingter Zahlbefehl und auf weiteres Anrufen die Vollstreckung. Diese Prozeßart ist in dem badischen Land so populär geworden, daß nach einer von dem Großherzoglichen Justizministerium mitgetheilten statistischen Uebersicht

im Jahre 1860 61,343 Zahlbefehle
„ „ 1861 67,384 „
„ „ 1862 68,580 „

erlassen worden sind, während in den gleichen Jahren 16,602, 17,049, 18,160 Prozesse anhängig waren.

Dieses Verfahren unterscheidet sich aber von dem Vorschlag einmal darin, daß keine förmliche Klage erhoben werden muß, dann darin, daß der Beklagte nur zu widersprechen nöthig hat, wodurch für beide Parteien die Möglichkeit gegeben ist, die Sache ohne Zuzug von Rechtsverständigen zu Ende zu führen. Nach dem Vorschlag wird eine förmliche Klage, deren Begründung das Gericht zu prüfen hat, erfordert, ebenso muß der Beklagte, welcher dem Begehren des Klägers nicht entsprechen will, sich vollständig vernehmen lassen. Es entspringt daher keine Erleichterung aus diesem Vorschlag.

Was dagegen den unter b gemachten Vorschlag betrifft, so dürfte es dazu keines Beschlusses von Seiten des Juristentags bedürfen. Ich glaube kaum, daß von irgend einer Seite das Recht des Richters, unter den Parteien einen Vergleich zu versuchen, beanstandet werden wird.

III. „Bei einer im Streit über eine privatrechtliche Befugniß resp.
Obliegenheit über die Thatfrage stattgehabten Verständigung unter den Parteien ist, vorbehaltlich der Nichtigkeitsbeschwerde, über die Rechtsfrage ohne
ordentlichen Prozeß zu entscheiden."

Ich glaube, daß auch in dieser Beziehung jeder Ausspruch des Juristentags überflüssig ist. Sobald der Kläger und der Beklagte über die Thatsachen einig sind, werden die Verhandlungen geschlossen, die Sache ist reif
zur Urtheilsfällung. Ob nun aber eine mündliche oder schriftliche Rechts-
ausführung stattfindet, hängt wohl von den Vorschriften der einzelnen Prozeßordnungen ab. Wo eine solche zulässig ist, möchte es keineswegs räthlich
erscheinen, deren Wegfall zu beantragen. Denn gerade hier beginnt die
Thätigkeit des Juristen — die Anwendung der allgemein gesetzlichen Vorschrift auf den einzelnen Fall — es erscheint daher vollständig unzweckmäßig,
die rechtsverständigen Vertreter der Parteien von dieser wichtigen Funktion
auszuschließen. —

Demgemäß bin ich nicht der Meinung, daß der Juristentag auf irgend
einen der gestellten Anträge einzugehen veranlaßt sein kann.

Gutachten über den Antrag des Kreisgerichtsraths von Piper zu Wrietzen:

„daß die Entscheidung von Prozessen bis zu 5 Thlr. (einschließlich) den Ortsgerichten mit Vorbehalt des Rekurses an den Richter überwiesen werde."

A. Gutachten des Hofraths und Landesgerichts=Vice=Präsidenten Ritter von Weißelbaum in Wien.

Der Zweck des Piper'schen Antrages ist offenbar auf Ersparung der Kosten und dahin gerichtet, dadurch eine richterliche Entscheidung für solche Fälle zu ermöglichen, wo sonst eine Rechtshilfe eben der Kosten wegen gar nicht versucht werden konnte.

Unter „Ortsgerichten" sollen hier wohl die Vorstände der Gemeinden verstanden werden.

Die Erwägung dieser Frage kann nicht dahin gemeint sein, ob in thesi eine Uebertragung der Gerichtsbarkeit stattfinden könne, denn einige Arten der Gerichtsbarkeit, z. B. in Uebertretungsfällen, üben die Gemeindevorstände überall aus; sie führen in manchen Ländern eben nach ihren Funktionen in Gerichtsfällen die Benennung „Ortsgerichte", „Gemeinderichter", „Dorfrichter" u. dgl. Es handelt sich nur um die Gerichtsbarkeit in rein civilprozessualischen Fällen.

Nach dem heutigen Stande der staatlichen Entwicklung in Deutschland ist die Entscheidung der Civilrechtsstreitigkeiten überall den eigentlichen Gerichten mit rechtsgelehrten Richtern übertragen, und nur für jene Fälle bestehen Ausnahmen, wo man eine richtige Entscheidung gerade den rechtsgelehrten Richtern nur im minderen Grade zutraut. Es tritt dies bei technischen, bei Gewerbs= und Handelssachen ein, und in manchen Fällen, wo durch Vertrag Schiedsrichter bestellt werden. Es soll dies nur als Beleg angeführt werden, daß man auch andern Personen als eben rechtsgelehrten Richtern richtige Entscheidungen zutraut.

Die Bagatellsachen, ob man sie nun auf 5 Gulden oder 5 oder 10 Thaler beschränken will, werden selten Restbeträge aus höheren Summen sein, denn wer seine Verpflichtung auf die höhere Summe anerkennt, bezahlt wohl auch den Restbetrag; sondern sie entstehen zum bei weitem größeren

10*

Theil für kleine Arbeiten, für Dienstleistungen, wie sie eben der Ortsbedarf mit sich bringt, die man an andern Orten häufig nicht einmal kennt, aus Taglohnarbeiten. Man kann gewiß den Gemeindevorständen die Kenntniß der Ortspreise, der Ortsverhältnisse zutrauen und von ihnen eine richtige Entscheidung erwarten. Freilich wird in verwickelten Fällen die juridische Begründung fehlen und überall wird der Billigkeit mehr als dem strengen Rechte Rechnung getragen sein, ihre Entscheidung wird eigentlich die Natur eines schiedsgerichtlichen Ausspruches an sich tragen. Sie sollen aber auch keine eigentlichen Gerichtsbehörden sein; als solche müßten sie gleich ordentlichen Gerichten organisirt und an die Formen des Prozeßverfahrens gebunden werden; sie können eben nur als oktroyirte Schiedsgerichte angesehen werden.

Bis zu welchem Betrage man eine Sache als Bagatellsache behandeln will, hängt von den Lokalverhältnissen ab; in reichen Städten kann man wohl bis auf 12 und 20 Thaler greifen, in armen Gebirgsdörfern ist schon 5 Thaler ein hoher Betrag. Auch die Bestellung der Ortsvorstände ist auf die Festsetzung der Ziffer von großer Bedeutung. In größern Orten, wo die Vorstände in der Regel aus der gebildeten Klasse hervorgehen, kann man ihrer Entscheidung eine höhere Summe unterziehen, als einfachen Bauersleuten in kleinen Dörfern.

Es ist aber kein Bedürfniß, daß die Ziffer, welche für Bagatellsachen gelten soll, in ganz Deutschland gleich hoch sein soll; ist doch auch der Taglohn nicht aller Orten gleich. Man kann die Bestimmung der Ziffer sehr wohl jedem Lande für sich überlassen.

Eine andere Frage ist, ob diese Gerichtsbarkeit in die Hand einer einzelnen Person gelegt werden soll?

Ein Einzelrichter, der inappellabel sprechen soll, wird bald in einen kleinen Tyrannen ausarten; in Erwägung, daß dagegen in jeder Gemeinde ein Gemeindeausschuß aus mehreren Personen besteht, wäre es zweckmäßig, das Ortsgericht aus 3 Männern zu bestellen.

Nothwendig braucht ein solches Ortsgericht eine Instruktion für seine Amtshandlung. Es müßte zur Vermeidung jeder Parteilichkeit festgestellt werden, welche 3 Männer aus dem Gemeindeausschusse und welche Ersatzmänner und für welche Zeitdauer sie zu fungiren haben, ob die Beschlüsse nach Stimmenmehrheit oder einhellig zu fassen seien. Ich würde solchen Ortsgerichten aus naheliegenden Gründen nur das Recht einräumen, durch Stimmeneinhelligkeit ein Urtheil zu fällen, widrigenfalls die Sache vor die ordentlichen Gerichte zu verweisen. Der Urtheilsspruch des Ortsgerichtes müßte aber in jedem Falle rechtskräftig, inappellabel sein. Denn behält man den Parteien das Recht bevor, sich nach dem Ortsgerichte erst an die förmlichen Gerichte zu wenden, so entfällt jede Autorität des Ortsgerichtes. Nie könnte, wie es Herr Kreisgerichtsrath v. Piper anträgt, ein Rekurs, eine Appellation von dem Ortsgerichte an die ordentlichen Gerichte stattfinden; denn das ordentliche Gericht müßte dann als 2. Instanz entscheiden, es müßte eine Verhandlung in erster Instanz Platz greifen; um diese regelrecht zu führen, fehlen den Persönlichkeiten der Ortsgerichte die juridischen Kenntnisse, sie müßten auch mit Aktuaren versehen werden; ohne regelrechte Verhandlung aber könnte die 2. Instanz nicht sachgemäß entscheiden, und während man den schriftlichen Prozeß allenthalben verwirft, würde er gerade in Bagatellsachen wieder eingeführt, man kann sagen zu Regel, denn kaum eine sehr geringe Zahl der Streitparteien würde sich mit dem Urtheile des Ortsgerichtes ohne Rekurs begnügen.

Auch die Jurisdiktionsverhältnisse wären genau festzustellen; die Gemeindevorstände möchten sich nur zu bald geneigt finden, ihre Gerichtsbarkeit über ihren Kirchthurm hinaus auszudehnen; alle besonderen Gerichtsstände, des Vertrages u. dgl. hätten zu entfallen und wäre die Gerichtsbarkeit blos auf Klagen zu beschränken, welche gegen Einwohner der Gemeinde oder in der Gemeinde befindliche Fremde angebracht werden und welche den Geklagten noch während seines Aufenthaltes in der Gemeinde zugestellt werden. Es ist kein Grund, Fremde dieser Gerichtsbarkeit zu entziehen, wenn selbe ihre kleinen Schulden in dieser Gemeinde eingegangen sind.

Ich erlaube mir den gestellten Antrag dahin zu modificiren:

Der Juristentag möge den Wunsch aussprechen:

Es soll die Entscheidung von Bagatellsachen, deren Ziffer den einzelnen Regierungen festzusetzen verbleibt, den Gemeinden zur schiedsgerichtlichen Entscheidung zugewiesen werden;

es soll in jeder Gemeinde zu diesem Zwecke aus der Gemeindevertretung ein Ortsgericht von 3 Personen mit den nöthigen Ersatzmännern bestellt werden;

es sollen diese Ortsgerichte nur mit Stimmeneinhelligkeit entscheiden und bei nicht einhelligen Stimmen die Streitparteien an die ordentlichen Gerichte verweisen;

die Urtheile der Ortsgerichte sind sogleich rechtskräftig und exekutionsfähig;

die Gerichtsbarkeit der Ortsgerichte hat sich auf solche Bagatellklagen zu beschränken, welche gegen Einwohner der Gemeinde angebracht werden, oder gegen in der Gemeinde anwesende Fremde aus einem Rechtsgrunde, der innerhalb dieser Gemeinde entstanden ist, und welche Klagen, sei es den Ein-

heimiſchen oder den Fremden, noch innerhalb der Gemeinde zu-
geſtellt wurden.

Die nähere Inſtruktion an die Ortsgerichte iſt von den einzelnen Regierungen nach Maß der hier aufgeſtellten Grundſätze
zu erlaſſen.

B. Gutachten des Obergerichts-Advokat Dr. Ladenburg in Mannheim.

Man ist wohl ziemlich allgemein der Ansicht, daß zur Erzielung einer guten Rechtspflege die Einführung kollegialer Gerichte erster Instanz kaum zu umgehen sei. Auch ist man damit bereits in einigen größern Deutschen Staaten vorangegangen, während in Frankreich und in den Ländern des Französischen Rechts, Rheinpreußen, Rheinhessen und Rheinbaiern (Baierische Pfalz) diese Einrichtung seit mehr als 60 Jahren zur allgemeinen Zufriedenheit der Einwohnerschaft besteht. Da aber Kollegialgerichte stets größere Bezirke umfassen und daher weniger leicht zugänglich sind, da das Verfahren vor denselben ein mehr oder minder formelles sein muß, und eben dadurch die Rechtsuchenden genöthigt sind, sich durch Anwälte vertreten zu lassen, wodurch die Kosten erhöht werden, endlich auch den Kollegien eine gewisse Schwerfälligkeit eigenthümlich ist, durch welche die Entscheidung der vor sie gehörigen Prozesse mehr oder minder verzögert wird, so macht sich das Bedürfniß geltend, für Sachen von niederem Belang (sog. Bagatellsachen) eine leicht zugängliche, wohlfeile und schnelle Justiz zu erhalten. In Frankreich und den Ländern des Französischen Rechts hat man deshalb das Institut der Friedensrichter eingeführt, welche über alle Forderungen, die den Betrag von 100 Franken nicht überschreiten, in erster Instanz erkennen. Dieser Betrag ist später auf 200 Franken, in Rheinbaiern auf 100 fl., in Rheinhessen auf 500 fl., in Rheinpreußen auf 100 Thaler oder 175 fl. erhöht worden, woraus wohl geschlossen werden darf, daß man sich durch die Erfahrung von den wohlthätigen Folgen dieses Instituts überzeugt hat. In dem Königreich Hannover ist durch ein Gesetz vom 8. November 1850 den Amtsrichtern die Gerichtsbarkeit über alle Sachen bis zum Werth von 100 Thaler (175 fl.) zugewiesen, während die Obergerichte über Sachen von höherem Belang entscheiden. In Preußen diesseits des Rheins, in Sachsen und Braunschweig bilden 50 Thaler, in Oldenburg 75 Thaler, in Weimar früher 50, jetzt 100 Thaler, im diesseitigen Baiern 150 fl. die Kompetenz des Einzelrichters.

In dem Großherzogthum Baden ist die Kompetenz der Amtsrichter bisher nicht durch die Größe der Summe beschränkt gewesen, aber ein neues Gesetz über die Gerichtsverfassung verfügt die Einführung von Kreisgerichten und beschränkt die Kompetenz der Amtsrichter auf die Summe von 200 fl. Neben diesen besteht in dem Großherzogthum Baden noch die Gerichtsbarkeit der Bürgermeister in den Städten bis zum Betrag von 15 fl., auf dem Lande dagegen nur bis 5 fl. Diese Gerichtsbarkeit erstreckt sich jedoch nur über die Ortsbürger, alle andern Personen müssen, auch wenn der Streitwerth nur jene Summe erreicht, vor den Amtsgerichten belangt werden. Durch die neue Gerichtsverfassung wird diese Gerichtsbarkeit der Bürgermeister nicht alterirt, woraus wohl der Schluß gezogen werden darf, daß man dieselbe für zweckmäßig erachtet. Auch läßt sich nicht verkennen, daß sie alle diejenigen Vortheile bietet, welche für Sachen von geringerem Belang vorzüglich wichtig sind. Diese Justiz ist nämlich leicht zugänglich, sie ist schnell und wohlfeil, und diese Rücksichten waren wohl auch bei dem vorliegenden Vorschlag maßgebend.

Gleichwohl möchte ich dem Juristentag nicht empfehlen, sich den gemachten Vorschlag anzueignen. Unter den Ortsgerichten, welchen hiernach ein Theil der Gerichtsbarkeit anvertraut werden soll, haben wir uns nämlich nicht ein Gericht, d. h. ein Kollegium von rechtsgelehrten Richtern, wie der Name anzudeuten scheint, sondern von Personen zu denken, welche mit der Besorgung der Gemeindeangelegenheiten betraut, und welche daher vorzugsweise in dieser Rücksicht entweder von den Mitgliedern der Gemeinde gewählt oder in anderer Weise ernannt sind. Es kann nun nicht vorausgesetzt werden, daß dergleichen Personen überhaupt diejenigen Kenntnisse besitzen, welche nothwendig sind, um die vor sie gebrachten Prozesse, dem bestehenden Recht gemäß, zu entscheiden, vielmehr muß, wenn man solchen Personen die Entscheidung streitiger Rechtsfälle übertragen will, die Ansicht vorwalten, es komme dabei überhaupt nicht auf das bestehende Recht an, es genüge, wenn die Entscheidung nach bestem Wissen und Gewissen gegeben werde. Es wird in solchem Falle das arbitrium boni viri an die Stelle des bestehenden Rechts gesetzt. Wenn aber Jemand ohne Rücksicht auf das bestehende Recht, nur nach seiner Einsicht oder nach seinem Ermessen die vor ihn gebrachten Streitigkeiten entscheiden soll, so wird doch mindestens erfordert, daß er gegenüber den Rechtsuchenden eine ganz unabhängige Stellung habe. Und gerade dieses Erforderniß wird bei den meisten Ortsgerichten vermißt werden; in den meisten Ländern sind dieselben nach kürzerer oder längerer Zeit einer Wahl unterworfen.

Es liegt daher für die Mitglieder des Ortsgerichts die Versuchung nahe, ihre Entscheidungen mit Rücksicht auf eine bevorstehende Wahl zu geben. Außerdem machen wir die Erfahrung, daß sich, jemehr sich das politische Leben entfaltet, desto mehr der Gegensatz der Parteien ausbildet. Die Wahlen geben meistens den Parteien Gelegenheit, ihre Kräfte zu messen, die stärkere Partei wird gewöhnlich ihre Kandidaten durchsetzen. Und gleichwohl sollen diese berufen sein, in Streitigkeiten über Mein und Dein Recht zu sprechen; heißt es nicht die menschliche Natur auf eine zu harte Probe setzen, wenn man von solchen Männern gleichwohl ein unparteiisches Urtheil verlangt? Richter sollen überhaupt nicht wählbar sein. Die nachtheiligen Folgen der Wählbarkeit sind in den Erfahrungen, welche man in den Freistaaten von Nordamerika gemacht hat, hinreichend zu Tage getreten. So groß daher auch die Vortheile der beantragten Einrichtung, so glaube ich doch, dieselbe darum nicht empfehlen zu können, weil sie dem ersten Grundsatz der Unabhängigkeit der Richter nicht entspricht.

Ein zweiter Grund, welcher gegen den gemachten Vorschlag spricht, ist der, daß der Richter, an welchen der Rekurs (die Appellation) gehen soll, jedenfalls nur nach den Bestimmungen des positiven Rechts wird entscheiden dürfen.

Dadurch wird ein innerer Gegensatz erzeugt, welcher nur dadurch beseitigt werden kann, daß man entweder das Rekursgericht ebenfalls auf das **arbitrium boni viri** verweist, oder in erster Instanz rechtsgelehrte Richter einsetzt. Die erste Alternative wird wohl schwerlich vom Juristentag empfohlen werden wollen; es bleibt daher nur die zweite. Hierbei stößt man aber auf das Hinderniß, daß in den Ortsgerichten, zumal auf dem Lande, nicht leicht Rechtsgelehrte zu finden sind. Es bleibt deshalb nur übrig, für kleinere Bezirke Einzelrichter zur Entscheidung der sog. Bagatellsachen zu bestellen, eine Einrichtung, welche in vielen Ländern bereits besteht. Nur eins dürfte dabei besonders in Betracht kommen: damit der Zweck, für welchen diese Einzelrichter bestellt sind, erreicht werde, muß für sie ein besonderes Verfahren, das möglichst einfach und frei von belästigenden Formen gehalten sein muß, eingeführt werden. Würde dies geschehen, so würde sich wohl kein Bedürfniß für eine Gerichtsbarkeit der Ortsgerichte mehr bemerklich machen.

Gutachten über den dritten und vierten Satz des Antrages des Appellationsgerichtsraths v. Kräwel in Naumburg:

(Verhandl. des III. D. J.-T. Nr. 11 der Anträge),
betr. das Strafrecht.

A. Gutachten des Obertribunalsrath von Tippelskirch zu Berlin.

Der Herr Appellationsgerichtsrath v. Kräwel hat auf dem dritten Deutschen Juristentage für das erhoffte Deutsche Strafgesetzbuch die Annahme verschiedener Grundsätze vorgeschlagen, die sich auf die Zumessung der Strafe beziehn. Der dritte und vierte derselben, welche dahin lauten:

III. „Das Strafmaß ist so zu erweitern, daß der Richter bei der Strafabmessung auf außergewöhnliche Schärfungs- und Milderungs- gründe Rücksicht nehmen kann. Ein geringstes Strafmaß ist nur ausnahmsweise festzusetzen."

IV. „Verordnet das Allgemeine Deutsche Strafgesetzbuch wegen hinzu- tretender erschwerender Umstände eine Verschärfung der Strafe, so ist in der Regel der Richter zu dieser Strafschärfung wohl zu er- mächtigen, nicht aber zu zwingen, daß er alle Mal diese Ver- schärfung eintreten lassen muß."

sind der ständigen Deputation zur Vorbereitung für den nächsten Juristentag überwiesen, *) und von dieser ist dem Unterzeichneten der ehrenvolle Auftrag ertheilt worden, darüber gutachtlich zu berichten.

Bei Erstattung dieses Gutachtens werde ich mich hauptsächlich über den dritten Antrag zu verbreiten haben, der vom Herrn Antragsteller in einem besonderen Schreiben an die ständige Deputation vom 22. Oktober 1862 noch näher motivirt worden ist, weil der vierte, wenn ich ihn recht verstehe, darauf hinauskommt, daß das künftige Gesetzbuch Strafschärfungen überall nicht kategorisch, sondern nur fakultativ anordnen, d. h. in das Ermessen des Richters stellen möge, hiergegen aber ein begründetes Bedenken kaum er- hoben werden dürfte. Die mir mitgetheilten Motive des Herrn Antragstellers lauten wie folgt:

„Wenn der Gesetzgeber gewisse Handlungen als diejenigen bezeich- net, welche den Thatbestand eines Verbrechens bilden, und die Straf-

---

*) Deutsche Gerichtszeitung für 1862, S. 212. 213.

grenzen für jede unter diesen Thatbestand fallende Missethat bezeichnet, so hat er dabei ein bestimmtes Bild derselben vor Augen;
er setzt Fälle voraus, wie sie der Regel nach vorliegen, in denen
also die erschwerenden Umstände zweifellos vorhanden sind.

Einmal lehrt jedoch die Erfahrung, daß diese erschwerenden Umstände in überaus feinen Uebergängen vorkommen, so daß in einzelnen Fällen deren Vorhandensein kaum zu entdecken ist. Wie
leise sind z. B. oft nur die Spuren derjenigen Ueberlegung vorhanden, welche unbedingt die schwere Strafe des Mordes nach sich
zieht.

Zweitens können aber mehrere mildernde Umstände, z. B. Noth,
Jugend, Verführung, gerechter Affekt zusammentreffen, welche das
nach dem Gesetze der Regel nach eintretende geringste gesetzliche
Strafmaß im vorliegenden Falle als zu hart erscheinen lassen.

Um nun zu verhindern, daß der Richter durch dieses geringste
gesetzliche Strafmaß nicht in seinem Ermessen zu sehr beschränkt
werde, giebt es verschiedene Auskunftsmittel.

1) Der Gesetzgeber setzt gar kein geringstes Strafmaß fest und
bestimmt blos die höchste zulässige Strafe.

Es giebt aber doch nicht wenig Arten der strafbaren Handlungen, bei denen ihrer unbedingten Schwere wegen der Gesetzgeber
dem Richter mit gutem Fug ein Strafmaß vorschreibt, unter welches derselbe nicht hinabgehn darf.

Es sind dies aber nur Ausnahmen, welche als solche durch die
an sich und allgemein eintretende Schwere der Missethat besonders
zu begründen sind. Dies rechtfertigt den zweiten Absatz des obigen
Antrages. Sind sonach in vielen Fällen geringste Strafsätze nothwendig, so glaubt man doch oft die Bedenken gegen zu hohe Strafminima dadurch zu beseitigen, daß ihnen

2) durch die Möglichkeit der Begnadigung abgeholfen werde. —
Auf die Gnade hat aber der Angeklagte kein Recht. Er kann sie
nicht als ein solches beanspruchen, nicht im Wege Rechtens, im geordneten Verfahren geltend machen.

Das Strafgesetzbuch, welches den Richter zwingt, ungerecht harte
Strafen zu erkennen, und welches dem Gnadenwege die Milderung
der ungerechten Strafen zuweist, verkennt seine Aufgabe, welche
dahin geht, daß es den Richter in den Stand setzt, auf nur gerechte Strafen zu erkennen.

Muß also das Strafgesetzbuch selbst dafür Sorge tragen, daß
der Richter bei Abmessung der Strafe auch darauf Rücksicht nehmen

kann, daß erſchwerende Umſtände in kaum erkennbarem Grade vorliegen, und ganz beſonders wichtige Milderungsgründe für den Angeklagten ſprechen, ſo giebt es dazu verſchiedene Wege.

3) Es kann das geringſte Strafmaß gleich ſo herabgeſetzt werden, daß es auch zureicht, um dieſe außerordentlichen Fälle zu be-
rückſichtigen.

Hiezu wird ſich jedoch der Geſetzgeber ſchwer entſchließen. Er
wird fürchten, daß der Richter das geringſte Strafmaß als das in
gewöhnlichen Fällen eintretende anſieht und es auch da anwendet,
wo nicht jene außerordentlichen Gründe dafür ſprechen, das geringſte
Strafmaß anzuwenden.

4) Deshalb empfiehlt ſich der Weg, welchen das Braunſchweigiſche
Strafgeſetzbuch im § 62 und das Oeſterreichiſche im § 52 einge-
ſchlagen haben. Dieſe geben nämlich dem Richter die Befugniß,
noch unter das geringſte geſetzliche Strafmaß hinabzugehn, wenn
nach richterlichem Ermeſſen ſelbſt die geringſte der
That angedrohte Strafe mit deren Strafbarkeit nicht
in richtigem Verhältniſſe ſtände.

5) Einen ganz beſonderen Weg gehn aber noch einige Deutſche
Strafgeſetzbücher, welche mit der Franzöſiſchen Dreitheilung die Feſtſtellung mildernder Umſtände durch die Geſchwornen aufgenommen haben.

Doch hängt dieſer Franzöſiſche Nothbehelf weſentlich mit der
Franzöſiſchen Dreitheilung zuſammen, welche ſchwerlich in das Allgemeine Deutſche Strafgeſetzbuch Eingang finden wird; auch iſt
dieſe Befugniß der Geſchwornen zugleich formeller Natur, ſo daß
ſie hier nicht weiter zu beachten iſt."

Der Schwerpunkt dieſer Motivirung ruht augenſcheinlich auf den Bemerkungen unter Nr. 4, die zugleich den Antrag Nr. III. dahin modificiren,
daß zwar das künftige Deutſche Strafgeſetzbuch gleich den bisherigen
Strafgeſetzbüchern in der Regel ein höchſtes und ein geringſtes
Strafmaß anzudrohen, zugleich aber den Richter zu ermächtigen
habe, wo er den Fall dazu angethan erachtet, nach eignem Ermeſſen unter das niedrigſte Strafmaß hinabzugehn, *)
mit einem Wort alſo dem Richter ein unbeſchränktes Strafmilde-

---

*) Dieſelbe Forderung ſpricht der Herr Antragſteller in ſeinem „Entwurfe nebſt
Gründen zu dem allgemeinen Theile eines für ganz Deutſchland geltenden Strafgeſetzbuches" (Halle 1862) S. 100 aus, jedoch nur für den Fall, daß der beſondere Theil
dem Richter „für die Berückſichtigung mildernder Umſtände (alſo nach unten hin)
keinen genügenden Spielraum gewähren ſollte."

rungsrecht vindiciren wollen. Ich werde mich deshalb auf Beantwortung der Frage beschränken können, ob es anzurathen sei, dem Richter
dieses Recht in so weitem Umfange zuzugestehn.

Meines Erachtens ist diese Frage zu verneinen, wenngleich ich
sonst dem Herrn Antragsteller darin vollkommen beipflichte, daß die Grenzen,
welche manche Deutsche Strafgesetzbücher dem Strafmilderungsrechte des Richters einstweilen gesteckt haben, einer Erweiterung dringend bedürftig seien.

Schon die beiden ersten a linea der obigen Motive scheinen mir dem
Antrage, dessen Begründung sie einleiten sollen, insofern entgegenzustehn, als
was dort von Schärfungsgründen gesagt ist, von den Milderungsgründen
ebenfalls gilt. Denn indem der Gesetzgeber ein höchstes und ein geringstes
Strafmaß festsetzt, muß er nothwendig eine beträchtliche Zahl schwererer und
geringerer Fälle derselben Missethat (nicht blos das Bild einer einzigen) vor
Augen gehabt, mithin ebenso gut an die Milderungs- als an die Schärfungsgründe gedacht haben, so daß wenn er diese durch ein bestimmtes Strafmaß
zu begrenzen für nöthig findet, er mit jenen folgerecht ein Gleiches thun
muß.

Abgesehn davon, stehn jedoch dem in Anspruch genommenen richterlichen
Strafmilderungsrechte *) sowohl geschichtliche, als auch politische und
juridische Gründe entgegen, die einer ernsten Erwägung bedürfen. Beginnen
wir mit den geschichtlichen, da die Geschichte auf dem rechtlichen so gut
wie auf anderen Gebieten die beste Lehrerin des Menschengeschlechtes ist.

Zur Zeit der alten Römischen Republik, wo fast für jedes Verbrechen
eine besondere lex und ein besonderes Gericht (quaestio) bestand, welches
sich in den strengen Formen des Privatanklageprozesses bewegte und wegen
der großen Zahl der mitwirkenden Richter stets nur über bestimmte Fragen
abstimmen konnte, hat ein über den Buchstaben des Gesetzes hinausgehendes
Strafmilderungsrecht wahrscheinlich gar nicht stattgefunden, ja wegen der entgegenstehenden prozessualischen Formen anscheinend gar nicht einmal stattfinden
können. **) Desto freigebiger war das souveräne Volk, welches in den Gerichts-

*) Wenn hier überall nur von einem Strafmilderungsrechte des Richters die
Rede ist, so ist die neuerdings von Wahlberg in der Oesterreichischen Vierteljahrs-
schrift für Rechts- und Staatswissenschaften (1863 Heft I. S. 28 ff.) gründlich er-
örterte Frage, welcher Antheil dabei den Geschwornen in denjenigen Sachen, in denen
dieselben mitwirken, zuzugestehen sei, nicht weiter in Erwägung gezogen, vielmehr
sind dabei der Schwurgerichtshof und das Kollegium als eine Gemeinschaft aufgefaßt worden, deren Auseinandersetzung auf ein anderes Gebiet gehört und mit der
vorliegenden Frage nichts zu thun hat.
**) Roßhirt Entwickelung der Grundsätze des Strafrechtes rc. Heidelberg und
Leipzig 1828. S. 70. 71. Geib Geschichte des Römischen Kriminalprozesses. Leipzig
1842. S. 147.

verhandlungen das Urtheil sprach, mit Freisprechungen, wenn ihm eine Verurtheilung aus irgend einem, wenn auch noch so unjuristischen Grunde nicht
gefiel. Denn da dasselbe Volk in den Komitien das Strafgesetz erlassen
hatte, so mochte es sich wohl für ermächtigt halten, in jedem einzelnen Falle
nicht blos die Verbindlichkeit, sondern auch die Zweckmäßigkeit desselben von
Neuem in Erwägung zu ziehn. *) Erst als mit der Republik der ordo
judiciorum publicorum in Verfall gerathen und die cognitiones extra-
ordinariae zur Regel geworden waren, begannen die Imperatoren, die sich
in den Besitz der obersten richterlichen Gewalt gesetzt hatten, wenngleich sie
fortfuhren die alten leges ihren Entscheidungen zum Grunde zu legen, die
darin angedrohten Strafen nach Willkür zu schärfen oder auch zu mildern,
und wo sie dieses Recht nicht selbst ausüben konnten, es auf die von ihnen
eingesetzten Beamten zu übertragen. Für die damit hereingebrochene richterliche Willkür gab es lange Zeit kein Heilmittel, als etwa die Schranken,
welche die Rechtswissenschaft ihr zu setzen unternahm. Diese konnten aber
ihrer Natur nach nur in gewissen allgemeinen Regeln bestehn, die denjenigen
Richtern, die wirksame Schranken der Willkür nicht in sich selbst fanden,
wohl schwerlich dergleichen geboten haben können. Eine solche Regel enthält
die bekannte aus Marcianus Lib. II. de publicis judiciis entnommene
L. 11 Dig. de poenis (XVIII., 9.):

> „Perspiciendum est, ne qnid aut durius aut remissius con-
> stituatur, quam causa deposcit: nec enim severitatis aut
> clementiae gloria affectanda est: sed perpenso judicio,
> quout quaeque res expostulat statuendum est."

In der That war damit dem richterlichen Ermessen nicht blos in der
Art und dem Maaße der Strafe, sondern auch wohl in der Verhängung von
Strafen überhaupt der möglichst freie Spielraum gewährt, so daß sich die
gesammte Strafjustiz nothwendig mehr und mehr in das Unbestimmte verlieren mußte. Wie sehr dieses der Fall war, bezeugt Ulpian, dessen Worte
die L. 13 a. a. O. enthält:

> „Hodie licet ei, qui extra ordinem de crimine cognoscit,
> quam vult sententiam ferre, vel graviorem, vel
> leviorem, ita tamen ut in utroque modo rationem non
> excedat." **)

Einen ähnlichen Gang hat das Deutsche Strafrecht genommen. So
lange das alte Kompositionensystem bestand, nach welchem der Verbrecher

---

*) Geib a. a. O. S. 126.
**) Roßhirt a. a. O. S. 72. 75. 93. 94. Haelschner Geschichte des Preußisch-
Brandenburgischen Strafrechtes S. 139.

auf die Klage des Verletzten oder dessen Erben an den Kläger ein Wehrgeld oder eine sonstige Buße zu bezahlen hatte, konnte natürlich von einem gerichtlichen Strafmilderungsrechte nicht die Rede sein; ebenso wenig als man später meist ohne Rücksicht auf die Verschuldung des Thäters die That nur nach dem äußeren Erfolge mit harten Leibes- und Lebensstrafen zu beahnden für gut fand. Erst die allmählig durchgedrungene Ueberzeugung, daß man auch das subjektive Moment des Verbrechens zu berücksichtigen habe, verbunden mit dem Umstande, daß in älterer Zeit nicht der Landesherr, sondern jeder Richter und Gerichtsherr als selbstständiger Inhaber der Strafgewalt angesehn wurde, mithin auch Gnade für Recht ergehn lassen konnte,*) führte dahin, die hergebrachten harten Strafandrohungen in der Praxis zu mildern. Es zeigen dieses bereits die Statuten und die Rechtsprechung der Süddeutschen Staaten des 14. und 15. Jahrhunderts, in denen harte Strafandrohungen nur noch der Abschreckung wegen da zu sein scheinen, während in der Praxis nach dem Satze: „omnia per sententiam scabinorum reguntur" die Schöffen fast überall Strafen aussprechen konnten, die sie in dem gegebenen Falle für angemessen hielten.**)

Auf demselben Standpunkte stand noch im 16. Jahrhundert die Carolina. Denn zur Aufstellung eines abgeschlossenen strafrechtlichen Systems war das Zeitalter Carl's V. ebenso wenig reif, als das vorhergegangene. Noch immer gebrach es an einer genügenden Zahl durchgebildeter Juristen, und die Strafurtheile lagen noch immer in den Händen ungelehrter Schöffen. Dem Kaiser Carl blieb daher in schwierigen Fällen nichts übrig, als diese seine ungelehrten Richter an die gelehrten Oberhöfe zu verweisen,***) deren Urtheil er aber alsdann wiederum durch bestimmte Gesetze nicht binden konnte. Daher die zahlreichen unbestimmten Strafgesetze der Carolina, die die Schöffen lediglich auf den Rath der Sachverständigen verweisen, das Herbeiziehn des Römischen Rechtes und schließlich die den Richtern ertheilte Befugniß sogar bei völlig bestimmten Strafgesetzen, namentlich wo sie die Todesstrafe drohen, aus besonderen Gründen mildere Strafen festzusetzen. †)

Weit entfernt ein vollständiges Gesetzbuch abfassen und die Richter an den Buchstaben desselben binden zu wollen, beabsichtigten hiernach Schwarzenberg und Kaiser Carl V. in ihrer peinlichen Halsgerichtsordnung nur ein Handbuch für ungelehrte Richter auszuarbeiten, welches die bestehenden Rechtsgewohnheiten zusammenstellte und zur wissenschaftlichen Ausbildung des Straf-

---

*) Haelschner System des Preuß. Strafrechtes, Bonn 1858, S. 546.
**) Mittermaier im „Gerichtssaal" für 1859 S. 34. 35.
***) Siehe CCC Art. 7. 105. 142. 146. 147. 150. 161. 177. 179. 219.
†) Art. 104 a. a. O.

rechtes die nöthigen Anknüpfungspunkte gewährte, da eine einheitliche, mit allen wissenschaftlichen Hülfsmitteln ausgerüstete, ja gleichsam von der Wissenschaft selbst groß gezogene Staatsgewalt, wie wir sie in den modernen Staaten Europa's finden, noch nicht existirte, man also ein Mehreres zu liefern als geschehn, weder die Fähigkeit noch die Macht besaß. So war es denn auch der Wissenschaft vorbehalten, sich der peinlichen Halsgerichtsordnung Kaiser Carl's zu bemächtigen und sie recht eigentlich erst für den praktischen Gebrauch zurecht zu legen.

Da die Wissenschaft aber ihrer Natur nach niemals stille steht, so kann sie ihren Werken auch überall keine festen Grenzen stecken, und daraus folgt, daß eine Strafrechtspflege, die keinen andern Stützpunkt als die Wissenschaft hat, nothwendig in einen fluktuirenden Zustand gerathen muß. Hiedurch erklärt es sich, daß als die Philantropie des 17. und 18. Jahrhunderts sich vorzugsweise der Milderung der wenigstens in der Theorie noch bestehenden barbarischen Strafen der CCC. zuzuwenden begonnen hatte, mit der Zeit Strafarten und Strafmaße beinahe durchweg in dem ungeregelten arbitrio des Richters verschwammen, ja daß man sich bei Aufstellung von Milderungsgründen fortan weder an bestimmte Gesetzesstellen, noch einmal an die wissenschaftlichen Regeln der Interpretation für gebunden erachtete, sondern Alles von der religio judicantium abhängig machte. *) Den Stand der herrschenden Ansichten seiner Zeit spricht unzweideutig Boehmer aus, wenn er in seinen 1774 erschienenen Meditationes in CCC. zu Art. 105 § 3 wörtlich folgendes sagt:

„Multiplex mixtura circumstantiarum..... potest judicem retrahere vel incitare, ut suspensa litera legis (!) casui praesenti convenienter statuat..... Atque hoc sensu omnes omnino poenae sunt arbitrariae, neque perpetuam et uniformem poenam ob mirificam factorum varietatem, vix praevidendam, definire fas est."

Der aus dieser Willkür hervorgegangenen heillosen Verwirrung abzuhelfen, bemühte sich zuerst die Doktrin, die Gründe der Strafschärfung und Strafmilderung, wie der Strafzumessung überhaupt in ein System zu bringen, dem die philosophischen Anschauungen der zweiten Hälfte des 18. Jahrhunderts zu Hülfe kamen. Eröffnet wurde diese Bahn von Kleinschrot; ihm folgte Feuerbach, der zuerst die Normen für das Maß der Strafbarkeit philosophisch aus der Natur des Strafgesetzes zu entwickeln begann und in diesem Unternehmen bald Anhänger fand.

*) Roßhirt a. a. O. S. 63. v. Quistorp Grundsätze des Deutschen peinlichen Rechtes (Rostock und Leipzig 1794) §. 99.

Konnte nun gleich die Verweisung auf die Philosophie der gerichtlichen Praxis im einzelnen Falle wenig Trost gewähren, so übte dieselbe dafür einen um so größeren Einfluß auf die Gesetzgebung. Hier hatte die in der zweiten Hälfte des vorigen Jahrhunderts eingetretene Reaktion gegen die Ausartung der Richterwillkür zunächst das Verdienst, die völlig unbestimmten Strafgesetze zu entfernen, wenngleich andererseits in zu häufig hingestellten absolut bestimmten und in zu eng begrenzten relativ unbestimmten Strafgesetzen dem richterlichen Ermessen hinwiederum engere Schranken gesetzt wurden, als mit der Gerechtigkeit vereinbar war.*) Jedenfalls drang der Grundsatz durch, daß der Richter ohne bestimmte Vorschrift des Gesetzes Strafen weder mildern, noch schärfen, noch verwandeln dürfe und sich bei Abmessung relativ unbestimmter Strafen innerhalb des höchsten und des niedrigsten Grades zu halten habe. Daneben wurden freilich noch immer gewisse gesetzliche Milderungsgründe aufgestellt, welche nöthigenfalls auch ein Herabgehn unter das niedrigste gesetzliche Strafmaß rechtfertigen könnten, als die Jugend des Verbrechers, verminderte Zurechnung, Mängel an dem gesetzlich vorausgesetzten Thatbestande des Verbrechens, langes unverschuldetes Untersuchungsgefängniß u. dgl.**) Von diesen Grundsätzen sind im Wesentlichen sowohl der Strafrechtstitel des Preußischen Allgemeinen Landrechtes von 1794, als auch die späteren Strafgesetzbücher der verschiedenen Deutschen Staaten ausgegangen.

Am schärfsten sind dieselben in dem aus der Feder Feuerbach's geflossenen Bayerischen Strafgesetzbuche vom 6. Mai 1813 ausgedrückt, so daß dieses als der Typus der damaligen Doktrin angesehn werden kann und deshalb eine nähere Betrachtung verdient. — Schon der demselben vorangegangene Entwurf von 1810***) enthielt im Art. 109 eine Bestimmung, nach welcher wegen Mangels oder Ungewißheit eines zum Thatbestande gehörigen Umstandes,

„oder von welchem sonst die volle ordentliche Strafe mit abhängt,“ die ordentliche Strafe herabgesetzt werden sollte. Die eingerückten Worte sollten sich zwar nur auf die Fälle der geminderten, aber nicht aufgehobenen Zurechnung beziehn, erregten jedoch wegen ihrer Allgemeinheit Anstoß und blieben deshalb im Art. 106 des demnächst publicirten Strafgesetzbuchs von 1813 fort, so daß in diesem nur der aus dem Mangel

---

*) Köstlin, System des Deutschen Strafrechtes, S. 585. 596.
**) Heffter's Lehrbuch des gemeinen Deutschen Strafrechts, 6. Ausg. (Braunschweig 1857) §§. 103. 156. 161. Roßhirt a. a. O. §§. 7—10. Haelschner's System S. 479. Feuerbach's Lehrbuch §§ 76—78.
***) v. Gönner, Einige Motive zum Bayerischen Entwurf des Strafgesetzbuches (von 1822), München 1825, §. 20.

am Thatbestande hergenommene Milderungsgrund stehn blieb, eine Bestimmung, deren Unhaltbarkeit indessen längst erkannt und die daher schließlich
durch ein Gesetz vom 29. August 1848 aufgehoben worden ist. Das Bayerische Strafgesetzbuch stellt hiernächst im Art. 95 zwar die Regel auf, daß der
Richter in Bezug auf Art und Dauer der Strafe durch das Gesetz gebunden
sei, gestattet jedoch ausnahmsweise ein Herabgehn unter das niedrigste Maß
aus drei Gründen, nämlich

1) wegen Jugend (Art. 98 99),
2) wegen hohen Alters (Art. 103),
3) wegen unverschuldet erlittener langwieriger Untersuchungshaft (Art.
   104).

Auch in diesen Fällen sind jedoch überall dem richterlichen Ermessen gewisse Schranken gesetzt, die nicht überschritten werden dürfen. Wo selbst diese
wegen besonderer Milderungsgründe noch zu eng erscheinen möchten, ist auf
Begnadigung anzutragen (Art. 96).

Bei der ferneren Bearbeitung des Strafgesetzbuches im Jahre 1822
hielt man diesen Ausweg nicht für angemessen. Man fand es daher nöthig,
auf den früher gestrichenen Milderungsgrund wegen verminderter Zurechnung
wieder zurückzukommen und aus diesem Grunde ähnlich wie beim Versuch
eine Herabsetzung der ordentlichen Strafe auf ¼ bis ½ und die Verwandlung der Todes- in Zuchthausstrafe vorzuschlagen, so daß ein unbeschränk-
tes Milderungsrecht dem Richter jedenfalls nicht zustehn sollte. Dennoch
erfuhr selbst dieses beschränkte Maaß richterlicher Willkür heftige Angriffe,
namentlich von Derstedt. *) Trat nun auch v. Gönner zur Vertheidigung
des Entwurfes von 1822 in die Schranken, so scheinen jene Angriffe doch
nicht spurlos vorübergegangen zu sein und namentlich Besorgnisse wegen Be-
einträchtigung des Königlichen Begnadigungsrechtes hervorgerufen zu haben,
weshalb man in einem späteren Entwurfe von 1831 das richterliche Milderungsrecht zu Gunsten der Königlichen Begnadigung wieder beschränken wollte. **)
Erst in neuester Zeit ist endlich durch den Art. 3 des schon gedachten Gesetzes vom 29. August 1848 dem Richter die Befugniß in Fällen geminderter
Zurechnung geringere als die gesetzlichen Strafen zu verhängen, in aller Form
zugestanden worden, wenngleich die Praxis gestützt auf eine Stelle der amt-
lichen Anmerkungen zum Strafgesetzbuche von 1813 von diesem Rechte
schon früher Gebrauch gemacht hatte. ***) Auch in diesem neuen Gesetze sind

---

*) Derstedt, Ausführliche Prüfung des neuen Entwurfes zum Strafgesetzbuche
für das Königreich Bayern, erschienen 1822. Kopenhagen 1823, S. 104. 170. 222.
**) Mittermaier im Neuen Archiv des Kriminalrechtes B. XIV., S. 275.
***) Mittermaier, im Archiv des Kriminalrechtes, Neue Folge 1838, S. 341.

indeſſen die Fälle geminderter Zurechnung nicht nur ſpecificirt, ſondern es iſt auch das Maß der zuläſſigen Strafmilderung genau vorgeſchrieben worden.

Aehnliche Kämpfe, wie in Bayern, haben im Königreiche Hannover ſtattgefunden, nur daß ſie hier einen andern Ausgang genommen haben. Auch in Hannover hatte man in einem Entwurfe von 1826 das richterliche Milderungsrecht anerkannt, in einem ſpäteren von 1832 aber wieder beſchränkt. Bei den Berathungen in der Ständeverſammlung gewann aber die letzte Meinung die Oberhand, *) und daher iſt in die Art. 96, 97 des jetzigen Hannöverſchen Strafgeſetzbuches vom 8. Auguſt 1840 die Beſtimmung übergegangen, daß wo wegen Zuſammentretens vieler und erheblicher Milderungsgründe der niedrigſte Grad der geſetzlichen Strafe noch zu hart erſcheinen möchte, auf Begnadigung anzutragen ſei. Selbſtſtändig, aber wiederum nur innerhalb gewiſſer Grenzen geſtatten die Art. 99—103 dem Richter ein Hinuntergehn unter das niedrigſte geſetzliche Strafmaß, reſp. eine Verwandlung der Todesſtrafe in denſelben drei Fällen, wie das Bayeriſche Strafgeſetzbuch von 1813.

Dem letzteren ſind im Weſentlichen, wenngleich mit mancherlei Modifikationen, auch die meiſten übrigen Deutſchen Strafgeſetzbücher gefolgt: ſo das ältere Oldenburgiſche vom 10. Septbr. 1814, welches überhaupt das Bayeriſche faſt wörtlich adoptirt hat (Art. 102—111); das dem älteren Sächſiſchen von 1838 nachgebildete Altenburgiſche vom 3. Mai 1841 (Art. 42. 62—64), welches Strafmilderung wegen Jugend, unverſchuldeter Haft und Verſtandesſchwäche (im letzteren Falle jedoch nur, wenn Todesſtrafe angedroht iſt) geſtattet; das Württembergiſche vom 1. März 1839 desgleichen wegen Jugend und verminderter Zurechnung (Art. 96. 98); ebenſo das Großherzoglich Heſſiſche vom 17. Septbr. 1841 (Art. 114—118 ff.); das Badenſche vom 6. März 1845 (Art. 149. 153—158) wegen Jugend, verminderter Zurechnung und unverſchuldet erlittenen Unterſuchungsarreſtes oder anderer Uebel; das Naſſauiſche vom 14. April 1849 (Art. 113. 114) wegen Jugend und verminderter Zurechnung, mit größerer Beſchränkung auch noch wegen bloßer ſog. Strafminderungsgründe (Art. 121), deren der Art. 120 ſieben aufzählt; das Thüringiſche von 1850 wegen Jugend, verminderter Zurechnung und unverſchuldet erlittenen Unterſuchungsarreſtes (Art. 41. 58—60) und zwar in möglichſt weitem Umfange; endlich das neueſte Sächſiſche vom 13. Auguſt 1855 (Art. 73. 88—90. 96. 97) wegen Jugend, verminderter Zurechnung und anderer in geringerem Grade wirkender

*) v. Preuſcher, die Gerechtigkeitstheorie (Gießen 1839) Th. 2, S. 28. 29. Note.

Urfachen, die wie Nothwehr, Nothstand, Zwang, Befehl, Irrthum unter Umständen die Strafbarkeit ganz und gar ausschließen können.

Als Ausnahmen von der sich hiernach durch die Mehrzahl der Deutschen
Strafgesetzbücher ziemlich übereinstimmend hindurchziehenden Theorie können
füglich nur das Braunschweigische, das Oesterreichische und das
Preußische Strafgesetzbuch aufgefaßt werden, die beiden ersten insofern sie
weiter gehn, das letzte insofern es minder weit geht, als die übrigen.

Das Braunschweigische vom 10. Juli 1840 bestimmt zunächst, daß
wegen sog. Strafherabsetzungsgründe, zu denen es Jugend, verminderte Zurechnung und während der Untersuchung unverschuldet erlittene Haft
oder sonstige Uebel zählt, eine außerordentliche, d. h. eine, wenngleich
dem Maße nach bestimmte, geringere Strafe als die gesetzliche einzutreten
habe (§§. 60. 61). Der §. 66 zählt dann noch eine Reihe sog. Strafminderungsgründe auf und der §. 62 bestimmt, daß wenn Strafherab-
setzungs- oder Strafminderungsgründe in besonders erheblichem Maße zusammentreffen, die Strafe sogar noch unter den niedrigsten Grad der außerordentlichen herabsinken könne, wenngleich auch hier noch Grenzen angegeben
sind, über welche nicht hinausgegangen werden darf.

Das Oesterreichische Strafgesetzbuch vom 27. Mai 1852 zählt (nach dem
Vorgange des älteren vom 3. Septbr. 1803) in den §§. 46. 47. dreizehn
verschiedene sog. Strafmilderungsgründe, darunter die bekannten drei, Jugend,
verminderte Zurechnung und langen unverschuldeten Untersuchungsarrest auf.
Das Vorhandensein solcher Milderungsgründe hat die Verwandlung der Todesstrafe zur Folge und ermächtigt den Richter bei Verbrechen, die mit nicht
mehr als fünf Jahren Kerker bedroht sind, unter den sonst vorgeschriebenen
geringsten Grad der Kerkerstrafe von 6 Monaten herabzugehn (§§. 52—54).
Hiemit in Verbindung steht die Vorschrift im §. 346 der Oesterreichischen
Strafprozeßordnung vom 17. Januar 1850, nach welcher der „Schwurgerichtshof" Todes- und langwierige Freiheitsstrafen resp. mildern und herabsetzen konnte, jedoch so, daß die Herabsetzung nicht resp. unter drei und ein
Jahr Freiheitsentziehung stattfinden durfte; offenbar eine weite Ausdehnung
des Systems der mildernden Umstände, nur daß das Urtheil über deren Vorhandensein nicht den Geschwornen, sondern den Richtern anheimfiel. Die
nach Aufhebung der Geschwornengerichte erlassene neue Strafprozeßordnung
vom 29. Juli 1853 ermächtigt statt deren im §. 305 die Oberlandes-
gerichte „bei dem Zusammentreffen überwiegender und sehr wichtiger Milderungsumstände" gewisse in den Gesetzen angedrohte längere Kerkerstrafen
beziehungsweise bis auf fünf, drei und ein Jahr herabzusetzen, wogegen dem
obersten Gerichtshofe nach §. 311 ein fast unbegrenztes Milderungsrecht
eingeräumt ist.

Eine Ausnahme nach der entgegengeſetzten Richtung hin macht das Preußiſche Strafgeſetzbuch vom 14. April 1851 und das ihm nachgebildete neueſte Strafgeſetzbuch für Oldenburg. Die Vorzüge beider ſind anerkannt; ſie beſtehen in der großen Klarheit und Schärfe der Begriffsbeſtimmungen, verbunden mit einer bündigen Kürze des Ausdrucks, der Vermeidung rein doktrinärer Sätze und der durch weite Strafbeſtimmungen dem richterlichen Ermeſſen gewährten verhältnißmäßig großen Freiheit*). Aus dieſen Vorzügen fließen aber auch ihre Fehler. Außer der Jugend, für welche die §§. 42, 43 beſondere Vorſchriften enthalten, kennt das Preußiſche Strafgeſetzbuch einen allgemeinen Milderungsgrund nicht; nach dem ſtrengen Prinzipe, daß es zwiſchen Zurechnungs- und Unzurechnungsfähigkeit ein Mittelding nicht giebt, fehlt ihm insbeſondere der in allen anderen Strafgeſetzbüchern anzutreffende Milderungsgrund der verminderten Zurechnung, was neuerdings von Mittermaier hart getadelt worden iſt**). Mildernde Umſtände mit der Wirkung, die Strafe nach Art oder Maß bis zu einem anderweit feſtgeſtellten Minimum zu verringern, werden nur bei einzelnen Verbrechen oder Vergehen zugelaſſen und unterliegen im ſchwurgerichtlichen Verfahren der thatſächlichen Beurtheilung der Geſchwornen. Hat man dadurch aber den Gefahren des zu weit ausgedehnten Syſtems der mildernden Umſtände nach dem Franzöſiſchen Geſetze vom 28. April 1832 auszuweichen geſucht, ſo iſt man andererſeits bei der Auswahl der hierher gehörigen Spezialfälle in den Fehler der Prinziploſigkeit verfallen***), der die Folge gehabt hat, daß man ſpäter durch einzelne Geſetze genöthigt geweſen iſt, die Zahl der Paragraphen mit mildernden Umſtänden zu vermehren, ohne gleichwohl zu einem beſtimmten Prinzipe gelangen und die trotzdem in der Praxis noch immer vorkommenden Härten und Unbilligkeiten überall ausgleichen zu können.

Angeſichts dieſer Thatſachen kann es nicht auffallen, wenn der Herr Antragſteller, ein Preußiſcher Juriſt, das in anderen Geſetzbüchern dem Richter in größerem oder geringeren Umfange zugeſtandene Strafmilderungsrecht lebhaft hervorhebt und es in möglichſt weitem Umfange dem erſehnten Allgemeinen Deutſchen Strafgeſetzbuch zu retten ſucht. Referent ſtimmt in dieſer Richtung mit dem Herrn Antragſteller vollkommen überein und hält es nur für bedenklich, darin ſo weit zu gehen, als dieſer, weil einem unbegrenzten Strafmilderungsrechte der Gerichtsbehörden außer den ſchon hervorgehobenen geſchichtlichen Gründen, die vor dem Uebermaße der gerichtlichen Freiheit warnen, deren noch politiſche und juriſtiſche entgegenſtehen.

---

*) Mittermaier in Goltdammers Archiv, Bd. VII., S. 15—17.
**) a. a. O. S. 172. Siehe auch Hälſchners Syſtem §. 28, Anmerkung.
***) Mittermaier a. a. O. S. 21. Hälſchner a. a. O. S. 487.

Die politischen hat schon der Herr Antragsteller selbst in seinen oben mitgetheilten Motiven angedeutet. Er verwirft zu 1. den Vorschlag, in dem künftigen allgemeinen Strafgesetzbuch ein Strafminimum überall nicht festzusetzen, weil „es nicht wenig Arten strafbarer Handlungen gebe, bei denen ihrer unbedingten Schwere wegen der Gesetzgeber dem Richter mit gutem Fug ein Strafmaß vorschreibe, unter welches derselbe nicht hinabgehn dürfe." Nicht minder verwirft er zu 3. den eventuellen Vorschlag, das Strafmaß überall so weit herabzusetzen, daß das niedrigste Maß auch in den außerordentlichen Fällen des Zusammentreffens vieler und erheblicher Milderungsgründe nicht zu hart erscheine: weil sich auch hierzu der Gesetzgeber schwer entschließen werde, aus Furcht, daß alsdann der Richter das angedrohte niedrigste Strafmaß auch in gewöhnlichen, d h. nicht außerordentlichen Fällen anzuwenden versucht werden könnte. Der Herr Antragsteller räumt hierdurch ein, daß der Gesetzgeber doch wohl oft gute Gründe haben könne, bezüglich der Strafmilderung das richterliche Ermessen nicht unbeschränkt walten zu lassen, und es will nicht recht einleuchten, wie damit der Vorschlag zu vereinigen sei, neben Strafgesetzen, die ein höchstes und ein geringstes Maß vorschreiben, dem Richter aus Gründen, die lediglich in sein Ermessen gestellt sind, das Recht zuzugestehen, unter das niedrigste Maß herabzugehen. Denn offenbar würde durch eine solche Bestimmung der Gesetzgeber das Gesetz, welches er auf der einen Seite gegeben hat, auf der anderen wieder aufheben und so mit sich selbst in Widerspruch gerathen.

Dazu kommt, daß heutiges Tages die Stellung der obersten Staatsgewalt dem Gesetze gegenüber von derjenigen wesentlich verschieden ist, welche die alten Römischen Imperatoren und die späteren Deutschen Kaiser zur Zeit der CCO und noch lange nachher zur Geltung zu bringen im Stande waren. Denn wie souverän immer die Römischen Imperatoren ihrer Zeit auftreten mochten, so blieben sie doch vermöge ihres Ursprunges in der öffentlichen Meinung einstweilen nur die obersten Beamten der glorreichen alten Republik und gewissermaßen die Depositarien ihrer Gewalten. Wie daher zur Zeit der Republik die Gesetzgebung sich aus dem unscheinbaren Keime der Zwölftafelgesetze durch Wissenschaft und Praxis unter verhältnißmäßig geringer Mitwirkung der eigentlichen gesetzgebenden Gewalt beinahe selbstständig entwickelt hatte, so that sie es noch Jahrhunderte lang unter den Kaisern. Erst seitdem Justinian seine berühmten Gesetzbücher erlassen hatte, kann man annehmen, daß die Fülle der gesetzgebenden Gewalt auf die Römischen Imperatoren übergegangen sei. Bis dahin verhielten sich dieselben gegen die Gesetzgebung, welche sie vorfanden, mehr negativ, insofern sie das Vehikel ihrer aufstrebenden Macht weniger in dem Rechte, neue Gesetze zu geben, als in dem Durchbrechen der alten fanden, die, als aus den Zeiten der Republik

herrührend, ihren monarchisch-absolutistischen Ansprüchen vielfach hinderlich sein
mußten. So diente für sie das willkürliche Strafmilderungs- und Straf-
schärfungsrecht, mochten sie es nun selbst oder durch ihre Beamten üben, zunächst nicht zur Schwächung, sondern zur Erhöhung ihrer Macht.

Umgekehrt war bei den Römisch-Deutschen Kaisern das den Richtern in
der CCC eingeräumte willkürliche Strafmilderungsrecht die nothwendige
Folge ihrer Schwäche. Denn nachdem die Bestrebungen der Hohenstaufen,
so gut als der Habsburger zur Herstellung eines Deutschen Einheitsstaates
gescheitert waren, konnte Kaiser Carl V. die Möglichkeit eines Allgemeinen
Deutschen Strafgesetzbuches nur durch die schon geschilderten sehr umfangreichen
Konzessionen an die seiner Macht widerstrebenden Gewalten erkaufen und
mußte schließlich der Wissenschaft es überlassen, seinem Werke, das sonst vielleicht im größten Theile des Reiches unbeachtet geblieben wäre, mit den von
ihr beliebten Modifikationen Eingang zu verschaffen. — Anders verhält es sich
mit den Staatsregierungen der Gegenwart. Der Antheil an der Fortbildung
des Rechtes, der früher in den Händen des Volkes selbst gelegen hatte, demnächst aber auf die gelehrten Juristen (Richter und Rechtslehrer) übergegangen
war, ruht heutigen Tages unbestritten in den Händen der souveränen Fürsten
und der auf den Landtagen um sie versammelten Vertreter ihrer Völker. Dadurch haben Rechtswissenschaft und gerichtliche Praxis aufgehört, mitwirkende
Faktoren der Gesetzgebung zu sein und können höchstens noch im Wege der
Interpretation einigen Einfluß auf die Ausbildung der ihnen von der gesetzgebenden Gewalt vorgeschriebenen Rechtsnormen gewinnen. Diese Stellung
der obersten Staatsgewalt gegenüber dem Gesetze sowohl als ihren Unterthanen ist ein wesentlicher Theil des öffentlichen Rechtes der Gegenwart und
kann ohne Weiteres nicht aufgegeben werden, was doch geschehen würde, wenn
die Grenzen, welche dem richterlichen Ermessen bisher durch das Gesetz gesteckt
sind, nach irgend einer Seite hin völlig aufgehoben werden sollten.

Dem steht auch nicht entgegen, daß ein Allgemeines Deutsches Strafgesetzbuch, wenn es in neuester Zeit zu Stande kommen sollte, von keiner
eigentlichen Centralgewalt ausgehen würde, die das Recht der Gesetzgebung
für sich beanspruchen dürfte. Denn wie immer es zu Stande kommen möchte,
in jedem Falle wird es in den einzelnen Deutschen Staaten nur durch amtliche Verkündigung von Seiten ihrer respektiven Staatsoberhäupter Gesetzeskraft erlangen, mithin nur als eine der Zahl der Regierungen, die es annehmen werden, gleichkommende Mehrheit von Gesetzbüchern anzusehen sein, die
nur in ihrem Text übereinstimmen. Wollte man dieser Anschauung indessen
auch nicht beipflichten, wollte man vielmehr die schon vorhandenen und die
noch gehoffte allgemeine Gesetzgebung Deutschlands gleichsam zu einer unsicht-
baren Centralgewalt erheben, die den Mangel eines sichtbaren Trägers zu

erſetzen beſtimmt wäre, ſo wäre das nur ein Grund mehr, dem richterlichen Ermeſſen überall beſtimmte Grenzen vorzuzeichnen, weil man anderfalls Gefahr liefe, dem partikulariſtiſchen Hange der Deutſchen eine Handhabe zu geben, mit deren Hülfe das mühſam vollendete Werk der Einigung wieder zerſtört werden könnte.

Gegen das aus dieſen Gründen gebotene Prinzip der Beſchränkung wird man ſich auch nicht auf einzelne ſcheinbar entgegenſtehende Beſtimmungen neuerer Geſetzbücher berufen können. Denn das Franzöſiſche Geſetz vom 28. April 1832, ſoweit es ſich· auf die ſog. circonstances atténuantes bezieht, erweitert das Ermeſſen des Richters nur inſofern, daß es demſelben, falls dergleichen Umſtände vorliegen, die Wahl eines geringeren Maßes oder einer geringeren Art der Strafe, nicht aber ein unbegrenztes Strafmilderungsrecht geſtattet, läßt ihm auch nicht einmal die Freiheit, dergleichen Umſtände beliebig anzunehmen, ſondern bindet ihn hierin an das Urtheil der Geſchwornen. Vor allen Dingen aber iſt nicht zu überſehen, daß jenes ganze Geſetz nur den Zweck hat, die Härten eines ſchon vorhandenen, den Bedürfniſſen der Zeit nicht mehr entſprechenden Geſetzbuches*) bis dahin, daß man im Stande ſein würde, daſſelbe durch ein beſſeres zu erſetzen, nach Möglichkeit zu beſeitigen. Augenſcheinlich kann es daher nicht die Aufgabe eines neuen Geſetzbuches ſein, dem Richter einen Ausweg zur Ausgleichung ſeiner Härten zu eröffnen, ſondern vielmehr dergleichen Härten von vorn herein zu vermeiden.

Ebenſo wenig als die Franzöſiſche Geſetzgebung können die Strafgeſetzbücher Braunſchweigs oder Oeſterreichs dem obigen Prinzip entgegengeſtellt werden. Denn das Braunſchweigiſche bindet den Richter nicht nur durch Spezifizirung der ſog. Strafherabſetzungs- und Strafmilderungsgründe, ſondern auch durch Feſtſtellung von Strafmaß und Strafart, bis zu welchem er, wenn dergleichen vorliegen, nur herabgehen darf. Eher würde man ſich vielleicht noch auf das Thüringiſche berufen können, welches bei verminderter Zurechnung dem Richter ganz allgemein und ohne Bezeichnung eines gewiſſen Maßes „nach Befinden unter die geſetzliche Strafart und Strafdauer" herabzugehen geſtattet (Art. 59). Allein auch dieſes Geſetzbuch ſpezifizirt doch wenigſtens die Fälle, in denen ein ſolches Herabgehen zuläſſig ſein ſoll, und normirt überdem im Art. 10 die kürzeſte Dauer von Zuchthaus-, Arbeitshaus- und Gefängnißſtrafen überhaupt. Strafminimum für den Fall des Herabgehens unter das niedrigſte Maß der ordentlichen Strafe des Geſetzes hat endlich auch das Oeſterreichiſche Strafgeſetzbuch feſtgeſtellt, nur daß dieſelben für Ober- und Untergerichte verſchieden ſind. Eigenthümlich iſt der

*) Vergl. die ſcharfe Kritik Mittermaiers über den Code pénal im Neuen Archiv des Kriminalrechtes, Bd. XIII, S. 319 ff.

Oesterreichischen Gesetzgebung · nur das dem höchsten Gerichtshofe zugestandene fast unbegrenzte Strafmilderungsrecht. Auf einen einzigen, dem Throne so nahe stehenden Gerichtshof beschränkt, läßt sich dasselbe jedoch füglich als ein demselben vom Souverän theilweise übertragenes Begnadigungsrecht auffassen und von diesem Gesichtspunkte aus sogar sehr empfehlen, weil es die sicherste Bürgschaft dafür bietet, daß auch die Gnade nur aus Gründen höherer Gerechtigkeit werde geübt werden.

Zu den politischen Gründen, welche hiernach dem unbegrenzten Strafmilderungsrechte des Richters entgegenstehn, treten schließlich noch Gründe von juristischer Natur.

Nachdem das früher von der Doktrin vertheidigte Milderungsrecht wegen Mangels am Thatbestande mit Recht aus den neueren Gesetzgebungen verbannt worden ist, fordert man dasselbe, wie auch der Herr Antragsteller thut, lediglich im Interesse der Gerechtigkeit, weil kein Gesetz alle denkbaren Fälle mit allen unzähligen Schattirungen des subjektiven Verschuldens voraussehen könne, mithin anzunehmen sei, daß es bei Feststellung eines höchsten und eines geringsten Strafmaßes nur an die gewöhnlichsten gedacht habe. Man macht ferner und das nicht ohne Grund darauf aufmerksam, daß zumal seit Einführung der mündlichen Untersuchung vor dem erkennenden Richter, der dadurch in die Lage gesetzt wird, den Angeklagten und sämmtliche Zeugen selbst zu sehen und zu hören, Niemand besser als dieser im Stande sei, die für die Wahl von Strafart und Strafmaß entscheidenden Umstände des konkreten Falles zu erfassen und danach eine dem Prinzipe der Gerechtigkeit entsprechende Strafe festzusetzen.

Allein auch dieses Argument ist nicht frei von Einseitigkeit. Denn mag man im Strafrecht immerhin die Berechtigung der sog. relativen Strafrechtstheorien (für sich allein) bestreiten und das Prinzip der Gerechtigkeit als alleinigen Grund der Strafe gelten lassen, so wird man doch zugeben müssen, daß, wie das Verbrechen, so auch die Strafe eine objektive und eine subjektive Seite hat, und daher, wie Köstlin sagt[*]), sowohl die **objektive Wiederherstellung des Rechtes aus seiner Verletzung**, als auch die **Tilgung der verbrecherischen Schuld** in sich schließen muß. Es führt dieses weiter zu dem Satze, den Abegg vertheidigt[**]), daß die Zurückführung der Strafe auf das absolute Prinzip der Gerechtigkeit die relativen Momente derselben nicht ausschließen darf, sondern im Gegentheil mit enthalten muß, und daß, wenn gleich die Gerechtigkeitstheorie den Grundsatz an die Spitze

---

[*]) Köstlin System des Deutschen Strafrechtes, §§. 116, 117, 132.
[**]) Abegg die verschiedenen Strafrechtstheorien (Neustadt a. d. O. 1835), §§. 12, 20.

 stellt, daß der Schuldige Strafe leiden solle „nach dem Maße und dem
Grade seiner Schuld, wie er verdient habe", Gesetzgeber und Richter doch
daneben die relativen Momente der Strafe, zu warnen, abzuschrecken,
zu beffern, ein Beispiel zu statuiren, zu präveniren u. s. w. nicht
aus den Augen setzen dürfen, ja daß in Wahrheit erst durch geeignete Be-
rückfichtigung dieser Momente dem Prinzipe der Gerechtigkeit volles Genüge
geleistet wird. Hieraus folgt, daß bei Abmessung der Strafe nicht blos die
subjektive Verschuldung des Verbrechers, sondern unter Anderm auch die Größe
des angerichteten Schadens und die aus dem Verbrechen selbst hervorgegangene
Gefahr für die öffentliche Rechtsordnung in Betracht gezogen werden müssen.
Diesen Gedanken drückt schon der Art. 104 der peinlichen Halsgerichtsordnung
mit den Worten aus:

> „die straff nach gelegenheyt und erkenntnuß der übelthatt, auß lieb
> der gerechtigkeyt vnd vmb gemeynes nuß willen zu ord-
> nen vnd zu machen",

woraus Heffter[*]) den Satz abstrahirt:

> „der rechte Gebrauch der Strafe von Seiten des Staats wird theils
> durch die absoluten Gesetze der Gerechtigkeit, theils durch die
> Politik bestimmt. Jene lehren die Grundbedingungen und die
> Grenzen der Strafe, diese giebt ihr den geeigneten Inhalt mit
> Rücksicht auf die Bedürfnisse und das Wohl des Staates."

Auf demselben Grundsatze beruht die Ausführung Oerstedts[**]), daß die Grade
der Strafe nicht (ausschließlich) nach den Graden der subjektiven Schuld des-
jenigen, der eine gesetzwidrige That unternimmt, zugemessen werden können
und dürfen, und daß, wenn gleich oft in den Beweggründen, aus denen das
Verbrechen hervorgegangen ist, etwas Entschuldigendes, sogar scheinbar Lobens-
werthes liegt, dennoch, oder vielmehr gerade deshalb die ernstlichen Drohungen
des Strafgesetzes in Thätigkeit gesetzt werden müssen, um in Verbindung mit
dem Gewissen die klügelnden Neigungen zu übertäuben.

Mag man daher immerhin anerkennen, daß Niemand besser als der
Richter und zwar vorzugsweise der Richter erster Instanz im Stande sei, das
subjektive Moment des Verbrechens zu erkennen und die demselben entsprechende Strafe nach Art und Maß festzustellen, so läßt sich doch von
dem objektiven oder politischen Moment nicht ein Gleiches behaupten.
Um dieses richtig zu würdigen, genügt weder juristische, selbst staatsmännische
Befähigung, noch der Eindruck, den die Verhandlung des konkreten Falles
gewährt hat, sondern es ist auch ein Standpunkt dazu erforderlich, von dem

---

[*]) Heffter's Lehrbuch des gemeinen Deutschen Strafrechtes, 6. Aufl., §. 112.
[**]) Oerstedt a. a. O. S. 106, 107, Note.

aus der Richter sich erforderlichen Falles über diesen Eindruck zu erheben und einen weiteren Gesichtskreis, als den seiner nächsten Umgebung, zu überschauen vermag. Auf einem solchen Standpunkte befinden sich in der Regel die Deutschen Richter erster Instanz nicht. Es wird dieses sogleich klar, wenn man sie etwa mit den englischen Assisenrichtern vergleicht. Diesen ist allerdings nach den alt hergebrachten Instituten Englands in der Wahl von Strafart und Strafmaß eine fast unbegrenzte Freiheit gestattet, so daß sie an ein Minimum in der Regel nicht gebunden sind*). Ihnen mag aber eine so ausgedehnte Gewalt immerhin zugestanden werden, weil sie, der Zahl nach gering, sämmtlich Mitglieder der drei höchsten Gerichtshöfe des Landes und als solche mit den wichtigsten Staatsangelegenheiten betraut, muthmaßlich also in der Lage sind, neben der subjektiven auch die objektive oder politische Seite der Strafe nach Gebühr würdigen zu können.

Keine von diesen Voraussetzungen trifft bei unseren Deutschen Richtern erster Instanz zu. Schon ihre Zahl und der räumliche Umfang des Ländergebietes, in dem sie zu wirken haben, sind so groß, daß die Verleihung ähnlicher Befugnisse an sie die Deutsche Strafrechtspflege der ernstlichen Gefahr aussetzen würde, von Neuem in den fluktuirenden Zustand des 17. und 18. Jahrhunderts zurückzufallen. Wir haben gegenwärtig z. B. in Preußen allein (mit Einschluß der 9 Rheinischen Landgerichte, der 5 Stadtgerichte und 69 Gerichtsdeputationen) 320 kollegialische Gerichte, die in erster Instanz wegen aller Vergehen und wegen einiger Verbrechen Recht sprechen und deren Mitglieder auch zu den Schwurgerichtssitzungen herangezogen werden. Bei jedem dieser Gerichte sind in der Kriminalrechtspflege mindestens drei Richter, bei den größeren oft noch viel mehr beschäftigt, so daß Preußen allein etwa 1000 Kriminalrichter hat. Rechnet man nun, daß das Gebiet des künftigen allgemeinen Strafgesetzbuchs für ganz Deutschland ungefähr dreimal so groß sein würde, als der heutige Preußische Staat, so wird man die Zahl der künftigen Kriminalrichter in Deutschland (ohne die bloßen Polizeirichter) wohl nicht zu gering auf 3000 veranschlagen, eine Zahl, die für sich allein schon genügt, jede Aussicht auf Feststellung gewisser gemeinsamer Grundsätze, die nicht schon im Gesetze selbst vorgesehen sind, auf dem Wege der Praxis von vorn herein als völlig hoffnungslos darzustellen.

Diesem Uebelstande würde auch dadurch nicht abgeholfen werden, daß man etwa nach Oesterreichischem Vorbilde nur den Richtern zweiter Instanz oder den sog. Obergerichten ein ausgedehnteres Strafmilderungsrecht bewilligte, die der ersten aber davon ausschlösse. Denn wenn gleich ein solches Recht

---

*) Mittermaier das Englische, Schottische und Amerikanische Strafverfahren, S. 503.

der Obergerichte für Oesterreich schon seit Joseph II. existirt*) und sich nach
dem Zeugnisse Oesterreichischer Praktiker von jeher „als sehr zweckmäßig und
wohlthätig wirkend gezeigt hat"**), so ist doch nicht zu übersehen, daß es
von Hause aus auf den schriftlichen Inquisitionsprozeß berechnet war, der
dem Richter der höheren Instanz genau dasselbe Material zur Beurtheilung
der Thatsachen bot, wie dem der ersten. Seit Einführung der Mündlichkeit
des Verfahrens stehen demselben aber alle diejenigen Gründe entgegen, welche
neuerdings von bewährten Praktikern (obenan Schwarze) gegen die Zulässigkeit einer zweiten Instanz in Straffachen überhaupt geltend gemacht worden
sind, und es stände deshalb namentlich zu besorgen, daß wenn auch die Richter der zweiten Instanz denen der ersten in richtiger Würdigung der objektiven Momente der Strafbarkeit überlegen sein möchten, sie ihnen in Berücksichtigung der subjektiven um eben so viel nachstehen würden; nicht zu gedenken, daß im gesammten Deutschland selbst die Zahl der Obergerichte wahrscheinlich noch so groß ausfallen würde, daß auf eine übereinstimmende Praxis
unter ihnen kaum zu rechnen sein dürfte. Zwar läßt sich eine solche durch
einen obersten Gerichtshof vermitteln, allein doch nur in Bezug auf Rechtsnormen im Allgemeinen, nicht auf die Strafabmessung im einzelnen Falle.
Damit diese nicht zu einer völlig regellosen Willkür ausarte, bleibt daher
kein anderer Ausweg übrig, als sie vorne herein durch das Gesetz in die nöthigen Schranken zu weisen.

Eine erschöpfende Beantwortung der ferneren Frage, nach welchen Grundsätzen und in welcher Weise diese Schranken zu ziehen seien, liegt mir nicht
ob; um jedoch die Möglichkeit derselben vom Standpunkte der Gerechtigkeit
aus zu zeigen, erlaube ich mir, das von mir begehrte Gutachten mit einigen
Andeutungen hierüber zu schließen.

Zunächst wird es nöthig sein, nach Anleitung der vorhandenen Deutschen
Strafgesetzbücher, wiewohl mit Vermeidung ihrer oft zu weit gehenden Kasuistik, die Milderungsgründe festzustellen, um deren willen der Richter ermächtigt sein soll, unter das geringste gesetzliche Maß der ordentlichen Strafe
hinabzugehen, oder absolut angedrohte Strafen, wie die Todesstrafe (falls
diese beibehalten werden sollte), in mildere zu verwandeln. Dabei werden
einige der bisher angenommenen Milderungsgründe vorweg auszumerzen
sein. Ich zähle dahin:

1) den Mangel am Thatbestande, der lediglich auf der Theorie
   der außerordentlichen Strafe wegen mangelnden Beweises beruht und

---

*) Mittermaier im Neuen Archiv des Kriminalrechtes, Bd XIV, S. 287.
**) Kitka im Archiv des Kriminalrechtes. Neue Folge, 1836, S. 635.

mit Aufhebung der positiven Beweisregeln seine Berechtigung verloren hat;

2) den unverschuldet erlittenen **Untersuchungsarrest**, der hoffentlich
durch ein geregeltes Untersuchungsverfahren und durch sorgfältige
Beaufsichtigung der mit der Untersuchung betrauten Beamten immer
mehr zu einer Antiquität werden wird. Sollte man gleichwohl
seinetwegen noch eine Bestimmung für nöthig halten, so würde dieselbe wenigstens nicht in die Reihe der Strafmilderungsgründe gehören, weil es alsdann immer nur darauf ankäme, den erlittenen
Arrest auf die gesetzlich zu erkennende Strafe in Anrechnung zu
bringen, einen Theil der letzteren mithin als zum Voraus verbüßt
zu erklären;

3) den **Exceß der Nothwehr**, insoweit derselbe nicht geeignet befunden wird, von Strafe ganz und gar zu befreien. Denn dieser
Fall würde zweckmäßig nicht im allgemeinen Theil, sondern unter
den besonderen Bestimmungen über Todtschlag und Körperverletzung
vorzusehen sein, etwa wie in den §§. 177, 196 des Preußischen
Strafgesetzbuches;

4) die **bloße Reue nach der That**. Denn äußert sich diese in
sofortigem Ersatze des verletzten, an und für sich vollkommen ersetz-
baren Gutes vor eröffneter Untersuchung, so mag man ihretwegen,
wie von einigen Gesetzbüchern geschehen, aus kriminalpolitischen
Gründen gänzliche Befreiung von Strafe eintreten lassen. Ein
Herabgehen unter das niedrigste Strafmaß wird sie dagegen nicht
rechtfertigen, weil augenscheinlich die bloße Reue die Nothwendigkeit
einer gesetzlichen Sühne des Verbrechens nicht aufhebt, ja der wahrhaft Reuige zur Beruhigung seines eigenen Gewissens eine solche
Sühne sogar selbst wünschen muß.

Diese und andere bisher von einzelnen Gesetzbüchern hervorgehobene
Strafmilderungsgründe werden von selbst fallen, wenn man damit beginnt,
dieselben auf ein bestimmtes Prinzip zurückzuführen. Meines Erachtens kann
dieses Prinzip kein anderes sein, als dasjenige, auf welchem, wie oben gezeigt
worden, das Verbrechen ebenso gut als die Strafe beruht, nämlich die bei
beiden eintretende Nothwendigkeit der **Unterscheidung eines subjektiven
und eines objektiven Momentes**. Danach können Strafmilderungsgründe nur gefunden werden

I. in der **verminderten subjektiven Verschuldung des Angeklagten bei Ausführung der That**,

II. in der **objektiven Beschaffenheit der That selbst**,

wie solches auch in einzelnen Gesetzbüchern, z. B. in den §§. 46, 47 des

Oefterreichifchen und in den Art. 91, 92 des Bayerifchen ganz richtig aus-
gefprochen wird. Gründe der zu I gedachten Art findet man häufig in großer Zahl aufgeführt, fo in den Art. 112, 120 des Naffauifchen, in den
Art. 60, 66 des Braunfchweigifchen und in dem oben erwähnten §. 46 des
Oefterreichifchen; man wird diefelben jedoch füglich auf zwei Hauptklaffen re-
duziren können, nämlich

1) eine allgemeine durch die Perfönlichkeit des Thäters bedingte
Verminderung der Zurechnung für alle ftrafbaren Handlungen,
deren Subjekt derfelbe möglicher Weife werden kann. Es gehören
dahin

a) jugendliches Alter,

b) eine aus anderen Gründen vorhandene (oft auch durch hohes
Alter bedingte) allgemeine Befchränktheit des als Regel anzunehmenden Maßes der geiftigen Fähigkeiten eines Men-
fchen (dementia), die nicht fo weit geht, daß fie wie Wahnfinn,
Blödfinn u. f. w. die Zurechnungsfähigkeit überhaupt aus-
fchließt;

2) eine durch befondere nur zur Zeit der That wirkfam ge-
wefene Zuftände des Thäters herbeigeführte befchränkte Zu-
rechenbarkeit der That. Dahin gehören

a) jede heftige, nicht felbft (wenigftens nicht im Augenblicke der
That) verfchuldete, die ruhige Ueberlegung ausfchließende Erre-
gung oder Deprimirung des Gemüthes, wie gerechter
Zorn, drückende Noth, Trunkenheit, krankhafte, jedoch vorüber-
gehende Störungen des Seelenlebens u. f. w.;

b) die (wenigftens nach der Anficht des Thäters) vorhandene Unvereinbarkeit (Kollifion) der Pflichten gegen das Gefetz mit anderen wirklichen oder vermeinten Pflichten, wie der Befehl einer
Perfon, welcher der Thäter zu gehorchen gewohnt ift oder fich
durch feine Lebensftellung für verpflichtet hält, Sorge für die
Noth der Angehörigen u. f. w.

II. Was hiernächft die objektive Befchaffenheit der That betrifft, fo kann diefe eine Strafmilderung nur wegen Geringfügigkeit
des verletzten Gutes und auch nur unter Umftänden begründen, wo der
Thäter zu dem Glauben berechtigt war, daß die Verletzung dem Befchädigten
nicht empfindlich fein werde und es klar erhellet, daß die Abficht des Thäters
von Anfang an nur auf eine geringe Verletzung gerichtet gewefen ift, fo daß
fie z. B. demjenigen der mit großer Gewalt einen Einbruch verübt hat, deshalb nicht zu Statten kommen kann, weil er nur eine Kleinigkeit gefunden
hat. Da diefer Milderungsgrund indeffen füglich nur bei Verbrechen gegen

das Eigenthum zur Sprache kommen kann, bei denen allein eine bestimmte Schätzung des angerichteten Schadens möglich ist, so möchte es sich zur Vermeidung von Mißverständnissen empfehlen, denselben nicht in den allgemeinen Theil aufzunehmen, sondern unter den Spezialgesetzen abzuhandeln. Eine beträchtliche Zahl solcher Vorschriften ist schon vorhanden, so über die Entwendung von Feldfrüchten, von stehendem Holze, von Eßwaaren und Getränken zur Befriedigung der Lüsternheit oder des augenblicklichen Bedürfnisses u. s. w. Bei anderen Verbrechen als gemeinem Diebstahl, Betrug, Unterschlagung, Fälschung, Vermögensbeschädigung u. s. w. würde dagegen der zulässigen Strafmilderung wegen Geringfügigkeit des Objektes jedesmal besonders zu gedenken sein.

Ist solchergestalt das Ermessen des Richters, bei Ausübung des Rechtes aus besonderen Gründen unter das niedrigste Maß der gesetzlichen (ordentlichen) Strafe hinabzugehen, durch Aufstellung bestimmter Milderungsgründe zu beschränken, so wird es nicht minder nach dem Muster der meisten Deutschen Strafgesetzbücher durch Bezeichnung eines gewissen Maßes der alsdann eintretenden außerordentlichen Strafe zu beschränken sein. Nur so wird sich die nöthige Rücksicht auf das Maß der subjektiven Verschuldung des Thäters mit der gleich nöthigen Rücksicht auf das öffentliche Wohl vereinigen und einer schädlichen Mißachtung des Gesetzes von Seiten derjenigen, die zur Aufrechthaltung desselben berufen sind, entgegenwirken lassen.

Nur mit dieser Maßgabe glaube ich daher auch den Vorschlag des Herrn Appellationsgerichtsrathes v. Kräwel dem vierten Deutschen Juristentage zur Annahme empfehlen zu dürfen.

B. Gutachten des Professor Dr. Wahlberg in Wien.

Der 3. Satz des v. Kräwel'schen Antrages lautet:

"Ueberhaupt ist das Strafmaß so zu erweitern, daß der Richter bei der Strafabmessung auch auf außergewöhnliche Schärfungs- und Milderungsgründe Rücksicht nehmen kann.

· Ein geringstes Strafmaß ist nur ausnahmsweise festzusetzen."

Meiner Meinung nach ist dieser Satz in allen Punkten abzulehnen, dagegen die Annahme des 4. Satzes zu empfehlen, welcher folgenden Vorschlag enthält:

"Verordnet das Allgemeine Deutsche Strafgesetzbuch wegen hinzutretender Umstände eine Verschärfung der Strafe, so ist in der Regel der Richter zu dieser Strafschärfung wohl zu ermächtigen, nicht aber zu zwingen, daß er allemal diese Strafschärfung eintreten lassen muß."

Der Herr Antragsteller hat sich überzeugt, daß der 3. Satz einer besonderen Begründung bedarf und diese durch die bloße Bezugnahme auf seinen Entwurf nicht genügt.

Wohl ist dieser aus dem Entwurfe herausgerissene Satz einer besonderen Begründung fähig, jedoch darf nicht unbeachtet bleiben, daß es sich hierbei um die Grundsätze über Strafzumessung, Strafschärfung und Strafmilderung handelt, welche weder die Strafrechtswissenschaft noch die Strafgesetzgebungskunst einseitig aus dem Gesichtspunkte einer besonderen strafrechtlichen Lehre, vielmehr immer nur im Zusammenhange mit den Unterscheidungen der Zurechnung und des ganzen Strafsystemes betrachten soll.

Es ist anerkannt, daß die Gesetzgebung mehr als ein halbes Dutzend Wege einschlagen könne, um der Gefahr vorzubeugen, daß der Richter durch die gesetzlichen Strafmaße behindert werde, die Strafe dem Grade der Verschuldung in einzelnen Fällen entsprechend abzumessen.

12*

Die Gesetzgebung kann zahlreiche Strafabstufungen mit wahlweise vor-
gezeichneten schweren und leichteren Strafen aufstellen; sich begnügen, nur das
höchste Strafmaß festzusetzen oder die Fälle in prinziploser Kasuistik aufzu-
zählen, in welchen die Strafänderung gestattet oder geboten ist; sie kann dem
Gerichte das Befugniß gewähren, wegen Milderungsgründe die ordentliche
Strafe oder die als Minimum gedrohte herabzusetzen; oder das geringste
Strafmaß gleich so herabsetzen, daß die außerordentlichen Fälle der Verschuldung berücksichtigt werden können; sie kann die im 3. Satze vorgeschlagene Erweiterung des Strafmaßes anerkennen u. s. w., ganz abgesehen von
dem beliebten Auskunftsmittel, das in der Aufgabe der Zurechnung und Strafzumessung gegründete Recht der Strafmilderung bei Vorhandensein außerordentlicher Milderungsgründe dem Richteramte zu entziehen und durch Verweisung auf das landesherrliche Begnadigungsrecht die außerhalb des Strafrahmens liegende Strafmilderung als etwas außerhalb des Richteramtes Lie-
gendes d. h. als Gnadensache zu behandeln.

Bei der Festsetzung des Strafmaßes ist vor Allem in Erwägung zu
ziehen, daß sich die Gesetzgebung mit dem Richteramte in die Aufgabe der
Strafabmessung zu theilen habe.

Das Gesetz kann sich im Allgemeinen nur auf die Bestimmung der
Grenzen der ordentlichen Strafe für die Regel der Fälle, auf die Festsetzung
der Strafabstufungssätze und der Bruchtheilsstrafen erstrecken, weil demselben
die Möglichkeit einer zureichenden und erschöpfenden Kasuistik aller Schuld-
unterschiede ebenso wenig erschlossen ist, wie die Möglichkeit, eine genügende
abstrakte Regel für das Strafmaß in außergewöhnlichen, vorhinein unberechenbaren Fällen der Verschuldung aufzustellen. Nur das Generalisiren ist hier
Sache der Gesetzgebung, die es nicht mit einem konkreten, vielmehr nur mit
dem Verbrechen in seinem abstrakten strafrechtlichen Gattungscharakter und
seiner Durchschnittsverschuldung zu thun hat. Ihr fehlt das Auge für die
individuellen Züge einer Verbrechensphysiognomie, ohne deren Kenntniß eine
gerechte Würdigung des vorliegenden Schuldgrades undenkbar ist. Diese in-
dividualisirende, abwägende und zumessende Thätigkeit ist lediglich Sache des
erkennenden Gerichtes. Der Gesetzgebung fehlt also einmal das Mikroskop,
um die eigenthümlichen Strukturverhältnisse eines von der Regel der Fälle
abweichenden Straffalles in ein fixirbares Liniensystem zu bringen, zum an-
dernmal kann keine gesetzgeberische Weisheit den Einfluß jedes einzelnen Schuld-
momentes oder jeder eigenthümlichen Kombination mildernder und erschwerender Umstände für jede Verbrechensart feststellen oder den Gesammteindruck
der mündlichen Hauptverhandlung im einzelnen Falle suppliren, von welchem
eine die ganze Eigenthümlichkeit des Verbrechens würdigende Strafbemessung
wesentlich abhängt.

Da die Gesetzgebung bei der Festsetzung des relativen Strafmaßes immer nur die von der Regel der Fälle abstrahirte Durchschittsverschuldung der einzelnen Verbrechensgattungen im Auge haben kann, auf Grundlage derselben aber nicht in allen Fällen die gerechte dem Schuldgrade angemessene Strafe zu ermitteln ist, und dort, wo Milderung aus Rechtsgründen im Wege der zumessenden Gerechtigkeit geboten ist, dieselbe nicht als Gnadensache behandelt werden soll, so folgt nothwendig, daß in jenen außergewöhnlichen Fällen, welche die Gesetzgebung im Voraus keiner unbedingt bindenden Strafregel zu unterwerfen vermag und deren Entscheidung als Justizsache auf der Operation richterlicher Zurechnung und Zumessung beruht, die Gerichte ermächtigt werden, von dem ordentlichen gesetzlichen Strafmaße abzuweichen.

Das System relativ bestimmter Strafen fordert hiernach, indem es die Extreme absoluter Strafdrohungen und völlig unbestimmter Strafgesetze vermeiden soll, folgerichtig die Gestattung eines richterlichen Schärfungs- und Milderungsrechtes außerhalb des Strafrahmens in außergewöhnlichen Fällen.

Darüber ist man nun fast allgemein einig, wie schon Mittermaier und Köstlin bezeugten, daß das richterliche Schärfungsrecht möglichst beschränkt werden soll, da es — abgesehen von seiner Gehässigkeit — die Gesetzgebung in der Hand hat, durch spezielle Strafbestimmungen bei einzelnen Verbrechen, durch Festsetzung höherer Strafen, durch Gestattung von disziplinaren Schärfungsmitteln dem Richter die Aenderung der Strafe in pejus möglichst zu ersparen. Zur Preisgebung dieser Konsequenz räth nicht nur diese Erwägung, sondern auch die Betrachtung, daß jede Strafe eine endliche Größe sein müsse und die Gesetzgebung, dem Zuge der auf eine fortschreitende Milderung des Strafsystems gerichteten Civilisation folgend, einen unwandelbaren Höchstbetrag der Strafe für bestimmte Verbrechen weislich festzustellen hat. Was das Milderungsrecht betrifft, so können die gewichtigsten Zeugnisse hervorragender Fachmänner in Verbindung mit den Erfahrungen einer halbhundertjährigen Strafmaß-Praxis geltend gemacht werden, um die Zweckmäßigkeit der bisherigen Unterscheidung zwischen Strafzumessung und Strafänderung, beziehungsweise Strafmilderung innerhalb und außerhalb des Strafrahmens zu bestätigen.

Wenn das Strafmaß so weit ausgedehnt wird, daß der Richter bei der Strafabmessung auch auf außergewöhnliche Schärfungs- und Milderungsgründe Rücksicht nehmen kann, so kommt eine solche Erweiterung der gesetzlichen Strafgrenzen in der Wirkung der gänzlichen Abschaffung der bisher festgehaltenen Unterscheidung zwischen Strafzumessung und Strafänderung gleich.

In einem für die außerordentlichen Schärfungs- und Milderungsfälle eingerichteten Strafrahmen verlieren die Strafänderungsgründe ihre spezifische Bedeutung, und indem sie lediglich als Zumessungsgründe wirken können, wird es unmöglich, die Unterschiede zwischen Erhöhung oder Schärfung und zwischen Minderung oder Milderung der ordentlichen Strafe für das Rechtsbewußtsein des Volkes erkennbar zu machen.

Kann es schon bei einem für die Regel der Fälle allein berechneten Strafrahmen schwer fallen, von einer Erhöhung oder Minderung der Normalstrafe zu reden oder die Punkte zu bezeichnen, wo das Mittelmaß des Gewöhnlichen anfängt, so lassen sich bei einem für die außergewöhnlichen Fälle eingerichteten Strafrahmen die fließenden Quantitätsunterschiede des für die gewöhnlichen und für die außerordentlichen Fälle angedrohten Strafmaßes in ihren Ausgangspunkten von dem Mittelmaße des Gewöhnlichen gar nicht mehr fixiren.

Macht man den Strafrahmen so weit, daß er alle außergewöhnlichen Fälle der Verschuldung, alle im Voraus unberechenbaren Kombinationen der außerordentlichen Schärfungs- und Milderungsgründe umspannt, so hat man zwar ein Strafgesetz mit Maximum und Minimum, aber ohne fixirbare Strafgrenzen für die Regel der Fälle und mit völlig unbestimmten Strafausmessungsgründen. Entspricht eine solche Einrichtung des Strafmaßes dem Prinzipe relativer Strafen? Gewiß ist schon dadurch dem Erfordernisse einer für Jeden erkennbaren und voraus bestimmten Strafe der Art Abbruch gethan, daß die scheinbar durchgängig relativ bestimmte Strafe thatsächlich für die Regel der Fälle sich in eine unbestimmte Strafe verwandelt.

Die nach dem 3. Satze beantragte Erweiterung des Strafmaßes würde mithin das Abentheuer einer Verwandlung relativ bestimmter Strafgesetze in unbestimmte Strafgesetze zu bestehen haben, d. h. dem mühsam errungenen und gegenwärtig noch nicht einmal in allen Beziehungen zur Geltung gelangten Prinzipe unserer heutigen Strafgesetzgebung widerstreiten.

Das Bedürfniß einer solchen Umkehr zu dem Extreme unbestimmter Strafgesetze für zahllose Fälle läßt sich meines Erachtens nicht nachweisen, wohl aber kann gezeigt werden, daß mit einer solchen Erweiterung des Strafmaßes leicht das Kind mit dem Bade ausgeschüttet würde. Bedeutung und Werth der Feststellung eines Strafrahmens besteht eben darin, daß in der Mehrzahl der vorkommenden Fälle von der Regel des gesetzlichen Strafmaßes nicht abgewichen werde, weil sonst die gesetzliche Regel aufhören würde, Regel zu sein. Darauf beruhte das volle Gewicht der Strafvorschriften, die Präciptivität des gesetzlichen Willens nnd die Möglichkeit, Gleichförmigkeit in die Strafzumessungen annäherungsweise zu bringen. Bedenkt man, daß die Gesetzgebung gerade deshalb die Gerichte ermächtigen muß, unter das

Strafmaß herabzugehen, weil sie innerhalb desselben alle verschiedenen außerordentlichen Kombinationen von Minderung oder Erhöhung der Verschuldung
nicht vorausbestimmen kann, so stellt sich die Festsetzung eines selbst
diese außergewöhnlichen Fälle umspannenden Strafrahmens als ein Ueber-
griff der gesetzgeberischen Thätigkeit, beziehungsweise als eine Verfälschung des Systems der relativen Strafen dar.

  Der Gesetzgeber soll nicht die Rolle des die außergewöhnliche Strafe
zumessenden Richters übernehmen, ebenso wenig als der Richter sich auf den
Standpunkt des Gesetzgebers ohne dessen Ermächtigung stellen darf. Ist der
Gesetzgeber nicht im Stande, die außergewöhnlichen Fälle der Verschuldung,
welche ausnahmsweise vorkommen, ohne willkürliche Beschränkung des richterlichen Ermessens, in dem Strafmaße zu berücksichtigen und handelt es sich in
diesen Fällen um eine gerechte Strafabmessung, nicht um einen Gnadenakt,
so muß die Beurtheilung der Individualität des vorliegenden außergewöhnlichen Falles dem erkennenden Gerichte anheimgegeben bleiben. Es wäre
ganz unpassend, in diesen Fällen der Strafmilderung von richterlicher
Willkür zu sprechen, in welcher der Richter durch den Willen der Gesetzgebung, durch die Grundsätze des Gesetzbuches und der Wissenschaft geleitet
wird. So wenig die durch die Gesetzgebung gestattete Anwendung der
Analogie Willkür gescholten werden darf, ebenso wenig kann die durch das
Gesetz für zulässig erklärte Strafmilderung als richterliche Willkür bezeichnet
werden.

  Steht nun fest, daß es gar nicht in der Aufgabe der Gesetzgebung nach
dem Prinzipe relativer Strafen gelegen ist, alle denkbaren Fälle der außerordentlichen Erhöhung oder Verminderung der Verschuldung in dem Höchst-
und Mindestbetrage des Strafmaßes zu fixiren, daß ein solches Unternehmen
auf Ueberschätzung der legislatorischen Leistungsfähigkeit und auf Verkennung
der Befugnisse des Richteramtes beruhen würde, so folgt nothwendig, daß
das gesetzliche Strafmaß seine natürliche Grenze an der Regel der Fälle
haben, die Berücksichtigung aller denkbaren außergewöhnlichen Fälle ausschließen
und mithin die im Wesen der Zurechnung begründete Unterscheidung zwischen
Strafzumessung und Strafänderung anerkennen müsse. Selbst die nach dem
3. Satze in Vorschlag gebrachte Erweiterung des Strafmaßes macht diese
Unterscheidung nicht entbehrlich.

  Es widerstreitet gewiß der Absicht des vorliegenden Antrages, außer der
Strafabmessung innerhalb des zugleich für die ordentlichen und außergewöhnlichen Fälle bestimmten Strafrahmens noch ein weiteres Strafmilderungsrecht zu beanspruchen. Und doch würde folgerichtig nach dem 3. Satze
in allen Fällen, in welchen ein geringstes Strafmaß festgesetzt werden muß,
bei einem Zusammentreffen von Milderungsgründen, die selbst den Mindest-

betrag der Strafe noch als zu hart erscheinen lassen, eine außerordentliche Strafmilderung nothwendig werden, d. h. es müßte von dem Herrn Antragsteller eine doppelte Strafmilderung innerhalb und außerhalb des Strafmaßes verlangt werden, oder es wäre dort, wo eine Handlung den geringsten Grad der Strafbarkeit, der für ihre Gattung im Gesetze angenommen ist, nicht erreicht, eine Milderung im Gnadenwege zu veranlassen. — Ich will hier nicht alle Konsequenzen des Antrages weiter verfolgen, vielmehr nur hervorheben, daß die Forderung eines alle denkbaren Fälle der außerordentlichen Schärfung und Milderung umspannenden Strafrahmens die Preisgebung aller geringsten unwandelbaren Strafmaße ausnahmslos in sich schließt, eine Konsequenz, welche im Entwurfe Dumont's für Genf, im Ungarischen Entwurfe, zum Theil im Englischen Strafrechte u. e. a. gezogen worden ist, während der 2. Absatz des 3. Satzes auf halbem Wege stehen bleibt und die Fixirung eines geringsten unwandelbaren Strafmaßes bei nicht wenig Arten von strafbaren Handlungen als unerläßlich bezeichnet.

Abgesehen davon, daß in einem nach dem dritten Satze so weit ausgedehnten Strafrahmen der gesetzliche Gattungscharakter der einzelnen strafbaren Handlungen in den Augen des Volkes dann leicht verwischt wird, wenn wegen eines Verbrechens in einem Falle eine Strafe von wenigen Wochen zugemessen werden könnte, dessen Strafbarkeit nach dem gesetzlichen Strafmaße bis auf eine Strafe von 15- oder 20jähriger Dauer steigen kann, abgesehen davon, daß alle Berechnungen, welche von einem Durchschnittsmaße der ordentlichen Strafe ausgehen müssen, bei einem zugleich für die außergewöhnlichen Fälle berechneten Strafrahmen leicht zu hoch oder zu niedrig gegriffen werden, wäre die Erfahrung in Betracht zu nehmen, daß wenn das geringste Strafmaß die Summe aller denkbaren Milderungsgründe in ihrer höchsten Steigerung begreift, der Richter ohne Kontrolle auch dort den Mindestbetrag uneingeschränkt anwenden dürfte, wo die vorausgesetzte Vereinigung außerordentlicher Milderungsgründe nicht oder in geringerem Maße vorhanden ist.

Diese an und für sich auch bei der Herrschaft eines nur für die Regel der Fälle berechneten Strafrahmens nicht gänzlich behobene Besorgniß kehrt ihre Spitze vor Allem gegen die beantragten übermäßig weiten Strafgrenzen.

Von den Gefahren eines zu großen Spielraumes des richterlichen Ermessens für die allgemeine Rechtssicherheit wie für den Verurtheilten selbst zu sprechen, kann füglich unterlassen werden, da in dieser Richtung schon des Guten zu viel gethan wurde und es an Liebhabern des Bevormundungssystems in der Strafrechtspflege noch lange nicht fehlen dürfte. Allein auf einen Punkt möchte ich die Aufmerksamkeit gelenkt haben. Sowohl die Feststellung des Strafsatzes nach dem vorliegenden Antrage, als auch die Anerkennung des Befugnisses, unter das gesetzliche ordentliche Strafmaß wegen Gründen verminderter Zurechnung herabzugehen, kann allerdings zu Mißbräuchen führen. Der Vorzug der Gestattung eines allgemeinen Milderungsrechtes gegenüber dem im 3. Satze enthaltenen Vorschlage liegt aber darin, daß bei der befürworteten Festhaltung der bisherigen Unterscheidung zwischen Strafzumessung und Strafänderung, beziehungsweise Strafmilderung nur ausnahmsweise von der gesetzlichen Regel des Strafmaßes abgewichen werden könne, während in Folge der beantragten Erweiterung des Strafmaßes die Ausnahme bei dem unvermeidlich zu hoch oder zu niedrig gegriffenem Mittelmaße in die Regel umschlägt. Wem dieser Unterschied nicht genügt, den wissen wir nur auf das noch bedenklichere Auskunftsmittel der Preisgebung aller Strafminima zu verweisen. —

Zur Unterstützung des 3. Satzes kann meiner Meinung nach auch das Reformbedürfniß der Gegenwart nicht angeführt werden.

Irren wir nicht, so drängen unsere strafrechtlichen Zustände wohl zu einer Umgestaltung der Lehre von der Strafschärfung und Strafmilderung keineswegs zu der Aufhebung des Unterschiedes zwischen Strafzumessung und Strafänderung, oder zu einer Sprengung des Systemes relativ bestimmter Strafgesetze.

Nicht gegen die regelmäßige Festsetzung der gesetzlichen Strafgrenzen, nur gegen die Unwandelbarkeit des Strafminimums und gegen die Bevormundung durch taxativ vorgeschriebene Zumessungs- und Strafänderungsgründe sträubt sich der gesunde Geist der Deutschen Spruchpraxis und giebt sich dort, wo es die Gesetze zulassen, nach dem Zeugnisse der Kriminalstatistik in einem möglichst häufigen Gebrauche der Strafmilderung kund. Man erblicke hierin nicht blos die Anwendung eines Heilmittels für mangelhaft bestimmte Strafmaße, vielmehr einen auf die Seite der Strafmilderung sich zuneigenden Charakterzug des Gerichtsgebrauches, welcher sich in dieser Richtung als Träger eines wahren Gewohnheitsrechtes offenbart! —

Eine kurze Ueberschau der Bestrebungen Deutscher Kriminalisten und Gesetzgebungs-Kommissionen seit dem Anfange des Jahrhunderts dürfte genügen, um diesen Ausspruch zu rechtfertigen.

Daß die Deutschen Strafgesetzgebungen in den Flegeljahren der Kodifikation des Strafrechts nach dem Programm der Aufklärungszeit oder nach Feuerbach's Vorbilde, des vorangegangenen unseligen Zustandes der gemeinrechtlichen Strafmaßpraxis eingedenk, das richterliche Ermessen über das richtige Maß hinaus beschränkt, buchstabengläubig an die Möglichkeit eines durch Zahlenverhältnisse unwandelbar bestimmbaren Strafmaßes mit der ernsthaftesten Miene von der Welt geglaubt, und die Strafmessung mit dem unfehlbaren Zollstabe in der Hand von der Zurechnungslehre abgesondert behandelt haben, find Thatsachen, unter deren Logik die richterliche Thätigkeit und Dignität schwer zu leiden hatte.

Nur zwei Deutsche Landesgesetzgebungen hatten sich von dieser Verkehrtheit, der legislatorischen Selbstüberhebung und dem maßlosen Mißtrauen in den Richterstand entsprungen, frei erhalten und frühzeitig den Grundsatz für rathsam gehalten, die Gerichte zu ermächtigen, den Einfluß, welchen die Unterschiede der Zurechnung auf das Maß der Schuld und Strafe ausüben, bei Vorhandensein genügender Strafänderungsgründe durch Strafmilderung nach vernünftigem Ermessen zu bestimmen. Ich meine das Badische Strafedikt und das Oesterreichische Strafgesetzbuch von 1803. Der diesen Landesgesetzen zu Grunde liegende Gedanke, daß der Richter befugt sein soll, unter das mindeste auf das Verbrechen gesetzte Strafmaß innerhalb der gesetzlichen Grenzen der nämlichen Strafart herabzugehen oder auf eine der geringeren Strafarten zu erkennen, wenn nach seinem Ermessen selbst der geringste Grad der gesetzlichen Strafe mit dem Grade der Strafbarkeit des vorliegenden Falles in keinem Verhältnisse steht, — dieser Gedanke kann geradezu als ein civilisatorischer bezeichnet werden, dessen Mission in Deutschland seither wiederholt und lebhaft bestritten, niemals aber gänzlich todtgeschwiegen und verläugnet werden konnte.

Oesterreich ging in der Anerkennung dieses von Praktikern Badens, Braunschweigs, Hessens und anderer juristisch tüchtig geschulter Länder als sehr zweckmäßig bezeugten Grundsatzes voran und ist gestützt auf eine mehr als zwei Menschenalter umfassende Erfahrung demselben treu geblieben. Hier werde zunächst daran erinnert, daß schon Feuerbach als Richter das von ihm als Theoretiker verworfene allgemeine Milderungsrecht in dem hinterlassenen Gesetzentwurfe wieder zu Ehren gebracht hat, daß der erste Entwurf des Hannoverschen Kriminalgesetzbuches von 1825 in dem berühmten Artikel 112; der Badische Entwurf in dem §. 146, das Hannoversche Militärstrafgesetzbuch von 1841, das Braunschweigsche Kriminalgesetzbuch von 1840 §. 62 unter Bezugnahme auf das Oesterreichische Vorbild, der Hessen-Darmstädtsche Entwurf von 1831 in dem Art. 96 u. e. a. der allgemeinen richterlichen Strafmilderung in dem angegebenen Umfange das Wort gesprochen haben, der zahlreichen Anträge in den gesetzgebenden Kammern uneingedenk, die wie z. B. in Württemberg bei der Berathung des Gesetzbuches die Einräumung dieses Milderungsrechtes bezielten.

In Bayern, Baden, Hannover, Hessen, Württemberg und anderen Bundesländern trat der Anerkennung dieser dem Gerichte anheimzugebenden Befugnisse nicht nur der Widerspruch der Staatsregierung, sondern auch gewichtiger Autoritäten der Wissenschaft entgegen. In dem Streite über Mein und Dein des richterlichen Ermessens und des Begnadigungsrechtes der Krone wurden von einer Seite vorwiegend publizistische, von der anderen Seite strafpolitische Gründe hervorgehoben. Die Einen witterten in dem allgemeinen Milderungsrechte ein verderbliches, sogar demokratisches Element, welches das monarchische Prinzip, alle publizistischen Grundsätze der neueren Zeit und alle Präciptivität der Strafgesetze über den Haufen werfe, ja unfehlbar den früheren vor der Kodifikation herrschenden prinziplosen Zustand richterlicher Willkürherrschaft herbeiführen werde. So sprachen nicht nur Regierungskommissäre, auch unabhängige angesehene Rechtslehrer. Wo dagegen die Gerichte hierüber einvernommen wurden, da sprach sich die überwiegende Mehrheit auf das entschiedenste zu Gunsten des Milderungsrechtes aus. Auf die Sanktionirung desselben durch den Gerichtsgebrauch, sowie auf strafrechtlich haltbare Gründe beriefen sich die Vertheidiger der ungeschmälerten Befugnisse des Richters: In Oesterreich vor Allen Jenull, Kitka, Beidtel u. a.; im außerösterreichischen Deutschland Abegg, Mittermaier u. a. m. Schon Freudentheil hatte in der Hannoverschen Kammer richtig bemerkt, daß sich die Streitfrage darum drehe: ob mit größerer Sicherheit dem Justizministerium oder den Gerichten die Entscheidung in nur gewöhnlichen Fällen anvertraut werden dürfe? Daß in der Anwendung der Milderung dort, wo diese rechtlich geboten ist, kein Akt der Gnade erblickt werden könne und daß die Frage: ob der vom Gesetze vorausgesetzte Grad der Strafbarkeit im einzelnen Falle vorhanden oder unter das Strafmaß herabzugehen sei, lediglich zur richterlichen Beurtheilung gehöre. Der Stand der Deutschen Strafgesetzbücher in diesem Punkt läßt sich mit wenigen Worten übersichtlich bezeichnen.

Das allgemeine Milderungsrecht anerkennen für alle Arten strafbarer Handlungen mit wenigen Ausnahmen Braunschweig und Oesterreich.

Nur bei bestimmten Fällen führen die Strafgesetze für Preußen und Oldenburg das Milderungsrecht prinziplos durch und statuiren lediglich die Jugend als allgemeinen Milderungsgrund. Großherzogthum Hessen gestattet außer den besonderen Milderungsgründen einen allgemeinen Milderungsgrund nur für bestimmte mit geringer Korrektionshausstrafe bedrohte Fälle.

In Bayern, Hannover, Sachsen darf wegen besonderer Milderungsgründe oder geminderter Zurechnung unter das niedrigste gesetzliche Strafmaß nach Vorschrift des Gesetzes bis auf ein bestimmtes Maß herabgegangen werden. Wo dieses noch zu hart erscheint, soll der Richter die Milderung im Gnadenwege beantragen. Sachsen setzt bei der wegen der angeführten Milderungsgründe vorgeschriebenen Herabsetzung der Strafe ein Minimum nicht fest, vielmehr bestimmt es nur das Maximum der zu erkennenden milderen Strafe. —

Wenn nun in der althergebrachten Streitfrage über das allgemeine Milderungsrecht neuerdings ein Gutachten abgegeben werden soll, so geschieht dies weniger in der Erwartung, theoretisch etwas Neues sagen zu können, als vielmehr in der Hoffnung, daß sich dieser Streitfrage aus den Gesichtspunkten der Erfahrung, der Strafmaßpraxis und der Kriminalstatistik vielleicht neue Seiten abgewinnen lassen. Nicht auf der abstrakten Höhe des Prinzipes, nur auf dem realen Boden der Erfahrung wird dieselbe zum Abschluß gebracht werden können und in dieser Richtung wird es einer Oesterreichischen Feder erlaubt sein, das von Kitka in dem Archiv des Kriminalrechtes von 1836 niedergelegte Zeugniß zu erneuern, daß sich das allgemeine richterliche Milderungsrecht, abgesehen von den Mängeln seiner komplizirten gesetzlichen Durchführung, im Ganzen als sehr zweckmäßig und wohlthätig wirkend erwiesen hat.

Schon das Theresianische Kriminalgesetz, behandelte die Zumessung der Strafe, sorgfältig bemüht den Umfang des richterlichen Ermessens genauer abzugrenzen, ohne in eine den Geist der Zurechnung tödtenden Mechanisirung desselben zu gerathen. In zahlreichen Fällen relativer Strafdrohungen stand dem Gerichte entweder die Milderung und Schärfung der Strafe, oder der Nachlaß der Ehrenfolgen des Verbrechens oder die Auswahl der wahlweisen Strafdrohungen zu. Nach Gutbefund der Obergerichte konnten selbst absolut bestimmte Strafen gemildert und die auf ungemessene Zeit erkannten Strafen je nach dem Verhalten des Sträflings gekürzt werden. Nicht nur wurden allgemeine und besondere Erschwerungs- und Milderungsumstände angeführt, sondern auch die unächten Milderungsgründe als bloße Gnadenbehelfe ausgeschieden.

Im Glauben an die Allmacht der neuen Gesetzgebung und in überstürzter Reaktion gegen diese Grundsätze der Theresiana, erniedrigte das Josephinische Kriminalgesetz einerseits die richterliche Thätigkeit zu einem straftaxatorischen Formalismus, räumte andererseits den Obergerichten nach dem Vorgange der früheren Strafpraxis ein ausgedehntes, selbst in den Bering eigentlicher Begnadigungsfälle einschlagendes Milderungsrecht (in einem eigenen Hauptstücke von der Begnadigung) ein. Immerhin gebührt dieser Gesetzgebung das Verdienst, die Rücksichten des Rechts von den Rücksichten der Humanität und Politik, welche bei der Begnadigung in Betracht kommen sollen, schärfer geschieden und selbst die Strafnachsicht im Rechtswege von einem höheren Standpunkte aus aufgefaßt zu haben. Ohne die Begnadigung schlechthin als ein richterliches Urtheil letzter Instanz zu betrachten oder ein allgemein gültiges Prinzip derselben aufzustellen, räumte die Josephinische Gesetzgebung dem Obergerichte in vielen Fällen die Gewalt ein, die Strafe nach dem Gesetze zu mäßigen oder aus Gnade zu mildern, stellte das oberrichterliche Milderungsrecht mit dem delegirten Begnadigungsrechte auf dieselbe Linie und bezeichnete die Ausübung des letzteren als eine der richterlichen Thätigkeit analoge. Damit wurde prinzipiell dem Rechte wiedergegeben, was eine unterthänige Doktrin nach hergebrachter Vorstellungsart lediglich der Willkür des Regenten zugeschrieben. *)

Die spätere Kriminalgesetzgebung von 1803 hat zwar die Grenzen zwischen Milderungsrecht und Begnadigungsrecht enger gezogen, allein immerhin sich von einer für ihre Zeit freisinnigen Auffassung des Umfanges der richterlichen Gewalt leiten lassen.

Ein zwischen Zumessungs- und Strafänderungsgründen scharf unterscheidender Sprachgebrauch hatte sich jedoch in der Oesterreichischen Rechtssprache nicht herausgebildet und selbst nach dem Vorgange des Bayerischen Gesetzbuches von 1813 nicht eingebürgert. Das Milderungsrecht wurde nach der hierarchischen Stellung der drei Instanzen in Verquickung mit der Einrichtung der Aktenvorlage abgestuft. Je höher das Gericht ist, desto mehr sollte seine Milderungsgewalt erweitert werden. Man nahm an, daß sich in dem Obergerichte die Einsichten der eigenen Rathsglieder mit jenen der vorliegenden Strafbehörde vereinigen und sich mit der größeren Zahl der Richter die Gefahr einer einseitigen Beurtheilung vermindert. Dazu kam der weitere Grundsatz: dem höheren Gerichte kann ein ausgedehnteres Recht zu mildern als zu schärfen eingeräumt werden, weil dasselbe dann der Garantie einer Uebereinstimmung der mehreren urtheilenden Kollegien entbehrt, wenn es auf Schärfung erkennt. Daher wurde das oberrichterliche Schärfungsrecht sehr eingeschränkt und einer höheren Kontrolle unterzogen, dagegen dem Obergerichte das Milderungsrecht in größerem Umfange als dem Untergerichte eingeräumt.

Seit 1803 blieb es bei der Vorschrift: Bei Verbrechen, für welche die Strafzeit nicht über 5 Jahre bestimmt ist, kann sowohl der Kerker in einen gelinderen Grad verändert, als die gesetzliche Dauer (selbst unter 6 Monate) verkürzt werden, in dem Falle, daß mehrere und zwar solche Milderungsumstände zusammentreffen, welche mit Grund die Besserung des Verbrechers erwarten lassen.

Dieses gegenwärtig ohne Rücksicht auf die Instanzen und die Art des Strafverfahrens dem Strafgerichte eingeräumte Milderungsrecht stand früher nach Verschiedenheit des Falles verschiedenen Gerichtsbehörden zu, je nachdem das Urtheil ohne weitere Vorlegung oder erst auf Grund der Aktenvorlage zu verkünden und zu vollstrecken war. Diese Strafmilderung von

---

*) Vgl. Allg. Oesterr. Gerichtszeitung 1862 Nr. 34 ff.

5 Jahren der gesetzlichen Strafdauer abwärts ist durch kein weiteres Minimum beschränkt worden.

Den Obergerichten gebührte in allen Fällen, in welchen ihnen das Urtheil von Amtswegen vorzulegen war, das Recht, wegen besonderer Milderungsgründe die ordentliche Strafe in der Dauer von 5—10 Jahren auf 2 Jahre, in der Dauer von 10—20 Jahren einschließlich bis auf 5 Jahre herabzusetzen. Sie durften in diesen Fällen weder die Strafart verändern, noch die Todesstrafe oder lebenslängliche Kerkerstrafe in eine gelindere verwandeln.

Das Recht der Strafmilderung in den den Obergerichten vorenthaltenen Fällen stand, ausschließlich der Todesstrafe, ohne weitere Beschränkung der letzten Instanz zu.

Zur Anwendung der Milderung der gesetzlichen Strafen wurden die Gerichte durch ein „kann" ermächtigt, nicht durch ein „soll" verpflichtet und in der Spruchpraxis daraus der Schluß gezogen, daß die Nichtgeltendmachung des Befugnisses der außerordentlichen Milderung keine Rechtsunwirksamkeit begründen könne.

Ich übergehe die einzelnen Hofdekrete und Novellen, welche unter Berücksichtigung der gesammelten Erfahrungen das richterliche Milderungsrecht noch auszudehnen, oder eine demselben günstige konstante Rechtsprechung zu befestigen bestimmt waren.

Einen großen Schritt weiter unternahm die prov. Strafprozeßordnung von 1850. Das neue öffentliche und mündliche Strafverfahren beseitigte das alte System der Aktenvorlegung zum Behufe einer Strafmilderung an ein höheres Gericht, da das Endurtheil das Ergebniß des Gesammteindruckes der unmittelbaren Hauptverhandlung sein sollte. Es wurden demnach die bisher den höheren Gerichten eingeräumten Milderungsrechte den Schwurgerichtshöfen übertragen und die Minima der Strafmilderung herabgesetzt. Der Schwurgerichtshof wurde ermächtigt, die gesetzliche Strafe zwischen 10 und 20 Jahren, ja selbst die lebenslange schwere Kerkerstrafe wegen vorhandener Milderungsgründe zwar nicht in der Art, aber in der Dauer, jedoch nicht unter 3 Jahre herabzusetzen. In Fällen, für welche die Strafe im Gesetze zwischen 5 und 10 Jahren bestimmt ist, durfte der Gerichtshof dieselbe sowohl in eine gelindere Art verändern, als auch in der Dauer, jedoch nie unter 1 Jahr herabsetzen. Bei Todesurtheilen blieb es bei der Aktenvorlage an den Landesfürsten. Diese Ausdehnung des Milderungsrechtes geschah ohne Besorgniß eines Mißbrauchs, weil in der Oeffentlichkeit des Verfahrens, in den Entscheidungsgründen über die Strafabmessung, in der Festsetzung eines Minimums gegen die Gefahr einer allzugroßen Ausdehnung dieses Rechtes eine genügende Gewähr erblickt wurde. Mit Grund hob man hervor, daß in einer wahrhaft mündlichen und öffentlichen Hauptverhandlung vor tüchtigen Geschwornen und zahlreich besetzten Richterkollegien für eine umsichtige Strafrechtspflege und richtige Anwendung des Milderungsrechtes sicherere Garantien gegeben sind, denn in dem nach Instanzen abgestuften, auf dem alten Inquisitionsprozesse beruhenden, komplizirten Mechanismus des Milderungsrechtes von 1803.

Die gegen das neue mündliche Schwurgerichtsverfahren eingetretene Reaktion bewirkte eine theilweise Umkehr zu den Grundsätzen des alten Kriminalverfahrens von 1803. In dieser Zeit der Reaktion erhoben sich Klagen über den häufigen Mißbrauch des Milderungsrechtes, wobei zu bemerken ist, daß in der Regel das angebliche Beispiel einer Umkehrung der Ausnahme in die Regel von den höheren Instanzen ausging und sich die allgemeine Meinung bereits festgestellt hatte, daß die am Vorabend einer neuen Legislation stehende Justizverwaltung selbst die Aufrechthaltung der vollen Strenge des vor einem halben Jahrhunderte erflossenen Strafgesetzes nicht beabsichtige, es mithin der Praxis stillschweigend anheimgestellt sei, die Härte des alten Gesetzes, so lange es noch wirksam sei, zu mildern. Aus dieser Zeit datirt ein Justizministerialerlaß vom 14. April 1853, welcher gegen den übermäßigen Gebrauch des Milderungsbefugnisses namentlich der unteren Gerichte die Mahnung ergehen ließ, nur bei dem Eintreffen der außergewöhnlichen Voraussetzungen das nur als Ausnahme eingeräumte Milderungsrecht in Anwendung zu bringen.

Unter dem Eindrucke dieses noch nicht genügend in seiner Motivirung aufgeklärten Erlasses wurde in der Strafprozeßordnung vom 29. Juli 1853 auf den Milderungsmechanismus der älteren Gesetzgebung theilweise zurückgegriffen. Wieder wurde jeder höheren Instanz ein ausgedehnteres Milderungsrecht eingeräumt und dieses nach drei Arten der im Gesetzbuche festgesetzten Strafen beschränkt. Hinsichtlich der Kerkerstrafe von 5 Jahren abwärts blieb es beim Alten, jedoch wurde das Milderungsrecht des obersten Gerichtshofes dahin erweitert, daß derselbe in allen Fällen, wo er zu einem Erkenntnisse berufen, schon wegen überwiegender Milderungsumstände allein die im Gesetze bestimmten Freiheitsstrafen nicht nur in der Dauer, sondern auch in dem Grade mildern, die Verschärfungen derselben ganz oder theilweise nachsehen kann. Hinsichtlich der höheren Kerkerstrafen wurde den unteren Instanzen das Recht entzogen, auch den Grad der Kerkerstrafe abzuändern, dagegen die Ausübung des ihnen eingeräumten Milderungsrechtes an die Bedingung sehr wichtiger und überwiegender Milderungsgründe geknüpft. Die Strafprozeßordnung von 1853 gestattet dem Gerichtshofe erster Instanz, die in dem Gesetze verhängte lebenslange Kerkerstrafe bis auf 10 Jahre, den 10—20jährigen Kerker bis auf 5 Jahre, den 5—10jährigen Kerker bis auf

2 Jahre herabzuſetzen. Den Oberlandesgerichten ſind in dieſen Fällen die Minima von 5, 3 und 1 Jahre vorgezeichnet; als ob die Milderungsumſtände nicht in verſchiedenen, einer Abgrenzung widerſtrebenden Graden vorhanden ſein könnten. Als ob ſich die Endpunkte des durch mildernde Umſtände bewirkten Sinkens des Schuldgrades im Geiſte der abwägenden Gerechtigkeit durch geſetzliche Minima allgemein gültig feſtſtellen ließen! —

Die Obergerichte haben, wenn ſie den Verurtheilten einer ihre Gewalt überſchreitenden Milderung würdig erachten, den entſprechenden Milderungsantrag dem oberſten Gerichtshofe vorzulegen, der bis an die Grenze des Begnadigungsrechtes nahezu unbeſchränkt in ſeinem Ermeſſen iſt, mit Ausnahme der Umwandlung der Todesſtrafe.

Es kann uns nicht einfallen, dieſer durch die Gerichtsverfaſſung und Strafprozeßordnung einer der Juſtizreform ungünſtigen Zeit bedingten Muſterkarte von höchſt verſchiedenartigen progreſſiven Milderungsrechten ſchlechthin das Wort zu ſprechen, obwohl die nach einigen neuen Geſetzbüchern, z. B. nach dem Sächſiſchen Strafgeſetze anzuſtellenden weitläufigen Berechnungen gemilderter Bruchtheilsſtrafen nicht viel weniger komplizirt erſcheinen. Allein die Ergebniſſe ſelbſt dieſes verbeſſerungsbedürftigen Milderungsſyſtems ſind für die Strafgeſetzgebungskunde ſchon ſo beachtenswerth, daß ſie bei der Redaktion eines neuen allgemeinen Strafgeſetzbuches kaum überſehen werden dürften.

Nehmen wir beiſpielsweiſe die Kriminalſtatiſtik für das Jahr 1858. Auf die im Geſetze angedrohte lebenslänge Strafe wurde nur in 33 Fällen erkannt, in 53 Fällen trat Herabſetzung auf eine zeitliche Kerkerſtrafe ein. Von 32,090 Strafurtheilen wegen Verbrechen wurden 20,234 unter dem geſetzlichen Strafmaße feſtgeſtellt. Nach Maßgabe des §. 54 des Strafgeſetzbuches, welcher die Milderung der Strafe von 5 Jahren abwärts regelt, ohne ein Minimum vorzuzeichnen, wurden nicht weniger als 18,738 Strafen, alſo über die Hälfte aller Strafen wegen Verbrechen gemildert.

Innerhalb des geſetzlichen Strafſatzes von 1—5 Jahren wurden 4725, unter demſelben nur 3191 Strafen ausgemeſſen, während innerhalb des niedrigſten Strafſatzes von 6 Monaten bis zu 1 Jahre nur 5695, aber unter demſelben nicht weniger als 15,547 Strafen gemildert worden ſind. Innerhalb des Strafſatzes von 5—10 Jahren bewegten ſich 864 Strafzumeſſungen, unter demſelben wurden 1045 Strafen gemildert. Bezeichnend iſt auch das Verhältniß der Strafzumeſſung innerhalb des Strafrahmens von 10—20 Jahren (417) zu der Strafmilderung (398). Am ſelteſten kamen Milderungen bei den Kapitalfällen Raub, Mord, Brandlegung vor. Die meiſten Strafmilderungen vertheilten ſich vorwiegend auf die Verbrechen der Majeſtätsbeleidigung, der Störung der öffentlichen Ruhe, der Kreditpapier-

verfälschung in Ansehung der höheren Straffätze, auf einzelne Fälle der
öffentlichen Gewaltthätigkeit, auf Mißbrauch der Amtsgewalt und Geschenk-
annahme in Amtsfachen, auf geringere Fälle der Religionsstörung, auf Un-
zuchtsverbrechen in den höheren Straffätzen, leichtere Fälle des Diebstahls
und der Veruntreuung u. a. m. — Allerdings haben diese Ergebnisse der
Strafmaßpraxis zum Theil nur eine partikularrechtliche Bedeutung und sind
durch die zu hoch gegriffenen Straffätze des vor Allem in seinem Straf-
systeme veralteten Gesetzbuches gegründet. Allein immerhin dienen dieselben
auch zur allgemeinen Orientirung über die Wirksamkeit des Milderungsrechtes,
zumal viele der aufgezählten strafbaren Handlungen auch in anderen Deutschen
Staaten mit neuen Gesetzbüchern das Bedürfniß der Strafmilderung dringend fühlbar machen, wo das Milderungsbefugniß nicht oder nicht zureichend
anerkannt ist.

Ein Blick auf die Ergebnisse der Strafrechtspflege im Sprengel des
Wiener Landesgerichtes im Jahre 1858 bestätigt im Allgemeinen das hier
Bemerkte. Unter dem gesetzlichen Strafmaße wurden 57,91 von 100 und
innerhalb desselben 42,09 Kerkerstrafen bemessen. Dieses Percentualverhältniß
steigerte sich im Jahre 1861 auf 33,88 und 66,12, indem die Zahl der
innerhalb des Strafrahmens verurtheilten Verbrecher 453, der unter demselben Verurtheilten 884 betrug, ohne daß sich das Justizministerium zu
einer Rüge über unzeitige Milde veranlaßt erachtet hätte.

Man stelle heute in allen Kronländern eine Umfrage an die Gerichte
über die Zweckmäßigkeit des eingeräumten Milderungsrechtes, und irren wir
uns nicht, so werden sich dieselben in überwiegender Mehrzahl nicht nur für
dieses, sondern auch für eine Erweiterung desselben und Uebertragung der
gegenwärtig den oberen Gerichten zugetheilten Milderungsbefugnisse auf die
— in Aussicht stehenden — Schwurgerichtshöfe etwa im Sinne des §. 62 des
Braunschweig'schen Gesetzbuches aussprechen, ganz abgesehen davon, daß in
einem reformirten unmittelbaren Strafverfahren von der bisherigen Strafmilderung der Obergerichte im Berufungswege in der Regel nicht mehr die
Rede sein dürfte. Wir stehen eben am Vorabende der Abschaffung der Berufungsinstanz. Entweder müßte bei Zulassung einer Berufung hinsichtlich
des Strafmaßes die Berufungsinstanz die Strafe nach freiem Ermessen erhöhen oder herabsetzen können, oder das angefochtene Urtheil nur dann aufheben dürfen, wenn bestimmte Vorschriften des Gesetzes, welche das richterliche Ermessen ausschließen, verletzt worden wären. Dabei wäre zu unterscheiden, ob der erste Richter nur ermächtigt oder verpflichtet war, von den
gesetzlichen Grenzen abzuweichen. —

Bedenkt man, daß nach den statistischen Ergebnissen der Oesterreichischen
Strafrechtspflege für das Jahr 1858 beinahe ⅔ aller Strafurtheile wegen

13

Verbrechen gemildert und nur ¹/₃ innerhalb des gesetzlichen Strafrahmens ausgemessen worden sind, so scheint dieses Resultat weit eher zu Gunsten der im 3. Satze beantragten Erweiterung des gesetzlichen Strafmaßes, denn zur Unterstützung des allgemeinen Milderungsrechtes ausgebeutet werden zu können.

Wenn in der Mehrzahl der vorkommenden Fälle regelmäßig unter das gesetzliche Strafmaß herabgegangen wird, dann — könnte gefolgert werden — ist die Unterscheidung zwischen Strafzumessung und Strafmilderung illusorisch und vorzuziehen, gleich das Minimum des Strafmaßes auf die Fälle der außerordentlichen Milderung zu berechnen.

Wenn eine solche Feststellung der gesetzlichen Strafgrenzen im glücklichen Wurfe getroffen werden könnte und zwar der Art, daß damit das Bedürfniß jeder weiteren Milderung in allen Fällen behoben wird; wenn auch nur ein einziges Beispiel in den Annalen der Gesetzgebung nachweisbar wäre, in welchem sich die angenommenen Strafmaße ohne unaufhörliche Anwendung des richterlichen Milderungsrechtes oder der landesherrlichen Begnadigung auch nur zehn Jahre lang bewährt haben, — dann könnte man die Vortheile des Milderungsrechtes preisgeben und sich der Besorgniß entschlagen, daß die Gerichte das auf die Fälle außerordentlicher Verminderung der Schuld berechnete Minimum als das in gewöhnlichen Fällen bloßer Minderung eintretende anwenden werden.

So lange aber diese Voraussetzungen nicht gegeben sind, kann dem Milderungsrechte ein selbstständiger legislatorischer Werth nicht abgesprochen und in demselben lediglich ein Heilmittel der Härten eines veralteten Strafgesetzes erblickt werden. *)

Es hängt eben von der Einrichtung und Beschaffenheit des ganzen Gesetzbuches ab, in welchem Umfange ein allgemeines Milderungsrecht anerkannt werden soll.

Hat das Gesetzbuch noch absolute Strafen für bestimmte Verbrechen angedroht, so fordern die richtigen Grundsätze der Zurechnung wie der Zumessung, daß diese entweder wahlweise vorgeschrieben, oder allgemeine Milderungsgründe mit der Wirkung zugelassen werden, daß von den schwereren Strafen auf minder schwere herabgestiegen werden könne. In dieser Beziehung macht sich das Bedürfniß des richterlichen Milderungsrechts im Besonderen bei den im Gesetze gedrohten Todesstrafen und lebenslangen Strafen geltend. Alles das in Beziehung auf absolute Strafen Gesagte gilt in noch höherem Maße von relativen Strafen, und es ist nach meiner Meinung für das Befugniß des Herabgehens unter das geringste Strafmaß die allge-

*) Vgl. Oesterr. Vierteljahrschrift für Rechts- und Staatswissenschaft 1863, XI. B., 1. Heft, S. 35 ff.

meine Regel aufzustellen, daß überhaupt alle Momente, welche in ihrer vollsten Steigerung die Anwendung jeder Strafe ausschließen, in ihren geringeren Stufen eine Herabsetzung derselben bewirken. —

Die Strafausmessung kann eben nur im Zusammenhange mit den Unterscheidungen der Zurechnung richtig geregelt werden. Sie ist das Ergebniß von einer Menge ein jedes Schuldmoment begleitender Nebenumstände und damit verflochtener Gründe und läßt sich durch gesetzlich ausgesprochene allgemeine Formeln, selbst wenn diese im Sinne des 3. Satzes des vorliegenden Antrags gefaßt würden, nicht für alle Fälle der Zumessung zureichend begrenzen. Wollte man das Strafmaß im Sinne des 3. Satzes erweitern, ohne ein Milderungsrecht zuzulassen, so würde man wider den in keinem wie immer gearteten Strafrahmen zu bannenden Geist der Zurechnung verstoßen. —

Der im 2. Absatz des vorliegenden Antrages gemachte Vorschlag, nur ausnahmsweise ein geringstes Strafmaß festzusetzen, läßt sich mit der von dem Herrn Antragsteller gegebenen besonderen Motivirung insofern nicht ganz in Einklang bringen, als derselbe selbst erklärt, daß es doch nicht wenige Arten von strafbaren Handlungen gebe, bei denen ihrer unbedingten Schwere wegen der Gesetzgeber dem Richter mit gutem Fug ein Strafmaß vorschreibt, unter welches derselbe nicht hinabgehen darf. Ueber den Umfang dieser Arten von Handlungen läßt sich im Allgemeinen keine zureichende theoretische Entscheidung geben, und ob diese Ausnahmen oder keine Ausnahmen seien, kann eben nur nach dem Charakter der begrifflichen Bestimmungen und der verschiedenen Abstufungen der Verschuldung in dem Gesetzbuche beurtheilt werden. Man bedenke, daß sich bei dem Mangel der Vorlage eines abgeschlossenen besonderen Theiles des Strafgesetzbuches die Frage nicht genau beantworten lasse, in welchen Verbrechensgattungen nach ihrer begrifflichen Feststellung ein Mindestbetrag des Strafmaßes entbehrlich ist. Insofern kann vor der Hand nur der Grundsatz im Allgemeinen gebilligt werden, daß dort, wo die Schuldgradation gewöhnlich mannichfaltig und die Verschiedenheit der Böswilligkeit und subjektiven Gefährlichkeit des Thäters nach dem Gesetze von dem Richter besonders ins Auge zu fassen sind, lediglich die Festsetzung des Höchstbetrages des Strafmaßes nothwendig erscheine. Hieher gehören leichtere Fälle von Vermögens-, Körper-, Ehrverletzungen und überhaupt solche Handlungen, die, wegen der großen Schuldverschiedenheit nach ihrer subjektiven Seite, den Grad der Strafbarkeit oft nicht erreichen, der für ihre Gattung im Gesetze angenommen ist. Gerade für die subjektive Seite der Verbrechen ist die Unterlassung der Festsetzung eines Mindestbetrages des Strafmaßes ein Korrektiv, da die objektive Seite der Verbrechen in der Regel den verschiedenen Strafabstufungen im zweiten Theile des Gesetzbuches

13*

zum Grunde liegt und bei der Strafabmessung in dieser Beziehung nicht doppelt in Betracht genommen werden darf.

Es kann demnach erst bei der Berathung der Vorschriften des Strafgesetzes über die einzelnen Verbrechen entschieden werden, bei welchen strafbaren Handlungen die Beseitigung eines geringsten gesetzlichen Strafmaßes zulässig erscheine, — und schon aus diesem Grunde erklären wir uns gegen den kategorischen Imperativ des 2. Absatzes des 3. Satzes.

Die Berufung auf Englands Beispiel, welches selbst bei den schwersten Verbrechen das Strafmaß durch die Formel: bis zu 7 Jahren Zwangsarbeit u. dgl. in das Ermessen des Richters stellt, ist deshalb für Deutschland unpassend, weil in England nur 15 Assisenpräsidenten die schweren Strafen zumessen und die Bildung der Strafmaßpraxis in ihrer Hand haben. —

Leichter wird sich meines Erachtens die Gesetzgebung zur Anerkennung des im 4. Satze des Antrages ausgesprochenen Grundsatzes entschließen können.

Haben doch schon neuere Gesetzbücher und Gesetzesentwürfe sich gegen imperative Strafschärfungen erklärt und selbst die älteren Strafgesetzgebungen das Schärfungsrecht sehr beschränkt.

Obgleich Milderungs- und Schärfungsgründe an und für sich gleiche quantitative Steigerung zulassen, entschieden sich schon ältere Gesetzgebungen aus den angegebenen Rücksichten gegen die Annahme allgemeiner Gründe, welche den Richter verpflichten, über das Maximum der für eine bestimmte strafbare Handlung angedrohten Strafe hinauszugehen. Die Strafe muß eben eine endliche Größe sein und regelmäßig ihrer Steigerung vom Gesetze eine feste Grenze gesetzt werden. Abgesehen von dem Zusammentreffen mehrerer Verbrechen, welches hier nicht in Betracht kommt, — haben die Gesetzbücher nur dem Rückfalle und selbst diesem nicht allgemein und nicht durchgängig die Bedeutung eines Strafschärfungsgrundes beigelegt. Einen Imperativ der Strafschärfung wegen Rückfalls sprechen die Strafgesetze für Baden, Braunschweig, Hannover, Großherzogthum Hessen, Sachsen, Württemberg aus, während die Gesetzbücher für Oldenburg, Preußen den Richter, insofern keine besonderen Rückfallsstrafen bestimmt sind, wegen Rückfalles blos ermächtigen, nicht verpflichten, die Strafe zu schärfen und das Schärfungsrecht hinsichtlich der Quantität und Qualität der Strafe beschränken. Wir können die Voraussetzung nur billigen, auf welcher z. B. der §. 58 des Preußischen Strafgesetzbuches beruht, nämlich, daß es Fälle giebt, in welcher der Rückfälligkeit unerachtet, der Grund der Strafschärfung nicht anschlage, die Rückfälligkeit nicht aus einer verbrecherischen Gewohnheit oder erhöhten Energie im verbrecherischen Handeln, vielmehr aus anderen Ursachen, z. B.

anbauernder Noth hervorgehe, — und halten schon diese Erwägung für genügend, um die Schärfung der Strafe wegen Rückfalles bedingt dem Ermessen der Gerichte zu überlassen. Dazu kommt, daß gerade beim Rückfalle
Modifikationen der Strafe aus dem Gesichtspunkte des Besserungszweckes
geboten erscheinen, welche ihre angemessenste Würdigung in der relativen
Festsetzung des Richters, d. h. in dem Institute der bedingten Frei-
lassung der Sträflinge finden.

Abgesehen von der anerkannten Nothwendigkeit einer strengen objektiven
Begrenzung des Maßes der Strafverschärfung, ergiebt sich aus der Betrachtung, daß die Schärfungs- und Milderungsumstände nicht selten in überaus
feinen und im Voraus nicht sicher fixirbaren Uebergängen vorkommen, der
Schluß auf die Analogie der Behandlung der Schärfungs- und Milderungsumstände, welche darin übereinstimmen, daß sie zu einer Abweichung von dem
Gewöhnlichen berechtigen.

Nicht die Gesetzgebung, vielmehr die Doktrin und Praxis haben die
Grundsätze zu fixiren, nach welchen das gesetzlich begrenzte Schärfungsrecht
in Anwendung zu bringen ist. — Wo die Gesetzgebung nach der Natur des
Verbrechens die Umstände im Voraus feststellen kann, welche die Strafbarkeit
ungewöhnlich erhöhen, ist dem Bedürfnisse der Strafschärfung schon durch
Aufstellung mehrerer Strafabstufungen abzuhelfen.

· Weiter sollte das Gesetz im Allgemeinen nicht gehen. In anderen
Fällen sind dem Gerichte in der Verstärkung der Strafübel, in dem Auf-
steigen bis zum Maximum der ordentlichen Strafe, in den Straffolgen die
Mittel in die Hand gegeben, innerhalb der gesetzlichen Grenzen auch den
schwersten Formen der Verschuldung Rechnung zu tragen.

Auch hinsichtlich der Verschärfungszusätze oder Nebenstrafen empfiehlt sich
der Grundsatz, daß die Gerichte in der Regel wohl zur Verschärfung ermächtigt, keineswegs aber unbedingt dazu verpflichtet werden.

Kann selbst der Richter bei der Strafabmessung in Voraus nicht mit
Bestimmtheit beurtheilen, ob und wie lange bei dem Sträflinge die Strafschärfung nöthig sein werde, so fehlen hiefür dem Gesetzgeber geradezu
alle erforderlichen Anhaltspunkte. Die kraft des Gesetzes im Strafurtheile
festgesetzten und sich periodisch während der Strafzeit wiederholenden Verschärfungen mögen in dem Abschreckungszwecke ihre Begründung finden:
mit dem wohlverstandenen Grundsatze der vergeltenden und zugleich den
Besserungszweck im Auge habenden Strafgerechtigkeit stehen sie gewiß
nicht im Einklange.

Diese Verschärfungen der Freiheitsstrafen sind entweder entbehrlich, weil
durch eine längere Dauer der Strafzeit ersetzbar, oder nur als Disciplinar-

mittel zweckmäßig. Mit gutem Fug haben deshalb einige neue Strafgesetzbücher dieselben bereits in die Strafvollzugsordnung verwiesen.

Indem ich die Summe der hier angedeuteten Erwägungen ziehe, kann
ich dem 4. Satze des von Kräwel'schen Antrages in seiner Allgemeinheit
beipflichten.

Gutachten über die Gesetzgebungsfrage:

„ob der Richter auch über die Frage zu befinden hat, ob ein Gesetz verfassungsmäßig zu Stande gekommen."

———

A. Gutachten des Professor Dr. von Stubenrauch in Wien.

***

Unter den Vorlagen für den 3. Deutschen Juristentag befand sich (unter Nr. **XIV**) ein Antrag des Herrn Stadtrichters Hiersemenzel zu Berlin, des Inhalts:

> „Der Deutsche Juristentag wolle aussprechen, daß die Würde der Rechtspflege und die Handhabung wirklicher Gerechtigkeit nur da gesichert sei, wo der Richter auch die Frage, ob ein Gesetz verfassungsmäßig zu Stande gekommen, ohne Einschränkung zu prüfen hat."

Geh. Justizrath, Professor **Dr.** Jhering aus Gießen, welcher in der Versammlung vom 25. August 1862 über diesen Antrag Bericht erstattete, fand in demselben 2 Fragen enthalten, nämlich

1) ob dem Richter das in dem Hiersemenzel'schen Antrage angedeutete Prüfungsrecht dann zustehe, wenn in einer konstitutionellen Monarchie die Staatsregierung eine „Verordnung" erläßt, welche ihrem Inhalte nach der ständischen Mitwirkung oder Zustimmung bedurft hätte? und

2) ob dieses Prüfungsrecht dann begründet sei, wenn es sich um ein „Gesetz" handelt, welches sich selber als solches bezeichnet, welches den Namen des Gesetzes an sich trägt?

Bei der nach einer gründlichen und eingehenden Debatte vorgenommenen Abstimmung wurde der erste Theil des Antrages mit einer an Einstimmigkeit grenzenden Majorität angenommen, der zweite Theil der Frage aber, als noch nicht gehörig vorbereitet, der künftigen ständigen Deputation zur Begutachtung übertragen.

Es kommt daher in Nachstehendem nicht zu untersuchen, in wie fern das Staatsoberhaupt berechtigt sei, gewisse Verhältnisse ohne Zustimmung

der Stände (durch Verordnungen) zu normiren, und ob zur Erlassung
eines Gesetzes überhaupt, oder ob nur für gewisse Gattungen von Gesetzen
(z. B. jenen, welche die persönliche Freiheit der Staatsbürger berühren) die
ständische Zustimmung nothwendig sei; vielmehr wird, diese Nothwendigkeit
vorausgesetzt, zu erörtern sein, ob der Richter bei der Anwendung einer Rechts-
norm, die ihm in der Form eines Gesetzes (einer mit Zuziehung der
Stände erlassenen Verfügung des Landesherrn) entgegentritt, die Art ihrer
Entstehung zu prüfen und ihr den Gehorsam zu verweigern berechtiget sei,
wenn sich als Resultat seiner Prüfung herausstellt, daß bei dem Erlasse jenes
„Gesetzes" die verfassungsmäßigen Vorschriften nicht beobachtet worden seien?
Verschieden hiervon ist noch ein weiterer Fall, welcher dann eintritt, wenn
die Regierung von dem Rechte, wie es ihr in den meisten Verfassungen ausdrücklich eingeräumt wird, in dringenden Fällen zu einer Zeit, da die Stände
nicht versammelt sind, deren Zustimmung daher nicht sofort eingeholt werden
kann, eine Verordnung mit Gesetzeskraft, oder, wie man es manchmal zu
bezeichnen pflegt, ein „provisorisches Gesetz" zu erlassen, Gebrauch gemacht
hat, und nunmehr die Frage entsteht, ob der Richter befugt sei, zu prüfen,
in wie fern die von der Verfassung geforderten Voraussetzungen wirklich bestehen, ob also die fragliche Verordnung als verfassungsmäßig anzuerkennen
sei oder nicht?

Zur Beantwortung der ersten hier allein zu erörternden Frage zurück-
kehrend, halte ich es für nothwendig, einige Betrachtungen über das Zustandekommen der Gesetze vorauszuschicken.

Gesetz ist eine Rechtsregel, welche von der dazu berufenen Gewalt im
Staate (der gesetzgebenden Gewalt) ausgesprochen und als für die Staats-
angehörigen verbindlich kundgemacht wird. Die gesetzgebende Gewalt kann
in einem Staate dem Landesfürsten allein zustehen, er kann aber in der
Ausübung derselben auch an die Zustimmung gewisser verfassungsmäßiger
Organe (der Volksvertretung, Stände u. dgl.) gebunden sein.*) In diesem

*) Die Verfassungsurkunden bedienen sich in dieser Beziehung verschiedener,
aber im Wesentlichen gleichbedeutender Ausdrücke; so heißt es in dem Oesterreichischen
Diplome vom 20. Oktbr. 1860: „Das Recht, Gesetze zu geben, abzuändern und aufzuheben, wird von Uns und Unseren Nachfolgern und unter Mitwirkung der gesetzlich
versammelten Landtage, beziehungsweise des Reichsrathes ausgeübt werden"; und §. 12
des Gesetzes v. 26. Febr. 1861 bestimmt: „Zu allen ... Gesetzen ist die Uebereinstimmung beider Häuser und die Sanktion des Kaisers erforderlich." — §. 62 der Preuß.
Verf. vom 31. Januar 1850 verfügt: „Die gesetzgebende Gewalt wird gemeinschaftlich
durch den König und durch zwei Kammern ausgeübt. Die Uebereinstimmung des
Königs und beider Kammern ist zu jedem Gesetze erforderlich." — Das Gesetz vom
6. August 1840 für Hannover bestimmt im §. 113: „Landesgesetze werden vom
König unter Mitwirkung der allgemeinen Ständeversammlung erlassen, wieder auf-

Falle ist die dem Monarchen zustehende legislative Gewalt beschränkt; sein Wille kann nicht ohne Einwilligung der Stände zum Gesetze werden, gleichwie auch diese letzteren nicht im Stande sind, ohne Sanktion des Staatsoberhauptes ein Gesetz zu erzeugen; die Entstehung eines solchen erheischt vielmehr das Zusammenwirken beider verfassungsmäßig dazu berufenen Faktoren. Auch dieses Zusammenwirken kann an gewisse Regeln gebunden sein, die zum Theil in den Verfassungsurkunden selbst, zum Theil in den für ihre Wirksamkeit erlassenen Geschäftsordnungen, Reglements und ähnlichen Vorschriften enthalten sind. So muß z. B., wo die Initiative nicht sämmtlichen Faktoren der gesetzgebenden Gewalt zusteht, der Gesetzesvorschlag von dem dazu kompetenten Organe ausgehen; er muß in der verfassungsmäßig dazu bestimmten Versammlung (z. B. die Finanzvorlage in der zweiten Kammer) eingebracht werden; zur Beschlußfassung kann die Anwesenheit einer bestimmten Anzahl von Mitgliedern nothwendig sein, und der Beschluß die Zustimmung einer gewissen Mehrheit, z. B. von wenigstens zwei Dritteln der Stimmen erfordern.

Weiter kommt aber noch hervorzuheben, daß zur Entstehung eines Gesetzes die Uebereinstimmung des Willens beider Faktoren der gesetzgebenden Gewalt für sich noch nicht hinreicht, sondern daß hierzu die (in der allenfalls vorgeschriebenen Weise abgegebene) Erklärung dieses Willens erforderlich sei. Von Seite der Stände erfolgt die in Frage stehende Willenserklärung durch die gesetzmäßig vor sich gehende Abstimmung und durch die Verkündigung des Resultates derselben durch den Vorsitzenden der betreffenden Versammlung, von Seite des Staatsoberhauptes aber durch die Ertheilung der Sanktion.

Das auf solchem Wege zu Stande gebrachte Gesetz muß endlich, um für die Staatsangehörigen als verbindliche Norm zu gelten, gehörig kundgemacht werden. Auch hierüber können bestimmte Vorschriften bestehen,

---

gehoben, abgeändert und authentisch interpretirt." — Die Verfassung für das Königreich Sachsen vom 4. September 1831, §. 86 verfügt: „Kein Gesetz kann ohne Zustimmung der Stände erlassen, abgeändert oder authentisch interpretirt werden." Aehnliche Bestimmungen enthalten die Württembergische Verfassung v. 25. Sept. 1819, §. 88; — jene für Kurhessen v. 5. Januar 1831, §. 95; — für das Großherzogthum Hessen v. 17. Dezember 1820, Art. 72; — für Gotha vom 3. Mai 1852, §§. 104 u. 106; — für Schwarzburg-Sondershausen v. Jahre 1849, §. 100; — für Reuß j. L. vom 14. April 1852, §. 63 u. a. m. — Nach manchen Verfassungen, z. B. von Bayern v. 26. Mai 1818, Tit. VII, §. 2; — von Weimar v. J. 1816, §. 5, und v. J. 1850, §. 4; — von Baden v. 22. August 1818, §§. 64 u. 65; — von Braunschweig v. J. 1832, §§. 97—99; — von Waldeck v. J. 1816, §. 25 u. a. sind nur bestimmte Gesetze an die ständische Genehmigung gebunden.

welche z. B. zu einer gehörigen Kundmachung die Unterzeichnung durch den Landesfürsten, die Gegenzeichnung eines oder mehrerer Minister, die Bezugnahme auf die Zustimmung der Stände, die Einschaltung in das Gesetzesblatt u. dgl. erheischen.

Faßt man das Gesagte zusammen, so ergiebt sich als nothwendig zum Zustandekommen eines Gesetzes:

1) die Uebereinstimmung des Willens aller Faktoren der gesetzgebenden Gewalt;

2) die Erklärung dieses übereinstimmenden Willens und

3) die Kundmachung (Promulgation, Publikation) desselben.

Die zur Erörterung aufgestellte Frage ist nun zunächst darauf hin gerichtet, ob der Richter befugt sei, bei Ausübung seiner richterlichen Gewalt das Vorhandensein der oben angeführten Bedingungen für das giltige Zustandekommen eines sich als Gesetz ankündigenden Erlasses der Regierung zu prüfen? und hierauf scheint sich auch der Antrag des Herrn Stadtrichters Hiersemenzel und der Beschluß des Deutschen Juristentages selbst zu beschränken. Immerhin könnte aber die Frage bezüglich des Prüfungsrechtes des Richters noch weiter ausgedehnt werden. Es ist nämlich bisher durchgehends von dem Inhalte des Willens, der sich in dem Gesetze ausspricht, abgesehen worden; nun kann aber auch dieser verfassungsmäßig beschränkt sein, so daß selbst die Uebereinstimmung beider Faktoren der gesetzgebenden Gewalt nicht hinreicht, eine bestimmte Rechtsregel aufzustellen, wie wenn es z. B. in einer Verfassungsurkunde heißt: „die Censur darf nicht eingeführt werden"*), und dessen ungeachtet durch ein von den Ständen votirtes und vom Landesfürsten sanktionirtes Gesetz die Einführung der Censur ausgesprochen würde. Man pflegt hier von einer materiellen Verfassungswidrigkeit eines Gesetzes zu sprechen**), welche aber, wie gesagt, außerhalb des Kreises der gestellten Frage zu liegen scheint, da diese ausdrücklich nur auf das „verfassungsmäßige Zustandekommen eines Gesetzes" lautet.

Ich erlaube mir nun nach diesen Erörterungen über die Entstehung der Gesetze auf die Betrachtung der richterlichen Thätigkeit überzugehen. Die Aufgabe des Richters besteht wohl unbestritten darin, die ihm bei Verhandlung eines einzelnen (Civil- oder Straf-) Rechtsfalles vorliegenden thatsächlichen Umstände unter die gehörige Rechtsregel zu bringen und daraus eben wieder für den einzelnen Rechtsfall die Entscheidung (Urtheil, Spruch ꝛc.)

---

*) Vergl. Art. 27 der Preuß. Verfassung vom 31. Januar 1850.

**) Vergl. u. a. Rob. v. Mohl in seiner Abhandlung über die rechtliche Bedeutung verfassungswidriger Gesetze.

zu ziehen. Er hat zu diesem Behufe, absehend von den Anführungen der Parteien, die geeignete Rechtsregel aufzusuchen; diese kann ihm aber als eine im Volke lebende Rechtsgewohnheit, als ein Gesetz oder als eine von der kompetenten Gewalt ausgehende Verordnung entgegentreten. Der erste und der letzte Fall kommt hier nicht weiter zu erörtern, sondern lediglich der zweite Fall, wo die Rechtsregel sich dem Richter in der Form eines Gesetzes darstellt. Damit dieses behauptet werden könne, müssen die drei oben angeführten Voraussetzungen zusammentreffen, und es stellt sich demnach die Frage so: ob der Richter das Vorhandensein dieser mehrerwähnten Bedingungen zu prüfen berechtigt sei.

Was zuvörderst die Kundmachung des Gesetzes-Willens anbelangt, so wurde schon oben erwähnt, daß darin ein nothwendiges Moment der verbindenden Kraft desselben für den Staatsangehörigen, nach der bekannten und nirgends angefochtenen Regel: lex non promulgata non obligat, gelegen erscheint. Soll demnach der Richter ein Gesetz zur Anwendung bringen, so muß es für ihn als solches existiren. Dies ist aber nur dann der Fall, wenn es ihm durch die Kundmachung als eine Norm für sein künftiges Verhalten bekannt geworden ist. Wie ebenfalls schon oben erwähnt wurde, findet sich häufig die Kundmachung, wenn sie wirksam geschehen soll, an gewisse Vorschriften gebunden. Nur wenn diese beobachtet worden sind, ist die Kundmachung als ein rechtswirksamer Akt anzusehen. Der Richter wird demnach, wie mir bedünken will, jedenfalls in Erwägung zu ziehen haben, ob die Rechtsregel, welche er anzuwenden im Begriffe steht, auf die im Staate allenfalls vorgeschriebene Weise promulgirt worden sei.*) In soweit scheint dem Richter ein Prüfungsrecht bezüglich des Zustandekommens der von ihm anzuwendenden Gesetze durchaus nicht abgesprochen werden zu können. Zeigt sich in dieser Beziehung ein Mangel, fehlt z. B. dort, wo dieses vorgeschrieben ist, die ministerielle Gegenzeichnung, oder die Erwähnung der ständischen Zustimmung u. dgl, so ist die Kundmachung nicht als gehörig erfolgt anzusehen; es gebricht daher an einer wesentlichen Voraussetzung für die verbindende Kraft des Gesetzes; dieses existirt als solches für den Richter nicht, und er ist deshalb außer Stande, dasselbe auf den ihm vorliegenden Rechtsfall anzuwenden. Weiter geht aber auch hier die Befugniß des Richters nicht; er darf sich keinen allgemeinen Ausspruch über die Gil-

---

*) In diesem Sinne verfügt z. B. §. 2 des Oesterreichischen A. B. G.: „Sobald ein Gesetz gehörig kundgemacht worden ist, kann sich Niemand damit entschuldigen, daß ihm dasselbe nicht bekannt geworden sei." — Art. 106 der Preuß. Verf. sagt: „Gesetze sind verbindlich, wenn sie in der vom Gesetze vorgeschriebenen Form bekannt gemacht worden sind." u. dgl. m.

tigkeit oder Ungiltigkeit einer solchen Vorschrift erlauben, da derlei überhaupt nicht zur Kompetenz der Gerichte gehört.

Ein weiteres Erforderniß der Rechtsgiltigkeit eines Gesetzes besteht darin, daß es der Ausdruck des übereinstimmenden Willens der beiden Faktoren der gesetzgebenden Gewalt sei, daß mithin sowohl die Sanktion des Landesfürsten, als der Beschluß der Landstände vorliege. Die erstere manifestirt sich in der, eben von dem Landesfürsten ausgehenden, in seinem Namen und durch seine Organe erfolgenden Promulgation des Gesetzes. Was aber den zustimmenden Willen der Stände anbelangt, so ist schon oben bemerkt worden, daß derselbe gemeiniglich nur dem Staatsoberhaupte gegenüber erklärt zu werden pflegt, und daß in der Publikation von Seite des Landesherrn lediglich darauf Bezug genommen wird.*) Nun ist es wohl an sich klar, daß die bloße Erwähnung der ständischen Zustimmung bei der Publikation eines Gesetzes den Mangel derselben durchaus nicht ersetzen kann; allein eine andere Frage ist es, in wie fern der Richter zu untersuchen berechtigt sei, ob das besagte Erforderniß auch wirklich vorhanden ist? In dieser Beziehung wird nun vielfach die Meinung geäußert, der Richter habe allerdings, wenn sich für ihn, sei es durch eigene Forschung, sei es durch Beweisführung der streitenden Parteien ergiebt, daß ein sich als Gesetz ankündigender Regierungserlaß ungeachtet der ausdrücklichen oder stillschweigenden (s. die vorige Anmerkung) Bezugnahme auf die ständische Zustimmung ohne dieselbe zu Stande gekommen sei, vermöge seiner Pflicht, nur giltige Rechtsvorschriften anzuwenden, in dem einzelnen Falle, welcher seiner Entscheidung unterstellt wird, jener Norm keine Folge zu geben. In dieser Deduktion scheint mir aber eine mehrfältige petitio principii zu liegen. Es wird nämlich dabei als erwiesen vorausgesetzt, daß der Richter das Zustandekommen eines Gesetzes, welches ihm als solches von der dazu berufenen Gewalt im Staate durch gehörige Promulgation übermittelt wird, sei es aus eigenem Antriebe, sei es über Anführen der Parteien zu prüfen berechtigt sei, ein Punkt, der ja gerade in Frage steht und erst erwiesen werden sollte! — Ebenso ist es zwar richtig, daß der Richter nur giltige Rechtsvorschriften anzuwenden habe; allein es ist erst zu erweisen und nicht als schon erwiesen vorauszusetzen, daß ein rite promulgirtes Gesetz, wenn bei seiner Zustandebringung ein Mangel unterlief, als giltig durchaus nicht.

---

*) Manchmal ist auch dies nicht der Fall, und es läßt sich auch gar nicht behaupten, daß die Erwähnung der Zustimmung der Stände ein unerläßliches Erforderniß einer gehörigen Kundmachung eines Gesetzes sei; es kann vielmehr schon in der Bezeichnung eines Regierungserlasses als „Gesetz“ die Hinweisung auf das Zustandekommen desselben durch die Uebereinstimmung des Willens der beiden legislativen Faktoren gelegen sein.

anzusehen sei. Es wird mithin als erwiesen angenommen, was eben den Streitpunkt bildet und erst zu erweisen käme.

Vor Allem bedünkt mir nun, daß es schwer, ja unmöglich sei, für das richterliche Prüfungsrecht, sobald man den Boden der Gesetzes-Promulgation verläßt und weiter in die Tiefen der legislativen Thätigkeit hinabsteigt, eine Grenze zu finden, bei welcher die Rechtsordnung im Staate, die Grundbedingung seiner Existenz, noch bestehen kann. Wenn man den Richter für ermächtigt hält, ungeachtet der in der Publikation eines Gesetzes enthaltenen Berufung auf den Konsens der Stände, zu untersuchen, ob dieser Konsens auch wirklich vorhanden sei, so frage ich weiter, warum sollte er nicht auch berechtigt sein, zu prüfen, ob jener Konsens auf verfassungsmäßigem Wege zum Ausdruck kam? ob also beispielsweise die Gesetzesvorlage von dem, mit dem Rechte der Initiative betrauten Faktor der legislativen Gewalt, in der richtigen Abtheilung (ersten, zweiten Kammer) der ständischen Vertretung eingebracht, ob bei der Verhandlung über dieselbe die Vorschriften der Geschäftsordnung (die nicht selten, wie z. B. in Oesterreich, mit Gesetzeskraft bekleidet sind) beobachtet worden seien; ob bei der Beschlußfassung die erforderliche Anzahl von Mitgliedern anwesend war; ob die Stimmen ordnungsmäßig abgegeben wurden, ob sich die nöthige Majorität für einen Beschluß vereinigte, ob die Stimmzählung richtig erfolgte? Da alle diese Momente eben auch zu dem verfassungsmäßigen Zustandekommen eines Gesetzes nothwendig sind, so ist nicht abzusehen, warum dem Richter nicht auch bezüglich ihrer ein Prüfungsrecht eingeräumt, oder richtiger gesagt eine Pflicht zur Prüfung auferlegt werden sollte? Ja, ich glaube, man müsse noch weiter gehen und den Richter beauftragen, auch noch darauf seine Untersuchung auszudehnen, ob die Faktoren, welche bei der Entstehung des in Frage stehenden Gesetzes mitgewirkt haben, auch wirklich die verfassungsmäßig dazu berufenen gewesen seien? Er würde also zu erforschen haben, ob die Mitglieder der Stände auf Grundlage eines giltigen Wahlgesetzes gewählt und ob die Wahlen richtig vollzogen worden sind.*) Ich wiederhole es, daß meiner Ansicht zufolge alle diese Fragen der richterlichen Untersuchung und Beurtheilung anheimgegeben werden müßten, wenn man über die Grenzen der richtig geschehenen Publikation hinausschreitet, und daß mir kein ausreichender Grund vorhanden schiene, bei einem oder dem andern dieser Punkte stehen zu bleiben und

---

*) Daß diese Frage keine müßige sei, hat ein im Fürstenthum Reuß j. L. vorgekommener Fall bewiesen, wo die Regierung mit einer Versammlung von 19 Männern, welche sie für den giltig bestehenden Landtag erklärte, der aber von anderer Seite in Folge der Publikation eines neuen Wahlgesetzes jede Kompetenz abgesprochen wurde, eine Reihe von Gesetzen verabschiedete, deren Rechtsbestand eben wegen jenes Mangels nachträglich in Zweifel gezogen wurde.

denselben als Endziel für das Prüfungsrecht des Richters hinzustellen. Welche Schwierigkeiten, welche unerschwingliche Last von Geschäften würde aber dadurch den Gerichten aufgebürdet werden, und würde sie diese nicht ihrem eigentlichen Berufe, der Rechtsprechung, zum Nachtheile der Rechtspflege im Staate, entziehen?

Abgesehen von diesem, gewiß nicht zu unterschätzenden Bedenken scheint mir aber noch Folgendes einem, über die Grenzen der Promulgationsfrage hinausgehenden Prüfungsrechte des Richters in Ansehung der Entstehung eines Gesetzes entgegenzustehen.

Eine feste Rechtsordnung ist unzweifelhaft wenn auch nicht der alleinige Zweck des Staates, so doch die unentbehrliche Grundlage seines Bestandes; ihr Dasein hängt aber wesentlich von einer richtigen Vertheilung, — nicht der Gewalten, denn an diesem Standpunkte soll nicht ferner festgehalten werden, — sondern der Ausübung der (einigen) Staatsgewalt ab. In diesem Sinne läßt sich immerhin die Funktion des Gesetzgebers, des Richters und des vollziehenden Beamten im Staate unterscheiden. Jeder derselben ist eine bestimmte Sphäre ihrer Wirksamkeit zugewiesen, über welche hinauszugreifen nicht — ohne eine arge Verwirrung im staatlichen Organismus herbeizuführen — gestattet werden kann. Demnach hat die sog. gesetzgebende Gewalt die Rechtsregeln festzustellen, welche dazu bestimmt sind, die Verhältnisse der Staatsangehörigen in rechtlicher Beziehung zu beherrschen. Diese Regeln werden dem Richter im gehörigen Wege (durch die Promulgation) überantwortet, um auf die seiner Entscheidung unterzogenen Rechtsfälle angewendet zu werden, während es Sache der sog. vollziehenden Gewalt ist, die den Gesetzen und den richterlichen Entscheidungen entsprechenden sachlichen Zustände herbeizuführen. Von diesem Gesichtspunkte aufgefaßt, entfällt die Frage der Ueber- und Unterordnung, der Abhängigkeit und Unabhängigkeit der verschiedenen sog. Gewalten im Staate.

Von einer Ueber- oder Unterordnung mehrerer Organe kann nämlich meines Erachtens nur dann die Rede sein, wenn denselben gleichartige, — nicht aber, wenn denselben ganz getrennte, verschiedenartige Funktionen zugewiesen sind; und was die Frage der Abhängigkeit oder Unabhängigkeit anbelangt, so kommt es darauf an, welchen Begriff man damit verbindet. Die Gerichte sind insofern von den Trägern der gesetzgebenden Gewalt abhängig, als diese ihnen einen Theil des Materials für ihre Entscheidungen, nämlich die in vorkommenden Fällen anzuwendenden Rechtsregeln liefern; sie sind aber andererseits von denselben wieder unabhängig, so daß keinerlei Einmischung in die richterlichen Funktionen geduldet zu werden braucht.

Von dieser Trennung der Funktionen im Staatsleben ausgehend, bin ich nun der Ansicht, daß der Richter jedes verfassungsmäßig publizirte

Gesetz anzuwenden habe, ohne in eine vorläufige Prüfung seiner Entstehung einzugehen. Würde er dieses thun, so würde er die ihm zugewiesene Sphäre seiner Thätigkeit überschreiten, er würde sich Funktionen aneignen, welche anderweitigen Organen übertragen sind, und daher die Rechtsordnung im Staate gefährden.

Indem die Regierung ein Gesetz als solches verkündiget, steht sie gewissermaßen für das verfassungsmäßige Zustandegekommensein desselben ein; sie kann, wie ein gelehrter Schriftsteller sagt, innerhalb der Grenzen ihrer Amtsthätigkeit fidem publicam für sich in Anspruch nehmen, sie hat eine praesumtionem legalitatis für sich. Immerhin ist es möglich, daß sie ihre Befugnisse überschritten habe, allein daraus folgt noch keineswegs, daß dem Richter das Befugniß zustehen müsse, darüber zu wachen, daß derlei Ausschreitungen nicht erfolgen, oder wenn sie geschehen sind, wieder in die gehörigen Schranken zurückgewiesen werden. Die Gerichte zu Wächtern der Verfassung machen wollen, heißt, wie mir scheint, ihre Stellung verrücken und ihnen eine Aufgabe zuweisen, welche weit besser anderen Organen übertragen wird, nämlich der Volksvertretung selbst, welche in dieser Hinsicht auch noch durch die freie Presse, durch das Petitionsrecht der Staatsangehörigen und durch das Gewicht der öffentlichen Meinung unterstützt und zum Theil auch kontrolirt wird. Es soll hiermit dem Richter die Fähigkeit nicht abgesprochen werden, die verfassungsmäßige oder verfassungswidrige Entstehung eines Gesetzes zu beurtheilen, allein ich halte dies nicht für seines Amtes, und zwar ebenso wenig, als daß er sich in eine Kritik des Inhaltes der Gesetze einließe und diese ob ihres angeblichen Unwerthes beseitige.

Wird dem Richter das in Frage stehende Prüfungsrecht eingeräumt, so wird die richterliche Gewalt, mindestens thatsächlich, über die gesetzgebende gestellt, während diese der Natur der Sache nach der ersteren vorangehen muß, da ihre Aufgabe die Aufgabe des Richters bedingt. Wie soll nun dieser das Befugniß haben, in Folge seiner vielleicht ganz vereinzelten Anschauung ein Gesetz zu beseitigen, zu dessen Schaffung die so gewichtigen Faktoren der gesetzgebenden Gewalt mitgewirkt haben? Sieht man nun aber vollends weiter auf die Konsequenzen, welche das in Frage stehende Prüfungsrecht des Richters nach sich ziehen würde, so dürften dieselben in einem ganz unleidlichen Zustande der Rechtsunsicherheit zu finden sein, der die Bedingungen des staatlichen Zusammenlebens untergraben würde. Es könnte nämlich gar leicht vorkommen, daß Ein Richter sich für die Verfassungsmäßigkeit eines Gesetzes entscheidet, während ein anderer ihm gleichgestellter demselben Gesetze wegen seiner angeblichen Verfassungswidrigkeit den Gehorsam versagen zu müssen glaubt. Dies führt eben zu völliger Anarchie! Man wendet zwar

14

ein, dem beregten Uebelstande könne dadurch begegnet werden, daß bei eintretendem Zweifel über die Verfassungsmäßigkeit eines Gesetzes der Gegenstand, sei es durch die Staatsanwaltschaft, sei es durch den Richter selbst, sei es durch die betheiligte Partei an den obersten Gerichtshof als Kassationshof gebracht werde, um hierüber einen Spruch zu veranlassen. Was wird aber die Folge sein, wenn dieser Spruch gegen die Giltigkeit des Gesetzes ausfällt? Müßte nicht ein solcher Zwiespalt zwischen den Gerichten und den Faktoren der Gesetzgebung das Vertrauen des Volkes in Gesetz- und Rechtsordnung auf das Tiefste erschüttern? Und wer soll nun in dem Widerstreite zwischen der Anschauung des Richters und jener der legislativen Faktoren entscheiden? Doch wohl nur die Legislative selbst, in welcher gewissermaßen der Staatswille verkörpert erscheint. Es dürfte daher den Grundbedingungen der staatlichen Ordnung weit eher entsprechen, das Eintreten eines solchen Konfliktes von vornherein unmöglich zu machen, und den Schutz der Verfassung jenen Organen anheim zu geben, welche durch die Natur der staatlichen Einrichtungen zunächst dazu berufen erscheinen. In diesem Sinne haben mehrere Verfassungsurkunden die Bestimmung aufgenommen, daß die Prüfung der Rechtsgiltigkeit gehörig verkündigter Gesetze nicht den Gerichten (oder anderen Behörden), sondern nur den Ständen zukomme, und ebenso ist dieses die konstante Praxis der belgischen Gerichte.*) Wer wollte auch behaupten, daß das Recht immer auf Seite der Gerichte, der Irrthum immer auf Seite der Regierung oder der Volksvertretung sein müßte? Soll der Richter sich nicht ebenfalls in seinem Urtheile über die Verfassungswidrigkeit eines Gesetzes irren können, soll er für unfehlbar gelten?

Ich kann mich deshalb nur der Ansicht anschließen, daß, so wie der Landesherr sich einerseits in den einzelnen Rechtsfall nicht mischen darf, und der Richter in dieser Beziehung von ihm unabhängig ist, andererseits die vom Staatsoberhaupte als der Ausdruck des gemeinsamen Willens der Gesetz-

---

*) So heißt es im §. 106 der Preuß. Verf. v. J. 1850: „Die Prüfung der Rechtsgiltigkeit gehörig verkündeter Königlicher Verordnungen steht nicht den Behörden, sondern nur den Kammern zu." — Ferner im Abf. III §. 4 des Hannöverschen Gesetzes vom 1. August 1855: „Die Gerichte und Verwaltungsbehörden haben die unter Beobachtung der vorgeschriebenen Form verkündigten Gesetze und Verordnungen zu befolgen und über deren Befolgung zu wachen, ohne daß es ihnen zusteht, zu beurtheilen, ob dabei die Mitwirkung der Stände verfassungsmäßig stattgefunden habe, noch ob dieselbe überall erforderlich gewesen sei. Entstehen Zweifel darüber, ob bei einem gehörig verkündigten Gesetze die verfassungsmäßige Mitwirkung der Stände hinreichend beobachtet sei, so steht nur diesen zu, Anträge deshalb zu machen." Aehnliche Bestimmung enthält die Verf. von Sondershausen v. J. 1841, §§. 61, 88 und 151 und die Landschaftsordnung von Braunschweig v. J. 1832, §. 100.

gebungs-Faktoren verkündeten Rechtsnormen von allen Unterthanen und Behörden, mit Einschluß der Gerichtsbehörden, geachtet werden müssen, wenn der staatliche Organismus nicht erschüttert und ein unleidlicher Zustand der Rechtsungewißheit herbeigeführt werden soll. Der Entgang eines Schutzes für die Einhaltung der Grenzen der Verfassung, der, wie gesagt, anderen Organen besser übertragen wird, scheint mir durch den Segen der rechtlichen Ordnung weitaus überwogen zu werden.

B. Gutachten des Professor Dr. Gneist in Berlin.

Die Frage, ob der Richter über das verfassungsmäßige Zustandekommen der Gesetze zu befinden habe, ist in der ersten Plenarsitzung des dritten Deutschen Juristentages nach längerer Verhandlung (Verh. des dritten Juristentags Bd. II., S. 10—61) an die ständige Deputation zum Zweck der Vorbereitung für einen späteren Juristentag überwiesen worden (Deutsche Gerichtszeitung 1862, Nr. 50, S. 207).

§. 1. Die vielseitige Erörterung dieses Gegenstandes im Laufe des letzten Menschenalters ergiebt, daß eigentlich drei konnexe Fragen vorliegen, über deren Formulirung wieder besondere Streitpunkte bestehen.

Erste Frage: Hat nach der Deutschen Gerichtsverfassung der Richter das Recht und die Pflicht bei Anwendung der Gesetze zuvor zu prüfen, ob das, was sich als „Gesetz" ankündigt, nach dem bestehenden Verfassungsrecht wirklich ein Gesetz ist; ob es namentlich, wo dies die Verfassung vorschreibt, mit ständischer Zustimmung ergangen ist?

Diese Frage wird von den bedeutendsten Autoritäten bejaht, beispielsweise von C. G. Wächter, Württemb. Privatrecht, Bd. II., §. 7, mit folgender Motivirung, die zugleich auf gemeines Recht und auf die positiven Ausdrücke einer Landesverfassung Rücksicht nimmt:

Der Richter hat als Richter lediglich das bestehende Recht, wie es in den Quellen desselben enthalten ist, nach seiner gewissenhaften Ueberzeugung zur Anwendung zu bringen, und insofern ist er blos Diener des Rechtsgesetzes, aber natürlich nur Diener eines gültigen Rechtsgesetzes. Um daher den Inhalt der Quellen des Rechts zur Anwendung zu bringen, muß er vor Allem darüber sich vergewissern, daß das, was er als Rechtsquelle behandelt, eine wahre, somit eine gültige Rechtsquelle ist. Er hat daher nicht blos

beim Gewohnheitsrecht über deſſen Exiſtenz und Gültigkeit zu erkennen, ſondern es iſt ebenſo in ſeiner Befugniß und in ſeiner Pflicht gelegen, bei der
Anwendung einer als Geſetz ſich ankündigenden oder materiell in den Kreis
der Geſetzgebung eingreifenden Verfügung nach den Grundſätzen des beſtehen-
den Verfaſſungsrechts zu unterſuchen, ob ſie wirklich ein Geſetz iſt, d. h.
ob ſie alle formellen Erforderniſſe eines gültigen Geſetzes hat; er hat ferner
die Pflicht, ihren Inhalt nicht als Geſetz zu behandeln und ihn nicht zur
Anwendung zu bringen, wenn ihr eines dieſer Erforderniſſe, z. B. die ſtän-
diſche Zuſtimmung abgeht. Namentlich hat er, wenn in einem verabſchiedeten
und auf gehörige Weiſe publicirten Geſetze eine Beſtimmung zugeſetzt iſt,
welche nicht verabſchiedet wurde, oder eine ganz andere Beſtimmung ſteht,
als welche mit den Ständen verabſchiedet wurde, dieſe als nicht exiſtirend
zu behandeln.

In gleicher Richtung haben ſich ausgeſprochen Jordan (Archiv für
civiliſt. Pr. VIII. 214), C. S. Zachariae (ebendaſ. XVI.), Klüber, Feuerbach, Martin, Pfeiffer, Puchta und von Vangerow, Beſeler und Reyſcher,
Heffter, R. von Mohl, H. A. Zachariae, Bluntſchli, v. Rönne und Andere.

Dagegen fehlt es auch nicht an namhaften Stimmen des Widerſpruchs
aus ſtaatsrechtlichen und politiſchen Gründen, wie Linde (Archiv XVI.),
Stabel, Zöpfl, Held, Stahl, Dr. Biſchof (Gieß. Zeitſchrift N. F. XVI.,
XVII., XVIII.) und verſchiedene Aufſätze in Pabſt, teutſche Vaterlands-
zeitung, Jahrg. 1833. Von dieſen Geſichtspunkten aus iſt auch in den
Verhandlungen des dritten Juriſtentags Widerſpruch erhoben. Es iſt namentlich hervorgehoben, daß bei unbedingter Bejahung jener Frage der Richter
auch zu entſcheiden haben würde, ob die Landesvertretung, welche ihre Zuſtimmung zum Geſetz gegeben hat, eine vollberechtigte war oder nicht? ob ſie
auf Grund eines verfaſſungsmäßigen Wahlgeſetzes gebildet worden iſt? ob
die Mitglieder überhaupt gehörig gewählt, ernannt, in gehöriger Zahl ver-
ſammelt geweſen, ob die Stimmen richtig gezählt ſind? Die richterliche
Prüfung müſſe ſich jedenfalls auf die formalen Requiſite beſchränken. Es
müſſe genügen, daß der Geſetzgeber erklärt, es habe die Zuſtimmung der
Landesvertretung ſtattgehabt: eine weitere Unterſuchung Seitens der Gerichte,
ob wirklich nach Maßgabe der Verfaſſung dieſe Zuſtimmung der Landesvertretung thatſächlich eingetreten, und ob dieſe Zuſtimmung eine verfaſſungs-
mäßige geweſen, ſei durchaus unſtatthaft. „Die Gerichte haben, mit anderen
Worten, nur zuzuſehen, ob die Innehaltung der verfaſſungsmäßigen Requiſite
der Geſetze geſetzlich konſtatirt worden iſt." (Verhandlungen II. 27.
28. 32.).

Zweite Frage: Wenn insbeſondere die Staatsregierung, nach allgemeinen Grundſätzen des Staatsrechts

oder besonderer Verfassungsurkunden, „Verordnungen"
außer den mit Zustimmung der Stände promulgirten
Gesetzen erläßt, hat dann der Richter zu prüfen, ob
diese Verordnung innerhalb der verfassungsmäßigen
Kompetenz der Staatsregierung erlassen und ob sie
im Allgemeinen gültig, beziehungsweise für den vorliegenden Fall richterlicher Entscheidung bindende
Kraft hat?

Diese engere Frage hat eine dreifache Veranlassung.

1. Die Deutschen Verfassungen weichen von einander ab in der Bestimmung, wie weit die ständische Zustimmung zur Gesetzgebung
erforderlich. Einige setzen jene Zustimmung zu allen „Gesetzen" voraus
(Preuß., Sächs., Württ., Darmst. ꝛc.); andere nur bei Gesetzen über „Freiheit und Eigenthum der Unterthanen" oder in anderer engerer Ausdrucks-
weise (Bayr., Bad., Weim. ꝛc.). Es ergiebt sich daraus ein Recht zu Konstitutionen mit Gesetzeskraft in solchen Materien, in welchen eine ständische Zustimmung zur Gesetzgebung nicht erforderlich.

2. Mehrere Deutsche Verfassungen geben der Staatsregierung die Befugniß zu Noth-Verordnungen ohne ständische Zustimmung „zur Aufrechterhaltung der öffentlichen Sicherheit", zur „Beseitigung eines ungewöhnlichen
Nothstandes", „insofern die Kammern nicht versammelt sind", sofern solche
„der Verfassung nicht zuwiderlaufen", „unter Verantwortlichkeit des gesammten Staatsministeriums", — und mit ähnlichen Verklausulirungen, welche
gewöhnlich kumulirt werden. Es entsteht dadurch ein engeres Gebiet landesherrlicher Konstitutionen mit bedingter Gesetzeskraft.

3. Die Verfassungen und die staatsrechtliche Praxis kennen allgemein
Verordnungen zum Zweck des bloßen „Vollzugs" oder der „Ausführung" der
Gesetze; oft wird auch in den ständisch berathenen Gesetzen die weitere Ausführung durch landesherrliche Verordnung ausdrücklich vorbehalten. Es entsteht dadurch ein weiteres Gebiet landesherrlicher Konstitutionen intra legem,
nicht contra legem.

Die Frage nach dem richterlichen Prüfungsrecht der Verfassungsmäßigkeit der Gesetze hat auf diesem engeren Gebiete ihren eigentlichen Brennpunkt
gefunden. Die oben citirten Schriften gehen großentheils auf diesen Streitpunkt speciell ein. Die widersprechenden Meinungen haben vorzugsweise das
Ziel, die Gerichte in allen Fällen an „Verordnungen" der Staatsregierung
zu binden; die Gerichte von einer Prüfung der Vorfrage auszuschließen, ob
jene Verordnungen sich innerhalb des durch die Verfassung gegebenen Gebiets
halten. Der Deutsche Juristentag hat in seiner Sitzung vom 30. August

1862 diese engere Frage bereits mit großer Stimmenmehrheit entschieden in
folgender Fassung:

> Verordnungen und Erlasse des Staatsoberhaupts oder der Staats-
> regierung, deren Inhalt nur in Form des Gesetzes mit Zustimmung
> der Stände hätte aufgestellt werden können, haben für den Richter
> keine verbindliche Kraft.

Da das vorbehaltene Gutachten nur auf die erste Frage beschränkt
worden ist, so bedarf es hier keiner eingehenden Erörterung über den Begriff
der „Verordnungen", und es ist überhaupt nur da, wo sich diese engere Frage
als Incidentpunkt unabweisbar aufbringt, darauf zurückzukommen. Dasselbe
gilt von der folgenden Frage.

> Dritte Frage: Haben die Gerichte bei der ihnen zu-
> stehenden Prüfung der „Verfassungsmäßigkeit" der
> Gesetze und Verordnungen blos die formelle Kompe-
> tenz der sog. Faktoren der Gesetzgebung zu prüfen, oder
> haben sie auch weiter materiell zu prüfen, ob eine ge-
> setzliche Norm mit einem göttlichen Gebot, oder einer
> Forderung der absoluten Vernunft, oder mit einem
> höheren in der positiven Verfassung des Staats aus-
> gesprochenen Grundsatz in Widerspruch stehe?

Es handelt sich bei der Promulgation der Gesetze um die Frage, ob das
Gesetz von denen ausging, welche Gesetze geben können, ob also die sogen.
Faktoren der Gesetzgebung von ihrer staatsrechtlichen Befugniß Gebrauch gemacht;
nicht aber, ob sie davon den rechten Gebrauch gemacht haben. Dies ist die
dem Deutschen Juristen geläufige Anschauung, und es erklärt sich daraus zur
Genüge, warum die Mehrzahl der oben angeführten Autoritäten diese dritte
Frage nicht ausdrücklich beantwortet hat. Bewußt oder unbewußt ist sie aber
bei dem Streit über das richterliche Prüfungsrecht oft ungehörig eingemengt,
z. B. auch in den Verhandlungen des Juristentags S. 40. Ihrer Zeit ist
die Frage in Belgien durch bekannte Streitschriften zwischen Faider und Ver-
hagen gründlich erörtert für den hypothetischen Fall eines Gesetzes, welches
formell richtig promulgirt ist, aber sachlich in einem Widerspruch mit einem
Fundamentalartikel der Verfassungsurkunde. Diese Frage wird von R. von
Mohl, Staatsrecht, Völkerrecht, Politik, Bd. I., Tüb. 1860, S. 86—95,
ex professo erörtert und bejaht; ebenso wie in der Verfassung der Nordamerikanischen Freistaaten.

Die Aufgabe unseres Gutachtens ist bei dieser Lage des Streits eine
schwierige. Die obigen 3 Fragen sind vielfach durch einander geschoben und
mit einander verwechselt. Die Fragestellung selbst kann Gegenstand sehr ein-
gehender Erörterungen werden (v. Stockmar, Gieß. Zeitschrift N. F. X.

. 18—78, 213—243). Der Brennpunkt des Streits ist bereits durch ein Votum des Juristentages scheinbar präoccupirt. Der knappe Raum eines Gutachtens gestattet keine anschauliche Ausführlichkeit. Die eingehende Prüfung einer jeden früheren Abhandlung würde mehr Raum beanspruchen müssen, als hier für die ganze schwer wiegende Frage gewährt werden kann. Wir müssen uns also auf positives Recht und auf leitende Gesichtspunkte beschränken, und für die eigene Auffassung eine benigna interpretatio in ungewöhnlichem Maße beanspruchen.

So einfach unsere Frage auf den ersten Blick erscheint, so einfach sie von vielen gedacht ist, welche sie beantwortet haben, so gewinnt sie doch eine bedenklichere Gestalt, wenn man etwa ein Hundert Stimmen Deutscher Juristen älterer und neuerer Zeit zusammenfaßt, und wenn man sie auf die neueren Deutschen Verfassungsstreitigkeiten anwendet. Man kann dann zu einer Art von Dogmengeschichte kommen, in etwa 3 Perioden umfassend 1) die Zeit des älteren Reichs- und Territorial-Staatsrechts, 2) die Zeit seit Einführung der konstitutionellen Verfassungen in Deutschland, 3) die Zeit der politischen Rückströmungen, namentlich seit Wiedereinsetzung des Deutschen Bundestages (Dr. Bischof, Gieß. Zeitschrift XVI.). Es wird dabei allerdings ein gewisser Mangel rechtsgeschichtlicher Kontinuität und eine unerfreuliche Zerfahrenheit der Meinungen sichtbar, welche sich von beiden Seiten den Vorwurf der petitio principii als mindesten Vorwurf zu machen pflegen.

Der Hauptgrund dieser anscheinenden Zerfahrenheit liegt aber unzweifelhaft darin, daß sich die Grundlagen des öffentlichen Rechts selbst in Deutschland mehrfach verändert haben durch Auflösung des Reichs, durch Stiftung des Deutschen Bundes, durch Einführung geschriebener Landesverfassungen, und daß selbst innerhalb der letzteren wiederum zuweilen fundamentale Aenderungen eingetreten sind. Dazu kommt, daß der Zusammenhang von öffentlichem und Privatrecht, das Verhältniß von Justiz und Verwaltung, die verschiedene Weise der Gesetzgebung über öffentliches Recht in den einzelnen Ländern, sich auch innerhalb dieser Frage geltend machen. Es kann unter diesen Umständen nicht leicht sein, die Stellung der Gerichte zu den Akten der höchsten Regierungsgewalt in einer einfachen für alle Territorien genau passenden Formel festzustellen, und unvermeiblich werden sich da, wo die strenge historische Kontinuität fehlt, Ansichten de lege ferenda, also politische Meinungen gern unterschieben.

§. 2. Eben deshalb mag es mir gestattet sein, zuerst eine national-verwandte Staatsbildung, der die historische Kontinuität nicht fehlt, vergleichend gegenüber zu stellen, um die Frage auf den Boden der Wirklichkeit, einer alten und stetigen Gerichtspraxis zurückzuführen. Ich berufe mich deshalb auf das Englische Recht, insbesondere anf meine, freilich unvollendete Darstellung (I. Theil 1857. — II. Theil 1860; Theil II a. die innere Entwickelung der Parlamentsverfassung 1863). Die Verwandtschaft dieser Verfassung mit den neueren Deutschen Verfassungen beruht nicht blos auf dem Bestreben einer Nachbildung, sondern noch mehr darauf, daß auch dort die landständischen und Grundrechte sich an eine thatsächlich souveräne Monarchie anschlossen und das Gerichtswesen sich aus altgermanischen Grundsätzen entfaltete. Die Anfänge der konstitutionellen Verfassung im 13. Jahrhundert fanden ein Königthum in vollen Besitz der Militär-, Gerichts-, Polizeihoheit, welche sich in einer höchsten Staatsregierung (King in Council) genau so vereinten, wie Artikel 57 der Deutschen Bundesakte vorschreibt. Seit dem 14. Jahrhundert wurde die souveräne Regierungsgewalt durch eine regelmäßige Parlamentsgesetzgebung vielfach beschränkt, erweitert, begrenzt; doch so, daß für alle Staatshoheitsrechte ein alter Bestand von Rechten aus der vorparlamentarischen Zeit (common law) stehen geblieben ist. Als sodann im 14. Jahrhundert die Verfassung sich zu konsolidiren begann, wurde ein allseitiger Rechtsschutz gewonnen in dreifacher Richtung:

1) Durch das Recht der Anklage des Unterhauses gegen die unmittelbaren Diener der Krone wegen vorsätzlicher Verletzung der Rechte des Landes, also durch den Grundsatz der später sog. Ministerverantwortlichkeit. Der Rechtssinn der Nation hat aber niemals verkannt, daß dadurch nur das Recht der Gesammtheit gegen die schwersten Fälle einer Verletzung geschützt wird, in keiner Weise aber das Recht des Einzelnen gegen Mißbrauch der Staatsgewalt. Es kam daher hinzu

2) der Grundsatz der Selbstständigkeit der Gerichte im Gebiet ihrer Civil- und Strafjustiz, ungefähr vergleichbar der Deutschen Gerichtsverfassung. Zugleich wird durch das System der Privatanklage dafür gesorgt, die Strafgewalt nach jeder Seite hin wirksam zu machen. Die stetigen Landesbeschwerden zeigten indessen, daß die gewöhnliche Civil- und Strafjustiz nicht ausreicht, um den Einzelnen wegen willkürlicher Anwendung und Ausdehnung der Strafhoheitsrechte zu schützen. Es kam daher hinzu

3) eine gesetzliche Deklaration der Weise und der Schranken für die Ausübung der Polizei-, Finanz-, Militärhoheit und die Kontrolle der Reichsgerichte über Beobachtung dieser Gesetze. Es ist dies eine dem Kontinent fremd gewordene unmittelbare Jurisdiktion über das öffentliche Recht. Sie wurde möglich und ausführbar dadurch, daß seit dem 14. Jahrhundert eine sehr specialisirte Gesetzgebung über Sicherheits-, Gewerbe-, Arbeits-, Sittenpolizei, dann weiter über die Finanz- und Militärrechte des Staats beginnt. Eine mühsame Arbeit der ständischen Gesetzgebung hat allmählig nach Regeln der Erfahrung

diejenigen Bestandtheile dieser Verwaltung gesondert, welche sich zu einer festen Kontrolle nach Rechtsgrundsätzen eignen, von denjenigen, welche dem freien Ermessen der ausführenden Beamten überlassen bleiben müssen, um die Einheit und Kraft der Staatsregierung zu erhalten. Auf diesem Wege ist schrittweise auch der Rechtsschutz des Einzelnen im Gebiet des öffentlichen Rechts erlangt, welchen die Theorie des 18. Jahrhunderts unter der Bezeichnung der „Grundrechte" zusammenfaßt. Die daraus hervorgehende Rechtskontrolle der inneren Landesverwaltung heißt und ist eine „jurisdiction"; das Verwaltungsdecernat wird in gerichtlichen Geschäftsformen durch orders und convictions gehandhabt, oft mit einem Beschwerdeweg an eine Mittelinstanz, grundsätzlich aber immer mit einer konkurrirenden Gewalt der Reichsgerichte (Bd. II. §. 73). Diese Kontrolle der Legalität der Verwaltung besteht für das Gebiet der Polizei im weitesten Sinne; für die Oberinstanz über der Armenverwaltung und anderen Zweigen des Kommunalwesens; für die Erhebung der Kommunalabgaben (II. §. 17); für die direkten Staatssteuern (II. §. 19); für die indirekten Steuern (II. §. 35 a.); für die Budgetbewilligung im Ganzen (I. §. 64); auch im Gebiet der Miliz- und Armeeverwaltung (II. §. 91. 93. 73.). Alle Staatshoheitsrechte sind hier in vollstem Maße entwickelt; die Auslegung der ihre Ausübung normirenden Gesetze aber erfolgt im Falle des Streits nicht durch die Departementschefs der Verwaltung, sondern durch die Reichsgerichte, als den permanenten Justitiarius der Ministerien. Nachdem dieser Grundsatz durchgreifend feststand, ist auch die Legalität der Verwaltung mit jedem Jahrhundert mehr die habituelle Regel geworden. Die gerichtliche Kontrolle der gesammten Landesverwaltung des Großbritannischen Reichs beschränkte sich im Justizjahr 1860 auf 69 Fälle eines Certiorari (Abberufung einer Sache von der Lokalbehörde), 61 Fälle eines Mandamus (Mandat auf Erfüllung verfassungsmäßiger Funktionen), 47 Fälle eines Habeas corpus. Diese einfache Maschinerie, welche für sich betrachtet nur einen Theil der Arbeitszeit eines einzelnen Reichsrichters in Anspruch nehmen würde, besteht seit Jahrhunderten. Ein Bedenken, daß die Staatsverwaltung durch solche Kontrolle in ihrer Macht und Autorität beschädigt, daß das Ansehen der Obrigkeit, das monarchische Prinzip ꝛc. durch die Kassirung eines illegalen Verwaltungsakts gefährdet werde, ist weder im Mittelalter, noch selbst in der Zeit der Stuarts erhoben. Nicht die Gerichte bestimmen das Maß und die Weise der Ausübung der Staatshoheitsrechte, sondern das Gesetz (und zum kleinen Theil altes Gewohnheitsrecht) bestimmt die Grenzen im Einzelnen: die Gerichte haben nur über Auslegung und Anwendung fester Rechtsnormen zu befinden.

Diese Stellung der Gerichte im öffentlichen Recht setzt freilich eine dafür besonders abgepaßte Gestalt der Gesetzgebung voraus, und es bedarf auch noch positiver Normen dafür, welche Personen oder Körperschaften zur Anrufung der Reichsgerichte legitimirt sein sollen. Zur Ausführung des Systems gehört namentlich auch die Privatanklage im Strafverfahren, die Basirung der Polizeijurisdiktion auf actiones populares, ein ergänzendes Einschreiten der Reichsgerichte durch informationes ex officio. Als oberste Appellations- und Kassationsinstanz besteht dann über den Reichsgerichten noch das Oberhaus, in welchem aber im Geschäftskreis der selten angerufenen Oberappellation sich herkömmlich nur die rechtsgelehrten Mitglieder betheiligen. Das Ganze bildet ein zusammenhängendes in einander greifendes System, beruhend auf einer Reihe von Voraussetzungen, die für uns noch nicht vorhanden sind. Jedenfalls aber ist hier durch die Wirklichkeit, durch eine Jahrhunderte alte Praxis dargethan, daß selbst eine viel weiter gehende Kompetenz der Gerichte, als die unsrige mit den Formen und mit dem Sinn eines monarchisch organisirten Staats ohne jede Gefahr vereinbar ist. Und in eben diesem Sinne sind die drei hier vorliegenden Fragen in folgender Weise entschieden:

I. Die Gerichte entscheiden über die formellen Erfordernisse sowohl der Gesetze, wie der Common Law. Sie haben als Gesetz nur das anzuwenden, was die Zustimmung der beiden Häuser erhalten hat. Die Frage aber, ob ein Mitglied des Unterhauses gehörig gewählt, ein Mitglied des Oberhauses gehörig ernannt, ob die Stimmen gehörig gezählt und die Geschäftsformen jedes Hauses gehörig beobachtet seien, gehört zu den jura interna der gesetzgebenden Körperschaft, Law, custom and privilege of Parliament, über welche den Gerichten kein Urtheil zusteht.

II. Die Gerichte entscheiden insbesondere auch über die Grenze zwischen Gesetz und Verordnung. Da die Theilnahme der beiden Häuser an der Staatsgewalt sich an dem Königthum mit vollständigen Gesetzgebungs- und Regierungsgewalten angeschlossen hat, so bestand hier lange Zeit ein konkurrirendes Verhältniß zwischen Statutes und Ordinances oder Proclamations. Immer vollständiger machte sich jedoch im Verlauf der Zeit der Grundsatz geltend, daß das zwischen König und Ständen Vereinbarte auch nur mit gemeinsamem Konsens, das Gesetz also nur durch Gesetz, wieder aufgehoben oder geändert werden könne. Ferner der Grundsatz, daß die Ordinances keinen Grundsatz der Common Law und keine Individualrechte verletzen dürfen; daß Ordinances keine allgemeine Dispensation von den Landesgesetzen aussprechen dürfen u. s. w. Es blieb danach ein verhältnißmäßig kleines Gebiet der Anwendung übrig. In zahlreichen Präjudicien haben aber die Gerichtshöfe den Ordinances über diese Grenze hinaus die rechtliche Wirksamkeit abgesprochen. Selbst als auf dem

Höhepunkt der königlichen Gewalt durch St. 31. Henr. VIII. c. 8. den königlichen Ordinances Gesetzeskraft beigelegt wurde, blieb doch den Gerichten überlassen, die beigefügte Klausel, daß · dadurch gegen Niemandes „Eigenthum" und persönliche „Freiheit" etwas verordnet werden solle, zu interpretiren und zu handhaben, und dadurch die Tragweite jenes Gesetzes auf ein ziemlich enges Gebiet zurückführen.

III. Im Sinne des monarchischen Staats, dessen höchste Autorität in dem **King in Parliament** und in dem **King in Council** ruht, sind die Gerichte der Gesetzgebung untergeordnet. Das secundum leges non de legibus judicare gilt auch hier. Es giebt keine Appellation gegen den Gesetzgeber an die Gerichte. Die Frage, ob ein wirklicher Parlamentsbeschluß etwa gegen ein „absolutes Gebot der Vernunft" verstoße, ist kaum als Kuriosität aufgeworfen. Die Frage, ob ein Parlamentsbeschluß etwa gegen das jus divinum verstoße, ist wohl einmal von Staatskirchlichen und Dissenters aufgeworfen worden, aber ohne Erfolg bei den Gerichten. Die Frage, ob ein Parlamentsbeschluß etwa den höchsten Grundsätzen der **Common Law**, oder der **Magna Charta**, oder der Deklaration der Rechte, oder einem anderen Fundamentalgesetz widerspreche, ob es auch „inconstitutional **statutes**" gebe, ist theoretisch mehrfach aufgeworfen, besonders in neuester Zeit. Die Gerichte aber kennen einen solchen Grundsatz nicht; sie leisten Folge in allen Fällen, in welchen der Gesetzgeber von seiner Gewalt Gebrauch gemacht hat, ohne zu untersuchen, ob er den rechten Gebrauch gemacht. Die gemeine Meinung sieht in solchen Widersprüchen nur die Opposition der individuellen Willkür gegen die staatliche Ordnung; denn je fester und volksthümlicher eine Verfassung geworden, um so unzweifelhafter erwartet man die Abhülfe solcher Beschwerden nur von der Gesetzgebung.

In dieser Weise sind durch positives Recht und alte Praxis unsere drei Fragen beantwortet. Diese Stellung der Gerichte hat aber nichts gemein mit den politischen Streitfragen über die Vorzüge und Nachtheile des sog. Parlamentarismus; denn sie bestand auf dem Höhepunkt legitimer Souveränität unter Eduard I. und III., unter Heinrich VIII. und Elisabeth, auf dem Höhepunkt monarchischer Restauration unter Karl II., ebenso wie in der Periode des Parlamentarismus. Der Grundgedanke dieses Systems ist vielmehr die Aufrechterhaltung eines stetigen gleichmäßigen Gesammtzustandes des öffentlichen und Privatrechts. Ein wirkliches Recht ist nur das erzwingbare. Ist das von der Staatsgewalt verfassungsmäßig gegebene Gesetz die ernstlich gemeinte höchste Willenserklärung im Staat, so muß sie auch direkt oder indirekt erzwungen werden:

1) direkt durch die Ministeranklage, d. h. durch die Strafsanktion

der Staatsordnung gegen die unmittelbaren Diener der Krone, die sie verletzen;

2) indirekt durch Versagung der Wirksamkeit aller Pseudogesetze, die dagegen oder daneben aufgerichtet werden sollen.

§. 3. Der Hauptunterschied der Deutschen Stellung der Gerichte liegt in ihrer bedeutend engeren Kompetenz, nicht aber in einer minder würdigen Auffassung des Richteramts. Der innere Gang der Staatsbildung ist bei uns seit einem halben Jahrtausend ein anderer gewesen. Das Recht der mittelalterlichen Stände hatte beruht auf ihren Leistungen für den Staat, namentlich im Kriegs- und im Gerichtsdienste, sowie in dem Beruf, dem Besitz, der Autonomie der Kirche. Die Kriegsdienste der höheren Stände verloren ihre Bedeutung mit dem veränderten Kriegswesen; die Gerichtsdienste mit der veränderten Rechtsprechung, mit der Reception der fremden Rechte; die Kirchenreformation veränderte die ständischen Rechte der Kirche. Die Bedürfnisse der Geldwirthschaft, auf welche der neuere Staat angewiesen ist, werden theils durch indirekte Steuern aufgebracht, theils durch direkte von wesentlich anderen Personen als den früher zum Kriegs- und Gerichtsdienst verpflichteten Klassen (den alten Ständen). Den ständischen Rechten sind dadurch mit jedem Menschenalter fortschreitend die Wurzeln abgegraben. Es entwickelt sich ein neues System der Staatsverwaltung durch berufsmäßige Beamte auf der Basis eines unhistorischen Steuersystems, innerhalb dessen die altständischen Rechte hauptsächlich als Befreiung und Privilegien stehen bleiben. Das mittelalterliche Recht der Stände kehrt sich allmählig so um, daß die höchste Geltung mit den geringsten Leistungen für den Staat verbunden ist. Am schroffsten und kompaktesten tritt diese innerlich widersprechende Rechtsbildung in Frankreich auf (Gn. II. §. 126 a.), und grade dort wird es am anschaulichsten, warum die neuere Staatsbildung die Gerichte immer vollständiger aus dem Gebiet des öffentlichen Rechts verdrängte. Die mannigfaltigen Aufgaben der Sicherheits-, Wohlfahrts-, Gewerbe-, Arbeitspolizei, die neueren Militärsysteme, die Umgestaltungen des ganzen Steuersystems konnten hier nicht mit den Ständen und durch ständische Gesetzgebung wie in England durchgeführt werden, sondern nur gegen die Stände und ihre widersprechenden Interessen. Die Ausübung der Staatshoheitsrechte konnte deshalb immer weniger gerichtliche Schranken anerkennen, wenn der Staat auch nur den dringendsten Anforderungen seiner Militär-, Gerichts-, Polizei- und Finanzhoheit genügen wollte. Die fortbestehenden ständischen Rechte und die ständische Besetzung der Gerichte wurden gerade ein Haupthinderniß für die Befreiung und Erleichterung der unteren Klassen und für zeitgemäße Reformen, auch in den Perioden, in welchen die Monarchen den guten Willen dazu hatten. In diesen Zuständen hat sich die aktive Staatsregierung immer vollständiger in große Beamtenkörper, in höchster Stelle in einen Staatsrath, und später in einzelne Departements-Chefs konzentrirt. Das öffentliche Recht hört immer mehr auf eine „Jurisdiktion" nach festen Normen zu sein, und geht in Personen und Maximen fast in den Begriff der „Verwaltung" auf. Folgerecht beschränkt sich die Thätigkeit der Gerichte auf den privatrechtlichen Schutz der Person und des Eigenthums, sowie auf das Gebiet des Strafrechts, in welchem freilich auch das Gerichtswesen immer tiefer durchdrungen wurde von den Maximen der Polizeiverwaltung.

In Deutschland erscheinen diese Zustände noch verwickelter durch das Verhältniß des Reichs zu den Territorien, in welchen aus dem regierenden Adel allmählig regierende Fürsten werden. Der Schwerpunkt der Staatsthätigkeit und Staatshoheit fällt hier in die größeren Territorien; denn sie erfüllen überwiegend die wirklichen Funktionen des Staates in Militair-, Gerichts-, Polizei- und Finanzwesen und lösen sich eben deshalb immer mehr von den alten Rechts- und Gerichtsschranken: nach oben gegen Kaiser und Reich, nach unten gegen die eigenen Landstände. Eben deshalb konnte auch nach beiden Seiten hin eine Entscheidung öffentlicher Rechtsverhältnisse und gerichtliche Kontrolle sich weder erhalten noch fortbilden; denn

1) innerhalb der einzelnen Territorien waren die altständischen Rechte und der altständische Antheil an der Besetzung der Gerichte gerade ein Haupthinderniß zeitgemäßer Fortbildung des Finanz-, Polizei-, Gerichts- und Militairwesens, der Befreiung und Erleichterung der unteren Klassen, der staatlichen und sozialen Reformen überhaupt, auch, wo der gute Wille dafür vorhanden war. Es wiederholen sich hier in kleinerem Maßstabe die Zustände des ancien régime in Frankreich, und daher auch die eifrige Nachahmung jener Staatsregierungsweise. Jemehr die Gerichte sich allmählig von der ständischen Mitbesetzung ablösen und zu reinen Beamtenkörpern werden, um so weniger waren die Regierungen geneigt, sie zu Schiedsrichtern zwischen sich und den Ständen in Ausübung ihrer Hoheitsrechte werden zu lassen; denn es fehlte dafür fast durchweg an festen Normen, wie sie von Gerichten zu handhaben gewesen wäre. Die „herkömmlichen" Rechtsnormen reichten dafür nicht aus demselben Grunde, aus welchem in England schon im 14. Jahrhundert die common law nicht mehr ausreichte, die wachsenden Staatsbedürfnisse zu regeln. Die alten Rechte und Pflichten der besitzenden Klassen waren dafür eben unzureichend geworden, und es hätte zahlreicher Statuta bedurft, um neue von den Gerichten anzuwendende Normen festzustellen. Eine Gesetzgebung aber über das weit vorgezweigte Gebiet der Polizei-, über Militairverwaltung, direkte und indirekte Steuern, über den Umfang des Aufsichtsrechts über der Gemeindeverwaltung u. s. w., wie sich solche in Eng-

land mit den Parlamenten in ein unabsehbares Detail entfaltet hat, war in
den Deutschen Territorien des 16., 17. und 18. Jahrhunderts der Form und
der Sache nach unmöglich, da alle diese Verhältnisse im Fluß und in der
Umbildung begriffen waren. Die Landstände waren und blieben unfruchtbar
in jeder organisirenden Thätigkeit der Gesetzgebung; denn sie vertraten nur
ihre eigenen unzureichend gewordenen Pflichten und Rechte. Sie konnten
und wollten das Gesammtwesen des Staats nicht neu gestalten helfen; denn
ständische Gesetzgebung kann nur Normen für solche Leistungen
und Funktionen geben, welche die Stände selbst thun. Ein Ent-
scheidungsrecht der Gerichte nach dem Maßstab der altständischen „Rechte,
Verträge und Freiheiten" würde die Staatsgewalt in ihren nothwendigsten
Reformen gehemmt haben. Eine neue durchgreifende Gesetzgebung über
gleiche direkte Steuern, gleiche Wehrpflicht, gleichen Gerichtsdienst,
gleiche Polizeipflicht, auf welcher die Parlamentsverfassung in England beruht (Gn. Th. II a), würde· hier in die Stellung der besitzenden Klassen
durchschneidend eingegriffen haben; sie wurde von Niemandem verlangt. Aus
dem Mangel der Gesetzesnormen folgte aber von selbst die Ausschließung gerichtlicher Entscheidungen. Man wolle in irgend einem Deutschen Lande die
Verordnungen und Reglements, auf welchen alle diese Verhältnisse im 18ten
Jahrhunderte beruhten, zusammenfassen und danach ermessen, ob und wie weit
eine Kognition der Gerichte mit ihrem Instanzenzug und ihren Geschäftsformen in diesem Gebiet möglich war? Aus diesen Verhältnissen erklärt sich
zur Genüge die in den Territorien herrschend gewordene Ansicht: „Vermöge
des Herkommens sind die über die Schranken der Landeshoheit in Deutschland entstandenen Streitigkeiten gemeiniglich vor keinem Landesgericht prozeß-
mäßig erörtert, ... wie ich denn zweifle, daß Exempel solcher von den
Landesgerichten entschiedenen Sachen beigebracht werden.... Was aber die
Landesgesetze anlangt, so ist mir noch keins zu Gesicht gekommen, welches
Richtern, die Unterthanen sind, die Erkenntniß darüber einräumt, ob die
höchste Gewalt vom Landesherrn gebührend ausgeübt oder gemißbraucht worden." (Struben, Rechtl. Bedenken 11, 312. Nebenstunden III, 74.)

2) Anders war allerdings das Verhältniß der territorialen
Unterthanen zu den Reichsständen und Reichsgerichten. Die
landesherrlichen Gewalten waren ursprünglich verliehene, und der Mißbrauch
der verliehenen Gewalt konnte Gegenstand einer Beschwerde bei Kaiser und
Reich werden. „Wann ein Landesherr die seiner Regierung gesetzten rechtmäßigen Schranken übertritt, seynd die Reichsgerichte allerdings befugt, ihm
darinn Einhalt zu thun und sich Derer Unterthanen anzunehmen." (J. J. Moser, Landeshoheit in Regierungssachen, S. 9) In dieser Richtung bestand
wirklich ein System der Theilung der Gewalten; und solche Beschwerden über

den rechtsverletzenden „unbilligen" Inhalt landesherrlicher Verordnungen von Landständen und Einzelnen waren bekanntlich überaus häufig. Allein die dafür bestimmten Reichsgerichte waren eine sehr verspätete Einsetzung von Kaiser und Reich, unterworfen einer lähmenden Revision durch die Reichsstände selbst. Sie wurden daher in ihrer Wirksamkeit immer mehr auf das Gebiet civil- und strafrechtlicher Justizsachen zurückgedrängt. Die Kontrolle, welche sie über die Ausübung der Landeshoheitsrechte zu üben vermochten, zeigte sich gar bald nur wirksam gegen die äußersten Mißbräuche der Quasistaatsgewalt kleiner Reichsstände. In den größeren Territorien mit einer innerlich entwickelten Staatsregierung konnte ein außerhalb stehendes Richter-Kollegium keine wirksame Kontrolle führen, da es an einer specialisirten Gesetzgebung und überhaupt an entscheidenden Normen dafür fehlte. Gerade diejenigen Landesherren, denen es Ernst war, ihr Staatswesen vorwärts zu bringen, waren am wenigsten geneigt, ein solches Eingreifen eines außerhalb stehenden Richterkollegiums in die Maßregeln ihrer Militair-, Finanz-, Polizeihoheit anzuerkennen. Die Berufung auf das Herkommen in ihrem Lande lief gerade in den wichtigsten Streitfällen nur auf eine Berufung auf altständische „Verträge und Freiheiten" d. h. Privilegien und Sonderrechte. Die Reichsgerichte wurden daher schon durch den jüngsten Reichsabschied §§. 105, 106 angewiesen: in „Polizey und Handwerkssachen" sich nicht einzumischen, überhaupt in Sachen der „Unterthanen wider ihre Obrigkeiten den Prozeß nicht leichtiglich zu erkennen", und solche sollen „inmittelst gleichwohl zum schuldigen Gehorsam gegen ihre Obrigkeit" angewiesen werden (Struben, Nebenstunden III, 52). Diese beengende Vorschrift wurde in der Wahlkapitulation und sonst unablässig wiederholt, und in Ermangelung zeitgemäßer Gesetzesnormen für die Schranken der Staatshoheitsrechte, blieb den Reichsgerichten auch beim besten Willen kaum eine andere Maxime übrig, als sich auf Fälle eines flagranten offenbar staatswidrigen Gebrauchs der Landeshoheit, besonders in kleinen Territorien zu beschränken.

So löste sich denn hier, wie im ancien régime Frankreichs, das öffentliche Recht in das Personal und in die Maxime der Verwaltung auf, und die weitere mittelalterliche Kompetenz der Gerichte wurde wesentlich zurückgedrängt auf das Gebiet des Privat- und des Strafrechts. Der daraus hervorgegangene Gesammtzustand verbreitet einen Rechtsschutz um die Person, der (wenn auch nicht gesichert gegen einzelne Uebergriffe der Verwaltung), doch ein solides Element der persönlichen Freiheit enthält.

Dabei tritt allerdings ein gewisser Unterschied des Deutschen und des Französischen Staatswesens hervor. In beiden steht gleichmäßig der Satz fest, daß die Gerichte über Individualrechte, über die Grenzen der Staatshoheitsrechte dagegen andere Behörden urtheilen. In der Mitte liegt aber ein Kollisionsfall, wenn ein Privatrechtstitel oder ein vertragsähnlicher Anspruch der Ausübung eines Hoheitsrechtes gegenübersteht. Die Französische Grundauffassung stellt hier das öffentliche Wohl und Interesse über das private, und bildet daraus das Gebiet der sog. Administrativjustiz, während die Deutsche Grundauffassung regelmäßig den Rechtsweg offen läßt. Auf dieses Gebiet beschränkt sich aber auch die vorherrschende Ansicht zu Gunsten des Rechtsweges — vergl. Zachariae, Staatsrecht II, §§. 175, 176 — eine Auffassung, die den wirklich vorhandenen Zuständen entlehnt ist, und (mit einigen Variationen auf den Grenzgebieten) dem positiven Recht entspricht.

Die Beantwortung unserer drei Fragen gestaltet sich hiernach in folgender Weise:

I. Eine Prüfung der Verfassungsmäßigkeit von Gesetzen stand den Deutschen Gerichten innerhalb ihrer Kompetenz allerdings zu. Den Reichsgerichten war sie vorgeschrieben in der Verfassungsurkunde des Reichs, der Wahlkapitulation. Es heißt im Art. 16 §. 11:

"Ob aber diesen und anderen in dieser Kapitulation enthaltenen Punkten etwas zuwider erlangt oder ausgehen würde; das Alles soll kraftlos, todt und ab sein, inmaßen Wir es jetzt, alsdann und dann als jetzt, hiemit caffiren, tödten und abthun."

Der Kaiser verpflichtete sich, er wolle diese Punkte den Richtern der Reichsgerichte "ernstlich einbinden, solche so viel einem Jeden gebührt, jederzeit vor Augen zu haben, und dawider weder zu thun noch zu rathen, solches auch ihren Diensteiden mit ausdrücklichen Worten einverleiben zu lassen." Es ist wohl bei dieser Fassung niemals zweifelhaft gewesen, was J. J. Moser (Deutsche Justizv. S. 1165) daraus folgert: "Die Wahlkapitulation ist sowohl in Ansehung des Reichshofraths als des Kammergerichts ganz klar. Befiehlt nämlich der Kaiser einem Reichsgerichte etwas, so wider diese Kapitulation und andere Reichsgesetze (auf welche sie von dem Kaiser und Reich verpflichtet worden sind) lauft; so sind solche Befehle nach der Kapitulation null und nichtig, also auch die Reichsgerichte nicht gehalten, selbe zu befolgen. Mithin muß man nothwendiger Weise den Reichsgerichten insofern das Recht einräumen, die Reichsgesetze und besagte kaiserliche Befehle gegen einander zu halten und diese nach jenen beurtheilen zu können." Dies Alles nur von Restripten für den Einzelfall zu verstehen, ist kein Grund. Jene Nichtigkeit und Unanwendbarkeit war die selbstverständliche Folge der den Reichsständen namentlich seit dem Westphälischen Frieden verfassungsmäßig garantirten Theilnahme an der Reichsverfassung.

Auch die Territorialgerichte hatten die (freilich sehr einfachen) formellen Erfordernisse landesherrlicher Verordnungen zu prüfen. Allerdings fehlte hier etwas der Wahlkapitulation Analoges, da die Landeshoheit nicht so von den Landständen eingesetzt war, wie das Deutsche Königthum von den Reichsständen. Es fehlten überhaupt organische Verfassungsurkunden, welche die Theilnahme der Stände an der Legislatur grundsätzlich und durchgreifend erforderten. Die legislatorische Gewalt der Landesherren wurde anerkannt, so weit sie nicht in die hergebrachten „Rechte" der Stände eingriff. Allein auch der formloseste Absolutismus hat niemals den Satz: quod principi placet legis habet vigorem, so verstanden, als ob jeder mündliche Befehl des Souveräns an einen Hofbedienten oder Privaten, jede schriftliche Aeußerung in einer veröffentlichten Korrespondenz ein Gesetz wäre. Daß Schrift oder Druck, daß die Unterschrift des Monarchen, die Beglaubigung durch den Kanzler, einen Staatssekretär oder analogen Beamten (abgesehen von den Formen der Publikation) zur Substanz des Gesetzes gehören, ist wohl nie zweifelhaft gewesen. Man hat sich dabei wie bei den Formalitäten aller instrumenta publica überall an eine feste herkömmliche Form gehalten. Wenn etwa in einem Partikularrecht ausdrücklich bestimmt wäre, daß die Gesetze des Landesherrn die Erwähnung einer vorgängigen Berathung im Geheimen Rath oder die specielle Zeichnung des Kanzlers enthalten sollen, so wäre es wohl nie zweifelhaft gewesen, daß die Gerichte nur die in dieser Form ausgefertigten Gesetze als Gesetze anzusehen und anzuwenden haben, so wie nach der Notariatsordnung nur das als notarielles instrumentum publicum gelten konnte, was die gesetzlichen Vermerke enthielt.

Auch waren die Territorialgerichte zuweilen in der Lage, Zweifel über die gehörige Promulgation von Reichsgesetzen zu entscheiden, wie bei dem Dekret von 1688 gegen das Duell, wo Praxis und Wissenschaft sich unbedenklich auf die Prüfung der Frage eingelassen haben, ob ein Reichsgesetz verfassungsmäßig zu Stande gekommen.

II. Eine Abgrenzung des Gebiets von Gesetzen und Verordnungen konnte bei dieser Gestalt der Verfassung nur selten zur Entscheidung der Gerichte kommen. In der Reichsverfassung entstanden allerdings häufig Streitigkeiten über die Gültigkeit der den Reichsgerichten insinuirten Kommissionsdekrete. Allein es handelte sich dabei um den materiellen Inhalt, um den eigentlichen Verfassungsstreit jener Zeit, ob dadurch die Rechte der großen Religionsparteien im Reich beeinträchtigt seien; diese Streitigkeiten gingen daher sofort in den Reichstag über, und kamen dort zum Austrag. In den Territorien andererseits stand dem Landesherrn grundsätzlich das Recht zum Erlaß von Verordnungen zu. Erhoben die Stände dagegen Beschwerden, so geschah es, weil sie behaupteten, in ihren eigenen Rechten verletzt zu sein; es handelte sich also um den unrechtmäßigen und unbilligen Inhalt und damit fällt diese Frage in das folgende Gebiet.

III. Eine Entscheidung über die Rechtmäßigkeit und Billigkeit des Inhalts kam allerdings innerhalb dieser Verfassung vor, und wirkliche Kassirung materiell verfassungswidriger Konstitutionen: aber nur so, daß die Reichsgerichte über Verordnungen der Ter-
ritorial-Landesherren, nicht aber Reichsgerichte über Reichstagsbeschlüsse,
oder Territorialgerichte über die Gültigkeit von Reichs- oder Landesgesetzen
kassatorisch zu entscheiden hatten. Es war dies die Folge der Unterordnung
der Landesherren unter Kaiser und Reich; ihre Legislation war von
Hause aus eine subordinirte. Mit der fortschreitenden Souveränität
wurde aber die Kassation von Gesetzgebungsakten durch ein außerhalb stehendes Richterkollegium, ohne gesetzliche Normen dafür, ein so sachwidriges Verhältniß, daß diese Einwirkung der Reichsgerichte mit jedem Menschenalter
schwächer wurde und mit der Aufhebung des Reichs aufhörte.

§. 4. Die Grundlagen aller dieser Verhältnisse werden
nun aber verändert durch die Einführung der neuen, feierlich
sanktionirten Deutschen Verfassungsurkunden. Sie sind bestimmt,
die Fundamente eines neuen öffentlichen Rechts zu sein. Es kommt hier
nicht auf den Nachweis an, daß die darin gewährten Rechte denselben Rechts-
grund haben, wie die dem Mittelalter entsprungenen ständischen Rechte, daß sie
— den wirklichen Steuern und Leistungen für den Staat entsprechend —
ebenso rechtmäßig und weniger gewaltsam erworben sind, wie ihrer Zeit die
Rechte der alten Stände. Hier kommt es nur darauf an, daß sie von der
legitimen gesetzgebenden Gewalt in solennester Form promulgirt und publi-
zirt, daß sie jedenfalls das höchste formelle Recht des Landes geworden sind.

Aus diesen Verfassungsurkunden entstehen zunächst erzwingbare
Rechte der Gesammtheit, zu deren verfassungsmäßigen Vertretern die
Kammern oder Landtage bestellt sind. Diese Gesammtheit ist nunmehr eine
universitas ordinata geworden, und durch die Verfassungen selbst sind die
nöthigen Rechtsbegriffe von Rechtssubjekt, Sachlegitimation und Streitver-
tretung gebildet. Die Mehrzahl der Verfassungen fügt auch die Strafsanktion für die Verletzung dieser Rechte, den Grundsatz der „Ministerverantwortlichkeit" hinzu. Selbst da, wo noch einige Punkte der Ausführung
vorbehalten sind, wie in der Preuß. Verf. Art. 61, also nach einer Seite
hin eine **lex imperfecta** vorliegt, ist doch der Grundsatz der Verantwortlichkeit, also der Erzwingbarkeit der garantirten Rechte ausgesprochen. Die
in den Artikeln der Verfassungsurkunden ausgesprochenen dispositiven Sätze
sind nicht bloße Verheißungen **de lege ferenda**, sondern wirkliche Gesetze
und Rechtsansprüche der **universitas**. De lege ferenda handelt es sich
freilich noch vielfach darum, diese Rechtsgrundsätze im Einzelnen durchzuführen,
wie ja auch das öffentliche Recht des Mittelalters gleichsam aus einem Guß

nicht blos der Gesammtheit, sondern auch dem Einzelnen ein Recht gegen Ueberschreitungen der höchsten Gewalt gewährte.

Durch den Grundsatz der Ministerverantwortlichkeit ist nun allerdings in den Verfassungen ein höchster außerordentlicher Gerichtshof konstituirt, der im Fall des äußersten Konflikts über den Sinn des neukonstituirten öffentlichen Rechts entscheidet. Aber die Kompetenz der ordentlichen Gerichte ist dadurch weder verändert noch erweitert. Den Gerichten steht auch heute nach der herkömmlichen Gerichtsverfassung keine entscheidende Kompetenz in den Gebieten zu, welche eine Ausübung von Staatshoheitsrechten enthalten. Für die meisten praktischen Fragen dieser Art würde es für eine gerichtliche Entscheidung an einem darauf berechneten specialisirten Gesetz fehlen. Noch immer also beschränkt sich das Gebiet der Deutschen Gerichte auf den herkömmlichen Begriff der Civil- und Kriminal-Justizsachen, wie ihn Praxis, Wissenschaft und häufig durch deklarirende Partikulargesetze ziemlich sicher festgestellt haben. Auf diesem Gebiet seiner Thätigkeit hat der Richter nach wie vor gewissenhaft zu prüfen, ob das von ihm anzuwendende Recht den Charakter eines gemeinen oder partikulären Gesetzes oder Gewohnheitsrechts hat.

Die Einführung der neueren Verfassungsurkunden ergiebt aber neue Gesichtspunkte für diese Prüfung, und es gehört dazu jetzt vor allen anderen Merkmalen das der ständischen Zustimmung zu den Gesetzen. Die Landesgesetze beruhen nunmehr ebenso auf einer festen notorischen Verfassung, wie die weiland Reichsgesetze. Es gilt bei ihnen also im Sinne Deutscher Verfassungen der Grundsatz der Wahlkapitulation:

> „Verordnungen, die der Kaiser (Landesherr) trifft, ohne Zustimmung der Reichsstände (Landstände), wenn sie Gegenstände betreffen, die mit Zustimmung der Reichsstände hätten erledigt werden sollen, sollen kraftlos, todt und ab sein.“

Diese Nichtigkeit ist die der Würde und Autorität der gesetzgebenden Gewalt entsprechende Konsequenz. Es handelt sich dabei nicht mehr blos, wie früher, um den Schutz löbl. Stände in ihren besonderen „Freiheiten und Privilegien“, sondern um einen Schutz des Rechtsorganismus. Die neueren Verfassungen übernehmen den gesammten vorgefundenen Rechtszustand als bestehendes Recht: die fortan erschwerten Formen der Gesetzgebung bilden eine Hauptgarantie gegen einseitige und übereilte Aenderungen des Bestehenden, gegen unreife Gelegenheitsgesetze und legislatorische Einfälle, gegen den Einfluß der Hofumgebungen auf den Staat. Diese Nothwendigkeit der Zustimmung dreier gesetzgebenden Faktoren zur Aenderung des bestehenden Rechtszustandes ist ein so konservatives Element der Verfassungen, daß eine Vertretung unseres Grundsatzes durch die sog. konservativen Parteien gerade am meisten zu erwarten gewesen wäre. Die Hintansetzung jener Formen, welche die allseitige Erwägung und Reife gesetzgeberischer Beschlüsse garantiren, kann nach der Grundbestimmung jener Formen nur eine Ungiltigkeit begründen. Man hätte sich dafür nicht auf die L. 5. C. de legibus berufen sollen; denn privatrechtliche Analogien sind zu schwach, um staatsrechtliche Sätze zu tragen. Wenn die gesetzgebende Gewalt allgemeine dauernde Normen über die Promulgation ihrer eigenen Willenserklärungen aufstellt, so sind dies ab solute und höchste Sätze der Rechtsordnung, bei denen die Nichtigkeit eines in contrarium actum selbstverständlich ist.

Daß diese Frage bei Erlassen des Landesherrn ohne ständische Zustimmung früher nicht aufgetreten ist, hatte seinen Grund darin, daß ein allgemeines verfassungsmäßiges Zustimmungsrecht der Landstände zu den landesherrlichen Verordnungen niemals anerkannt war. „Ein Landesherr kann seinen Gerichten die Normen vorschreiben, nach welchen sie Recht sprechen sollen" (Moser, Landeshoh. in Justizsachen, S. 178). Es fehlte also an einem festen gesetzlichen Kriterium, wozu noch materiell die seit dem 17. Jahrhundert sinkende Gewalt der Landstände, die sachliche Unmöglichkeit trat, die Staatsgewalt grundsätzlich an die Zustimmung solcher Stände zu binden. Wenn nun aber die neueren Verfassungsurkunden die ständische Zustimmung zu den Gesetzen ausdrücklich verlangen, so ist durch ein allgemeines Gesetz auch den Gerichten ein für allemal die Norm vorgeschrieben, nach welcher sie die ihnen vorliegende Gesetzurkunde zu beurtheilen haben. Nach Einführung geschriebener Verfassungen würden demnach unsere drei Fragen in folgender Weise zu beantworten sein.

I. Die Gerichte haben im Gebiet ihrer Civil- und Strafjustizsachen zu prüfen, ob die nach Einführung der Landesverfassung publizirten „Gesetze" verfassungsmäßig, namentlich mit der erforderlichen Zustimmung der Kammern promulgirt sind; andernfalls solche nicht zur Anwendung zu bringen. Die Gerichte haben als entscheidende Norm dabei die Verfassungsurkunde selbst und allgemeine Rechtsgrundsätze zu befolgen, insbesondere auch den Grundsatz, daß instrumenta publica eine Vermuthung der Wahrheit und Legalität begründen.

II. Die Gerichte haben im Kreise ihrer Kompetenz insbesondere zu ermessen, ob und wie weit die publizirten „Verordnungen" der Staatsregierung nach der Landesverfassung Gesetzeskraft haben oder nicht.

Wo die Landesverfassung eine ständische Zustimmung nur im engeren Gebiet zu Gesetzen über „Eigenthum und Freiheit der Unterthanen" x. erfordert, ist selbstverständlich der gesetzliche Charakter der übrigen Verordnungen nach der älteren Verfassung, also in Deutschland meistens nach den Grundsätzen der unbeschränkten Monarchie zu beurtheilen.

In den nach mehreren Verfassungen zulässigen Nothverordnungen wird das Gericht zu prüfen haben, ob die dafür vorgeschriebenen Formen beobachtet sind: die Gegenzeichnung des gesammten Staatsministeriums, die Bezugnahme auf den betreffenden Artikel der Verfassung ꝛc. Dagegen fällt die Prüfung, ob ein ungewöhnlicher Nothstand ꝛc. vorhanden war, sowohl nach der Fassung der Gesetze, wie nach den Grundsätzen vom jus eminens des Staats, der höchsten Staatsregierung, nicht den Gerichten zu. Für diese Verordnungen ist (die Beobachtung der vorgeschriebenen Formen vorausgesetzt) die Ministerverantwortlichkeit als Ersatz der sonst nothwendigen Requisite bestimmt. Die Beobachtung der Formen vorausgesetzt, werden die Gerichte anerkennen müssen, daß der Verfassung gemäß solche Verordnungen Gesetzeskraft haben.

Bei Verordnungen „zur Ausführung von Gesetzen" endlich werden die Gerichte zu ermessen haben, wo die Grenze zwischen Ausführung und Abänderung der Gesetze liegt.

Die schon erfolgte Beschließung des Juristentages über diese Frage kann eine nähere Ausführung dieses Punktes wohl als unnöthig erscheinen lassen. Es dürfte nur noch hinzuzufügen sein, daß eine Jahrhunderte alte Praxis die Abgrenzung dieser Gebiete durch die Gerichte als ausführbar und zuverlässig bewährt hat, und zwar schon in älterer Zeit, wo die Stellung der **Ordinances** zu den **Statutes** schwieriger war als nach den neueren Verfassungen.

III. **Den Deutschen Gerichten steht dagegen keine Prüfung darüber zu, ob die verfassungsmäßigen Organe von ihrer Befugniß, Gesetze zu geben, den rechten Gebrauch gemacht haben:** also keine Prüfung darüber, ob es eine lex rationabilis sei, ob sie gegen das jus divinum verstoße, ob der Landesherr und seine Kammern bei der Beschließung des Gesetzes etwa garantirte Rechte von Körperschaften oder allgemeine Grundsätze der Verfassung nicht gebührend berücksichtigt haben. Eine solche Appellation von den landesherrlichen Gesetzen an die Reichsgerichte (d. h. eigentlich an Kaiser und Reich) fand früher statt, ist aber auf die neueren Gerichte nicht übertragen. Sie war nur die Folge der ursprünglichen Stellung einer legislatio subordinata. Der Landesherr und seine Stände sind aber in ihrer gesetzgebenden Gewalt den eigenen Landesgerichten nicht untergeordnet, sondern die Landesgerichte ihnen.

Allerdings besteht in den Nordamerikanischen Freistaaten ein Verhältniß der Art, allein nur als Folge der republikanischen Verfassung. Da den Faktoren der Gesetzgebung hier die nothwendige Permanenz fehlt, um eine Garantie gegen übereilte und durch wechselnde Interessen bestimmte Beschlüsse der gesetzgebenden Körper zu gewähren, so hat man durch Ueberordnung der Gerichte als Wächter für gewisse grundvertragsmäßige Schranken einige Vorzüge der erblichen Monarchie zu erhalten gesucht. Für die Deutsche Gerichtsverfassung paßt diese transcendente Gewalt des höchsten Gerichtshofes sicherlich nicht. Jene letzte Garantie liegt vielmehr sicherer in der Erbmonarchie, einem zweiten permanenten und einem dritten gewählten Körper, in ihrem Zusammenwirken bei der Gesetzgebung; sie liegt darin wenigstens soweit, wie menschliche Institutionen eine solche überhaupt gewähren können.

§. 5. Nach einer zusammenfassenden Beantwortung der drei Fragen bleiben schließlich noch die besonderen Einwendungen zu erörtern, welche in den Verhandlungen des Juristentags gegen diese Stellung der Gerichte erhoben sind.

1) Der Einwurf, daß diese Prüfung den Richter über den Gesetzgeber erhebe, beruht offenbar auf einer Verwechselung. Umgekehrt würde der Richter vielmehr dem Gesetzgeber ungehorsam sein, wenn er ein Nichtgesetz als Gesetz anwenden wollte. Jener Vorwurf kann nur gemeint sein von einer solchen Stellung der Gerichte, wie sie einst das Reichsgericht, und wie sie jetzt das höchste Gericht der Nordamerikanischen Union einnimmt. Aehnlich verhält es sich mit dem Vorwurf eines Widerspruchs gegen das „monarchische Prinzip". Die aus dem 18. Jahrhundert überkommenen Regierungsrechte werden durch jene Stellung der Gerichte überhaupt nicht alterirt. Nur das Privat- und Strafrecht, das den Gerichten überwiesene Gebiet, soll unberührt bleiben durch Erlasse, denen die reife Form der Gesetzgebung fehlt. Wie das Richteramt Reskripte des Monarchen, welche in die materielle Entscheidung des Einzelfalles eingreifen, nicht befolgen soll, so soll es auch allgemeine Erlasse in einer ungesetzmäßigen Gestalt nicht befolgen. Das Eine wie das Andere widerstrebt keineswegs dem monarchischen Prinzip, sondern ist vielmehr die Erfüllung der Regentenpflicht in dem Deutschen Sinne, so wie sie seit dem Mittelalter gemeint ist. Die allgemeine und permanente Anordnung des Gerichts, die Ernennung eines permanenten Personals, später auch die Firirung der anzunehmenden allgemeinen Regel, aber nicht die Beeinflussung der gerichtlichen Entscheidung nach bloß persönlichen Meinungen und Eindrücken, nach wechselnden gouvernementalen Anschauungen steht einem Deutschen Landesherrn zu. Selbst wenn sich der Richter in offenem Widerspruch mit einem ungesetzlich ausgesprochenen Willen seines Landesherrn befindet, ehrt er nur das monarchische Prinzip durch die Annahme, daß der Monarch nicht Unrecht thun will.

Beiläufig bemerke ich auch, daß mit der Bejahung unserer Frage noch nicht entschieden ist, daß die Gerichte ausschließlich zu entscheiden haben, ob ein Streit Justiz- oder Verwaltungssache sei. Wo eine besondere höchste Stelle zur Entscheidung sog. Kompetenzkonflikte besteht, da wird mit der Entscheidung der Sache selbst natürlich dem Gericht auch entzogen die Frage nach der Anwendbarkeit der darauf bezüglichen Rechtsnormen.

2) Der Einwurf, daß der Richter außer Stande sei, die Frage, ob ein Gesetz verfassungsmäßig zu Stande gekommen sei, zu prüfen, beruht ebenso auf Mißverständnissen. Man hat gefragt: soll der Richter prüfen, ob die Wahlen der Wahlmänner und der Abgeordneten gehörig erfolgt sind? Ob die Verhandlungsformen, Abstimmung, Stimmenzählung gehörig erfolgt ist?

Die Verfassungsurkunden bestimmen großentheils ausdrücklich, daß jede Kammer über ihre eigene Konstituirung, über die Legitimation ihrer Mitglieder, über ihre Geschäftsordnung u. s. w. endgültig entscheidet. Verfassung, Gesetz und Herkommen bestimmen überhaupt die Form, in welcher die Beschlüsse jeder universitas ordinata rechtsgültig zu Stande kommen. Die Deutschen Gerichte haben seit Jahrhunderten Beschlüsse von universitates in judicando beurtheilen müssen, deren Verfassung viel problematischer war, als die Verfassung der neueren konstitutionellen Staaten. Bei den Beschlüssen der höchsten universitas kommt noch der vereinfachende Gesichtspunkt hinzu, daß zur Geltendmachung der Rechte der Gesammtheit nur die Kammern selbst legitimirt sind. Weder die Deutschen Reichsstände, noch Englische Parlamente haben den Gerichten eine solche Kognition über interna gestattet, und der gesetzgebende Körper hat auch eine hinreichende Gewalt, etwaige Einmischungen von dieser Seite aus abzuwehren.

Dasselbe gilt von den Fällen, in welchen die Verfassung für das Zustandekommen gewisser Gesetze eine ⅔ Majorität, eine wiederholte Abstimmung u. dgl. vorschreibt. Auch in England bestehen einige umständlichere Formvorschriften für gewisse Arten von Gesetzen. Allein die Gerichte sehen ohne Gesetz und nach der „Natur der Sache“, in einer m. W. alten Praxis, solche Formen als interna corporis an, welche die sog. Faktoren der Gesetzgebung in sich und unter sich auszumachen haben.

Für die gerichtliche Entscheidung genügt die nach außen hin feststehende landesherrliche Sanktion „mit Zustimmung“ der Kammern. Ja selbst die Erwähnung dieser Worte im Eingang des Gesetzes begründet schon eine Vermuthung der Wahrheit und der Legalität wie in jedem instrumentum publicum. Nur ist dies keine praesumtio juris et de jure wie in den Verhandlungen des Juristentages S. 28. 32. behauptet wird, eine solche kann vielmehr nur durch positives Gesetz entstehen. Ein möglicher Beweis des Gegentheils bleibt vorbehalten.

3) Dem specielleren Einwurf, die Gerichte seien insbesondere außer Stande, das Gebiet der Gesetze im eigentlichen Sinne und der Verordnungen gehörig zu unterscheiden, muß man vielmehr die umgekehrte Behauptung entgegensetzen, daß bei vorhandener Tendenz zum Mißbrauch nur die Gerichte diese Prüfung unbefangen vornehmen können. Die Abgrenzung, ob eine Verordnung in das Gebiet des „Eigenthums oder der Freiheit" ꝛc. eingreift, ist recht eigentlich ein gewohntes Gebiet richterlicher Kognition. Ebenso die Grenze zwischen Ausführung und Abänderung eines Gesetzes. Für die sog. Nothverordnungen ergiebt sich ein formales Scheidungsmerkmal in der Regel aus der Verfassung selbst. Ist aber ein solches weder in der Verfassung vorgeschrieben, noch in der Verordnung selbst enthalten, so kann das Gericht sie prima facie nur als eine einfache Verordnung praeter legem ansehen. Behauptet der interessirte Theil im Prozeß, daß es sich dennoch um eine außerordentliche, ausnahmsweise Nothverordnung mit Gesetzeskraft handle, so wird der Richter festzustellen haben, ob nach dem Hergang und den besonderen Umständen des Erlasses eine solche gemeint sei. Die Schwierigkeit ist hier keine andere wie überall da, wo in Ermangelung einer festen gesetzlichen Form der Charakter einer Willenserklärung aus ihrem Inhalt und aus den begleitenden Umständen festgestellt werden muß. Es ist unwahr, daß das richterliche Unterscheidungsvermögen dafür weniger ausreichen sollte, als das anderer Behörden. Wenn der Gesetzgeber kein formelles Kriterium der Nothverordnungen angiebt, so hat er eben damit den Gerichten im Kreise ihrer Kompetenz, den Verwaltungsbehörden im Kreise der ihrigen, überlassen, das Dasein einer solchen Ausnahmsverordnung aus dem Inhalt und den begleitenden Umständen zu entnehmen.

Man hat an diesen Punkt die Behauptung angeknüpft, eine solche Abgrenzung sei überhaupt unmöglich, es gebe daher überhaupt kein Kriterium der „Verfassungsmäßigkeit eines Gesetzes" im konstitutionellen Staat, und es müsse deshalb jede Verordnung des Regenten ohne weiteres Gesetzeskraft haben (Gieß. Zeitschr. XVII. 108—144). Diese Deduktion beweist aber nur: 1) wie nachtheilig es ist, wenn die geschriebenen Verfassungsurkunden es versäumt haben, streng verklausulirte Formen und Bedingungen für die Nothverordnungen festzustellen, 2) wie bedenklich es ist, andere Behörden als die Gerichte über diese Abgrenzungen entscheiden zu lassen; denn gegen die sophistische Weise, in welcher hier die Grundlagen aller ständischen Rechte wegdeducirt werden, giebt es kaum eine andere Garantie als den unbefangenen Sinn und die Gewohnheiten der Gerichte. Jene Argumentation reproducirt beinah vollständig das Streitmaterial, mit welchem die Hofpartei zur Zeit der Stuarts die ständischen Rechte wegzudeduciren suchte. Nicht die wiſſenſchaftliche Bildung eines Juriſten oder Adminiſtrativbeamten, ſondern nur die Stellung und der aus gewohnheitsmäßiger Beſchäftigung hervorgehende Sinn der Richterkollegien können einen ſicheren Schutz dagegen gewähren, daß nicht im konſtitutionellen Staat ſolche Grundſätze nicht zu einer praktiſchen Geltung kommen. Charakteriſtiſch iſt für dieſe Richtungen ſtets auch die Inkonſequenz. Der Verfaſſer der obigen Abhandlung ſtellt allen Schutz der Verfaſſung auf die Gegenzeichnung der Miniſter und ihre Verantwortlichkeit, welche durch keine Verordnung des Landesherrn aufgehoben werden könne (?). Ein anderer Vertreter dieſer Richtung will doch einen allgemeinen Widerſtand gegen ſolche Verordnungen zulaſſen, welche despotiſch oder revolutionär der göttlichen Ordnung zuwiderliefen (Verhandlungen des Juriſtentages S. 38—40). In ähnlicher Weiſe ſpricht Stahl von einem erlaubten Ungehorſam gegen Verordnungen, die „gar keinen verfaſſungsmäßigen Anhaltspunkt" an ſich hätten u. ſ. w.

4) iſt die Einwendung erhoben, daß gerichtliche Entſcheidungen über die Verfaſſungsmäßigkeit der Geſetze zu widerſtreitenden Urtheilen bei den verſchiedenen Tribunalen führen würden. Darauf iſt zu erwidern, daß der Inſtanzenzug der Gerichte dazu beſtimmt iſt, ſolche Widerſprüche, ſoweit es nothwendig, zu beſeitigen. In der Regel iſt dem höchſten Gerichtshof gerade für das jus in theſi eine ſehr weitgehende Kompetenz eingeräumt. In den unwichtigeren Fällen aber, in welchen die Entſcheidung der erſten oder zweiten Inſtanz ausdrücklich für „endgültig" erklärt iſt, hat der Geſetzgeber ſelbſt eine Variation der Art für unerheblich erachtet. Dergleichen widerſprechende Entſcheidungen ſind in der Deutſchen Gerichtsverfaſſung oft genug ergangen, wo bei älteren Geſetzen ihre Anwendbarkeit, bei ſcheinbar widerſtreitenden Geſetzen der Vorzug des einen oder andern zweifelhaft wurde. Jenes Bedenken wäre nur dann begründet, wenn die Exekutivgewalt in der nothwendigen Einheit ihrer Maßregeln durch ſolche widerſprechende Entſcheidungen gehemmt und beirrt würde. Jener Einwurf würde alſo dann gelten, wenn unſere Gerichte, wie die Engliſchen, als permanente Juſtitiarien neben den Miniſterdepartements ſtänden; wenn ſie durch Abberufungsrecht und Mandatsprozeß (Certiorari und **Mandamus**) unmittelbar einzuſchreiten hätten, wo die Polizei-, Finanz-, Militärhoheit über ihre Grenzen hinaus und in anderer als der durch Geſetz beſtimmten Weiſe ausgeübt wird. Für dieſe Art der Kontrolljuſtiz über das öffentliche Recht iſt allerdings ſeit Jahrhunderten ein anderer Inſtanzenzug und ein anderer Prozeßgang für nothwendig befunden als in gewöhnlichen Civil- und Kriminalprozeſſen. Allein dieſe Frage liegt in Deutſchland für jetzt nicht vor; die bisherige Kompetenz der Gerichte beſchränkt ſich auf die endgültige Entſcheidung des einzelnen Falles.

5) ift ein Einwand erhoben aus dem Grundfaß der Mi-
nifterverantwortlichkeit; welche (nicht blos im Gebiet der Nothverordnungen, fondern allgemein) nur einen Sinn habe unter der Vorausfeßung,
daß alle anderen Staatsorgane die von Miniftern kontrafignirten Erlaffe befolgen müßten. Zu Wächtern der Verfaffung feien nur die Landftände be-
ftimmt, fie allein dazu berufen und legitimirt.

Die wirkliche Verfaffungsgefchichte konftitutioneller Staaten zeigt das
Unzureichende und höchft Gefährliche diefer Argumentation. Das Anklage-
recht der Stände befchränkt fich auf vorfäßliche Verleßungen der Verfaffung.
Sie vertreten nur die Rechte der Gefammtheit, nicht der Einzelnen. Ihre
Anklage trifft nur dolofe Verleßungen der Fundamentalprinzipien der Verfaffung; in keiner Weife aber garantirt fie eine zuverläffige gleichmäßige
fichere Handhabung des öffentlichen Rechts überhaupt. Es fcheint dabei auf
zwei Seiten eine politifche Einfeitigkeit obzuwalten: entweder fo, daß man
über den Rechten der Gefammtheit den Rechtsfchuß des Einzelnen überfieht,
oder über den Rechten der Einzelnen die des Ganzen. Eine Staatsregierung
kann dem Einzelnen gegenüber vollkommen legal verfahren, z. B. indem fie
einen Militärpflichtigen nicht über die gefeßlich beftimmte Zeit hinaus zum
Dienfte aushebt; fie kann aber doch die Rechte der Gefammtheit verleßen,
indem fie das gefeßlich feftftehende Gefammtkontingent überfchreitet. Umgekehrt kann fie die Rechte der Gefammtheit, den Antheil der Kammern an
Gefeßgebung, Steuerbewilligung, Budget vollkommen refpektiren, und doch in
Ausübung ihrer Finanz-, Polizei-, Militärhoheit den Einzelnen flagrant und
fchwer verleßen. Die Gefahr diefes Mißbrauchs (namentlich der Polizeihoheit), die Willkür und Unterdrückung gegen den Einzelnen unter Berufung
auf allgemeine Gründe der öffentlichen Sicherheit und des öffentlichen Wohles
ift in gewöhnlichen Zeiten viel größer, bringender und mannigfaltiger als
die der erfteren.

Es ift eine oft und mit Recht gerügte Einfeitigkeit der Französischen
Staatsauffaffung, über jenen Rechten der Gefammtheit den Rechtsfchuß des
Einzelnen gegen die mißbräuchliche Ausübung der Staatshoheit zu vergeffen.
Die Minifteranklage trifft praktifch diefe Fälle in der Regel gar nicht. Im
Gegentheil ift ein Minifterium im Einverftändniß mit einer zeitigen
Majorität der Kammern gerade der bringendften Verfuchung ausgefeßt, die
zahllofen diskretionären Gewalten, welche die heutige Exekutivgewalt als Erb-
ftück des 18. Jahrhunderts befißt, gegen die Minorität und wider die politi-
fchen Gegner zu wenden. Die praktifche Erfahrung und der angeborne
Rechtsfinn hat diefe Lücke in England allmählig durch Hunderte von Ge-
feßen ausgefüllt. Die fog. Grundrechte find nur formulirte Abftraktionen
aus diefem Zuftande der Gefeßgebung und der dazu gehörigen Kontrollinftanz

der Gerichte. Es liegt hier die Frage nicht vor, in welcher Weise die Deutsche Gesetzgebung die vorhandene Lücke auszufüllen hat. Aber das Minus, ja das Minimum ist, daß in den Gebieten, in welchen Gericht und gerichtliche Entscheidung nach festen Grundsätzen herkömmlich gelten, es dabei unerschütterlich sein Bewenden behalten muß. Es ist ein Irrthum, in jenen Ministergewalten das Wesen der konstitutionellen Verfassung zu suchen; während gerade umgekehrt die Parlamentsverfassung sich erst zu ihrer Reife und Tüchtigkeit entwickelt hat, nachdem der Rechtsschutz des Einzelnen gegen Mißbrauch der Polizei-, Finanz- und Militärgewalt im Einzelnen durchgeführt war. Es wäre ein Rückschritt, wenn aus der Ministerverantwortlichkeit irgendwie die Folgerung gezogen würde, daß an Stelle der gerichtlichen Entscheidung über Recht und Unrecht die letzte Entscheidung „verantwortlicher Minister“ darüber getreten wäre — sei es mit, sei es gegen die Majorität der zeitigen Kammern.

6) Weiter hat man sich auf positive Gesetze berufen, welche der hier vertretenen Ansicht entgegenstehen sollen. Zunächst auf die Wiener Schlußakte, Artikel 57. 58., nach welcher die gesetzliche Staatsgewalt in dem Souverän vereinigt bleiben, und derselbe nur in der Ausübung bestimmter Rechte durch die Stände beschränkt werden soll. Es ist indessen schon aus der Entstehungsgeschichte dieses Artikels nachgewiesen, daß dadurch unsere Frage überhaupt nicht betroffen wird (v. Stockmar, Gieß. Zeitschr. X. 43—58). Durch jene Vereinbarung kann jedenfalls das in den Landesverfassungen begründete Zustimmungsrecht der Stände weder aufgehoben noch illusorisch gemacht werden.

Anders verhält es sich dagegen mit solchen Verfassungsurkunden, welche ausdrücklich den Gerichten die Prüfung der Gültigkeit landesherrlicher Verordnungen untersagen und solche ausschließlich den Ständen vorbehalten, wie die Preuß. Verf. Art. 106, Kurheff. 1852 §. 83, Oldenb. 1852 §. 141, Waldeck 1852 §. 94 (bestritten Hannov. 1848 §. 73. vgl. Schwarzburg-Sonderh. §. 109). Wenn solche Verfassungen daneben die Verantwortlichkeit der Minister beibehalten, so wird gerade dadurch der oben bezeichnete Grundsatz des Französischen Konstitutionalismus zur Geltung gebracht, welcher neben den Rechten der Allgemeinheit den Rechtsschutz des Einzelnen hintenansetzt. Selbstverständlich aber haben sich die Gerichte in solchen Ländern dem geschriebenen Recht zu fügen.

Wenn indessen behauptet ist, daß jene Vorschrift sich in den „meisten“ Deutschen Verfassungen wiederfinde, so ist dies irrig; sie gehört nur den oben erwähnten 4 oder 5 Verfassungen an. Auch wenn sie in noch mehreren Platz gefunden hätte, würde sie doch nicht als gemeines Recht gelten können, da sie in Widerspruch mit der historischen Stellung der Deutschen Gerichte steht.

Am bedenklichsten endlich erscheint jeder Versuch, in solchen Artikeln das normale Recht zu suchen, wenn man erwägt, in welchen Zeiten und unter welchen Umständen solche Artikel entstanden, — um einen Bruch der Verfassung zu decken, oder um ihn zu ermöglichen.

7) Der bedenklichste Einwurf gegen die richterliche Prüfung der verfassungsmäßigen Entstehung der Gesetze entsteht eben aus diesem Umstande, daß in mehreren Deutschen Ländern der Verfassung entgegen neue Wahlgesetze oktroyirt, neue Kammern gebildet, aus fürstlicher Machtvollkommenheit bestehende Verfassungen ganz oder theilweis außer Kraft gesetzt sind. Was soll nun aus dem Rechtszustande eines Landes werden, wenn die Gerichte in ihrem Bereich den Beschlüssen dieser neuen Verfassungskörper die Anerkennung versagen? Sollen die Gerichte wirklich darüber entscheiden, ob die von dem Landesherrn mit den jetzt de facto bestehenden Kammern sanktionirten Gesetze für das Land bindend, ob das gegenwärtige Parlament ein rechtes Parlament sei?

Diese Frage ist in Deutschland leider eine praktische geworden, und Niemand wird leugnen, daß sie sehr schwer wiegende Folgen involvirt, daß sie in einen circulus vitiosus führt, der dem gesammten Rechtszustand in alle Zukunft unheilbar zu verwirren scheint.

Allein diese schwer wiegenden Bedenken treffen erst in zweiter Linie die Stellung der Gerichte zu der Verfassung. In erster Linie treffen sie die Stellung des Monarchen zur Verfassung. Der Unsegen und die Verwirrung, welche hier vor uns liegen, sind die Folgen des Rechtsbruchs überhaupt, die auch dadurch nicht gehoben werden, daß man den Gerichten, der Presse, der öffentlichen Meinung ein formelles Stillschweigen auflegt. In Preußen hat der Verlauf der Zeit in der gemeinen Meinung jene Unterbrechung der Rechtskontinuität geheilt. In Kurhessen wird eine Heilung versucht: ob sie gelingen werde, ist noch nicht zu sagen. — Wohl aber wird man allerseits eingestehen, daß die „Achtung vor dem Recht", das Vertrauen in den heiligen Beruf der erblichen Monarchie, das so emphatisch verkündete „monarchische Prinzip" nicht dadurch gewonnen hat, daß man es den Hessischen Gerichten unmöglich machte, nach ihrer rechtlichen Ueberzeugung zu handeln.

Unerfahrenheit und Uebereilung können zu Verfassungsformen führen, die in der vorliegenden Gestalt unreif, sogar in Hauptgrundlagen unhaltbar sind. Allein die Geschichte zeigt auch, daß mit einiger Geduld und Ausdauer in rechtmäßigen Bestrebungen die Heilung ohne Umsturz möglich ist: und die Regierungen sind dies zu würdigen noch mehr in der Lage als die Völker. Die Zusammensetzung der Wahlkammern führt durch die Beweglichkeit aller Interessenvertretung in kurzen Zeiträumen stets Situationen herbei, in welchen nothwendige Reformen durchzuführen sind. Die Zusammensetzung der

erſten Kammern iſt meiſtens grundſätzlich durch den Souverän beſtimmbar.
Unter allen Umſtänden übt eine legitime Staatsregierung einen rechtmäßigen
und ſchwer wiegenden Einfluß auf die verfaſſungsmäßigen Körper. Gerade
die der Engliſchen Verfaſſung nachgebildeten Zweikammerſyſteme bedürfen daher keines revolutionären Nothrechts zur Korrektur. Viel eher bedurfte es
eines Nothrechts gegen die altſtändiſchen Verfaſſungen, die ſich allerdings
durch ihre ſocialen Grundlagen in einem circulus vitiosus befanden. Es
iſt charakteriſtiſch, daß man ſeit Wiederherſtellung des Deutſchen Bundes
nicht von einem Nothrecht gegen dieſe, ſondern nur gegen jene geſprochen
hat. Allein dies revolutionäre Nothrecht ſoll innerhalb einer Verfaſſung
überhaupt nicht ſein. Sollte die Prüfung der Verfaſſungsmäßigkeit der Geſetze durch die Gerichte nach ſolchen Gewaltakten die Verlegenheit einer Staatsregierung verdoppeln und verdreifachen, ſo wird dies ein Motiv mehr ſein,
dergleichen Akte zu unterlaſſen. De lege ferenda fällt alſo dieſes Argument vielmehr in die Wagſchale des gerichtlichen Prüfungsrechts.

Eine ruhige Prüfung der daraus hervorgehenden Zuſtände iſt wohl nur
möglich, wenn ſolche Menſchenalter weit zurückliegen. Die Engliſche Ver-
faſſungsgeſchichte hat ſolche Unterbrechungen mehr als einmal erfahren in dem
abſolut weſentlichen Faktor der Geſetzgebung (dem caput, principium, fons
parliamenti), in dem Souverän. Es iſt bekannt, in wie ängſtlich formeller
Weiſe durch wiederholte Berufungen eines neugewählten Parlaments, durch
gegenſeitige Anerkennungen und Deklarationen, durch Legaliſirung des Begriffs
eines king de facto, durch Fiktion der Entſagung u. ſ. w. dort verfahren
iſt. Die techniſch-juriſtiſchen Argumente kommen hier nicht in Betracht, wohl
aber die endliche Thatſache, daß auch die Gerichte mit einigem Sträuben eine
Legaliſirung der neuen Zuſtände ex necessitate rei anerkannt haben und
daß die vermeintliche Unlösbarkeit der Frage, ſoweit menſchliche Erfahrung
reicht, nicht beſteht.

Es iſt dies der Punkt, an welchen ſich bewußt oder unbewußt die
eigentlichen Grundanſchauungen ausſprechen. Individuen, Völker und Zeiten,
die ihre beſchworene Verfaſſung als einen wirklichen Abſchluß des öffentlichen
Rechts fühlen oder wiſſen, werden dieſen Theil der Frage bejahen, andere
werden ſie verneinen. Wie für den Einzelnen, ſo iſt für die Staatsgewalten
dieſe Seite der Frage transcendent, — Gewiſſensfrage. So lange in
den Dynaſtien wie in den Völkern der ſtille Wunſch lebt, die in den be-
ſchworenen Verfaſſungen enthaltenen Rechtsſchranken bei erſter günſtiger Gelegenheit umzubiegen oder umzubrechen, wird man ſich gern die Möglichkeit
deſſen offen halten, ſei es im Namen der Autorität, ſei es im Namen der
Freiheit. Man wünſcht dann die Inſtitutionen, welche unabhängig von den
Mächten des Augenblicks das Unrecht bei ſeinem Namen nennen möchten,

möglichst aus dem Bereich dieser Fragen zu entfernen. Die Napoleonische Gesetzgebung ist darauf berechnet; die Napoleonische Gerichtsverfassung insbesondere darauf berechnet, das Richteramt in einer gewissen Indifferenz von seinem Zusammenhang mit dem öffentlichen Recht und dessen höchsten Fragen abzulösen. — Wo dagegen Dynastien und Völker lange widerstrebende Gewohnheiten und Interessen in einer geschriebenen Verfassung endlich zum Abschluß gebracht sehen, wo sie in heiligem Ernst entschlossen sind, in Freud und Leid, zum Schutz und Trutz der Gesammtheit wie des Einzelnen, an der beschworenen Grundlage des Landesrechts festzuhalten: da verzichtet man auf die Auswege und denkt nicht mehr an die Rückhalte der Macht gegen das beschworene Recht.

Es kann deshalb als eine günstige Vorbedeutung gelten, daß die Deutschen Verfassungen trotz ihrer Mängel, Lücken und Spuren der Zeit Fuß gefaßt haben, wenn eine große Versammlung Rechtskundiger den eigentlichen Brennpunkt der Frage bereits mit großer Stimmenmehrheit bejahend entschieden hat. Das Präsidium hat schon bei der Fragestellung ohne Widerspruch deklarirt, daß nicht von einer Veränderung der Kompetenz der Gerichte de lege ferenda die Rede ist, sondern nur von der Prüfung der Verfassungsmäßigkeit der Gesetze in den einzelnen Civil- und Strafjustizsachen, welche vor die Gerichte gehören. Ich trage daher kein Bedenken, die so gestellte Frage:

> ob der Richter über das verfassungsmäßige Zustandekommen der Gesetze zu befinden hat,

mit „Ja" zu beantworten.

C. Gutachten des Verwaltungsrath Dr. H. Jaques in Wien.

Die Frage über die Prüfung der Verfassungsmäßigkeit der Gesetze und Verordnungen durch die Gerichte, wie sie in ihrer allgemeinen Form in dem schätzbaren Antrage des Herrn Stadtrichters Hiersemenzel dem dritten Deutschen Juristentage vorgelegt worden, ist in der Wissenschaft eine so kontroverse und für die Praxis eine so tief eingreifende, daß eine möglichst scharfe Präcifirung ihres gesammten Inhaltes in seinen einzelnen Theilen die unerläßliche Voraussetzung ihrer sicheren Entscheidung sein muß. Das Bedürfniß einer solchen Präcifirung macht sich aber insbesondere dann um so gebieterischer geltend, wenn, wie hier der Fall vor uns liegt, über den einen Theil der Frage, nämlich über das Prüfungsrecht hinsichtlich der Verfassungsmäßigkeit der Verordnungen bereits ein maßgebendes Urtheil gesprochen ist, über den zweiten Theil aber, über die Prüfung der Verfassungsmäßigkeit der Gesetze ein solcher erst gesprochen werden soll. Da muß denn die Untersuchung vor Allem darüber Gewißheit zu erbringen suchen, ob wohl ein einziges und gemeinsames Grundprinzip für die Lösung der ganzen Frage zu gewinnen sei, oder ob die Logik unserer Wissenschaft und die gewichtigen Interessen des praktischen Staats- und Rechtslebens für die Lösung jedes einzelnen Theiles derselben ein eigenes, selbstständiges Prinzip verlangen. Es sei mir deshalb gestattet, zunächst in Kürze, und unter Hinweisung auf die vornehmlichsten Repräsentanten der divergirenden Ansichten, die vorangedeutete Sonderung vorzunehmen, um mich dann im Weitern ausschließlich auf den dem Juristentage allein noch zur Entscheidung vorbehaltenen Theil der Frage beschränken zu können.

Folgende Meinungen können geäußert werden und sind bereits geäußert worden:

1) Der Richter hat nur über die äußern Merkmale, über die richtige Form der Erlassung eines Gesetzes oder einer Verordnung zu ent-

scheiden. Er unterfucht also, ob die Anordnung wirklich vom Souverän ausging, ob fie gehörig publicirt, ob fie kontrafignirt ift. Jede weitere Unter-
fuchung, insbesondere also, ob die betreffende Verordnung gegen wohler-
worbene Rechte verftößt, ob fie verfaffungsmäßig nur als Gefetz (mit Zu-
ftimmung der Stände oder Kammern) hätte erlaffen werden dürfen, oder ob
das betreffende Gefetz in verfaffungsmäßiger Weise zu Stande gekommen, ob es mit dem Inhalt der Verfaffung nicht etwa im Widerftreite
ift, kommt dem Richter nicht zu (Linde, Stahl, Zöpfl, Schlayer, Preußische
Verfaffung von 1850 Art. 106, Hannoverfche Vrdg. vom 1. Auguft 1855
§§. 4 und 13). *)

2) Der Richter hat bei Verordnungen nicht blos die äußere Form
der Erlaffung, fondern er hat nebftdem den Inhalt zu prüfen, d. h. zu
fragen, ob derfelbe ein folcher ift, daß in Gemäßheit der Verfaffung die Zu-
ftimmung der Stände hätte eingeholt werden follen; in folchem Falle aber
die Verordnung als unverbindlich anzufehen (Feuerbach, Wächter, Vangerow,
Puchta, Seuffert und mehrere Entfcheidungen Deutfcher Obergerichte, **) die
beiden Zachariae, Befeler, v. Stockmar, der Befchluß des dritten Deutfchen
Juriftentages; vgl. Hannoverfches Verfaffungsgefetz von 1848 §§. 72 und
73). ***) Die Prüfung der Gefetze aber rückfichtlich der Verfaffungsmäßig-
keit ihres Zuftandekommens oder ihres Inhaltes fteht ihm hinwieder
nicht zu (Bluntfchli, Faider, Belgifche Verfaffung Art. 107, Luxemburger
Verfaffung von 1856 Art. 95). Insbefondere habe aber

3) der Richter bei proviforifchen Verordnungen, d. h. folchen,
welche erlaffen werden, während die Kammern (Stände) nicht verfammelt
find, und zwar deshalb, weil die Aufrechthaltung der öffentlichen Sicherheit
oder Befeitigung eines Nothftandes fie erfordern, bei welchen ferner die Vorlage an die Kammern zur Prüfung beziehungsweise Genehmigung vorbehalten
ift, nicht mehr als jene äußern Kriterien (oben sub 1) zu prüfen, keineswegs aber zu unterfuchen, ob der angegebene Fall des Erforderniffes that-
fächlich beftehe. (Preuß. Verf. Art. 63 und 106, Sächfifche Verf. von 1831
§§. 88. 153, Hannov. Verfaffungsgefetz von 1848 §§. 71—73, Württemb.
Verf. von 1819 §. 89, Badifche Verf. von 1818 §§. 66 und 67, Kur-
heffifche Verf. von 1852 §. 75, Großherzoglich Heffifche Verf. von 1820
§. 73, Oefterr. Reichsverfaffung von 1861 §. 13).

4) Der Richter hat auch im Falle provi forifcher Verordnungen

---

*) Vgl. auch noch Held, Verfaffungsrecht II. S. 95.
**) Arch. IV. Nr. 250, V. Nr. 225.
***) Auch wohl noch, obzwar etwas fchwankend, Mittermaier, Arch. f. Civ.-Pr.
XVII. S. 309.

nebst der Prüfung der äußern Kriterien zu untersuchen, ob der Fall des Erfordernisses thatsächlich besteht, und ist nur in solchem Falle an jene provisorische Verfügung gebunden (Rob. von Mohl).

5) Der Richter hat auch rücksichtlich eines in gehöriger Form publicirten, also mit den erforderlichen äußern Kriterien versehenen Gesetzes zu prüfen, ob die Legislativorgane, welche bei demselben mitgewirkt haben, in verfassungsmäßiger Weise konstituirt gewesen seien oder nicht, ob ihr Beschluß in verfassungsmäßiger Weise zu Stande gekommen oder nicht, und ein Gesetz ist für den Richter unverbindlich, bei dessen Zustandekommen ein Gebrechen der angedeuteten Art obwaltete. Endlich

6) hat der Richter auch bei einem mit allen sub 5 angegebenen Erfordernissen versehenen Gesetze zu prüfen, ob sein Inhalt, das Meritum seiner Bestimmungen, nicht etwa dem Grundgesetze des Staates, der Verfassung widerstreitet, und auch ein in diesem Sinne verfassungswidriges Gesetz ist für denselben unverbindlich. (Vgl. Kurhess. Verfassung von 1831 §§. 35. 60. 61. 95. 108. 123.; Nordamerikanische Unionsverfassung III. 2 §. 1; The Federalist, Josef Story „Commentaries", Alexis de Tocqueville „la démocratie en Amérique", Verhaeghen, Vollert, Robert von Mohl). —

Dies sind die einzelnen Elemente der Frage und es wird unter der Voraussetzung ihrer sorgfältigen Auseinanderhaltung sofort möglich sein, in medias res einzugehen. Einige kleine Bemerkungen sind jedoch vorauszuschicken.

Zunächst mag es auffallend erscheinen und ist für den Zustand des öffentlichen Rechtes in Deutschland bis in die jüngste Zeit herein in hohem Grade charakteristisch, daß, während an der Erörterung der sub 1 bis 3 angeführten Fragen, wie aus unsern Anführungen ersichtlich ist, nahezu alle Koryphäen der Deutschen civilistischen und publicistischen Literatur sich betheiligt haben (sowie auch die meisten Deutschen Verfassungsurkunden darauf bezügliche Bestimmungen enthalten), die wissenschaftliche Lösung der weitergehenden sub 4 bis 6 enthaltenen Fragen dagegen, wenn man eine vortreffliche Abhandlung Robert von Mohl's und einige kurze Bemerkungen Bluntschli's und Vollert's abrechnet, so viel uns bekannt, von keinem Deutschen Staatsrechts-, geschweige denn Civilrechtslehrer ernstlich versucht worden ist. Sowie man einmal jenes umfassendere Gebiet betritt, versiegen die sonst in so reichlicher Fülle strömenden Quellen unserer Deutschen Wissenschaft, man ist auf Nordamerikanische, Französische, Belgische Bearbeiter und auf das eigene Denken angewiesen.

Sodann ist zu bemerken, daß der Deutsche Juristentag die sub 1 und 2 enthaltenen Fragen mit seinem vorjährigen Beschlusse gelöst hat, daß dagegen die Frage über das richterliche Prüfungsrecht bei provisorischen Ver-

ordnungen (3 und 4) ungelöst ist, jedoch auch nicht ausdrücklich auf die dies-
jährige Tagesordnung gesetzt wurde, während über die sub 5 und 6 enthaltenen Fragen nunmehr die Entscheidung zu fällen sein wird.

Endlich braucht wohl kaum daran erinnert zu werden, daß es sich hier
um eine Frage de lege condenda und nicht de lege condita handelt,
daß sonach dem positiven Deutschen Bundesrechte und ebenso auch dem Deutschen Territorial-Staatsrechte kein maßgebender Einfluß bei der Entscheidung
zukommen kann. Dies aber wolle noch vor Allem beachtet werden, daß es
sich um eine streng juristische Entscheidung handelt, und daß deshalb alle
politischen Erwägungen erst in zweiter Linie zur Berücksichtigung kommen
dürfen. Damit zur Sache:

Ein juristisches Fundamentalprinzip, und zwar ein einziges und gemeinsames beherrscht nach unserem Dafürhalten die gesamute vorliegende Frage;
dieses Fundamentalprinzip lautet: Der Richter hat nur das bestehende,
das im rechtlichen Sinne existente, das gültige Recht anzuwenden; er
ist, um es mit den klaren Worten Wächter's *) auszudrücken, blos Diener
des Rechtsgesetzes, aber natürlich nur Diener eines gültigen Rechtsgesetzes.
Sowie er demnach den Emanationen der vollziehenden, beziehungsweise legislativen Gewalt im Staate gegenüber steht, hat er sich vor Allem darüber
Gewißheit zu verschaffen, ob das, was er als Rechtsquelle behandeln soll,
auch wirklich eine wahre Rechtsquelle, d. h. eine Quelle gültigen Rechtes
sei. Dieses Recht zu erkennen, nur dieses (gültige) Recht anzuwenden, ist
das specifische Amt des Richters. Seine Funktion des Rechtsprechens ist
nichts Anderes als die Gewinnung eines Schlusses aus den zwei folgenden
Prämissen, oder mit andern Worten, das richterliche Urtheil ist nichts Anderes als ein Syllogismus, der auf folgenden zwei Grundlagen beruht: erstens
Feststellung des bestehenden (gültigen) Rechtes, zweitens Feststellung des dem
Richter vorgelegten Thatbestandes, woraus sich dann von selbst ergiebt: die
Anwendung des bestehenden Rechtes auf den vorliegenden That-
bestand.

Jene specifische Thätigkeit des Richters aber, vor Allem festzustellen,
was bestehendes, gültiges Recht sei, sodann aber, nur eben bestehendes,
gültiges Recht anzuwenden, muß von ihm geübt werden, ganz unabhängig
davon (und hierüber ist wohl kaum ein ernstlicher Zweifel möglich), welche
von den beiden umfassenden Rechtsquellen, die er überhaupt anzuwenden hat,
ob Gesetz (im weitesten Sinne) oder Gewohnheitsrecht **) im einzelnen
Falle zur Anwendung zu kommen habe.

---

*) Archiv f. civ. Pr. XXIV. S. 238 Nr. 12, Württemb. Privatrecht II. S. 26 ff.
**) Wir lassen den usus fori und das Juristenrecht, deren Aufnahme unter die
Rechtsquellen in der Wissenschaft noch immer kontrovers ist, mit Absicht bei Seite.

Was nun das Gewohnheitsrecht anbelangt, so ist es eine längst ins allgemeine Bewußtsein gedrungene Lehre, daß der Richter hier eine ganz wesentliche materielle Prüfung, eine Prüfung der Art des Zustandekommens und des Inhalts vorzunehmen hat, daß er sich vor der Anwendung z. B. fragen muß, ob wirklich mehrere Uebungsfälle erwiesen sind. ob bei den einzelnen Uebungsfällen opinio necessitatis bestand, ob nicht etwa nur ein errore obtentum vorliege, ja sogar endlich noch, ob das, in der That äußerst schwankende, Kriterium der Rationabilität vorhanden u. s. f. Es wird deshalb auch noch zu erörtern sein, ob es wohl wissenschaftliche Gründe sind, von welchen Viele veranlaßt werden, dem Richter für die Feststellung des geltenden Gesetzes- (Verordnungs-) Rechtes die Befugniß einer solchen meritorischen Prüfung zu entziehen. Soviel wird aber wohl jetzt schon ohne Sprung im Beweise behauptet werden können, daß demgemäß folgende Anforderungen an den Richter:

er solle eine Verordnung anwenden, deren Inhalt ein solcher ist, daß nach den Normen der Verfassung die Stände (Kammern) dabei hätten mitwirken müssen (oben 2),

er solle eine provisorische Verordnung anwenden, welche erlassen ist, ohne daß der verfassungsmäßig vorgesehene Fall des Erfordernisses eingetreten war, eine Verordnung also, welche die später berufenen Stände, Kammern, wegen dieses Mangels ex hypothesi nicht genehmigen werden (oben 3 und 4),

er solle ein Gesetz anwenden, bei dessen Zustandekommen ein Theil der gesetzgebenden Gewalt nicht verfassungsmäßig konstituirt gewesen, oder der Beschluß nicht in verfassungsmäßiger Weise gefaßt worden ist (oben 5), endlich

er solle ein Gesetz anwenden, dessen Inhalt dem Grundgesetze, der Verfassung des Staates, widerstreitende Bestimmungen enthält (oben 6), daß, sage ich, alle diese Anforderungen und jede einzelne derselben die weitere Anforderung involviren, der Richter solle nicht juristisch existentes, nicht bestehendes, nicht gültiges Recht in praxi anwenden.

In diesem aus der Amtspflicht des Richters und aus der Stellung der Justiz im Staate resultirenden Rechte desselben, jede sich ihm darbietende Rechtsquelle in dem Sinne und Umfange zu prüfen, daß nur gültiges Recht zur Anwendung komme, in dieser seiner nothwendigen Befugniß erkennen wir das leitende Grundprinzip für die Entscheidung aller einschlägigen Fragen. In welchem Maße aber dieses Prinzip hier von Bedeutung sei, wird sogleich noch deutlicher erhellen, wenn man sich folgendes Dilemma vergegenwärtigt, welches wir, auf die vorausgegangene Erörterung gestützt, glauben aufstellen zu können:

Man kann für die gesammte Lehre von dem Satze ausgehen, welchen die oben unter 1. angeführten Schriftsteller, an ihrer Spitze Stahl, ihrer Theorie zu Grunde legen. Da heißt es denn, der Richter stehe unter der anordnenden, gesetzgebenden Gewalt des Souveräns im weitesten Sinne, er habe zu prüfen, ob eine allgemeine Anordnung (Gesetz, Verordnung) vom Souverän ausging, ob sie äußerlich als von demselben ausgehend gekennzeichnet ist, und damit sei sein Prüfungsrecht zu Ende. Ein materielles Urtheil über die Rechtmäßigkeit einer vom Souverän erlassenen Norm dürfe der Richter nicht haben, der Souverän könne eben kraft seiner Souveränität Alles; er könnte, das sind die Worte Stahl's, Verordnungen geben, daß wer tadelnde Artikel gegen die Regierung schreibt, des Hochverraths schuldig, daß der katholische Priester, der Messe lese, oder der Protestant, der nicht die Hostie anbete, Freiheitsstrafe leide, daß Ein Zeuge in Civil- und Kriminalsachen vollen Beweis mache, und auch diese Verordnungen müßten dann angewendet werden. In diesem Sinne ist denn auch jede von der souveränen Staatsgewalt ausgehende Anordnung schon an sich rechtlich existent und gültig; und so charakteristisch es ist, daß der Schriftsteller, der sich so gern als den Philosophen der historischen Rechtsschule bezeichnen ließ, hier über das richterliche (nach ihm rein formale) Prüfungsrecht Grundsätze aufstellt, welche zu den von uns oben, beim Gewohnheitsrechte, angedeuteten Lehren jener Schule in diametralem Gegensatze stehen, so ist dies dennoch eine in sich konsequente Doktrin, sie ist haltbar, wenn man ihre erste Voraussetzung, d. h. die in der Person des Souveräns concentrirte Gewalt, zugiebt; es ist die präcise Formel des absolutistischen Staatsrechtes. Dies die Eine Alternative.

Die zweite Alternative geht von dem obersten Grundsatze des konstitutionellen Staatsrechtes aus, von dem Satze, daß die legislative Gewalt zwischen dem Staatsoberhaupt (Monarch, Präsident einer Republik) und der Repräsentation des Volkes (Stände, Kammern) getheilt, und diese Theilung verfassungsmäßig normirt ist. Sowie man nun einmal diese Voraussetzung statuirt, so muß man auch unweigerlich zugeben, daß es dann Gegenstand des richterlichen Prüfungsrechtes sein muß, im einzelnen Falle festzustellen, ob bei einem Gesetze oder einer Verordnung die verfassungsmäßigen Grenzen der gesetzgebenden und der vollziehenden Gewalt oder die der Wirksamkeit jeder einzelnen gesetzten Schranken eingehalten worden sind; denn nur wo dies thatsächlich der Fall ist, liegt dann ein rechtlich existentes, gültiges Gesetz, eine so beschaffene Verordnung vor; nur gültige Gesetze und Verordnungen aber hat der Richter anzuwenden.

Dieses Dilemma ist nun wohl ein unausweichliches, und es ist ebenso unausweichlich, daß, sowie man die letztere Alternative zu wählen, dem Richter die Prüfung des Inhalts legislativer Verfügungen behufs Feststellung ihrer Gültigkeit einzuräumen sich überhaupt einmal hat veranlaßt sehen müssen, es nur wieder eben dasselbe Eine Prinzip ist, welches für die Entscheidung auch der im Eingange sub 4, 5 und 6 aufgezählten Fragen maßgebend bleibt. Muß der Richter im einzelnen Falle auf Grund seines Prüfungsrechtes nachfragen, ob eine von der vollziehenden Gewalt erlassene Verordnung ihrem Inhalte nach nicht etwa als Gesetz (unter Mitwirkung der Stände, Kammern) hätte erlassen werden sollen (oben 3), so muß er in eben demselben Sinne auch bei einer provisorischen Verordnung nachfragen, ob die verfassungsmäßigen Erfordernisse einer solchen thatsächlich vorhanden sind (oben 4), so muß er ferner bei einem in gehöriger Form erlassenen Gesetze nachfragen, ob die legislativen Faktoren bei seinem Zustandekommen in verfassungsmäßiger Weise fungirt haben (oben 5), und so muß er endlich auch fragen, ob der Inhalt dieses Gesetzes mit den kategorischen und nur durch ein Verfassungsgesetz abänderlichen Bestimmungen der Landesverfassung im Einklange ist (oben 6). Unterließe er diese Prüfung auch nur in irgend einem dieser Fälle und in irgend einem der Elemente, aus welchen sie sich zusammensetzt, so würde er in die Lage gerathen, den Pflichten seines richterlichen Amtes entgegen ein Recht (Gesetz, Verordnung) anzuwenden, welches, als direkt oder indirekt und Seitens des einen oder des andern legislativen Faktors eine Verletzung der Verfassung begründend, nicht rechtlich existent, ungültiges Recht ist.

Diese letzte Erwägung nun über die einheitliche Natur des der Lösung aller berührten Fragen zu Grunde zu legenden wissenschaftlichen Prinzips ist es, auf welche hier das entscheidende Gewicht fällt; denn nachdem der Deutsche Juristentag bereits den Satz ausgesprochen hat, wonach dem Richter das (materielle, inhaltliche) Prüfungsrecht der Verfassungsmäßigkeit der Verordnungen zustehe, so hat er auch bereits jenes wissenschaftliche Prinzip sich zu Eigen gemacht, als dessen nothwendige, fernere Konsequenzen das Prüfungsrecht der Verfassungsmäßigkeit der provisorischen Verordnungen und der Gesetze hinsichtlich der Art ihres Zustandekommens und ihres Inhaltes erscheinen; und, nach unserem Dafürhalten wenigstens, ist überhaupt gar kein wissenschaftliches Prinzip vorhanden, gemäß welchem jene erste Frage im Sinne des richterlichen Prüfungsrechtes (affirmativ), die folgenden aber gegen den Sinn desselben (negativ) könnten entschieden werden.

Das Gesagte dürfte genügen, um die Grundlage für die streng juristische

Lösung des vorliegenden Problems zu gewinnen und den Nachweis zu liefern, wie sehr es nothwendig ist, daß die Erörterung dieser Grundlage rein erhalten werde von all jenem störenden Beiwerk angeblich wissenschaftlicher, thatsächlich aber nichts anders als praktisch=politischer Zweckmäßigkeitsgründe, deren Einmengung die Behandlung der ganzen Lehre bei den meisten Deutschen Bearbeitern derselben getrübt hat. Es ist dabei aber andererseits wohl selbstverständlich, daß das Gewicht solcher Gründe, wo es sich um Feststellung eines Rechtssatzes von hochwichtigen praktischen Konsequenzen handelt, nicht nur nicht unterschätzt werden darf, sondern vielmehr in der gewissenhaftesten Weise gewürdigt werden muß. Wir werden deshalb im Folgenden noch auf die wichtigsten unter den gegen die hier als allein richtig dargestellte Entscheidung erhobenen Bedenken eingehen, wobei wir zur Ergänzung, um nicht bereits Gesagtes in unnützer Weise zu wiederholen, auf eine Abhandlung Robert von Mohl's *) verweisen und zugleich bemerken, daß bei der Mehrzahl dieser Bedenken alle einzelnen im Eingange gesonderten Fragen unterschiedslos vermengt werden. **) Zum Schlusse möge es aber uns ebenfalls gestattet sein, auch wieder diejenigen praktischen Erwägungen auszusprechen, welche, selbst abgesehen von dem wissenschaftlichen Grundprinzip der Lehre, der von uns verfochtenen Ansicht das Wort reden.

I. Man sagt, und das geht eigentlich der Hauptsache nach nur die Fälle sub 2, 3 und 4 an, die Entscheidung über die Gesetzmäßigkeit einer Verordnung (auch einer provisorischen, und dieser insbesondere, weil ja rücksichtlich derselben die Vorlage an die später zu versammelnden Landstände, Kammern, verfassungsmäßig normirt zu sein pflegt) habe der Richter den Verhandlungen zwischen diesen Landständen, Kammern, und der Regierung zu überlassen.

Hierauf hat eigentlich schon Puchta ***) ausreichend geantwortet. Der Richter hat über die Erfordernisse der Existenz des Rechtes zu urtheilen. Er kann sich nicht an die gesetzgebende Gewalt wenden, denn er soll nach dem bestehenden Recht verfahren. Ueberläßt er die Entscheidung den politischen Verhandlungen, so wäre gerade die wahre Folge die, daß er das bis zu dieser Entscheidung problematische Gesetz nicht anwenden dürfe. Denn

*) Ursprünglich in der krit. Zeitschrift f. Rechtswiss. und Ges. des Auslandes 1852. XXIV. Bd., seither völlig umgearbeitet und erweitert in den Monographien: Staatsrecht, Völkerrecht und Politik I., Tübingen 1860.
**) Es werden übrigens hierbei diejenigen Einwände, welche der vorjährige Juristentag, wie aus dem von ihm gefaßten Beschlusse erhellt, selbst schon als unstichhaltig anerkannt hat, bei Seite gelassen.
***) Vorlesungen 4. Aufl. I. S. 35.

er soll doch sicherlich kein Recht anwenden, von dem sich am Ende hintennach herausstellen kann, daß es gar kein Recht war. Das v o r jener Verordnung bestandene (durch sie für den speziellen Thatbestand modifizirte) Recht ist aber ganz gewiß g ü l t i g e s Recht.

Das Prüfungsrecht des Richters und das Prüfungsrecht der Landstände rücksichtlich einer vom Staatsoberhaupte einseitig erlassenen definitiven oder provisorischen Verordnung ist aber übrigens auch noch seiner Wesenheit nach völlig verschieden. Die Landstände prüfen die Rechtmäßigkeit, Verfassungs-mäßigkeit einer getroffenen Verfügung und nicht minder ihre Zweckmäßig-keit; der Richter hat n u r die Rechtmäßigkeit zu prüfen, während die Frage der Zweckmäßigkeit völlig außer seiner Sphäre liegt. Die Landstände prüfen die Verordnung als eine allgemeine, für alle Fälle; der Richter prüft sie nur für den einzelnen Fall, welcher eben vor sein Forum gebracht wird. Für die Landstände ist maßgebend die Frage, wie sich die betreffende Verfü-gung zu dem Gesammtinteresse verhält, für den Richter maßgebend ist nur die Frage, ob die betreffende Verfügung gültiges (verfassungsmäßiges) Recht ist. Das ganze Argument fällt also wohl in sich selbst zusammen.

II. Nicht besser steht es mit dem Bedenken, daß der Richter sich mit seinem Prüfungsrechte ü b e r den Gesetzgeber stelle (es soll dies im weitesten Sinne, also auch mit Rücksicht auf die Fragen sub 5 und 6 aufgefaßt werden), während doch nach der richtigen Lehre der Richter der gesetzgebenden Gewalt u n t e r geordnet sei, wie jedes andere Glied des staatlichen Orga-nismus.

Von dieser behaupteten Ueberordnung des Richters kann ja von vornherein gar keine Rede sein. Denn der Richter stellt sich ja, das leuchtet denn doch wohl in's Auge, gar nicht über den Gesetzgeber sondern u n t e r ihn, insoweit er eben wirklich im einzelnen Falle berechtigter Gesetzgeber ist, d. h. er stellt sich unter das gültige Gesetz und gegen das ungültige verfassungswidrige Ge-setz. Das gültige Gesetz, das steht allerdings über dem Richter, und dies wendet er auch unweigerlich an, ohne nach seiner Zweckmäßigkeit u. s. w. irgend-wie fragen zu dürfen; aber das ungültige, verfassungswidrige Gesetz, das Ge-setz, welches eben nicht Gesetz und nicht Recht ist, das wird denn doch wohl nicht über den Richter gestellt werden sollen! Was liegt aber überhaupt in der von uns vertretenen Lehre Anderes, als die Anweisung an den Richter, abhängig blos vom Gesetze und unabhängig von der Regierungsgewalt zu sein, was Anderes als die Anweisung, eine Unabhängigkeit zu behaupten, die, wie ja doch allgemein anerkannt, unerläßlich ist, um jede Kabinetsjustiz auszuschließen. Kabinetsjustiz aber ist es, das kann gar nicht geläugnet wer-den, ganz ebenso, wenn die Regierung für mehrere oder für eine ganze Gat-tung von Fällen eine verfassungswidrige Verordnung erläßt, wie wenn sie für einen einzelnen Fall eine willkürliche, gesetzwidrige Entscheidung befiehlt*); ein vollständiges Analogon der Kabinetsjustiz bleibt es aber auch nicht minder, wenn ein in gehöriger Form erlassenes Gesetz einen verfassungswidrigen Inhalt hat, und es kommt dabei ganz auf Eins hinaus, ob nun solche Justiz in dem Kabinet des Souveräns oder in der Kammer der Volksvertretung ihren Ausgangspunkt gefunden hat. Es ist klar, daß dabei zwischen der verfassungswidrigen Verordnung, bei der eben nur das Staatsoberhaupt thätig war, und zwischen dem verfassungswidrigen Gesetze, bei dem die Volksvertretung mitgewirkt hat, kein Unterschied zu machen sei. Jener kann die in der Verfassung gegebenen Schranken absichtlich oder absichtslos überschreiten, nicht minder aber auch diese; und wir unsererseits vermögen selbst in der von Bluntschli geäußerten Hoffnung, daß namentlich die Volksvertretung sich immer ihrer Stellung bewußt bleiben und das lebendige Gefühl ihrer Pflichten gegen die Verfassung bewahren werde, eine Garantie gegen verfassungswidrige Gesetze und gegen die Anwendung ungültigen Rechtes nicht zu erkennen. Eine solche Garantie liegt aber in der staatlichen Stellung der Justizbehörden und in der Amtspflicht des Richters, welche dahin lautet, daß er das bestehende, verfassungsmäßige Gesetz und kein anderes in so lange anzuwenden habe, als dies bestehende Gesetz nicht durch ein neues, gleichfalls verfassungsmäßiges verdrängt worden ist.**)

III. Es ist ein weiterer Einwand erhoben worden, und diese Ansicht fand auf dem vorjährigen Juristentage einen sehr beachtenswerthen Vertreter: Das, was hier von den Gerichten verlangt werde, die Prüfung der Verfassungsmäßigkeit der Gesetze, das sei ja im konstitutionellen Staate Sache der Minister und hierzu sei ja eben die Ministerverantwortlichkeit da. Ja diese letztere würde auch gar keinen Sinn haben, wenn man statuiren wollte, die Gerichte sollten über die materielle Verfassungsmäßigkeit zu judiziren haben.

Auch diesem Argument liegt ein offenbarer Trugschluß zum Grunde. Die Ministerverantwortlichkeit reicht wieder viel weiter und hat eine andere

---

*) Das hob auch schon der treffliche vorjährige Berichterstatter, unser geistvoller Ihering, hervor.

**) Der verdienstvolle K. S. Zachariae hat einmal eine Art Begründung des Satzes von der Unabhängigkeit der Gerichte mehr angedeutet als ausgeführt, auf die ich, weil sie sehr beachtenswerth erscheint, nur kurz verweise (Arch. f. civ. Pr. XVI, S. 173 ff.). Er sagt ungefähr Folgendes:

Die gesetzgebende Gewalt stelle den allgemeinen, den Gesammtwillen dar. Wie nun zwei Parteien im Rechtsstreite begriffen sind, erscheine diese gesetzgebende Gewalt, welche den Willen Aller darstellen soll, schon als parteiisch. Deßhalb müßten eben die Gerichte in völliger Unabhängigkeit von der gesetzgebenden Gewalt amtiren.

Tendenz als das Prüfungsrecht der Gerichte. Die Verwaltungsbehörden, welche den Ministerien unbedingt untergeordnet sind, können längst einen verfassungswidrigen Erlaß, ein verfassungswidriges Gesetz thatsächlich angewendet haben, ehe ein Gericht dazu kommt, jenen oder dieses in dem einzelnen Falle, der eben vor sein Forum gelangt, für unverbindlich zu erklären. Unter solchen Umständen nun wird die Ministerverantwortlichkeit neben dem Prüfungsrecht der Gerichte und in einem unendlich umfassenderen Sinne als dieses, eminent praktisch sein. Ja, es brauchte der Fall gar nicht vor die Judikatur eines Gerichtes gekommen zu sein, oder dieses könnte die betreffende Verfügung irrigerweise unbedenklich angewendet haben, und die Kammern könnten sich dennoch veranlaßt sehen, ein Ministerium wegen verfassungswidrigen Gebahrens in Anklagezustand zu versetzen. Mit Einem Worte: die Ministerverantwortlichkeit für überflüssig erklären, weil oder wo das von uns begehrte richterliche Prüfungsrecht besteht, heißt gerade ebenso viel, als etwa das Strafgesetz und -Gericht für überflüssig erklären, weil eine gute Polizei in einem Staate thätig ist.

IV. Es ist ferner behauptet, das von uns vertretene, formale und materielle Prüfungsrecht, resp. die dadurch erhöhte Stellung des Richteramtes, hänge mit der Volkssouveränität zusammen, diese aber sei für die öffentlichen Rechtszustände in Europa unanwendbar. Die letztere Behauptung muß unbedenklich zugegeben werden, die erstere aber, die Meinung, daß das von uns vertretene Recht mit der Volkssouveränität im Zusammenhange stehe, ist eine leere Fiktion. Sowie nur einmal die legislative Gewalt zwischen Fürst und Volk getheilt ist, es mag dabei die Vollzugs-, die Regierungsgewalt ganz in den Händen des Fürsten gelegen, und es mag von Volkssouveränität auch ganz und gar keine Rede sein, so ist das Prüfungsrecht der Gerichte begründet. Denn die Gerichte prüfen ja nur die Verfassungsmäßigkeit der legislativen Verfügungen, sie sorgen also nur für die unbeirrte Aufrechthaltung jenes allein gültigen (Verfassungs-) Rechtes, welches von Fürst und Volk gemeinsam vereinbart und sanktionirt, oder auch etwa vom Fürsten einseitig oktroyirt, vom Volke aber angenommen und genehmigt worden ist. Davon, daß die Gerichte mit ihrem Prüfungsrechte irgendwie den Schwerpunkt der Souveränität verrücken, kann um so weniger gesprochen werden, als sie ja vielmehr nur jenes Verhältniß der Souveränität unverrückt bestehen lassen, welches, ganz unabhängig von ihrer Wirksamkeit, durch die die Verfassung konstituirenden Faktoren bereits festgestellt worden ist. Wenn aber durch dieses Prüfungsrecht die Verfassung selbst auf eine höhere Stufe gestellt wird als einzelne Gesetze, wenn man jene damit für unantastbar erklärt, in so lange sie nicht durch die berufenen Organe in der verfassungsmäßigen Weise abgeändert worden ist, so leuchtet ein, daß dies mit der Volkssouveränität auch

nicht das Geringste zu schaffen habe, und daß dasselbe, nur in engeren Grenzen eingeschlossene Prinzip sich sogar in den meisten konstitutionellen Verfassungen ausgedrückt findet, wenn sie Modifikationen des Staatsgrundgesetzes
nur unter besonders qualifizirten, ihr Zustandekommen erschwerenden Umständen für zulässig erklären.*)

V. Man sagt endlich, das von uns postulirte Prüfungsrecht der Gerichte
sei praktisch undurchführbar. Hier bedarf es sorgfältiger Unterscheidung,
denn, während die früher erörterten Einwände sich schon auf den ersten Blick
als haltlos darstellten, so dürfen wir andererseits rücksichtlich dieses Bedenkens
uns nicht verhehlen, daß, wenn es auch nur nicht ganz vollständig widerlegt
werden könnte, es schon für sich allein hinreichend sein müßte, unsere ganze
vorausgegangene Argumentation aus dem Felde zu schlagen. Ein etwas
näheres Eingehen ist also hier durch die Natur der Sache geboten.

Zunächst wird zur Unterstützung jener Behauptung eine Reihe angeblich
sehr eklatanter Fälle angeführt, aus welchen jene praktische Undurchführbarkeit
sich ergeben soll. Es seien z. B. (ich verweise hier wieder auf die gehaltvolle
Rede Reichensperger's im Pleno des dritten Juristentages) in mehr als einem
Staate auf Grund eines behaupteten oder wirklichen Nothstaatsrechtes abnorme,
d. h. verfassungswidrige, Aenderungen der Wahlgesetze als geboten erachtet
worden, wie dies in Preußen bei der Oktroyirung des Wahlgesetzes von 1849
der Fall war. Will man nun, wird weiter gefragt, diese Thatsachen in foro
wirklich nicht respektiren, will man nicht anerkennen, daß in der That eine
Landesvertretung, die nicht die wirklich verfassungsmäßige ist, unter diesen
oder jenen Voraussetzungen dennoch die Wirksamkeit einer legalen Landesvertretung üben könne und müsse?

Nun denn, ich gestehe offen, es scheint mir einigermaßen befremdend,
daß hier die angebliche Nothwendigkeit, einen Verfassungsbruch zu sanktioniren,
als ein Motiv angeführt wird, um dessentwillen das richterliche Prüfungsrecht
zu beschränken sei. Man sollte meinen, es müsse in dem Beruf und in der
Würde der Rechtswissenschaft gelegen sein, überall die Warnerstimme zu erheben, wo etwa von der Möglichkeit schwerer Rechtsverletzungen die Rede ist,
und die tiefen Abgründe zu erhellen, in welche ein Gebahren solcher Art,
und gehe es aus von wem immer, nothwendig hineinführen muß. Man
sollte meinen, es stehe Niemandem schlechter an, als jener ars boni et aequi,
als welche schon der alte Römische Jurist Celsus die Jurisprudenz charakte-
terisirte, zu solch schweren Rechtsverletzungen gleichsam zu ermuntern, indem
sie deren unheilvolle Folgen beseitigen hilft, die daraus hervorgehenden In-

---

*) Man vergl. den Abschnitt „Gewähr der Verfassung" in der Mehrzahl der
Deutschen Verfassungsurkunden.

konvenienzen behebt; und sie sei eben nicht die geeignete Bundesgenossin für Diejenigen, die etwa darauf ausgehen, um an ein von Stahl über das Revolutionmachen gebrauchtes Wort zu erinnern, ohne Gefahr in Bequemlichkeit*) Reaktion zu machen, einen coup d'état, den Verfassungsbruch zu bewerkstelligen. Ja, es erscheint sogar als ein geradezu verwerfliches Prinzip, jenem, ich möchte sagen schlotternden Rechtsbewußtsein eine wissenschaftliche Grundlage zu geben, welches schnell bereit ist, aus dem Absolutismus in den Konstitutionalismus, dann etwa in den Republikanismus und wieder zurück überzugehen, aus Einer Verfassungsform, aus Einem öffentlichen Rechtszustande in den anderen, erworbene Rechte mißachtend, jedesmal Zweckmäßigkeitsgründe und das angebliche salut public an die Spitze stellend, ohne daß jemals zu einem geordneten Rechtszustande zu gelangen sein könnte.

Sieht man aber auch ab von allem hier ausgeführten Bedenken, wie es scheint, in der That sehr praktischer Natur gegenüber jenen angeblich praktischen, so involvirt jene Behauptung überdies noch ein offenbares Hysteron-Proteron. Denn das ist zum Mindesten noch eine ungelöste Frage, ob nicht das umfassende Prüfungsrecht, welches wir den Gerichten vindiziren, wesentlich mit dazu beitragen kann, jene Verfassungsverletzungen hintan zu halten, welche nach der hier bekämpften Ansicht dir Wissenschaft als ein fait accompli anzunehmen hätte und denen sie den Weg zu bahnen behilflich sein soll.

Ein weiterer Fall ist folgender. Wie, sagt man, soll der Richter wirklich auch prüfen dürfen, ob in einem einzelnen Fall die Landesvertretung ihre Zustimmung thatsächlich in der Weise gegeben habe, wie dies in der Gesetzessammlung Seitens der höchsten Gewalt festgestellt und beglaubigt worden ist (oben sub 5)? Im Preuß. Herrenhause sei ein Gesetz berathen worden und man habe über dasselbe abgestimmt, trotz des von dem Präsidenten überhörten Antrages eines Mitgliedes, daß dem Anschein nach nicht mehr beschlußfähige Haus abzählen zu lassen. Sofort habe der Präsident den Paragraphen als angenommen erklärt, dann aber, über jenen wiederholten Antrag, das Haus wirklich abzählen lassen und nicht mehr beschlußfähig gefunden. Sollten nun die Gerichte jenen Paragraphen als nicht in verfassungsmäßiger Weise festgestellt für unverbindlich erklären dürfen?

Auch diese, angeblich aus unserem Prinzip gezogene, monströse Folgerung schwebt in der Luft. Die Geschäftsordnung der Vertretungskörper im konstitutionellen Staate ist entweder ein integrirender Theil der Verfassung, oder es ist wenigstens in der Verfassung normirt, daß jedes Haus seine Geschäfts-

*) Oder wie das Preußische Ministerium Brandenburg dies im Jahre 1850 vom Ministertisch aussprach: im Schlafrock und Pantoffeln.

ordnung selbst festzustellen habe. In der einen oder anderen Weise wird es ersichtlich sein, ob die Erklärung des Präsidenten, ein Beschluß sei geschäftsordnungsmäßig zu Stande gekommen, entscheide, ob demselben hierüber die Kognition zustehe. Ist dem so, wie dies wohl überall der Fall sein wird, so behebt sich die behauptete Schwierigkeit von selbst, und es könnte dann von vornherein keinem Richter einfallen, den so gefaßten Beschluß anzufechten.

Jene sog. eklatanten Fälle beweisen also nichts, und wenn es überhaupt noch nöthig sein sollte, so stelle ich ihnen auch meinerseits einen Fall gegenüber, welcher die abnormen Konsequenzen darstellt, zu welchen die Geltung verfassungswidriger Gesetze führen kann, wobei es jedoch, um nicht gar zu ausführlich zu werden, genügen mag, auf die interessante Abhandlung Vollert's über die Giltigkeit der im Fürstenthume Reuß j. L. vom Mai 1852 bis November 1853 erlassenen Gesetze zu verweisen.*)

Die praktische Undurchführbarkeit unserer Theorie soll aber ferner darin ihre Begründung finden, daß die Richter nicht im Stande, nicht befähigt seien, jene Fragen zu beurtheilen. Auch dies Argument ist mit wenig Worten zu erledigen. Was wir hier dem Richter zumuthen, ist denn doch in der That bei Weitem keine so schwierige Denkoperation, als diejenige, welche ihm im Civilprozesse, wie wir schon oben gesehen haben, bei der Prüfung des Daseins eines Gewohnheitsrechtes, oder überhaupt wo immer es sich um Feststellung der anzuwendenden Rechtsquelle, z. B. um die Lehre von der rückwirkenden Kraft der Gesetze oder vom internationalen Privatrechte handelt, tagtäglich auferlegt ist.**) Vermag er diese Aufgaben zu lösen, warum nicht auch jene? Die feineren subtilen Unterscheidungen sind zudem gerade in den Bestimmungen des öffentlichen Rechtes meistens vermieden, schon deshalb, weil diese letzteren eben dem Laien und dem täglichen Gebrauche zugänglich gemacht werden wollen. Und wenn endlich irgendwo durch Undeutlichkeit der Verfassungs- oder Gesetzesbestimmung eine mangelhafte richterliche Entscheidung herbeigeführt werden sollte, so läge darin eben, wie wir sogleich noch sehen werden, ein sehr ersprießlicher Impuls zur Abhilfe und Modifikation.

Das Prüfungsrecht der Gerichte, sagt man endlich, sei deshalb undurchführbar, weil dadurch Verschiedenartigkeit der gerichtlichen Entscheidungen und

---

*) In der Zeitschr. f. die gesammte Staatswissenschaft von Rau, Mohl und Hanßen, X. 1854, S. 328. (S. ferner ebendaselbst S. 586.)

**) Es braucht hier wohl kaum an den 8. Band des Savigny'schen Systems, an Story u. s. w. oder an Wächters treffliche Abhandlungen im Civilist. Archiv erinnert zu werden.

damit Rechtsunsicherheit, Verwirrung, Anarchie unabwendbar herbeigeführt werden müsse.

Auch dieses letzte Bedenken ist schon von Robert von Mohl berührt und siegreich widerlegt. Die zu besorgende Verschiedenartigkeit der Richtersprüche ist dadurch zu beseitigen und muß dadurch beseitigt werden, daß in jedem einzelnen Falle, wo in einer richterlichen Sentenz die Unverbindlichkeit eines Gesetzes wegen Verfassungswidrigkeit ausgesprochen wird, von Amtswegen der Rechtszug im Wege des Obergerichtes an den obersten Gerichtshof zu leiten sein soll. Fällt dann hier das Verdikt zu Gunsten des angefochtenen Gesetzes aus, so werden alle Gerichte des Landes in Gemäßheit dieses Präjudikates judiziren, und die Sache ist abgethan, von einer Rechtsverschiedenheit keine Rede. Bestätigt jedoch der oberste Gerichtshof die Unverbindlichkeit des Gesetzes, so werden alle Gerichte des Landes in demselben Sinne zu erkennen haben, und dann ist wieder keine Rechtsverschiedenheit vorhanden, wohl aber ist dann für die gesetzgebende Gewalt der Moment eingetreten, entweder das angefochtene Gesetz selber aufzuheben, beziehungsweise abzuändern, oder auch es durch eine in legaler Weise vorzunehmende Verfassungsänderung zum gültigen Gesetze zu gestalten. Eine achtzigjährige Praxis in Nordamerika zeigt übrigens zur Genüge, wie alle jene künstlich ersonnenen Gefahren im praktischen Leben verschwinden. —

Damit erscheinen denn alle irgend erheblichen Gegengründe beseitigt, und es erübrigt uns nur noch, auch unsererseits diejenigen praktischen Momente hervorzuheben, in denen wir eine weitere Begründung und Befürwortung der von uns vertretenen Lehre erkennen.

Zunächst ist es gar nicht die Meinung und am allerwenigsten der Wunsch Derjenigen, welche für das umfassende Prüfungsrecht der Gerichte votiren, daß die Richter, so wie einmal dies Recht ihnen eingeräumt worden sei, nun gar häufig in die Lage kommen mögen, verfassungswidrige Gesetze oder derartige provisorische Verordnungen als unverbindlich zu erklären. Die Voraussetzung ist vielmehr die, daß die Einräumung dieses Rechtes eine sehr erhebliche präventive Wirksamkeit zu üben vermöge, und daß dasselbe ein sehr ersprießliches Mittel darbiete, um die gesetzgebende und die Regierungsgewalt zu veranlassen, in ihren verfassungsmäßigen Schranken zu verbleiben, um also einerseits vor der Willkür des Staatsoberhauptes, andererseits vor der oft nicht minder gefährlichen Tyrannei der Majoritäten zu schützen.

Ein weiterer Gedanke ist der, daß mit der Einräumung des gedachten Prüfungsrechtes an die Gerichte die Stellung der Kammern einerseits und des Staatsoberhauptes andererseits im Sinne der Verfassung klarer und bestimmter normirt werde. Es bleiben damit jene oft geltend gemachten, so zu sagen transcendentalen (metaphysischen) Begriffe von einer der Souveränität zukommenden Heiligkeit, sowie von einer der Volksvertretung zukommenden Omnipotenz ganz bei Seite. Jeder dieser beiden politischen Faktoren begiebt sich von vornherein eines über die scharf umschriebenen Grenzen der Verfassungsbestimmungen hinausreichenden Wirkungskreises. Sache der Gerichte aber ist es, indirekt, insoweit sie eben im einzelnen Falle in Anspruch genommen werden, für die Einhaltung dieser Kompetenzkreise Sorge zu tragen. Es ist damit ferner gegeben, daß das Grundgesetz des Landes, gewöhnlich die reife Schöpfung einer etwas längeren Vergangenheit, manchmal sogar früherer Jahrhunderte, größere Festigkeit und gesicherteren Bestand erlangt gegenüber dem wandelbaren Gesetz und Recht jedes Tages; es ist die Möglichkeit gewonnen, daß sich im Laufe der Zeit ein **historisches Recht der Verfassung**, gewissermaßen eine **Ehrwürdigkeit und Legitimität der verfassungsmäßigen Freiheit** entfalte, ein Prinzip, an welchem die Nordamerikaner z. B. so sehr festhalten, daß sie für die Gerichte, wo es sich um das Verhältniß der Verfassung zu einzelnen Gesetzen handelt, analog unserer Rechtsparömie: Lex posterior derogat priori, gleichsam den Rechtssatz geschaffen haben: Lex superior (d. i. das Verfassungsgesetz) derogat inferiori.*)

Es ist ferner drittens eine beachtenswerthe Erwägung, daß mit dem Prüfungsrecht der Gerichte das Ansehen der Rechtspflege überhaupt und die Würde des Richterstandes in bedeutendem Grade gehoben wird. Die Thatsache, daß das bestehende Recht gewahrt und behauptet werde gegenüber jeder wie immer gearteten Verletzung und komme diese auch von der gesetzgebenden oder Regierungsgewalt selber, verleiht dem Rechte eine höhere Weihe und giebt dem in völliger Unabhängigkeit amtirenden Richter, als dessen Mission die Handhabung dieses Rechtes erscheint, eine größere sittliche Würde; er wächst, nach dem Worte des Dichters, mit seinen größeren Zwecken. Damit steigert sich aber auch die Macht des Rechtsbewußtseins im gesammten Staate, eine Macht, die für den Bestand des Ganzen nur segensreich sein kann.

Es ist endlich viertens nicht zu verkennen, daß mit diesem richterlichen Prüfungsrechte, dessen Maßstab ja die Verfassung ist, diese selbst sich tiefer und tiefer einwurzelt in das Bewußtsein des gesammten Volkes. Unsere modernen Verfassungen, verhehlen wir es uns nicht, sind das späte Produkt unserer politischen Bedürfnisse, der mühsam errungenen Erkenntniß ihrer

---

*) Man vergl. Josef Story Comm., I, S. 254, IV. Kap., II, S. 427, Kap. XXVIII; den bei uns noch viel zu wenig gewürdigten, trefflichen Federalist Nr. 78, 80, 81 und 82; endlich Tocqueville, la démocratie en Amérique, I, S. 118 (13. Aufl., Paris 1850), auch Note 12 und 13 am Ende des II. Bandes.

Zweckmäßigkeit. Wir haben ihnen weder jene feste Grundlage der religiösen Ueberzeugungen mehr verleihen können, auf welcher die Staatsverfassungen des klassischen Alterthums beruht haben, noch auch kommt ihnen jene Weihe der Anciennität zu Gute, die für die Verfassung Englands z. B. von so unschätzbarem Werthe ist. Sie wurzeln deshalb noch nicht tief im öffentlichen Bewußtsein, das Gefühl von ihrem Werthe schwankt je nach der Strömung der Zeiten, wie wir dies nur zu oft erlebt haben. Lassen sich deshalb kräftige Schutzwehren für dieselben errichten, so möge man dieses nicht außer Acht lassen. Wenn der einzelne Bürger seines Hausrechtes und seiner Bürgerrechte wahrt, wenn die Gemeindevertretungen die kommunalen Rechte hüten, wenn die Provinzial- und Reichsvertretungen die politischen Rechte der Gesammtheit aufrecht halten, wenn endlich der Richter tagtäglich dafür einsteht, daß nur verfassungsmäßig entstandene und mit der Verfassung im Einklang stehende Gesetze in Anwendung gebracht werden, dann, aber auch nur dann erhält das Verfassungsleben seine feste und dauernde Organisation, dann geht das Bewußtsein von dem nothwendigen ja unerläßlichen Bestande des Rechts- und Verfassungsstaates in succum et sanguinem des Volkes über, dann wird der Staat zum geordneten System, ich möchte sagen zum **Kosmos der bürgerlichen und politischen Freiheit.** Auf solchem Terrain erstehen dann jene Bürgertugenden, deren ein freies Staatsleben bedarf, und kommen einst schwere Zeiten der Willkür und Vergewaltigung, so fehlen die Männer nicht vom Schlage John Hampden's und Pym's, die in strenger Gesetzmäßigkeit ohne Waffen und ohne Revolution sich erheben und ihrem Land und Volk die Freiheit wiedererringen oder erhalten.

Ich fasse sohin die Summe meiner Deduktion in dem Antrage zusammen:

> „Der Juristentag wolle aussprechen:
>
> Die Würde der Rechtspflege und die Handhabung der Gerechtigkeit ist nur da gesichert, wo der Richter auch die Frage über die Verfassungsmäßigkeit der Gesetze (sowie der provisorischen Verordnungen) ohne Einschränkung zu prüfen hat.“

Damit wären wir zu Ende. Jedoch ist eine kurze Bemerkung noch übrig. Man kann die Einwendung erheben, daß diese Frage dem Staatsrecht angehöre, aber wohl bemerkt, der ganze Inhalt der Frage, auch derjenige Theil derselben, über welchen der Deutsche Juristentag bereits im verflossenen Jahre gesprochen. In der Wesenheit ist das auch gar nicht zu bestreiten. Der Antrag hat zum Gegenstand das Verhältniß des Richters zur legislativen und zur Regierungsgewalt, ein wesentlich staatsrechtliches Verhältniß. Er hat zum Gegenstand die Lehre von der Unabhängigkeit der Gerichte, von dem bloß verfassungsmäßigen Gehorsam, eine

weſentlich ſtaatsrechtliche Lehre, und er hängt enge zuſammen mit der ebenfalls wieder ſtaatsrechtlichen Lehre von der Unabſeßbarkeit der Richter. Die
Rechtsverhältniſſe der Staatsbürger untereinander hat er nicht zum Gegenſtande; mit der Kompetenz der Gerichte gegenüber den Rechtſuchenden oder
mit der inneren Organiſation der Gerichte hat er nichts zu ſchaffen. Ueber
das Gebiet des Civilrechts im ſtrengen Sinne insbeſondere reicht er ſchon
deshalb hinaus, weil ja im gegebenen Falle der Strafrichter die in demſelben enthaltenen Fragen ganz ebenſo zu löſen hat, wie der Civilrichter.
Daſſelbe ergiebt ſich aus der Stellung der Lehre in der Literatur*) und in
den poſitiven Geſeßen.

Aber andererſeits reicht dieſe Lehre auch wieder mit allen ihren entſchei-
denden Konſequenzen in das Prozeßrecht (Civil- und Strafprozeßrecht) hinein,
findet auf dieſem und nur auf dieſem Gebiete ihre Anwendung. An dieſen
Ausläufern, an dieſen Fäden mag denn der Juriſtentag, wie er dies auch
ſchon im verfloſſenen Jahre gethan, ſie erfaſſen, um ſein maßgebendes Urtheil
über ſie zu ſprechen. An der Hand dieſes Einen Präzedenzfalles aber möge
dann auch der Juriſtentag die Frage ſich vorlegen, ob es nicht auch über
kurz oder lang ein gebieteriſches Bedürfniß für ihn ſein werde (wie praktiſch
immerhin die Motive ſein mögen, die ihn bisher abgehalten), auch das Gebiet des Staatsrechtes in den Kreis ſeiner Erörterungen zu ziehen, damit er
ſeine ſchöne Miſſion mehr und mehr in ihrem geſammten und eigentlichen
Umfang erfülle.

---

*) Vergl. auch Mohl a. a. O. S. 66 und den Ausſpruch Bluntſchli's, Allg.
Staatsrecht I, S. 489 Nr. 2, 2. Aufl. von 1857.

Gutachten,

welche in die erste Lieferung nicht mehr Aufnahme finden konnten.

Gutachten über die Anträge

a. des Stadtgerichtsrath Dr. Eberty zu Berlin sub No. I. (Verhandl. des II. D. J.-T. Bd. 2, S. 5),

b. des Staatsanwalt Hauschteck zu Stralsund (Verhandl. des III. D. J.-T. Bd. 1. Nr. 18a der Anträge),

c. des Rechtsanwalt Sabarth zu Ratibor (a. a. O. Nr. 18b der Anträge) betreffend einige Fragen über die Organisation der Rechtspflege.

Gutachten des Staatsanwalt Lienbacher in Wien.

————————

Der sehr geehrten Aufforderung der ständigen Deputation des Deutschen Juristentages, über die Anträge des Herrn Staatsanwalt Hauschteck (D. G.-Z. Nr. 52 de 1862, S. 214 Sp. 2), dann des Herrn Rechtsanwalt Sabarth (a. a. O.) und des Herrn Stadtgerichtsrath Dr. Eberty Nr. I. (ebendas. Nr. 53, S. 218 Sp. 1) mein Gutachten abzugeben, suche ich durch nachfolgende Erörterung zu entsprechen, deren Kürze theils durch meine anderweitigen Geschäfte geboten, theils auch durch die Ueberzeugung empfohlen ist, daß über manche Punkte der gestellten Anträge entweder sich schon eine so allgemeine Ansicht unter den Fachmännern gebildet hat, welche jede Ausführung überflüssig erscheinen läßt, oder nur eine sehr tief eingehende und so spezielle Auseinandersetzung, welche hier nicht unternommen werden kann, die erwünschte Förderung der zu lösenden Aufgabe zu bieten vermöchte.

Obwohl das Organ zugleich seine eigene Thätigkeit bedingt, erheischt doch die natürliche Ordnung, zuerst die Aufgabe der einzelnen Justizbehörden festzustellen und dann erst über den Organismus zu sprechen, in welchem der Staat seine Aufgabe der Rechtspflege zu erfüllen hat. Mit Recht hat daher die ständige Deputation die Anträge von Hauschteck und Sabarth voran gestellt. Von diesen beiden aber muß ich die Anträge des Letzteren voraussenden, obgleich mich meine Sympathien zu denen des Ersteren hinziehen — ohne daß dieses blos ein Zug der Amtsgenossenschaft ist. Der Herr Rechtsanwalt Sabarth ist nämlich mit dem „Institute der Staatsanwaltschaft, wie sich dasselbe seither in Deutschland ausgebildet hat," so unzufrieden, daß er geradezu ausspricht, dasselbe „sei kein Bedürfniß oder Förderungsmittel einer unparteiischen Rechtspflege, und es seien zum Wesen des Anklageprozesses ständige öffentliche Anklagebehörden nicht erforderlich; dem jener Prozeßform zu Grunde liegenden Gerechtigkeitsprinzipe werde viel mehr entsprochen, wenn für die einzelnen zur gerichtlichen Kognition gelangenden Fälle von Gesetzesverletzungen je einzelne Mitglieder des

Richteramtes mit den Funktionen des öffentlichen Anklägers beauftragt, und für diese speziellen Angelegenheiten von der Funktion als Richter entbunden werden." —

Ich muß gestehen, daß ich als Einer der Unnöthigen diesem Antrage lieber in einem lustigen Kommers, als in einer ernsten Druckschrift entgegengetreten wäre. Denn ist man von der Nothwendigkeit der Trennung der Parteifunktionen vom Richteramte, von dem großen staatlichen Interesse an der Strafrechtspflege und von dem Bedürfniß einer noch freieren, selbstständigeren Entwickelung des Institutes der Staatsanwaltschaft so sehr überzeugt, wie der Schreiber dieser Zeilen, so wäre ein Antrag wie der des Herrn Sabarth nur geeignet, die schmerzlichste Empfindung hervorzurufen — wenn man auch nur einen Augenblick den Gedanken festhalten könnte, daß derselbe eine große Anzahl Anhänger habe. Zum Glück beschleicht mich diese Furcht nicht, und so schreite ich zur Widerlegung.

Diese Widerlegung hat der Herr Antragsteller wesentlich dadurch erleichtert, daß er die Anklage nicht, wie die Vertheidigung, frei gewählten Rechtsanwälten, sondern vom Staate ständig angestellten Richtern übertragen will; denn einem Antrage der ersteren Art würden nicht blos viele Richter beistimmen, welche dem der zweiten entschieden entgegen treten, sondern es würden sich ihm auch jene Weltbürger anschließen, denen das Kleid des Staatsbürgers zu eng ist, welche die Verwirklichung der Rechtsidee nicht in, sondern außer dem Staate suchen, und die ihren Zweck für gefährdet halten, wenn ihm ein zwar vom Staate abhängiger, aber großer, wohlorganisirter Körper, nicht aber, wenn ihm irgend ein, jedem einzelnen Weltbürger dienstbares Mitglied der großen menschlichen Gesellschaft dient.

Gewiß, wenn der zweite Satz Sabarth's wahr wäre, so hätte die Deutsche Nation nichts Besseres zu thun, als die gesammte Staatsanwaltschaft aufzulösen, deren Mitglieder in den Richterstand aufzunehmen und — alle Richter zu öffentlichen Anklägern zu machen. — Bevor wir aber diesen gewaltigen Schritt thun, geziemt es uns besonnenen Deutschen, die möglichen Konsequenzen desselben zu überlegen.

Die erste und wichtigste Konsequenz wäre aber unstreitig die Vereinigung der mit dem Richteramte unvereinbaren Parteifunktion der Anklage und die Verkehrung des Altdeutschen, die höchste Garantie einer gerechten Rechtspflege bietenden Grundsatzes: „Ohne Kläger sei kein Richter" in den, aller Erfahrung und der Wissenschaft widerstreitenden Satz: „Ohne Richter sei kein Kläger." Zwar verlangt der Herr Antragsteller nicht, daß derselbe Beamte in derselben Sache Richter und Kläger in Einer Person sei, vielmehr fordert er ausdrücklich die Befreiung des anklagenden Richters von der richterlichen Funktion in jenem speziellen Falle, in welchem er als Ankläger

fungirt. Allein die Wahl des anklagenden und die des richtenden Richters
hätte doch für jeden einzelnen Fall von Einem Richter, dem Präsidenten,
auszugehen, und würden auch ständige Spruchkollegien gebildet, so hinge doch
deren Bildung wieder von dem Präsidenten ab. Nun stellt aber die öffentliche Meinung schon der allzu freien Wahl der richtenden Richter durch deren
Vorsteher kein günstiges Zeugniß aus; wie sehr würde man die Gefahr gesteigert glauben, wenn derselbe Vorsteher auch noch für jeden einzelnen Fall
aus den ihm untergebenen Beamten den Ankläger zu bestellen hätte, und mit
welchem Vertrauen sollte noch der Angeklagte die Wahl seines Vertheidigers
demselben Manne anvertrauen, der seinen Ankläger aufstellt? — Wäre es da
für den Angeklagten nicht vielleicht gerathener, sich dem Gerichtsvorsteher allein
zu überlassen und diesen zu bitten, Ankläger, Vertheidiger und Richter in
Einer Person sein zu wollen?

Eine zweite Konsequenz wäre die, daß ein konstitutioneller Justizminister
entweder sich der Verantwortlichkeit der Verwaltung der Strafjustiz entschlagen
oder die Gerichtsvorsteher, und mit diesen alle untergeordneten Richter, ihrer
richterlichen Selbstständigkeit und Unabhängigkeit entkleiden müßte, und zwar
ersteres, wenn man aus dem verantwortlichen Staatsanwalt einen unverant-
wortlichen Gesellschaftsanwalt machen wollte, letzteres aber, wenn man dem
Minister die eigenen Organe nimmt und ihn anweist, mit den Richtern zu
verwalten. Ersteres wird wohl so lange nicht eintreten, als man im Staate
neben den Staatsministerien nicht ein besonderes Ministerium der menschlichen Gesellschaft einsetzt; letzteres aber wäre so gefährlich und könnte für
eine despotische Regierung eine so erwünschte Waffe werden, daß man sich
schon aus Klugheit hüten sollte, diesen Geist auch nur zu nennen. Denn
weit entfernt, auf solche Weise etwa aus Richtern unparteiische Ankläger zu
gewinnen, würde man nur den von der Regierung abhängigen Anklägern
zugleich das Richteramt übertragen. Der Gerichtsvorsteher wäre der dem
Minister verantwortliche Staatsanwalt, und die übrigen Richter wären dessen
Substituten, von denen er Einen als Ankläger, drei oder mehrere als Richter
und — auf Verlangen — auch noch einen als Vertheidiger fungiren ließe.
Daß diese Herren die verschiedenen Funktionen nicht in derselben Straf-
sache ausüben, könnte keineswegs beruhigen, denn wer sollte dem Minister,
welcher über seine Staatsanwälte die Disziplinargewalt ausübt, nachweisen,
daß er hiebei nur die staatsanwältlichen, nicht aber die richterlichen Funktionen
des Richters im Auge hatte? — Oder hält man es für unmöglich, daß ein
richterlicher Staatsanwalt wegen angeblich schlechter Vertretung der Anklage
im Falle a entlassen oder doch getadelt wird, während Jeder weiß, daß die
ministerielle Ungunst von dessen Richterspruch im Falle b datirt?

Eine dritte Konsequenz wäre die Verewigung der schriftlichen Inquisition während der Voruntersuchung und die Unmöglichkeit, die entdeckende Polizei mit der Justiz in jene Verbindung zu bringen, welche ihr allein die größtmöglichen Erfolge sichert. Diese Verbindung kann die entdeckende oder s. g. gerichtliche Polizei nur mit einer vollständig und büreaukratisch organisirten Staatsanwaltschaft eingehen.

Die Aufstellung eines richterlichen Anklägers im Laufe der Voruntersuchung wäre nur die eines Korreferenten, welcher mit dem Herrn Referenten und Kollegen in Allem einverstanden ist. Von einer Initiative der Strafverfolgung durch den Ankläger könnte natürlich keine Rede sein. Die Anzeigen strafbarer Handlungen müßten selbstverständlich unmittelbar an das Gericht geleitet werden, und jede Anzeige wäre verworfen, für welche der Gerichtsvorsteher keinen Ankläger aufstellt, besonders wenn es sich um strafbare Handlungen handelt, die keinen Privatbeschädigten haben. Wir sehen daher, daß der Gerichtsvorsteher vor der mündlichen Hauptverhandlung zugleich Staatsanwalt — jedoch ohne wirksame organische Verbindung mit der gerichtlichen Polizei, wäre.

Noch eine vierte Konsequenz will ich berühren, die mir keineswegs bedeutungslos scheint: den moralischen Eindruck solcher Hauptverhandlungen, in welchen die Rollen vor den Augen des, einen heiligen Ernst der Rechtspflege fordernden Publikums in solcher Weise gewechselt würden. Mag der öffentliche Ankläger der gerechteste und innerlich unparteiischste Mann sein, so nimmt er doch als Ankläger vor dem Gerichtshofe und gegenüber dem Vertheidiger eine Parteistellung ein; und mag er in dieser Stellung noch so ruhig und streng objektiv peroriren, so zwingt ihn doch die Gegnerschaft für seine Ansicht viel eifriger zu streiten, als es bei dem Richter der Fall ist. Nur Wenige besitzen aber solche Gemüthsruhe, auch bleibt die größere Heftigkeit des Vertheidigers, der in der Regel viel weniger Rücksichten trägt, nicht ohne herausfordernden Einfluß auf den Ankläger, so daß sich letzterer mit seinen Ansichten oft zu sehr exponirt, als daß er im nächsten Falle stets wieder als ganz unbefangener Richter erscheinen könnte. Setzen wir nun den Fall, daß der Ankläger in Folge höherer Weisung eine bestimmte Rechtsansicht zu vertreten hat — wobei man ja an sehr wichtige, in das sociale und ökonomische Leben tief eingreifende Rechtsfragen denken kann, welche in erster Instanz eine konstant verkehrte Lösung erfahren — und daß in mehreren nach einander zu verhandelnden Straffällen immer wieder ein anderes Mitglied des Spruchgerichtshofes als Ankläger fungirt, so daß alle Richter als Ankläger das gerade Gegentheil von dem behaupten und begründen, was sie selbst als Richter für wahr erklärten. — Was dürfte wohl das an einen Ernst der Rechtspflege glaubende und den Muth der Ueberzeugung fordernde Publikum zu einem solchen Schauspiele sagen?

Selbst die Stellung der Vertheidiger ist eine günstigere gegenüber einer organisirten Staatsanwaltschaft, als gegenüber solchen Anklägern, welche im nächsten Augenblicke als Richter wieder über den Vertheidigern stehen, sie zur Ordnung rufen, oder auch ihnen das Wort entziehen können. — Immerhin dürfte in dem Gedanken daran für manchen Vertheidiger, der seine Zunge gegen den Ankläger zu sehr — und unter manchem Präsidium zu gefahrlos — zuspitzt, ein sehr heilsamer Dämpfer liegen, aber könnte der Preis dafür nicht zu groß werden, könnte nicht vielleicht die Freiheit der Vertheidigung selbst leiden?

Fragen wir schließlich nach dem Nutzen der unorganischen und nach dem der organischen Gestaltung des Anklageamtes, so könnte die Entscheidung zu Gunsten der ersteren nur dann ausfallen, wenn man „Nutzen" von „nicht nützen" ableiten wollte.

Schon aus dem Bisherigen mußte klar werden, daß aus der Aufstellung eines Anklägers von Fall zu Fall durch den Gerichtsvorsteher aus den Richtern weder für die Anklage, noch für die Vertheidigung, noch für die Unbefangenheit des Richteramtes ein Gewinn hervorgehen könnte, sondern jede dieser drei Funktionen an Selbstständigkeit und dadurch bedingter Unabhängigkeit einbüßen müßte. Dann lehrt die Erfahrung, daß jenes Geschäft, das man nur nebenher, von Zeit zu Zeit, ausnahmsweise und dem eigenen Amte entgegen zu verrichten hat, im Ganzen schlecht besorgt wird, so gut es auch in einzelnen Fällen verrichtet werden kann. Die staatsanwaltschaftlichen Funktionen müssen nach festen Grundsätzen ausgeübt werden, die sich dort nicht bilden, wo deren Organe lose auseinander geworfen sind, in keinem inneren organischen Verbande stehen und ohne einheitliche Leitung sind — vorausgesetzt, daß man nicht die Gerichte selbst als Anklagebehörden behandelt, weil einzelne Richter Anklagefunktionen ausüben. Wo das Amt der Staatsanwaltschaft wie ein Kukuksnest behandelt wird, darf man sich nicht wundern, wenn dort zeitweilig Grundsätze ausgebeutet und vertreten werden, welche zwar einer einzelnen Individualität, keineswegs aber dem Staate und seiner Aufgabe entsprechen mögen. Wer sollte dann für die Einheit der Rechtspflege sorgen, ohne welche die Einheit des Gesetzes im Staate wenig Bedeutung hat, wenn es nicht ein von den Gerichten unabhängiges Anklageamt durch die Anwendung seiner Rechtsmittel thut? Wer wird Mißbräuchen entgegen treten, welche sich, wie die Erfahrung lehrt, selbst in große Gerichtshöfe einschleichen, besonders wo sich diese durch kein anderes Amt kontrolirt wissen?

Die Anwaltschaft erfordert auch eine spezielle Eignung dazu, die nicht blos in der Rednergabe besteht. Abgesehen davon, daß nicht jeder Richter die Anlage dazu besitzt, muß letztere selbst erst durch Uebung entwickelt wer-

ben. Die Entwicklung der Befähigung ist aber wesentlich bedingt durch fort-
gesetzte Uebung, welche sich wohl in der ausschließlichen Widmung am meisten
findet. Auch das spricht für selbstständige Organisirung der Staatsanwaltschaft.

In Erwägung des bisher Gesagten muß ich unumwunden erklären, daß
ich den Antrag des Herrn Rechtsanwalt Sabarth nicht blos für unpraktisch, sondern geradezu für verderblich halte, da er durch die unorganische
Vermengung des Richter- und Anklageamtes beide in ihrer Selbstständigkeit
und Wirksamkeit, sowie in ihrem Ansehen beeinträchtigt.

Einer Berufung auf der empfohlenen ähnliche Einrichtungen, welche
bisher hie und da getroffen wurden, und auf allfällige gute Resultate in
einzelnen Fällen kann ich keine Bedeutung beilegen. Solche Einrichtungen
unorganischer Sonderung des Anklageamtes vom Richteramte fanden sich beim
Uebergange aus der geschlossenen Einheit aller drei Prozeßfunktionen (des
Anklagens, Vertheidigens und Richtens) in die Sonderung. Daß diese Sonderung selbst dort, wo die vom Richteramte ausgeschiedenen Funktionen noch
keine eigenen selbstständigen, sondern nur erborgte Organe hatten, sich dennoch
bereits als besser wie der frühere Zustand bewies, zeigt nur die innere Lebenskraft des Grundsatzes, auf welchem die Sonderung beruht, und berechtigt nur
zu dem Schlusse, daß diese Lebenskraft sich um so schöner und fruchtbarer
entfalten werde, wenn sie einen selbstständigen Organismus zur Realisirung
ihrer Zwecke erhält. Wo immer sich solche Zustände fanden, wie sie der Herr
Antragsteller für Deutschlands Zukunft wünscht, fanden sie sich als Entwick-
lungskeime des langsam fortbauenden Geistes der Rechtsgeschichte oder als
Nothbehelfe der sprungweise vorschreitenden positiven Gesetzgebung: in beiden
Fällen aber schreitet die Entwicklung mit innerlich nöthigendem Drange zur
vollständigen Organisirung einer ständigen öffentlichen Anklagebehörde vor.
Darin liegt aber auch der Beweis der Wahrheit des inneren Prinzipes und
dessen Lebensfähigkeit, während der Uebergang von der organischen zur unorganischen Bildung — Verwesung heißt, welche überall eintritt, wo das
Leben entflieht. Letzteren Zustand aber wird der Geist des Deutschen Juristentages keineswegs herbeiführen wollen.

———

Uebergehend zum Antrage des Herrn Staatsanwalt Hauschteck, erkläre
ich mich mit den Grundsätzen desselben in der Hauptsache einverstanden, nur
scheint mir derselbe zu weit zu gehen, die Grundsätze selbst zu scharf zuzu-
spitzen und dadurch nicht blos seinem eigenen praktischen Werthe, sondern auch
den Sympathieen Anderer — besonders der Richter — für diesen Antrag
Eintrag zu thun.

So geht der erste Satz Hauschtecks: „Die für die erste Instanz zu errichtenden Kollegialgerichte sind von jeder verwaltenden Thätigkeit — auch der Justizverwaltung — zu befreien," offenbar zu weit. Ich sehe dabei ganz ab von dem Widerstreben der Deutschen Auffassung von Rechtspflege und Gerichtsverfassung und beschränke mich auf die Erwägung von Zweck und Mittel. Zweck des Antrages kann doch nur sein: Befreiung des mit der hohen Aufgabe der Rechtssprechung befaßten Richterstandes von denselben hierin hemmender und beirrender Administration und Beschleunigung durch Arbeitstheilung. Es geht aber hiebei wie bei anderen Dingen: Uebertreibung vermag das Beste zum Schlimmsten zu verkehren. Arbeitstheilung und Zuweisung jedes Geschäftszweiges an hierzu befähigte, aber nicht an höhere Organe, so daß zur Zweckerreichung nicht allzu kostbare Mittel verschwendet werden, ist gewiß sehr empfehlenswerth. Aber einerseits hat bezüglich der Arbeitstheilung selbst die gewerbliche Industrie schon die Erfahrung gemacht, daß dieselbe nicht über eine gewisse Grenze ausgedehnt werden dürfe, und erst durch die Concentrirung der Arbeitskräfte recht fruchtbar werde. Um nur Eines Beispieles zu erwähnen, so kann ich mir nicht denken, daß bezüglich der Schnelligkeit der Expedition gerichtlicher Erkenntnisse oder der Vorladung von Zeugen u. s. w. Etwas gewonnen wäre, wenn diese administrativen Funktionen unter der Oberleitung des Staatsanwaltes statt unter der des Gerichtsvorstehers ausgeübt werden. Was jedoch das Personal betrifft, so werden zu solchen Funktionen bei Gericht und Staatsanwaltschaft gleiche Beamte und Diener verwendet, so daß es sich nur darum handeln würde, dieses Kanzlei- und Diener-Personal dem Staatsanwalte statt dem Gerichtsvorsteher zu unterordnen. Dabei sind aber doch auch die Lokalverhältnisse zu berücksichtigen. Ich habe als Chef der Wiener Staatsanwaltschaft 11 Stellvertreter, 4—5 Kanzlei-Beamte und 3—4 Diener. Jenes der vielen Amtszimmer aber, welches ich dem meinigen zunächst — und zwar nur durch das praktische Bedürfniß gedrängt — eingerichtet habe, ist das meines Kanzlei-Vorstehers. Ebenso machte es der Präsident des Landesgerichts, und anderwärts trifft man ähnliches. Wollte man nun z. B. die Expedition gerichtlicher Akte der Staatsanwaltschaft übertragen, so müßte ich darin eine praktische Unzukömmlichkeit und ein Hinderniß beschleunigter Geschäftsführung erkennen.

Auch sollte sich zwischen das erkennende Gericht und die Recht suchende Partei kein Dritter stellen, von dessen Thätigkeit der Verkehr zwischen den beiden ersteren abhängig wäre.

Die Befreiung der Kollegialgerichte von der verwaltenden Thätigkeit sollte meines Erachtens nur so weit gehen, als sie ohne Schaden für die Selbstständigkeit der Justizpflege gegenüber administrativen Einflüssen und

ohne Verzögerung der Geschäftsführung geschehen kann. Das sei der Grundsatz, dessen Detailausführung hier wohl nicht besprochen werden kann. —

Nach dem zweiten Antrage des Herrn Hauscteck sollte eine Jurisdiktion von Einzelrichtern im bürgerlichen und Straf-Prozesse für „unwichtigere" Sachen nur unter der Voraussetzung für zulässig erklärt werden,
daß dem Kollegialgerichte das Recht gesichert bleibt, jeden nach den gewöhnlichen Kompetenzbestimmungen vor den Einzelrichter gehörigen Prozeß vor
sein eigenes Forum zu ziehen, sofern dies von einer Partei oder der Staatsbehörde beantragt wird.

Ich muß mich nun aus praktischen Bedenken gegen diese Voraussetzung oder Bedingung aussprechen, so lange die gewöhnlichen Rechtsmittel
auch gegen einzelrichterliche Verfügungen und Erkenntnisse zulässig sind und
man den Deutschen Einzel-, Bezirks- und Amtsrichter, der vom s. g. Friedensrichter sehr verschieden ist und bleiben möge, durch die Abhängigkeit seiner
Kompetenz von der ausdrücklichen oder stillschweigenden Parteien-Zustimmung
nicht blos zum Schiedsrichter machen will. Nebst den Rechtsmitteln wird
die Sorge für gute Parteien-Vertretung, sowie die Mündlichkeit und Oeffentlichkeit des Civil- und Strafverfahrens die beste Garantie einer gerechten
Judikation der Einzelrichter sein.

Meine Bedenken richten sich zuerst gegen die Verletzung des wichtigen
Grundsatzes, daß Niemand seinem Richter entzogen werden solle. Hierzu
kommt, daß, abgesehen von der Verletzung des Ansehens eines Richters, den
man beliebig bei Seite schieben kann, und von der darin liegenden fortwäh-
renden Reizung der Empfindlichkeit, kein Bezirks-, aber auch kein Kollegial-
gericht mehr eine feste Organisirung erhalten könnte, da je nach der Individualität der Einzelrichter die Geschäfte ihnen oder den Kollegialgerichten
zufallen würden. Man beschränke immerhin die einzelrichterliche Kompetenz
auf die s. g. Bagatell-Prozesse und zeichne scharf deren Grenzen; aber innerhalb der letzteren müssen sie in ihrem Wirkungskreise auch unbeirrt bleiben,
und zwar nicht ihret-, sondern auch der Parteien wegen, welchen damit nicht
gedient sein kann, von widerspenstigen, zahlungssäumigen, vielleicht auch zahlungsunfähigen Schuldnern genöthigt werden zu können, den geringfügigsten
Prozeß vor dem entfernten Gerichtshof anhängig zu machen. Es ist eine
weit verbreitete, aber ganz falsche Ansicht, daß ein 3—5-Richter-Kollegium
3—5 Mal mehr Verstand, Gerechtigkeitsliebe und Unabhängigkeit habe.
Die Garantieen der Rechtspflege steigen mit der Zahl der Richter nicht in
gleichem Verhältnisse, noch lassen sich die richterlichen Qualifikationen wie
Pferdekräfte addiren, so sehr man anerkennen muß, daß die kollegiale Behandlung Debatten hervorruft, diese zu tieferem Eindringen in den Gegen-

stand führt und so die Wahrheit leichter erforschen und erkennen läßt, da ja „vier Augen mehr sehen, als zwei." Ich halte nach meinen Erfahrungen — und ich habe selbst ein paar Jahre als Einzelrichter fungirt — sehr viel auf die Einzelgerichte und ihren Wirkungskreis, aber ich würde sie unbedingt aufopfern, wenn ihre Kompetenz von der Parteien-Willkür abhängig sein sollte. Der brave Richter würde bei gleicher Besoldung von Arbeit erdrückt, der träge und unwissende aber könnte schlummernd seine Friedenspfeife rauchen und für die Wahrheit des Satzes einstehen, daß Friedensrichter nicht derjenige sei, der Frieden unter den Parteien stiftet, sondern der selbst Friede vor den Parteien hat. —

· Der dritte Antrag des Herrn Hauschteck lautet: „Die Staatsanwaltschaft wird als eine Justizbehörde organisirt, bestimmt, Namens der Staatsregierung dafür zu sorgen, daß die richterliche Gewalt den Gesetzen gemäß frei geübt werden könne;" — und durch den vierten Antrag wird der Umfang des Berufes der Staatsanwaltschaft angegeben.

Indem ich diesem letzteren Antrage mit der, bei Besprechung des ersten erwähnten Beschränkung beitrete, scheint mir mein sehr ehrenwerther Herr Kollege im ersten Satze des dritten Antrages etwas Ueberflüssiges gesagt, im zweiten Satze aber bei der Bezeichnung der Bestimmung der Staatsanwaltschaft in seiner edlen Begeisterung für diese etwas zu hoch gegriffen zu haben. Ich gehöre bereits über zwölf Jahre dem Institute der Staatsanwaltschaft an, habe gegen die Verbildung der letzteren in Oesterreich stets geeifert und für ihre volle Unabhängigkeit und Selbstständigkeit im eigenen Wirkungskreise gesprochen und geschrieben. Trotzdem und obgleich ich vollkommen durchdrungen bin von der Ueberzeugung, daß der Staatsanwalt nur der Wahrheit, dem Gesetze und dem Rechte zu dienen, daß er nur die Partei der Gerechtigkeit im Staate zu vertreten habe, muß ich doch aufrichtig gestehen, daß ich die Sorge für die Freiheit der Ausübung richterlicher Gewalt nicht dem Staatsanwalte allein, sondern zum guten Theile den Richtern selbst, vor Allem aber in konstitutionellen Staaten den Vertretungskörpern überlassen möchte. Der Anklagegrundsatz soll auch im Strafprozesse zur vollen Geltung kommen, aber wo und so weit die richterliche Gewalt angerufen wird, darf die Freiheit ihrer Machtentfaltung von keiner Seite beschränkt werden. Uebrigens bin ich überzeugt, daß in der Sache der Herr Antragsteller mit mir sich mehr in Uebereinstimmung findet, als im Ausdrucke; ich fürchte nur für die Sache selbst, wenn deren Wortbezeichnung zu prunkhaft schillert.

Endlich soll ich meine geringe Ansicht auch noch über die Anträge Nr. I. des Herrn Stadtgerichtsrath **Dr. Eberty** aussprechen. Diese Anträge lauten:

1. Die erste Aufgabe nationaler Civilgesetzgebung ist Einheit in der Gerichtsorganisation;
2. Die Gerichte sind gleichförmig in Deutschland zu organisiren;
3. Die Gerichtsorganisation muß auf
    a) Inamovibilität der Richter,
    b) deren Befreiung von allen Geschäften außer dem Rechtsprechen,
    c) Ausschließlichkeit der richterlichen Befugniß auf dem Gebiete des Rechtsstreites,
    d) Kollegialverfassung
gegründet werden.

Was nun die Einheit der Gerichtsorganisation betrifft, so ist sie zweifellos ein nothwendiges Correlat der Gesetzeseinheit. Nur treten hier zu den übrigen, eine Verschiedenheit gesetzlicher Einrichtungen begründenden Momenten noch drei andere von besonderer Bedeutung hinzu, nämlich: die große Verschiedenheit der Terrain-Verhältnisse, der Dichtheit der Bevölkerung und der Nationalitäten und ihrer Sprachen. Dennoch ist eine Einheit der Gerichtsverfassung möglich, ja Oesterreich hat diesfalls als Mikrokosmos den praktischen Beweis dafür bereits geliefert. Wer sich vergegenwärtiget, welch' ein buntes Gewirr von Justizbehörden vor dem Jahre 1850 in Oesterreich existirte, und mit welcher straffen Einheit die Organisation im Jahre 1854 durchgeführt wurde, nachdem im Jahre 1850 eine andere voraufgegangen war, und wer überdies weiß, wie wenig Anklang die im Oesterr. Reichsrathe 1861 beantragte Aenderung des Gerichtsorganismus, dessen größter Fehler die zu schlechte Besoldung seiner Organe ist, gefunden hat, so daß die legislative Kommission des Justizministeriums einstimmig der Beibehaltung des gegenwärtigen Organismus das Wort sprach — wird allen ängstlichen Zweiflern an der Durchführbarkeit einer für ganz Deutschland einheitlichen Gerichtsorganisation zurufen können: Geht nach Oesterreich und lernet dort Eure Schwierigkeiten zum größeren Theile als eingebildete oder gemachte erkennen, die wenigen wirklichen aber überwinden.

Nach meiner Ueberzeugung müssen als erste Instanzen Einzelgerichte (Bezirksgerichte) und Gerichtshöfe (Kreis- oder Landesgerichte) eingeführt werden, bei deren ersteren in der Regel Beamte der gerichtlichen Polizei, ausnahmsweise aber auch Staatsanwalts-Substituten, bei letzteren aber Staatsanwälte die staatsanwältlichen Funktionen ausüben. Die Gerichtshöfe seien zugleich Appell-Instanz für die zu den Einzelgerichten kompetirenden Justizſachen, während der Appellzug von den Gerichtshöfen an die Obergerichte zu gehen, die Rechts- und Geſetzes-Einheit aber, ein über den Appell-Inſtanzen beiderlei Art ſtehender Kaſſationshof, zu wahren hätte.

Iſt der Straf- und Civilprozeß auf die Grundſätze der Anklage, Unmittelbarkeit und Oeffentlichkeit baſirt und der Richter in der Annahme von Thatſachen in der Regel nur an ſeine Ueberzeugung gewieſen, ſo ſcheint mir eine gegen die erſtinſtanzliche Beantwortung von Thatfragen eingelegte Berufung zunächſt nur die nothwendige Folge haben zu ſollen, daß die betreffende Appell-Inſtanz vorerſt nach Anhörung der Parteien in öffentlicher Sitzung, jedoch ohne Beweisreproduktion, wenn auch mit Benutzung von inzwiſchen aufgenommenen informirenden Akten, lediglich darüber entſcheide, ob der in erſter Inſtanz erfolgten Löſung von Thatfragen wichtige und gegründete Bedenken entgegenſtehen. Erſt wenn dieſe Frage von der Appell-Inſtanz bejaht wird, hätte eine neuerliche Verhandlung in dem Umfange, in welchem erſtere Frage der Bedenklichkeit bejaht wurde — mit voller Unmittelbarkeit und Oeffentlichkeit — ſtattzufinden, und zwar entweder vor der Appell-Inſtanz ſelbſt oder vor einem andern, dem zuerſt erkannt habenden gleichartigen Gerichte erſter Inſtanz, an welches die Appell-Inſtanz die Juſtizſache zur neuerlichen Verhandlung verwies. Fand die neuerliche Verhandlung vor der Appell-Inſtanz ſelbſt ſtatt, ſo ſollte deren Entſcheidung von Thatfragen nur aus formellen Nichtigkeitsgründen angegriffen werden können, fand ſie dagegen vor einem gleichartigen Gerichte erſter Inſtanz ſtatt, ſo ſollte deſſen Thatentſcheidung nur, ſo weit ſie mit der früheren in Widerſpruch ſteht, mit einer neuerlichen Berufung angreifbar und nach neuerlich ausgeſprochener Bedenklichkeit nur von der Appell-Inſtanz ſelbſt auf Grund der vor ihr wiederholten Verhandlung abzuändern ſein.

Dieſe Grundzüge zeichne ich nicht, um darauf einen ſelbſtſtändigen Antrag zu baſiren — wozu ſie wohl auch zu mager wären — ſondern um nicht ganz ohne objektive Grundlage über Organiſation zu reden, und da der Herr Antragſteller ſelbſt ſeinem Antrage keine Detaildarſtellung beifügte.

Meine Erfahrung drängt mich nur noch ein paar Bemerkungen zu machen. Mancher läßt ſich von der Meinung beherrſchen, daß nichts wünſchenswerther wäre, als den Staatsbürgern die Juſtizbehörden ſo nahe als möglich zu rücken. Daraus und aus den vielfachen Bitten von — auf andere Intereſſen ſpekulirenden — Stadt- und Marktbewohnern kommt dann das Beſtreben, möglichſt kleine Einzel- und Kollegialgerichte zu errichten, und faſt hat es den Anſchein, als ob Mancher ſein Ideal einer Gerichtsorganiſation darin fände, daß man vor jedes Haus einen Richterſtuhl ſetze. Allein dieſe Kleinwirthſchaft hat ungeachtet manches Guten dennoch überwiegende Nachtheile. Eine zu große Anzahl von Beamten und Amtsgebäuden, dabei eine zu schlechte Auswahl und Besoldung der einzelnen Organe und eine allzu einseitige unbedeutende Praxis, daher empfindlicher Mangel geistiger Entwicklung und Fortbildung, aber auch eine mißliche sociale Stellung der öffentlichen Justizmänner, zudem eine traurige Befangenheit in Lokalverhältnissen sind die nothwendigen Konsequenzen einer solchen Organisation. Selbst der Vortheil der größtmöglichen Annäherung der Justizbehörden an die Rechtsuchenden ist nicht ohne einigen Nachtheil auf der andern Seite. Man sagt, daß die Langhalsigen nicht so jähzornig sind, weil sich das Blut auf dem längeren Wege vom Herzen zum Kopfe mehr abkühlt als bei Kurzhalsigen. Wie dem auch sei — ich lasse mich darüber in keine gelehrte Dissertation ein — so viel ist gewiß, daß je näher die Rechtsuchenden dem Justizgebäude wohnen, sie die Justiz selbst desto öfter und mit um so geringfügigeren Kleinigkeiten behelligen. Bei einem Einzelgerichte, welches sein Amtsgebäude neben einer kleinen und verarmten Stadt auf einem Hügel hatte, sahen die Beamten oft von den Fenstern ihrer Amtszimmer aus Parteien auf halber Höhe den Gerichtsweg wieder zurückschreiten — da es ihnen nach der ersten Hitze nicht mehr der Mühe werth schien, ihrer Sache wegen auch noch den übrigen Theil des Hügels zu ersteigen. Darin lag auch einer der Gründe, daß dasselbe Gericht den Wünschen der Stadtbewohner, sich in der Stadt einzurichten, immer widerstand, und die Justizbeamten lieber selbst täglich zwei Mal den Hügel erstiegen, als daß sie sich in der Stadt von der Streitsucht erdrücken ließen. Damit soll nicht gesagt sein, daß man die Gerichte außerhalb der Städte und Märkte setzen sollte, sondern daß einige Entfernung derselben ein recht heilsames Mittel gegen allzu große Behelligung ist. In kleinen Dingen sollte man sich wo möglich auch ohne Justiz vertragen, und des lieben Friedens wegen selbst auf sein Recht verzichten lernen. In wichtigeren lohnt es sich doch wenigstens, den Weg zum Einzelrichter zu gehen, wenn er auch ein paar Meilen lang sein sollte.

Aber auch vor dem anderen Extrem hat man sich zu hüten. Zu große Gerichtshöfe, wo sie nicht durch die Größe der Stadt oder die Dichtheit der Bevölkerung geboten oder doch zulässig erscheinen, sind nicht anzustreben. Die große Verschiedenheit der Terrain-Verhältnisse erfordert zur Wahrung der Einheit der Gerichtsorganisation einerseits einen freieren Spielraum bei der Bestimmung des Umfanges eines Gerichtsbezirkes oder Sprengels und andererseits die Gestattung, daß ausnahmsweise Einzelrichter und Gerichtshöfe auch außerhalb ihrer Amtssitze, letztere insbesondere auch an den Sitzen der in ihrem Sprengel befindlichen Einzelrichter die Rechtssachen verhandeln und Recht sprechen dürfen. Der Name der Gerichte gleicher Art muß aber derselbe sein, denn die Einheit des Namens repräsentirt die Einheit der Organisation nach außen am besten und bietet den Rechtsuchenden von ganz Deutschland den

praktischen Vortheil, jederzeit ohne vorläufige Benutzung eines Nachschlage-
buches die Justizbehörden ihres großen Vaterlandes nennen zu können.

Wenn also der Herr Antragsteller der „Inamovibilität der Richter" das
Wort spricht, so bin ich damit zwar in der gewöhnlichen — disziplinaren —
Bedeutung des Wortes einverstanden; aber ich wünschte ihnen in geschäft-
licher Beziehung jene Amovibilität, welche man in der Disziplin mit Recht
beseitigt. Allzu unbeweglich stehen die Gerichtshöfe, zu sehr hat sich die Justiz
in ihre Amtsgebäude zurückgezogen. Ich möchte nicht das fahrende Richter-
thum Englands empfehlen, aber eine Ausgleichung zwischen beiden Extremen
wäre doch zu empfehlen.

Bezüglich der Befreiung der Richter von allen Geschäften außer dem
Rechtsprechen habe ich schon zum ersten Antrage des Staatsanwalts Hauschteck jene Grenze angegeben, welche mir nöthig erscheint; was aber die Kol-
legialverfassung betrifft, so wäre demselben mit der Beschränkung des zum
zweiten Antrage Hauschteck's Gesagten beizutreten.

Gutachten über die Gesetzgebungsfrage:

ob die Staatsanwaltschaft als Prinzipal=Partei in Civilprozessen zuzulassen ist.

Gutachten des Geheimen Ober=Justizrath, Senats=Präsident Dr. Heimsöth in Köln.

Als bei der dritten Versammlung des Deutschen Juristentages die Gesetzgebungsfrage:

> Soll die Thätigkeit der Staatsanwaltschaft auch auf bürgerliche Rechtsstreitigkeiten ausgedehnt werden und in wie weit?

in Angriff genommen wurde, hat die vierte Abtheilung dem Antrag:

> zunächst in eine Berathung über die allgemeine Bedeutung der Staatsanwaltschaft und ihre Stellung überhaupt einzugehen,

keine Folge gegeben.

Dieselbe hat in Betreff der Wirksamkeit der Staatsanwaltschaft im Civilprozesse schon jetzt folgende Sätze angenommen:

1) daß es nicht zweckmäßig sei, der Staatsanwaltschaft das Recht oder die Verpflichtung zu geben, in Civilprozessen, sei es in allen oder in einzelnen, oder bei bestimmten Incident-Verhandlungen, ihre Ansicht über die verhandelte Sache und die abzugebende Entscheidung zu entwickeln;

2) daß eine Nichtigkeitsbeschwerde im Interesse des Gesetzes nicht zu empfehlen sei.

Ein dritter Punkt: ob und in welchen Fällen die Staatsanwaltschaft in bürgerlichen Rechtsstreitigkeiten als Prinzipal=Partei zuzulassen sei? wurde von der Abtheilung zwar berathen, jedoch, weil bei ihr ein Beschluß darüber nicht zu Stande kam, dem Plenum anheimgegeben.

Der Plenarversammlung sind die obenerwähnten Abtheilungsbeschlüsse mitgetheilt worden, und es ist zu nochmaliger Berathung und Entscheidung über dieselben im Plenum eine statutengemäße Veranlassung nicht eingetreten.

Dagegen wurde der zuletztgedachte dritte Punkt von dem Plenum als noch nicht spruchreif zur ferneren Vorbereitung an die ständige Deputation gewiesen *).

Indem ich der von der Deputation an mich gerichteten Aufforderung, darüber eine gutachtliche Aeußerung abzugeben, Folge leiste, bin ich mir der Pflicht bewußt, die Grenzen, innerhalb deren die gestellte Frage sich bewegt, hier nicht zu überschreiten. — Indessen sind wegen des Zusammenhanges der Sache Rückblicke auf die obenerwähnten anderen Punkte nicht füglich zu vermeiden, und es wird insbesondere auch auf einen Theil des Bereichs der Frage von der Bedeutung und Stellung der Staatsanwaltschaft überhaupt einzugehen sein, da es bedenklich erscheinen muß, einem Institut Funktionen im Civilprozeß zuzuschreiben oder abzusprechen, bevor über die Bedeutung dieses Instituts, das ist über die ihm zu Grunde liegende Idee und die Zwecke, welche es nach seinem Wesen verfolgen soll, eine Verständigung vorhanden ist.

Nach meiner Ansicht ist zu untersuchen: ob und in wie weit die in Frage gestellte Wirksamkeit der Staatsanwaltschaft einestheils der Bedeutung dieses Instituts selbst entspricht und anderntheils für den Civilprozeß mit Rücksicht auf dessen Natur und Verhältnisse empfehlenswerth ist. In der letzteren Beziehung gilt mir ferner eine unmittelbare Nothwendigkeit nicht als der richtige Maßstab, sondern kommt es nach meinem Dafürhalten darauf an:

> ob und in wie weit die bürgerliche Rechtspflege durch die Wirksamkeit der Staatsanwaltschaft als Prinzipal-Partei in erheblichem Maße gefördert würde, und ob etwa anderweitige gewichtige Gründe davon abhalten, der an sich vorhandenen Zweckmäßigkeit Folge zu geben.

Wenn demgemäß zuvörderst die Bedeutung der Staatsanwaltschaft ins Auge zu fassen ist, so wird es gerechtfertigt sein, davon auszugehen: daß in der Frage durch den Ausdruck „Staatsanwaltschaft" dem Wesen nach diejenige Behörde bezeichnet werden soll, welche in Frankreich unter dem Namen des öffentlichen Ministeriums besteht, und gegenwärtig auch in vielen Ländern Deutschlands mit gleichem Charakter, wenn auch größtentheils nur nach einzelnen Richtungen hin, unter dem Namen Staatsanwaltschaft bei den Gerichten fungirt. Diese Voraussetzung wird durch die Frage selbst begründet. In derselben kann das Wort „Staatsanwaltschaft" keinen unbestimmten Sinn haben, so daß gleichzeitig von verschiedenen Behörden mit beliebigem Charakter gesprochen würde, und der technische Ausdruck „Prinzipal-Partei" ist dem Zusammenhange des Instituts der in Frankreich ausgebildeten Staatsanwalt-

schaft angehörig. Sehen wir zu, welche Grundidee dieses Institut in Frankreich hat, und in wie weit diese Grundidee sich in Deutschland wiederfindet.

Die Umwälzung der Staatsverfassung, die in Frankreich zu Ende des
vorigen Jahrhunderts eintrat, hatte auch den Untergang des Amts der procureurs und avocats du roi, sowie der procureurs fiscaux zur Folge,
welche bei den Parlamenten und Gerichten der Grundherrn (seigneurs) die
verschiedensten fiskalischen und sonstigen Funktionen ausgeübt hatten. Aber
nach Einer Richtung hin war die Wirksamkeit dieser Behörden den leitenden
Prinzipien der neueren Zeit durchaus entsprechend, nämlich in der Funktion,
welche das sogenannte öffentliche Ministerium charakterisirt. Dies Institut
steht im Zusammenhang mit der Scheidung der Gewalten im Staate; bei
seiner Einführung in das neuere Gerichtswesen Frankreichs und bei den späteren Organisationsgesetzen, gemäß welchen dasselbe unter den verschiedensten
Staatsverfassungen, wenn auch unter wechselnder Benennung der Beamten,
im Wesentlichen in gleicher Weise beibehalten wurde, ging man von folgenden Anschauungen aus:

Während die Staatsgewalt sich nach ihren Richtungen (formalen Funktionen) in verschiedene Zweige (Gewalten) sondert, wird ein souveränes Ne-
beneinanderwirken dieser Zweige durch die Einheit der Staatsverwaltung
überhaupt ausgeschlossen. Die Einheit der Staatsverwaltung bedingt, daß
die nach Funktionen getrennten Zweige verbunden wirken und in Berührung
mit einander bleiben. Die Staatsanwaltschaft ist ein Organ der aufsehenden und der vollziehenden Gewalt in denjenigen Verhältnissen, in welchen
diese Gewalten mit der rechtsprechenden Gewalt in Berührung kommen.
Dem Bereiche der oberaufsehenden und der vollziehenden Gewalt gehört es
an: darauf zu wachen, daß die Gesetze auch bei den Gerichten zur ungeschmälerten Vollziehung gelangen; also dahin zu wirken, daß die richterliche
Gewalt, wenn die Veranlassung vorliegt, einschreite, daß dieselbe bei ihrem
Verfahren die Vorschriften und den Willen des Gesetzes handhabe, und daß
ihre Aussprüche zum Vollzug gelangen. Diese Wirksamkeit bedarf der Organe, welche den zur Rechtsprechung berufenen Gerichten nahe stehen. Ihr
wesentlicher Charakter besteht in der Sorge für das öffentliche Interesse, in
der Vertretung der Anforderungen der allgemeinen Ordnung an die Rechtspflege. Diese Wirksamkeit findet ihre Begrenzung darin, daß sie nur als
Mittel für die Rechtspflege dient und daher in Bezug auf die Rechtsprechung,
welche den Gerichten selbst zusteht, nur anregen und auffordern kann, niemals in die Rechtsprechung selbst und in ihre Freiheit und Unabhängigkeit
irgend einen Eingriff zu machen befugt ist. Für die richterliche Gewalt ent-
springen daraus mannigfache Vortheile. Diese bestehen nicht etwa blos in
einer regelmäßigen und unmittelbaren Kontrole des äußeren Geschäftsganges,

welche schon durch Anregung und Anträge bei dem Gericht selbst die nöthige Abhülfe herbeiführt: vielmehr ist besonders hervorzuheben, daß bei zweckmäßiger Verwendung jener Organe die richterliche Gewalt auf ihren eigentlichen Gegenstand, die Rechtsprechung, konzentrirt werden kann. Die freiwillige Gerichtsbarkeit und die verwaltende Behandlung rechtlicher oder gerichtlicher Angelegenheiten, die Vollziehung und viele vorbereitende Handlungen zum Prozesse lassen sich durch jene Organe oder durch Beamte, welche unter ihrer Aufsicht und Leitung stehen, füglich besorgen und füglicher als durch den Richter, welchen diese Nebengeschäfte in seinem eigentlichen Berufe stören und überbürden und in eine der Rechtsprechung fremdartige Richtung bringen. Nicht weniger wichtig ist, daß die Staatsanwaltschaft ihrem Wesen nach dazu dient, in den Fällen, in welchen das Gesetz unmittelbar der öffentlichen Ordnung wegen Privatpersonen gegenüber verwirklicht werden muß, durch die von dem Organ der Staatsverwaltung an das Gericht gestellte Aufforderung, Recht zu sprechen, die Nachtheile des Inquisitionsprinzips zu vermeiden und die Mündlichkeit im kontradiktorischen Verfahren durchzuführen. In eminenter Weise äußert sich sonach die Wirksamkeit der Staatsanwaltschaft und die bezeichnete Bedeutung derselben im Strafverfahren; sie ist aber in Frankreich auch im Civilprozesse in verschiedenen Abstufungen durchgeführt.

In dem früheren Gerichtswesen Deutschlands bestand, dem Amte der procureurs du roi und der procureurs fiscaux im älteren Frankreich ähnlich, das Institut der Fiskale. Bei den Reichsgerichten mußte ein kaiserlicher Fiskal, dem ein advocatus fisci beigegeben war, jederzeit den Gerichtssitzungen beiwohnen, um den Fiskus in privatrechtlicher Beziehung zu vertreten und um in einer bezeichneten Reihe von Straffachen und von sonstigen Angelegenheiten der Reichsregierungsgewalt Erkenntnisse und Verfügungen des Gerichtes zu erwirken. Dies diente zum Vorbild bei den Landesgerichten in den meisten Territorien Deutschlands, insbesondere auch nach der Richtung hin, daß die Fiskale von Amtswegen in öffentlichem Interesse, insbesondere in Straffachen einzuschreiten und Mitwirkung zu leisten hatten. Der den Fiskalen beiwohnende Charakter von Organen der Regierungsgewalt bei den Gerichten drang in der Gesetzgebung einzelner Territorien, namentlich in Mecklenburg, im ehemaligen Herzogthum Pommern, in Kurbrandenburg und im späteren Preußen in der Stärke durch, daß die Bestimmungen der Gesetze, welche dort im vorigen Jahrhundert über das Fiskalat ergingen, ganz unabhängig von Frankreich die Idee der Generalvertretung des Staatsinteresses an gerichtlichen Angelegenheiten sehr deutlich zu erkennen gaben. Die Fiskale werden in diesen Bestimmungen als „Wächter des Gesetzes" bei den Gerichten in der vollsten Ausdehnung bestellt, mit demselben bildlichen Ausdruck, der zuweilen als französisch verspottet worden ist.

Indessen waren bei dem Institut der Fiskale allgemein die Einrichtungen zu fehlerhaft und die sonstigen Verhältnisse, welche durch das Institut berührt wurden, demselben zu ungünstig, als daß es sich in dieser Weise hätte erhalten und in seiner Bedeutung zur Staatsanwaltschaft hätte entwickeln können. Während bei den Reichsgerichten in Folge der politischen Verhältnisse die Gegenstände der fiskalischen Wirksamkeit sich immer mehr verminderten, wurde in vielen Einzel-Territorien eine unübersehbare Menge von kleinlichen fiskalischen Interessen, welche die Fiskale selbst bei den geringsten Uebertretungen wahrzunehmen hatten und, meist durch Antheil an den Strafgeldern gespornt, mit Eifer betrieben, der Beruf und die Stellung der Fiskale verkümmert und hinabgedrückt. Ganz vornehmlich aber ließ das Verfahren in Kriminalsachen, wie in Civilsachen, die Bedeutung des Fiskalats in Deutschland nicht aufkommen. Das Prozeßverfahren war auf die Fiskale nicht berechnet und eingerichtet, sie selbst erhielten keine bestimmte Rolle und Stellung in demselben. In Frankreich und in anderen Ländern hat sich frühzeitig aus dem Accusationsprozeß her die Rolle des promotor inquisitionis festgestellt und mit dem Verfahren in organische Verbindung gesetzt. In Deutschland war seit Erlöschen der Mündlichkeit und Oeffentlichkeit dem Fiskalat seine Lebensluft entzogen. Die Schriftlichkeit des Verfahrens ließ bei der Anwesenheit des Fiskals nur einen geringen Nutzen bestehen, sie nahm ihm die Gelegenheit, von den einzelnen Sachen, wie von den Grundsätzen der Gerichte Kenntniß zu nehmen und nach Bedürfniß im Interesse der gesetzlichen Ordnung wirksam zu werden. Sofern nicht ein Geldinteresse ins Auge trat, beschränkte sich seine Thätigkeit fast nur auf die Fälle, in welchen das Urtheil dem Fiskus ausdrücklich seine Ansprüche vorbehielt, oder sonst das Gericht selbst das Amt des Fiskals excitirte. Dazu kamen noch verfehlte Versuche, das Fiskalat in das bestehende Prozeßverfahren einzupassen, wohin die Errichtung des sogenannten fiskalischen Untersuchungsverfahrens gehört. Der fiskalische Bediente wurde dabei zugleich Partei und Inquirent in einem Gemisch von Informations-, Untersuchungs-, Denunziations- und Civilverfahren.

Ein Institut, welchem sich aus dem bestehenden Prozeßverfahren solche Hindernisse entgegenstellten, und welches in sich selbst in so hohem Maße das Gepräge einer unklaren Doppelstellung, einer unorganischen Mischung disparater Elemente trug, indem derselbe Beamte die Partei-Interessen des Fiskus zu vertreten hatte, zugleich im öffentlichen Interesse Wächter des Gesetzes bei den Gerichten sein sollte, diesen aber als Instruent wieder untergeordnet war, — konnte nicht gedeihen. Es ging deshalb vor und nach fast allenthalben unter *).

---

*) Vergl. Heffter im N. Archiv für Kriminalrecht 1845, S. 595. v. Daniels

In den dargestellten Verhältnissen hat sich aber gegenwärtig in Deutschland eine durchgreifende Veränderung vorbereitet und theilweise bereits vollzogen.

Seit langer Zeit ist das Bedürfniß, das gerichtliche Verfahren nach
anderen Prinzipien einzurichten, entschieden anerkannt. — Vielleicht eben so
lange ist das Institut der Staatsanwaltschaft, welchem man, wie oben erwähnt, schon früherhin in mehreren Deutschen Territorien sehr nahe gekommen war, von gewichtigen Stimmen als eines der zur Verbesserung dien-
lichsten und theilweise unentbehrlichen Mittel empfohlen worden. Schon
Feuerbach und Grolmann sprachen entschieden aus und seitdem ist oft wiederholt worden: „Eine Lücke in der deutschen Gerichtsverfassung, welche allzu
weit offen sei, um nicht gesehen zu werden, nämlich der schwer empfundene
Mangel einer steten Kontrolle des Justizwesens, würde durch die Staatsanwaltschaft ausgefüllt werden; in dieser Institution sei die gelungenste und
wirksamste Durchführung der Staatsaufsicht über die Rechtsverwaltung zu erkennen, indem die Staatsanwaltschaft das Wirken des Gerichtes unmittelbar
vor sich sieht, an der Ehre und Würde des Gerichts, welchem sie beigegeben
ist, Theil nimmt, und nicht selbst anzuordnen und zu befehlen, sondern nur
zu beobachten, Erinnerungen zu machen, Anträge zu stellen und nöthigenfalls
Berichte zu erstatten hat, so daß sie das Verhältniß der Gerichte zur Staatsregierung vermittelt, ohne die Unabhängigkeit der Gerichte zu verletzen" *).

Aber auch abgesehen von dieser den äußeren Geschäftsgang betreffenden
Kontrolle, hatten die Arbeiten und Bestrebungen zur Reform des Civil- und
Strafprozesses fortdauernd das Institut der Staatsanwaltschaft nach der angedeuteten Grundidee im Auge. Nicht nur Schriftsteller und Gesetzentwürfe
hielten diese Richtung fest, sondern in einzelnen Staaten wurde die Idee bei
Rechtsmaterien, in welchen das Bedürfniß dazu sich besonders kund that, durch
Gesetze verwirklicht. So in Preußen durch die Verordnung vom 28. Juni 1844
über das Verfahren in Ehesachen, durch die Verordnung vom 17. Juli 1846,
betreffend das Verfahren in den bei dem Kriminalgericht zu Berlin zu füh-
renden Untersuchungen.

Fast überall in Deutschland ist dann plötzlich bei der vollständigen Aenderung des Kriminalprozesses mittelst Einführung der Oeffentlichkeit und
Mündlichkeit in Straffachen die Staatsanwaltschaft wirklich ins Leben geführt und dabei, wie nicht verkannt werden kann, theils nach ausdrücklichen

---

Grundsätze des Rhein. Strafverfahrens S. 49, ff. Risch in Bluntschli's Staats-
wörterbuch von Fiskalbeamten. III. 535 ff.

*) Vergl. Feuerbach Betr. über Mündlichk. und Oeffentl. Bd. 2, S. 138.
Grolmann Handbuch über d. C. Napol. I., S. XXXIX. Gerau im Arch. für Civ.
Prax. Bd. 32, S. 328.

Gesetzesbestimmungen, theils stillschweigend, das Wesen, welches sie im Französischen Strafverfahren hat, aufgenommen und festgehalten worden. Dem Institut ist hierdurch bei seiner Unentbehrlichkeit in dem neueren Deutschen Strafprozeß das Bestehen gesichert. In Betreff der Civilrechtspflege sind ferner verschiedene Deutsche Staaten bereits jetzt in derselben Weise vorgeschritten, indem sie durch neue Civilprozeßordnungen oder einzelne Civilprozeßgesetze der in der obigen Weise recipirten Staatsanwaltschaft auch im Civilprozeß in mehr oder weniger ausgedehntem Maße Funktionen angewiesen haben. Endlich ist in den gegen Frankreich zurückeroberten Ländern am Rheine die Staatsanwaltschaft, so wie sie unter der Fremdherrschaft dort eingeführt wurde, in einer mehrere Menschenalter hindurch bewährten Wirksamkeit bis jetzt bestehen geblieben.

Dies Alles bietet genügenden Anhalt, um hier bei der in Bezug auf eine allgemeine Civilprozeßordnung für Deutschland gestellten Frage ebenfalls von der oben entwickelten Grundidee der Staatsanwaltschaft auszugehen.

Aus dem Bisherigen ergiebt sich unmittelbar, daß der Staatsanwaltschaft ihrem Wesen nach eine Vertretung von Prozeß-Parteien fremd ist. Daher ist insbesondere die Funktion einer Vertretung des Fiskus, der Staatsdomaine oder des Regenten hier sofort auszuscheiden. Nach unseren Gesetzen und Rechtsanschauungen werden die Vermögens-Angelegenheiten des Staates und des Staatsoberhauptes, so weit sie vor die Gerichte gehören, als privatrechtliche Parteisachen aufgefaßt und behandelt. Auch ihnen ist die einseitige Vertheidigung des Partei-Interesses im Civilprozeß nicht zu verweigern. Sollte die Staatsanwaltschaft hierzu dienen und zugleich im öffentlichen Interesse der Staatsverwaltung an der Verwirklichung der Rechtsordnung über den von der einen oder von der andern Seite vertheidigten Partei-Interessen stehen, so wären innerlich heterogene und möglicher Weise mit einander kollidirende Funktionen bei derselben Behörde vereinigt. Daß eine solche Vereinigung für die eine oder die andere Funktion Nachtheil bringt, ist von selbst einleuchtend und wird durch die Erfahrung bestätigt. Zudem kann es für die Einrichtung des Prozeßverfahrens gleichgültig sein, ob der Fiskus durch einen Privatanwalt oder einen fiskalischen Beamten oder den Staatsanwalt seine Prozesse führt. Durch das Letztere würde eine Verbesserung des Civilprozesses selbst nicht erzielt, auch können die vermögensrechtlichen Angelegenheiten der in Rede stehenden Art auf begünstigende Besonderheiten im Verfahren mit Grund nicht Anspruch machen.

Dieser Ausscheidung spricht auch ein Hinblick auf die betreffenden Einrichtungen Frankreichs und Deutschlands das Wort.

Die Bestimmung, daß der Staat und das Staatsoberhaupt in Civil-Prozessen durch die Staatsanwaltschaft vertreten werde, ist der Organisation, durch welche die neuere Staatsanwaltschaft in Frankreich begründet wurde, unbekannt. Sie ist den Prinzipien derselben und dem System des Französischen Civilprozesses an sich durchaus fremd. Das in der konstituirenden Versammlung verfaßte organische Gesetz für das Gerichtswesen vom 16/24. August 1790, welches die Beamten des ministère public als agens du pouvoir exécutif bei den Gerichten bestellte, verordnete im Tit. 8. A. 2, 3: daß dieselben in Civilsachen ihr Amt nicht „par voie d'action", sondern „par voie de réquisition" auszuüben hätten. Hierdurch ist nach der Französischen Technik die Funktion der partie jointe bezeichnet und die Stellung der Staatsanwaltschaft als partie principale und als Parteivertreter ausgeschlossen.

In fiskalischen Interessen hatten nunmehr die betreffenden Verwaltungs-Behörden als Kläger oder Beklagte, gleich allen anderen Parteien, zu prozediren; auch in Bezug auf die Vertretung durch die gewöhnlichen Anwälte war ein Unterschied zwischen dem Fiskus und anderen Parteien nicht vorhanden.

Indessen wurde bei dem späteren Eindringen excentrischer Ideen durch ein Gesetz vom 24. Oktober 1793 das Amt der Anwälte aufgehoben und den Parteien nur vorbehalten, sich durch Privatpersonen als Bevollmächtigte bei Gericht vertreten zu lassen. In Folge dessen kam es in einigen Gegenden Frankreichs in Uebung, die Staatsanwaltschaft auch als Bevollmächtigte der Verwaltungsbehörden zu benutzen. Vielleicht trug die Reminiscenz an die abgeschafften Verhältnisse der früheren Zeit mit dazu bei. Diese hier und dort eingerissene Praxis wurde durch einen Beschluß des Direktoriums vom 28. Juli 1796 allgemein sanktionirt, wie es in den Erwägungen dieses Beschlusses heißt: „um jede Gelegenheit zu benutzen, an den Geldern des Staates zu sparen und weil es der Würde des Staates entgegen sei, vor Gericht durch bloße Privatbevollmächtigte vertreten zu werden, während doch öffentliche Beamte für die Verfolgung der Interessen und Rechte des Staates beständen." In dem die Prinzipien und das System des Gesetzes offenbar verkennenden Beschluß ist bestimmt, daß die Staatsanwaltschaft die ihr von den Verwaltungsbehörden in ihren Civilprozessen zugehenden Denkschriften dem Gerichte vorlesen und wenn dies auch nicht geschehen, alle sachgemäßen Mittel vorbringen und Parteianträge nehmen solle. Daneben hatte sie in denselben Prozeßsachen nach wie vor ihre Funktionen als partie jointe wahrzunehmen. — Ungeachtet nun späterhin durch das Gesetz vom 18. März 1800 Art. 93 und 94 die Anwälte wieder eingeführt wurden und hiermit die ursprüngliche Veranlassung jenes Beschlusses des Direktoriums weggefallen war, blieb doch die Befugniß der Verwaltungsbehörden anerkannt, die Staatsanwaltschaft als Vertreter in Anspruch zu nehmen. Das Widerstreben einzelner

Gerichte, welche in der Kumulation zweier heterogenen Eigenschaften in derselben Persönlichkeit einen Widerspruch sahen, mußte der Erwägung weichen:
daß jener Beschluß des Direktoriums nicht aufgehoben sei.

Die Sache wurde nicht etwa bei der neuen Französischen Prozeßordnung
vom 14. April 1806 in einen organischen Zusammenhang mit dem Prozeßrecht und dessen Formen gebracht. Ganz außerhalb ihres Systems und wie
eine äußerliche und unpassende Zuthat zu demselben wurzelte die Vertretung
des Fiskus und des Landesherrn in jenem Beschluß des Direktoriums und
in einzelnen an den Vorgang derselben angelehnten Spezialgesetzen; und so
wie sie des innern Zusammenhangs mit dem Prozeßrecht entbehrte, so hat sie
sich auch in der Ausübung als nicht lebenskräftig erwiesen. In praktischer
Uebung erhielt sie sich beinahe einzig bei einem singulären Prozeßverfahren
wegen Steuern und laufender fiskalischer Gefälle, in welchem lediglich auf
Schriftenwechsel zu erkennen war. Für fast alle fiskalischen Prozeßsachen, namentlich in den das Eigenthum im weitesten Sinne berührenden Prozessen
des Fiskus wurde durch Verfügungen der höchsten Verwaltungsstellen (z. B.
Rundschreiben der Ministerien aus dem Jahre 1808) jene Vertretung durch
die Staatsanwaltschaft faktisch beseitigt. Auch das Auftreten derselben in den
Prozessen der Krone, welches noch in dem Französischen Gesetze vom 8. November 1814 vorgesehen ist, hat man durch das Gesetz vom 2. März 1832
in Frankreich abgeschafft. In Rheinpreußen wurde der Beschluß des Direktoriums vom 28. Juli 1796 für die wenigen Fälle, in welchen er noch zur
Anwendung kommen mochte, und überhaupt die Vertretung des Staats durch
die Staatsanwaltschaft in fiskalischen Prozessen über Vermögensangelegenheiten
bei den Civilgerichten durch die Königliche Ordre vom 26. September 1845,
„zur Beseitigung der aus dieser Vertretung entstehenden Mißverhältnisse“ (wie
es in der Ordre heißt), aufgehoben.

Auch anderwärts in Deutschland zeigt sich der Boden nicht günstig für
die hier besprochene Einrichtung. In denjenigen Deutschen Staaten, in welchen neue Civil-Prozeßordnungen mit Bestimmungen über eine Mitwirkung
der Staatsanwaltschaft erlassen worden sind, ist der letzteren ebenso wenig wie
in der Französischen Prozeßordnung selbst, die Funktion der Vertretung des
Fiskus oder des Landesherrn zugewiesen. Eine Veranlassung dazu scheint
dort auch der Rückblick auf die Geschäftsführung des Fiskalats nicht gegeben
zu haben. Fast in allen anderen Staaten Deutschlands ist das Fiskalat
des alten Gerichtswesens entweder in eine reine Verwaltungsstelle verwandelt
oder zwar nach Inhalt der Gesetze noch vorhanden, aber in jeder Beziehung
obsolet geworden. In Preußen beispielsweise ist in der Theorie und nach
Th. III Tit. 6 der Allg. Ger.-Ordn. das Fiskalat zur Führung von fiskalischen
Civilprozessen berufen, aber in Wirklichkeit werden in Folge einer nicht publi-

zirten Kabinets-Ordre vom 10. März 1809 keine Fiskale mehr angestellt, sondern zur Betreibung der fiskalischen Prozesse Rechtsanwälte angenommen.

Füglich läßt sich hieraus im Allgemeinen auf den Mangel des Bedürfnisses und der Zweckmäßigkeit schließen. Liegt es doch auch übrigens nahe, daß der Fiskus für seine Interessen schwerlich Vortheil darin findet, bei den verschiedenartigsten Gattungen von Prozessen, welche oft sehr ausgedehnte Vorinstruktionen und Informationen erfordern, in der Vertretung bei Gericht an eine und dieselbe Persönlichkeit gebunden zu sein, zumal wenn der sonstige Beruf derselben nach Gegenstand und Charakter ein anderer, als die Parteivertretung ist.

Abgesehen von der Vertretung des Fiskus ist noch von einer Vertretung der Parteiinteressen von Minderjährigen oder ihnen gleichgestellten Rechtssubjekten in ihren Civilprozessen gesprochen worden. Eine solche Vertretung ist aus obigen Gründen der Staatsanwaltschaft ebenfalls nicht zu überweisen. Auch die Staatsanwaltschaft ist nicht dazu berufen. Die wenigen speziellen Prozeßbestimmungen, welche dahin gedeutet worden sind, haben, wie weiter unten angemerkt werden wird, eine andere, der Staatsanwaltschaft nach ihrem Wesen angehörige Funktion zum Gegenstande.

Aus dem dargestellten Wesen der Staatsanwaltschaft geht ferner hervor, daß dieselbe, als Prozeßpartei im eigentlichen Sinne des Wortes überhaupt nicht aufzufassen ist. Der Ausdruck „partie principale" ist mit Prozeßpartei nicht gleichbedeutend. Bei dem Gegensatze „partie principale" und „partie jointe" dient das Wort partie nur als ein an sich bedeutungsloses Hilfswort, um daran Bezeichnungen für die verschiedene Art und Weise anzuknüpfen, in welcher die Staatsanwaltschaft dem Wesen nach die nämliche Funktion nach Verschiedenheit der Fälle ausübt. Um das Verhältniß klar darzustellen, muß auf eine ausführliche Erörterung jenes Gegenstandes zurückgegangen werden.

Die Staatsanwaltschaft ist in Frankreich nicht als Bruchstück in ein anderes Gebäude eingeschoben. Ihr Dasein ist auf dem gesammten Gebiete der Rechtspflege vorausgesetzt und auf ihre dem Prinzip entsprechende Verwendung wie im Strafprozeß, so im Disziplinarverfahren, in den Vorschriften des Civilrechts und des Civilprozesses je nach dem Bedürfniß des Gegenstandes Bedacht genommen. — Daß bei den ordentlichen Gerichten in den nicht zur Berathung bestimmten Sitzungen ihre Anwesenheit zur gehörigen Besetzung des Gerichts erfordert wird, ist abgesehen von ihrer den äußeren Geschäftsgang kontrolirenden Stellung und von Verhältnissen, welche aus der Oeffentlichkeit und der Mündlichkeit der Verhandlungen hervorgehen, zunächst durch die Aufsicht über die Hilfsbeamten bedingt. Als Organ der aufsehenden und der vollziehenden Gewalt hat die Staatsanwaltschaft die Beamten, welche abgesondert von der Rechtsprechung und von dem Richteramt, die Geschäfte der freiwilligen Gerichtsbarkeit, des Urtheilsvollzugs, der Insinuationen u. s. w. besorgen, so wie die Anwälte, die Gerichtsschreiber u. s. w. zu überwachen, bei ihrer Anstellung und Verwendung mitzuwirken und wegen ihrer Dienst vergehen entweder sofort in den Sitzungen, oder in besonderem Wege einzuschreiten. Aus denselben Gründen wie im Strafprozeß besteht für das Disziplinarverfahren der Anklageprozeß und das mündliche Verfahren. Der Prozeß wird auch hier durch die Staatsanwaltschaft betrieben. Unter diesen Umständen steht dieselbe inmitten des Getriebes der Civilrechtspflege und muß sich in voller Kenntniß derselben erhalten. Diese Rechtspflege konzentrirt sich in den Gerichtssitzungen; in ihnen treten die Amtsverrichtungen überhaupt, so wie die Dienstvergehen und Fehler der von der Staatsanwaltschaft beaufsichtigten Beamten zu Tage. Schon hierdurch stellt sich die Theilnahme der Staatsanwaltschaft an den Sitzungen als wichtig und wirksam heraus. Hieran schließt sich ferner ein großer Theil ihrer sachlichen Wirksamkeit im Civilprozeß selber an. Zu einer solchen ist sie, wie oben ausgeführt worden, nach dem Prinzip berufen, daß die Staatsgewalt, deren Organ sie ist, im öffentlichen Interesse darauf zu achten und dahin zu wirken hat, daß das Gericht in den geeigneten Fällen einschreite und die Gesetze zur vollen Anwendung gelangen. Diese Wirksamkeit soll aber je nach der Stärke des öffentlichen Interesses und des Bedürfnisses, welches bei der Rechtsstreitigkeit obwaltet, in verschiedenen Graden der Stärke auftreten. In den meisten Fällen, in welchen die Staatsanwaltschaft zu wirken gesetzlich angewiesen ist, oder sachlich besondere Veranlassung findet, hat sie dem Gericht nur ihre Ansicht über die zu fällende Entscheidung nach Maßgabe des durch die Verhandlungen der Parteien festgestellten Thatbestandes und der Anträge der Parteien zu entwickeln. Dies erscheint äußerlich wie ein Anschluß an den Antrag der einen oder der anderen Partei, daher die Bezeichnung partie jointe. Durch die Anregung dessen, was bei der Entscheidung des gegebenen Falles zur richtigen Anwendung der Gesetze auf den Streitpunkt gehört, bethätigt die Staatsverwaltung die ihr zustehende Sorge dafür, daß (unter Handhabung der freien Dispositionsfähigkeit der Parteien über ihre Rechte und unbeschadet derselben) die allgemeine Rechtsordnung verwirklicht werde. Auf diesem objektiven Standpunkt kann die Staatsanwaltschaft dazu beitragen und mitwirken, daß die Thatsachen, welche von den Parteien festgestellt sind, für die daraus zu ziehenden rechtlichen Folgerungen richtiger, als von den Parteien geschehen ist, gewürdigt werden, und insbesondere, daß das wirklich anzuwendende Gesetz treffender, als in den Partei-Ausführungen geschehen, hervorgehoben und behandelt werde. Es giebt der Fälle genug, in welchen dies von Werth ist. Gesichtspunkte, welche von diesem Standpunkte aus bei den Civilsachen sich ergeben, werden nicht selten, sei es durch zu geringes, sei es durch zu großes Geschick der Parteien verdunkelt oder bei Seite gesetzt. Damit solche Gesichtspunkte nicht in Folge der Verhandlungen der Parteien im Hintergrund bleiben, wirkt eine Behörde mit, welche eben diese Seite der Sache in den Fällen, die das Wesen ihres Berufes zunächst berühren, in's Auge zu fassen und anzuregen hat. Die Gesetzgebung hat dabei nicht der unpraktischen Konsequenz Folge gegeben, die Staatsanwaltschaft in allen Prozessen sprechen zu lassen. Freilich geht sie aber auch nicht von der Voraussetzung aus, daß die Parteivorträge stets nach allen Seiten hin erschöpfend seien, um deshalb die Mitwirkung der Staatsanwaltschaft für unnütz und langweilig zu erachten. Diese Mitwirkung erscheint ihr nicht in der unpassend travestirten Gestalt eines „Gesetzes-Orakels.“ Sie hat dieselbe nicht für eine die Würde der Richter und der Anwälte verletzende Einrichtung betrachtet, eben so wenig eine Bevormundung der Parteien oder eine Hülfeleistung für die eine oder andere Partei in dieser Einrichtung organisirt. Alle diese Auffassungen treten auch in den Ländern, wo sie in Folge praktischer Durchführung der Einrichtung sich ohne Zweifel im Leben gezeigt haben müßten, wenn sie innerlich berechtigt wären, in Wirklichkeit nicht an den Tag, obschon dort das Amt der Richter und Anwälte, sowie das Prinzip der Selbstständigkeit und Selbstthätigkeit der Parteien mindestens in gleichem Maße wie anderwärts hochgehalten wird.

Gesetzlich ist nun in der Französischen Prozeßordnung eine Anzahl von Kategorien der Sachen aufgestellt, in welchen die Staatsanwaltschaft die Pflicht hat, sich zu äußern, darunter auch die Prozesse der Minderjährigen und der ihnen gleichgestellten Rechts-Subjekte. Hierbei handelt es sich nicht um eine Vertheidigung der Partei-Interessen dieser Personen, wenngleich die letzteren fast in allen Gesetzgebungen durch das Rechtsmittel der Restitutionen bevorzugt sind. Von dem Staate wird besonders und in anderer Weise für ihre Vertretung gesorgt. Hier hat die Gesetzgebung in den Verhältnissen jener Rechts-Subjekte einen Grund gefunden, die sie betreffenden Prozesse auf dem oben bezeichneten Standpunkt der Staatsanwaltschaft zu einem besonderen Gegenstande der Aufmerksamkeit zu machen. In manchen Punkten wird dabei die oberaufsehende Gewalt des Staates noch näher berührt, beispielsweise bezüglich der Frage, ob diese Rechts-Subjekte die gesetzlich erforderliche Ermächtigung zum Prozesse haben und dergl. Sodann gehört insbesondere hierher eine Reihe von Fällen, in welchen eine spezielle Beziehung des Rechtsstreits zur öffentlichen Ordnung den Gesichtspunkt der Mitwirkung der Staatsanwaltschaft bildet, weil gewisse gebietende Vorschriften des Civilrechts oder des Gerichtswesens von dem Streitpunkte berührt werden. Diesem nach hat das Wirken der Staatsanwaltschaft als **partie jointe** sowohl bei eigentlichen Prozessen, als in Folge einseitiger bei den Gerichten angebrachter Parteigesuche in Bezug auf die Anzahl der Fälle eine bedeutende Ausdehnung.

Dagegen ist in den Französischen Gesetzen in Betreff einzelner Verhältnisse des Privatrechts der Wirksamkeit der Staatsanwaltschaft ein höherer Grad von Stärke beigelegt; die Anregung nämlich, von welcher bis dahin gesprochen worden, ist zu einer Aufforderung an die Gerichte gesteigert, in der Weise, daß die Staatsanwaltschaft, um der Aufforderung Eingang zu verschaffen und Nachdruck zu geben, Prozeßmittel anwenden kann, wie solche den Parteien für die Geltendmachung ihrer Rechte zu Gebote stehen. Sie kann selbstständig Anträge zur Sache stellen, in Bezug auf die von ihr behaupteten Thatsachen Beweise führen, Rechtsmittel an das höhere Gericht ergreifen. In dieser selbstständigen Erscheinung wird sie partie principale genannt. Gleichwohl ist sie nicht Kläger, Beklagter, Intervenient oder sonst Partei im Prozesse. Auch hier handelt sie in Ausübung einer Funktion der Staatsverwaltung zur Wahrung der allgemeinen Rechtsordnung; sie wirkt als besondere dem Gerichte beigegebene Behörde darauf hin, daß in den geeigneten Fällen von dem Gerichte eingeschritten werde, und daß das Gesetz durch die Rechtsprechung zur Geltung komme. Sie hat wegen der für dies Wirken ihr beigelegten Waffen nur eine große Aehnlichkeit mit einer Partei, welche ihre Rechte verfolgt. Aber Gleichstellung würde mit der Natur der Sache und mit dem Wesen ihrer Funktion nicht zu vereinigen sein. Es verhält sich hier nicht anders, als bei der Wirksamkeit der Staatsanwaltschaft in Strafsachen. Dort hat die Staatsanwaltschaft „nicht blos darauf zu achten, daß kein Schuldiger der Strafe entgehe, sondern auch darauf, daß Niemand schuldlos verurtheilt werde." Dort wird durch die Anträge der Staatsanwaltschaft im Thatsächlichen wie im Rechtlichen für den Richter keine Maßgabe herbeigeführt; ungeachtet der Staatsanwalt einräumt, daß der Beweis nicht geliefert sei, kann der Richter verurtheilen, über das von dem Staatsanwalt beantragte Strafmaß kann das Gericht hinausgehen. In gleicher Weise hat auch hier die Staatsanwaltschaft nicht, wie eine Partei, die faktischen und rechtlichen Momente, welche möglicherweise zur Ueberwindung des Gegners geeignet und zur Erstreitung des gestellten Verlangens dienlich sein könnten, aufzubringen und einseitig zu vertheidigen, dem Richter es überlassend, zuzusehen, auf welcher Seite er nach dem wechselseitigen Kampfe das wirkliche Recht finden werde; — vielmehr ist lediglich diese Rechtsfindung auch für ihre Thätigkeit und für die dabei angewendeten Mittel der leitende Gesichtspunkt. Die Staatsanwaltschaft kann auch hier durch ihre Anträge auf das Rechtsverhältniß eine die Kraft einer Verfügung in sich tragende Einwirkung nicht üben. Wenn einzelne Schriftsteller in Deutschland, namentlich in Bezug auf die Reform des Verfahrens in Ehesachen, eine andere Auffassung zu erkennen gegeben und aus einer der Staatsanwaltschaft beizulegenden Eigenschaft als Partei Folgerungen in Bezug auf Geständniß, Eidesdelation, Contumacia ꝛc. gezogen habe, so haben sie damit einen ungeebneten und schwerlich haltbaren Boden betreten, auf welchem die jetzige Staatsanwaltschaft nicht steht, oder sich auf einen überwundenen Standpunkt der Anschauungen zurückversetzt. Der Staat hat allerdings ein wesentliches Interesse daran, daß verbotene Ehen getrennt und daß gültige Ehen nicht aus fingirten Gründen geschieden werden, allein es geht nicht an, deshalb den Staat (oder gar den „Gerichts-herrn") als Träger eines Rechts im subjektiven Sinne, eines Klagerechts auf Trennung der Ehe oder eines Widerspruchs- oder Vertheidigungsrechts gegen die Ehescheidung, und in konsequenter Durchführung zuletzt gar eines Rechts auf gute Rechtspflege überhaupt zu konstruiren, und auf Grund einer solchen Konstruktion die Staatsanwaltschaft unter die Parteien zu versetzen, welche vermöge dieser Eigenschaft über die ihnen zustehenden Rechte und Rechtsan-sprüche bei ihren Anträgen disponiren, maßgebende Zugeständnisse machen, Eide deferiren können und dergl. Wenn man auch zu sagen pflegt, daß die Staatsanwaltschaft in Strafsachen das Recht der verletzten bürgerlichen Ge-sellschaft oder des Staates gegen den Verbrecher in Anspruch nimmt (action publique), so ist dies ein figürlicher Ausdruck, um den Anklageprozeß und dessen Formen anschaulich zu machen. Läßt man auch hier im Civilprozeß eine ähnliche Redeweise zu, so ist diese doch nicht als Grundlage für sachliche Konsequenzen zu gebrauchen. Nach den Rechtsanschauungen der Gegenwart ist jenes öffentliche Interesse nicht zu einem privatrechtlichen Klagerecht ge-staltet, welches von der Staatsanwaltschaft als Partei in einem Civilprozeß eingebracht würde, und über welches sie durch Anträge, wie über ein Partei-Interesse zu verfügen hätte. Hierdurch wird ein wesentlicher Bereich der von einer Prozeßpartei eingenommenen Stellung hier ausgeschlossen, wenn auch im Uebrigen der von der Staatsanwaltschaft geübten Wirksamkeit oder Mit-wirkung im Interesse der allgemeinen Rechtsordnung durch Prozeßmittel, welche den eigentlichen Parteien zustehen, Nachdruck gegeben ist.

Die Französische Gesetzgebung macht in der hier dargelegten Auffassung von der Funktion der Staatsanwaltschaft als **partie principale** nur in wenigen Fällen Gebrauch. Die Vertretung des Fiskus und des Landesherrn ist keineswegs hierher und überhaupt nicht in das System gehörig. Die materielle Behandlung einiger speziellen Rechtsverhältnisse des Privatrechts steht mit jener Funktion der Staatsanwaltschaft in organischer Verbindung. Dies ist namentlich in Ehesachen, bei Entmündigungen und in Betreff der Personenstandsregister der Fall, und zwar selbst bei diesen Angelegenheiten nur in einem sehr beschränkten Umfang. Da ein amtliches Eingreifen in die

Privatrechte dem Geist der Französischen Gesetzgebung entschieden widerstrebt, so hat sie sich nicht selten damit begnügt, nur die schwächere Funktion der partie jointe in Anwendung zu bringen, wo eine rücksichtslosere Konsequenz vielleicht die Anwendung der eingreifenderen Funktion der partie principale erwarten ließe.

Hiermit möchte durch die Entwicklung der Bedeutung, welche die Staatsanwaltschaft und ihre Funktion als Prinzipal-Partei im Sinne der gestellten Frage hat, die Beantwortung der letzteren vorbereitet sein.

Es dürfte nicht ohne Bedenken sein, die Frage von der Mitwirkung der Staatsanwaltschaft oder einzelne Momente derselben unmittelbar und abgesondert für sich allein zu behandeln, denn es liegt nahe, daß dabei das Gerichtswesen und der Prozeß nach einer gegebenen bestehenden Gestaltung vorschweben und mehr oder weniger unwillkürlich in dieser Gestaltung vorausgesetzt werden. Manches aber, was in der Anschauung bestehender Verhältnisse Befremden erregt und als überflüssig oder ungehörig aufgefaßt wird, stellt sich in dem Zusammenhange anderer Einrichtungen als an sich zweckmäßig oder doch mittelbar für die Gesammtwirkung förderlich dar. Es ist nun kein unpraktisches Streben nach Idealen, wenn man von einer neuen Prozeßordnung für ganz Deutschland eine wesentliche Veränderung im Bisherigen erwartet. Insbesondere ist die Vielthuerei der Gerichte als ein Uebel anerkannt, welches gehoben werden muß. Eine Abtrennung mancher Funktionen vom Richteramt ist sehr zu wünschen. Ferner wird bei einer entschiedenen Durchführung der Mündlichkeit durch die Form des Verfahrens, welche früherhin für eine angemessene Entwickelung des Fiskalats ein Hinderniß war, nunmehr für die Wirksamkeit der Staatsanwaltschaft Gelegenheit und Anlaß geboten. Auch die für eine Prozeßordnung wünschenswerthe Richtung, daß bei den Gerichten das Leiten und Führen von Amtswegen, das Dekretiren, Instruiren und Referiren, das Verfügen auf einseitigen Antrag und das Beschwerdewesen theils abgestellt, theils gemindert werde, kann bei einer angemessenen Verwendung der Staatsanwaltschaft umfassendere Durchführung finden. Es dürfte dasjenige, was eine neue Prozeßordnung hoffentlich bringen wird, für die Frage von der Mitwirkung der Staatsanwaltschaft von größerer Bedeutung sein und mit derselben in näherer Verbindung stehen, als daß diese Frage getrennt von den übrigen Momenten der Neugestaltung vollständig zu übersehen und vorgängig zu erledigen wäre.

Doch diese Frage ist hier in dem Stadium zu behandeln, in welchem sie bei dem Juristentag nach dessen bisherigen Verhandlungen liegt. Die Funktion der partie jointe ist überhaupt abgelehnt; es handelt sich nur noch um die stärkere Funktion einer Prinzipalpartei. Bei jener Ablehnung ist als der durchgreifende Grund die Erwägung erkennbar geworden, daß der Richter allein berufen und vollkommen im Stande sei, das Gesetz auf die thatsächlichen und rechtlichen Streitpunkte der Parteien anzuwenden. An dieser Erwägung wird man konsequent auch in Bezug auf den hier noch in Frage stehenden Punkt festzuhalten haben. —

Die Meinungsverschiedenheit über diesen Punkt ist bei dem Juristentag bisher in folgender Weise an den Tag getreten. Von einer Seite wird die Staatsanwaltschaft im Civilprozeß überhaupt nicht, auch nicht als Prinzipal-Partei zugelassen. Von anderer Seite wird ihre Wirksamkeit in dieser Funktion für gewisse Fälle als empfehlenswerth anerkannt, jedoch die Bezeichnung dieser Fälle lediglich der Gesetzgebung der einzelnen Staaten überwiesen. Die Meinung Anderer geht dahin, daß sich wenigstens ein Theil der Fälle für die gemeinsame Prozeßordnung Deutschlands herausstellen lasse, so daß blos die übrigen den Landesgesetzen anheim bleiben könnten. Von anderer Seite wird ein die Fälle beherrschendes allgemein gültiges Prinzip aufzustellen gesucht.

Wer die Zweckmäßigkeit der fraglichen Einrichtung überhaupt verneint, darf, wie anerkannt werden muß, zunächst eine positive Begründung derselben erwarten. Diejenigen, welche die Zweckmäßigkeit anerkennen, jedoch die Fälle der Anwendung den Landesgesetzen überlassen, gehen von der Anschauung einzelner Hauptfälle aus, für welche die Einrichtung in verschiedenen Prozeß-Ordnungen besteht, und wenn sie dabei eine gemeinsame Behandlung der Sache in der allgemeinen Prozeßordnung ablehnen, so wird dies von Einigen aus der Natur der Sache selbst hergeleitet, von Anderen wegen der großen Verschiedenheit der Gesetze und Einrichtungen in den einzelnen Staaten für unvermeidbar erklärt. Die Ersteren haben behauptet[*]), daß die Frage ganz außer dem Bereich einer Prozeßordnung gelegen sei. Wer in einem Prozesse Partei sein könne, sei eine Frage des materiellen Rechts, nicht der Prozeßgesetzgebung. Denn es komme darauf an, ob ein bei Gericht geltend zu machendes Recht überhaupt vorhanden sei, und wer von dem Gesetz als Träger und Vertreter dieses Rechts anerkannt werde. Die Staatsanwaltschaft werde mithin nur da als Prozeßpartei vor Gericht in Betracht kommen können, wo das Civilgesetz eines Landes ihr ein gerichtlich zu verfolgendes Recht oder Widerspruchsrecht in die Hand gebe. Diese Ansicht findet im Prinzip in den obigen Ausführungen ihre Widerlegung, nach welchen Prinzipalpartei nicht eigentlich Prozeßpartei bedeutet und die Staatsanwaltschaft nicht als Prozeßpartei aufzufassen ist. Diese Auffassung ist unserer Frage

---

*) Vergl. Gutachten von Francke, Verhandl. des dritten Deutschen Juristentages, Bd. 1, S. 36, 37.

fremd. Bei dieser handelt es sich darum: ob und in welchen Fällen das Verfahren im Civilprozeß so einzurichten ist, daß in demselben außer den Parteien, d. h. den Personen, welche darin auftreten, weil über ein sie betreffendes Rechtsverhältniß oder Recht im subjektiven Sinne entschieden werden soll, und außer den Vertretern dieser Personen, noch die Staatsanwaltschaft als Behörde mit dem Beruf auftreten soll, die Verwirklichung der Rechtsordnung, des Rechts im objektiven Sinne, zu fördern. Unverkennbar ist dies recht eigentlich eine Frage der Civil-Prozeßgesetzgebung.

Dagegen ist allerdings unzweifelhaft anzuerkennen, daß diese prozessualische Einrichtung mit den für die bezüglichen Rechtsverhältnisse geltenden materiellen Gesetzen und Voraussetzungen in der engsten Verbindung steht und von den aus diesen hervorgehenden Bedürfnissen abhängig ist, und daß in diesen Gesetzen, Voraussetzungen und Bedürfnissen, insbesondere für die Rechtsverhältnisse, welche man hier im Auge hat, in den einzelnen Staaten Deutschlands eine Verschiedenheit obwaltet, welche es wohl nicht thunlich erscheinen läßt, gemeinsam für ganz Deutschland die geeigneten Fälle oder nur einzelne derselben speziell und unmittelbar zu bezeichnen und gleichmäßige Prozeßbestimmungen für dieselben aufzustellen. In einem Gutachten*) (welches im Uebrigen auch die eben besprochene Auffassung der Staatsanwaltschaft als Prozeßpartei enthält), ist vorgeschlagen, wenigstens diejenigen Fälle heraus zu greifen, bezüglich deren auf eine möglichst allseitige Zustimmung zu rechnen sei, und demgemäß zu bestimmen:

„Die Staatsanwaltschaft hat ein Recht zur Klage:
1) auf Nichtigkeitserklärung von Ehen,
2) auf Interdiktion;
sie ist als Mitverklagte zuzuziehen bei Klagen auf Nichtigkeitserklärung oder Scheidung von Ehen.

Wie weit sie in anderen Fällen in Vertretung des öffentlichen Interesses als Partei zuzulassen sei, ist nach den bezüglichen Landesrechten zu beurtheilen."

Allein auch der in diesen Grenzen der Gemeinsamkeit gehaltene Vorschlag hat sich den nicht unbegründeten Einwand zugezogen, daß er nur von dem speziellen Standpunkte der Preußischen Gesetzgebung ausgeht und die materiellen Verschiedenheiten in den Rechten und Einrichtungen der anderen Deutschen Staaten nicht berücksichtigt. Die vorgeschlagenen Bestimmungen fügen sich in Betreff der Interdiktion in den Wahn- und Blödsinnigkeitsprozeß der Allgemeinen Preuß. Gerichtsordnung ein, wenn man den Staatsanwalt an die Stelle des dortgenannten „fiskalischen Bedienten" setzt; und

---

*) Plathner, Verhandl. des zweiten Deutschen Juristentages I. Bd., S. 109. ff.

sie sind in Betreff der Ehesachen dem in der Verordnung vom 28. Juni 1844 für die Theile der Preußischen Monarchie, in welchen das Allgemeine Land- recht gilt, eingeführten Verfahren entsprechend, während sogar diese Verord- nung selbst nur ein Bruchstück einer jetzt noch in der Schwebe befindlichen Reform des Preußischen Eherechts darstellt. Durch solche speziellen Sätze läßt sich aber nicht füglich in andere Gesetzgebungen einschneiden, welche in Bezug auf das Ehe- und Ehescheidungsrecht selbst von der Preußischen Ge- setzgebung in hohem Grade verschieden sind, oder für Ehesachen besonders organisirte Gerichte besitzen, oder welche für die Interdiktion einen dem Preußischen ähnlichen Prozeß bei den Gerichten überhaupt nicht kennen. — Was in den Rechtsmaterien, die gewöhnlich hier als Gegenstand der Betrach- tung angeregt werden, in der einen Gesetzgebung gilt, oder in dieselbe paßt, ist darum nicht zur unmittelbaren Uebertragung auf das Gebiet einer anderen Gesetzgebung oder zur unmittelbaren Verallgemeinerung geeignet. Diejenigen, welche auf diesem Standpunkt der Frage die Sache den einzelnen Landes- gesetzen überweisen, sind berechtigt, für sich geltend zu machen, daß ein Maß- stab für eine Bestimmung der neuen Prozeßordnung für ganz Deutschland darin nicht liegt, daß bei derselben auf eine möglichst allseitige Zustimmung deshalb zu rechnen ist, weil sie demjenigen entspricht, was gegenwärtig in den meisten Theilen von Deutschland gilt. Eine anderweitige sachliche Herbeiführung einer möglichst allgemeinen Zustimmung für die einzelnen Fälle setzt wenigstens als Grundlage ein diese Fälle beherrschendes Prinzip voraus.

Um aus der Divergenz der Gesetzgebungen möglicherweise zu einem für die Gesammtheit empfehlenswerthen Resultate zu gelangen, dürfte der richtige Weg zunächst in der Untersuchung bestehen, ob und in welchen Grenzen das Auftreten der Staatsanwaltschaft als Prinzipalpartei im Civilprozeß auf ein bestimmtes Prinzip zu gründen und durch den Werth, welchen dasselbe für das Prozeßverfahren hat, zu rechtfertigen sei.

Man hat ein solches Prinzip in einer besonderen Beschaffenheit oder Stärke des öffentlichen Interesses gesucht, welches bei der Rechtsangelegenheit obwaltet. In dieser Richtung hat man als Kriterium aufgestellt: ob bei derselben Prohibitivgesetze zur Anwendung kommen, deren Wirksamkeit der Privatwillkür entzogen und in dem öffentlichen Interesse, wegen dessen sie erlassen sind, zu handhaben ist.

Dahin gehört der bei der Abtheilung des Juristentages gestellte Antrag, auszusprechen:

> „daß es zweckmäßig sei, die Staatsanwaltschaft als Prinzipalpartei in solchen Fällen zuzulassen, in welchen es sich um eine im öffent- lichen Interesse und auf den Grund von Prohibitivgesetzen erfol- gende Einwirkung auf privatrechtliche Verhältnisse handelt."

Ursprünglich hatte dieser Antrag den Zusatz:

> „Wann diese Voraussetzungen vorliegen, ist nach der Civilgesetz-
> gebung der einzelnen Staaten zu beurtheilen."

und nach dem unverkennbaren Sinn dieses Zusatzes sollte die Angabe der Fälle, in welchen die Gesetzgebung dieses Prinzip wirklich in Anwendung setzen wolle, den Landesgesetzen überlassen bleiben.

Der Zusatz ist von der Abtheilung abgelehnt worden; vielleicht weil es einem Gefühl widerstrebte, für die konkreten wirklichen Rechtsnormen auf die Einheit zu verzichten und Alles auf die Spezialgesetzgebungen zurückzuführen. Ueber den nunmehr übrig gebliebenen Satz des Antrages kam wegen Unsicherheit des Stimmenverhältnisses ein Beschluß nicht zu Stande.

Der Antrag dürfte aus mehrfachen Gründen als nicht annehmbar erscheinen.

Zunächst giebt der Ausdruck „Prohibitivgesetze" zu Bedenken Anlaß. Sicherlich ist derselbe nicht nach dem engen Wortlaut aufzufassen, da mit den Verbotsgesetzen die gebietenden Gesetze des Staates, welchen man durch Privatwillkür nicht derogiren kann, auf gleicher Linie stehen. Es läßt sich sogar ein wahrer Unterschied zwischen beiden nicht aufstellen. In dem entsprechenden Sinne aufgefaßt, hat der Satz eine sehr weite und in Bezug auf die Anwendung unbestimmte, in sehr vielen Fällen dem Zweifel und dem Streit unterliegende Ausdehnung.

Sodann ist die Bedeutung des Ausdruckes „Einwirkung auf privatrechtliche Verhältnisse" noch unbestimmter. Man wird zugeben müssen, daß in jedem Rechtsfall, in welchem in Anwendung eines Prohibitivgesetzes eine Rechtshandlung für unwirksam erklärt, ein Rechtsanspruch versagt oder zugelassen wird, von Seiten des Gerichts eine Einwirkung auf privatrechtliche Verhältnisse im öffentlichen Interesse und auf den Grund von Prohibitivgesetzen erfolgt. So lange hier nicht positive Grenzen gezogen sind, hat der Satz eine zu große Dehnbarkeit und Tragweite.

Ferner eignet sich dieser Satz nicht zu einem Prozeßprinzip, weil das in ihm aufgestellte Kriterium in einer sehr großen Anzahl von Fällen erst inmitten des Rechtsstreits hervortritt und erkennbar wird. Es würde kaum zu ertragen sein, wenn wegen des Umstandes, daß der Anspruch oder die Einrede im Lauf des Prozesses die Frage über die Anwendung eines Prohibitivgesetzes berührte, die Staatsanwaltschaft (etwa wie beim Fiskalat durch Excitation des Gerichts von Amtswegen!) in die Sache zu setzen wäre.

Der Satz in seiner jetzigen Gestalt geht überhaupt in dem Grundgedanken zu weit. Es griffe zu tief in das Privatrecht ein, wenn der Staat in Prozessen, an deren Ausgang unmittelbar kein öffentliches Interesse obwaltet, in Streitigkeiten über Rechte, in Ansehung deren an sich es für den

Staat gleichgültig ist, ob sie sich bei dem einen oder bei dem anderen der streitenden Theile befinden, und über welche die Parteien selbst in jedem Augenblicke anders disponiren können, deshalb den Parteien gegenüber einschreiten sollte, weil mittelbar, nämlich in Bezug auf das Entstehen und die Begründung dieser Rechte, ein absolut gebietendes oder verbietendes Gesetz in Frage kommt.

Wenn es auch Rechtsbestimmungen giebt, deren Geltendmachung nicht von dem Belieben der Parteien abhängt, sobald die thatsächliche Grundlage für ihre Anwendung feststeht, so lassen sich doch die Rechtsstreitigkeiten unter Privaten nicht von dem Staat auf diese Grundlage zurückführen. Daß in allen diesen Fällen die Staatsanwaltschaft ein anderes faktisches Material in den Prozeß bringen und Rechtsmittel ergreifen könnte, wäre ein in seinen Folgen kaum übersehbarer Schritt; die Französische Gesetzgebung dürfte keinen Tadel verdienen, wenn sie unter Anerkennung der Natur des Privatrechts sich auch in diesem Bereich darauf beschränkt hat, nur zur Anerkennung des im Prozeß etwa in den Hintergrund gestellten rechtlichen Gesichtspunkts die Staatsanwaltschaft nur als partie jointe auftreten zu lassen.

Die Ausdehnung des Antrags ließe sich freilich auf einen engeren Kreis beschränken. So ist namentlich von Gerau*) der Schwerpunkt für die Mitwirkung der Staatsanwaltschaft in das öffentliche Interesse an dem Resultat der Behandlung der Sache gelegt worden. So viel es die Funktion als Prinzipal-Partei betrifft, sprechen nach seiner Ansicht „unverwerfliche Gründe für die Unentbehrlichkeit resp. die Zweckmäßigkeit der Aufnahme dieser Wirksamkeit der Staatsanwaltschaft in den Fällen, wo das öffentliche Interesse bei einer Rechtssache nach deren Erfolg für die gesammte bürgerliche Gesellschaft oder aus besonderen Rücksichten der Moral oder aus allgemeiner Rechtsordnung in dem Ergebnisse der Entscheidung des speziellen Falls speziell und mittelbar berührt wird, und darum auch einer besonderen selbstständigen Vertretung vielleicht im Widerspruch mit den Interessen der Parteien bedarf." — Vielleicht ließe sich die auch hierin noch liegende Unbestimmtheit durch den Ausdruck vermindern: „wenn bei dem Bestehen, der Aenderung oder der Aufhebung des Rechtsverhältnisses selbst, welches durch die Entscheidung festgestellt, geändert oder aufgehoben werden soll, ein öffentliches Interesse aus Rücksichten der allgemeinen Rechtsordnung oder der Sitte obwaltet." Indessen wegen der Abstraktheit des Prinzips sieht jener Schriftsteller, in gleicher Weise wie ursprünglich der besprochene Antrag bei dem Juristentag, sich genöthigt, eine positive spezielle Bezeichnung der Fälle, in denen es Anwendung finden soll, vorauszusetzen

---

*) Gerau im Arch. f. Civil. Prax. Bd. 32. S. 344.

und zu verlangen, und indem er hierbei mit Rücksicht auf das Französische Recht eine Aufstellung derselben macht, tritt auch er in den Bereich der auf die Verschiedenheit der Gesetzgebung begründeten Bedenken.

Dem bisher besprochenen Antrag und sonstigen in ähnlicher Richtung sich bewegenden Versuchen steht endlich auf dem hier eingenommenen Standpunkt die Konsequenz der Ablehnung der Funktion als partie jointe entschieden entgegen. Der Grund dieser Ablehnung erstreckt sich auch auf das hier behandelte Gebiet. Denn die Annahme möchte wohl keinen Beifall finden, daß dem Richter der Beruf und die Fähigkeit, allein das Gesetz in Anwendung zu bringen, in so fern abgehe, als dies anzuwendende Gesetz eine gebietende oder verbietende Norm darstelle, oder sonst ein öffentliches Interesse zu wahren bestimmt sei. Soll es also überhaupt unbeschadet der Konsequenz hier für die Staatsanwaltschaft eine Wirksamkeit geben, so muß das Prinzip zu derselben sich auf einem andern Boden finden, — nicht in dem materiellen Inhalt, welchen das anzuwendende Gesetz an und für sich hat. Dies führt dahin, unmittelbar die Prinzipien des Prozesses in's Auge zu fassen.

Wenn man nach dieser Richtung hin die Rechtsmaterien, welche für unsere Frage in Betracht gezogen zu werden pflegen, und die bereits von vielen Seiten dabei angeregten Rechtfertigungsgründe überblickt, so gelangt man zu folgender Auffassung.

Der Natur des Civilprozesses entsprechend, herrscht bei ihm auch in Deutschland als Regel die Verhandlungsmaxime. Zu den wesentlichen Punkten des Unterschiedes derselben von der Untersuchungsmaxime gehört: daß das Verfahren nicht von Amtswegen erhoben wird, und daß die Thatsachen, welche die Voraussetzungen des Richterspruchs bilden, nicht von Amtswegen ermittelt, sondern von den Parteien beigebracht werden. Indessen greift bei einzelnen Rechtsangelegenheiten ausnahmsweise auch im Civilprozeß die Inquisition Platz. Die letztere liegt bis dahin im Deutschen Civilprozeß in der Hand des Richters. Dieser ist es, welcher da, wo sie Platz greift, das Einschreiten von Amtswegen und das Herbeischaffen der Thatsachen von Amtswegen vornimmt, ganz so wie in dem früheren Strafprozeß das Gericht inquirirte. Beim Strafprozeß ist in der neueren Zeit die Veränderung eingetreten, daß die Staatsanwaltschaft die beiden eben gedachten Funktionen übernimmt. Es besteht kein Zweifel darüber, daß diese Einrichtung, durch welche die Inquisition formell und äußerlich der reinen Verhandlungsmaxime sich nähert, eine große Verbesserung herbeigeführt hat. Die Gründe sind allbekannt. Es bedarf daher einer besonderen Ausführung nicht, daß es als eine erhebliche Verbesserung, ja fast als unabweislich erscheint, in der Allgemeinen Civilprozeßordnung in Bezug auf die Inquisition für den im Civilprozeß sich findenden Bereich derselben die nämliche Veränderung vorzuschreiben:

Zunächst würde diesemnach es sich empfehlen, zu bestimmen:

1) daß in den Fällen, wo ohne Antrag einer Privatpartei von Amts-wegen durch ein Civilprozeßverfahren (zur Feststellung, Aenderung oder Aufhebung eines den Gegenstand des Verfahrens bildenden Privat-Rechtsverhältnisses) einzuschreiten ist, die bei dem zuständigen Gerichte bestellte Staatsanwaltschaft den Beruf hat, (als Prinzipal-partei) das Verfahren bei dem Gerichte anhängig zu machen und unter Beibringung der Thatsachen mit den Prozeßmitteln und Rechts-mitteln einer Partei durchzuführen.

Die Ueberweisung dieser Funktion an die Staatsanwaltschaft entspricht dem Wesen derselben. Denn das Eingreifen von Amtswegen geschieht offenbar im öffentlichen Interesse, für welches sie zu wirken hat. In Folge der Ab-sonderung dieser Funktion von dem Richteramt hört dieses auf, zugleich an-greifender Theil, Inquirent und Richter zu sein, seine Subjektivität den Parteien und der Sache aufzudringen, und in der höheren Instanz, wie dies jetzt nur zu oft der Fall ist, fast in die Stellung einer unvertretenen Partei zu gerathen.

Sammeln wir einige Beispiele, in welchen nach bestehenden Gesetzge-bungen im Civilprozeß von Amtswegen eingeschritten wird und hin und wieder bereits jetzt diese Wirksamkeit der Staatsanwaltschaft zusteht. Dahin gehören:

a) die Nichtigkeitserklärungen von Ehen auf Grund öffentlicher Ehe-hindernisse. Sie werden von der Staatsanwaltschaft betrieben nach der Preuß. Verordnung vom 24. Juni 1844 §§. 5, 54; Braun-schweigische Prozeßordnung §. 16 Nr. 2; Rhein. bürgerl. G.-B. Art. 184, 190, 191. — Nach gemeinem (kanonischem) Recht greift die Untersuchung von Amtswegen Platz: Böhmer J. E. P. IV. 4. 18; Eichhorn, Kirchenrecht Bd. 2 S. 457. Ebenso nach dem bürgerl. G.-B. für Oesterreich §. 94, wobei es der Aufstellung eines eigenen Klägers nicht bedarf. Hofdekret v. 25. Novbr. 1839 Nr. 392 J. G. S.);

b) die gänzliche oder theilweise Entmündigung von Geistesschwachen oder Verschwendern. (Vergl. in Bezug auf die Staatsanwaltschaft die Braunschw. Prozeß-Ordn. Tit. 3. §. 16 Nr. 3 mit dem Art. 491 des Rhein. bürgerl. G.-B. und Preuß. Kabinets-Ordre vom 6. November 1831);

c) die Abwesenheits- oder Todeserklärungen. (Vergl. Braunschweig. Proz.-O. l. c. Nr. 1);

d) die Anfechtung oder Aufhebung gesetzlich verbotener Handlungen im öffentlichen Interesse (ein unklarer und der näheren Bestimmung bedürftiger Fall, in welchem die Braunschw. Prozeßordnung l. c. unter Nr. 4 die Staatsanwaltschaft zum Prozesse beruft);

e) die Aufhebung eines Privilegiums wegen groben Mißbrauchs (vergl. z. B. §. 72 der Einl. des Preuß. Landrechts) und analog die Auflösung einer Aktiengesellschaft wegen Gefährdung des Gemeinwohls durch rechtswidrige Handlungen (vergl. Einführungsgesetz zum D. Handelsgesetzbuch für Preußen Art. 12 §. 5, Anhalt Art. 10 §. 5, Großh. Hessen Art. 12), ein Fall, bei welchem sich das Unzureichende des bisherigen Prozesses sehr klar herausstellt, da es sich nicht von einer vermögensrechtlichen (fiskalischen) Angelegenheit des Staates handelt und gleichwohl kontradiktorisches Verfahren vor Gericht fast unabweisbar ist.

Aehnlich in Frankreich die Aufhebung eines **Brevet d'invention**, eines Juden-Patents und dergl. Dekret v. 17. März 1808 Art. 9;

f) die Berichtigung und die Wiederherstellung der Personenstands-Register aus besonderem öffentlichen Interesse (Rhein. Recht. Staatsrathsgutachten vom 3. Novbr. 1802, Dekret vom 18. Juni 1811 Art. 122).

Bei näherer Betrachtung dieser Beispiele ergiebt sich, daß in Bezug auf die konkreten Fälle die Gesetzgebungen sehr verschieden sind. In manchen Ländern sind einzelne der hier erwähnten Angelegenheiten dem gerichtlichen Verfahren nicht überwiesen (vergl. z. B. b, c, e, f), und selbst bei Fällen, bezüglich deren eine Uebereinstimmung im Allgemeinen vorhanden zu sein scheint, (z. B. bei a, c) weichen die Gesetze in den Voraussetzungen und Modifikationen, unter denen das Einschreiten von Amtswegen Platz greift, erheblich von einander ab. Die Herbeiführung einer Gleichmäßigkeit in den konkreten Fällen würde deshalb große Schwierigkeiten und Bedenken haben. Sie würde den Erlaß einer gleichmäßigen Gesetzgebung in den bezüglichen Rechtsmaterien bedingen, während die letzteren meist einem Gebiet (dem Familien- und Personenrecht) angehören, für welches eine einheitliche Gesetzgebung nach den Verhältnissen in Deutschland zunächst sich nicht verwirklichen läßt.

Durch den Mangel einer Uebereinstimmung in den konkreten Einzelheiten wird aber der hier für die allgemeine Prozeßordnung aufgestellten Bestimmung keineswegs der positive Inhalt und die direkte Anwendbarkeit als allgemeine Prozeßvorschrift genommen. Diese Bestimmung stellt nicht, wie der oben besprochene Antrag, die Frage: wann die Staatsanwaltschaft wirken soll, in's Unbestimmte oder lediglich in die Disposition der Landesgesetze; allgemein soll vielmehr die Prozeßvorschrift in Geltung treten, daß, wo irgend ein Civilprozeß von Amtswegen eingeleitet wird, die Staatsanwaltschaft als Prinzipalpartei auftreten soll. Die Bestimmung eignet sich zu einer unmittelbar anwendbaren Prozeßvorschrift, da das Kriterium, ob bei der Rechtsangelegenheit ein Einschreiten von Amtswegen im Civilprozeß stattfinde, in jedem Augenblick aus den die Rechtsmaterien selbst betreffenden Gesetzen (nicht erst aus dem Umstande des Falles oder des Prozesses) erkennbar ist.

Wenn auch die speziellen Fälle, in welchen die Vorschrift wirklich Anwendung findet, sich aus den Landesgesetzen ergeben müssen, so würde doch in so fern übereinstimmend das wichtige Resultat erreicht, als für die Inquisitionsmaxime in den Fällen, in welchen sie im Civilprozeß wegen der Beschaffenheit der Rechtsmaterie gesetzlich eintritt, ihre wesentliche Modifikation, ihre Annäherung an die Verhandlungsmaxime allgemein durchgeführt würde. Dem Resultate nach würde dies auch im Einzelnen einen bedeutenden Grad der Uebereinstimmung herbeiführen, da für die hauptsächlichen Fälle dieser Kategorie aus dem Verfahren von Amtswegen, welches für dieselben jetzt nach einem großen Theil von Landesrechten gilt, für diese sofort und unmittelbar das Einschreiten der Staatsanwaltschaft in gleicher Weise sich ergeben würde, wie dasselbe jetzt bereits nach anderen Landesrechten statt hat; ferner auch für sonstige Fälle der Gesetzgebungen in der Bestimmung der allgemeinen Prozeßordnung der Anhalt gegeben wäre, je nach dem Bedürfniß durch die Vorschrift des Einschreitens von Amtswegen bei den Civilgerichten in das übereinstimmende Verfahren einzutreten.

Abgesehen von Verfahren, welche von Amtswegen eingeleitet werden, findet ferner nach Deutschem Civilprozeß bei gewissen Rechtsangelegenheiten in der durch Parteien veranlaßten Prozedur die Untersuchungsmaxime in Bezug auf die Feststellung des Thatbestandes Anwendung. In dieser Beziehung erscheint es empfehlenswerth, zu bestimmen:

2) daß in den Fällen, in welchen im Civilprozeßverfahren (über die Feststellung, Aenderung oder Aufhebung eines den Gegenstand des Verfahrens bildenden Privatrechtsverhältnisses) zwar auf die Anträge einer oder mehrerer Parteien zu entscheiden, dabei jedoch die Thatsachen (welche die Voraussetzung der Entscheidung bilden) nicht lediglich nach Lage der Behauptungen, Beweise und Zugeständnisse der Parteien sich bestimmen, sondern von Amtswegen darauf zu halten ist, daß der wirkliche Thatbestand der Entscheidung zu Grunde gelegt werde, die bei dem zuständigen Gericht bestellte Staatsanwaltschaft den Beruf hat, (als Prinzipalpartei) an dem Verfahren betheiligt zu sein und selbstständig im geeigneten

Falle unter Beibringung des Thatbestandes mit den Prozeßmitteln und Rechtsmitteln einer Partei einzuwirken.

Das Verhältniß ist, den ersten Angriff der Prozedur abgerechnet, ganz dasselbe wie bei 1. Die Ermittelung des wirklichen Thatbestandes von Amtswegen findet nur in der Wahrung des öffentlichen Interesses ihre Erklärung. Die Funktion der Staatsanwaltschaft sichert der Rechtsprechung die Objektivität. Prozeß- und Rechtsmittel müssen ihr zustehen, um den wirklichen Thatbestand zur Geltung zu bringen.

Als Beispiele aus einzelnen Gesetzgebungen mögen angeführt werden:

a) die Aufhebung der Entmündigung von Geistesschwachen oder Verschwendern auf einseitiges Verlangen derselben (Rhein. bürg. G.-B. Art. 512);

b) die Abwesenheitserklärung, wenn sie von einem Privaten beantragt ist. (Vergl. Braunschw. Prozeß-Ordn. §. 16 Nr. 1, Art. 116 des Rhein. bürg. G.-B. Der Gesichtspunkt, welchen dieser Artikel bei dem kontradiktorischen Zeugenverhör mit dem Staatsanwalt verfolgt, ist nicht die Parteivertretung der Abwesenden, sondern die Ausübung der oberaufsehenden Funktion der Staatsgewalt und die Modifikation der Inquisitionsmaxime);

c) die Einschränkung einer gesetzlichen Hypothek auf Antrag des Vormundes oder des Ehemannes, gegen welche sie zu Gunsten des Mündels oder der Ehefrau besteht. (Art. 2143 des Rhein. b. G.-B. Die Regelung der Hypothek geschieht hier gesetzlich im Civilprozeßverfahren, die oberaufsehende Staatsgewalt ist dabei betheiligt. Daß die Staatsanwaltschaft hier die Partei nicht vertritt, ergiebt sich auch daraus, daß der Prozeß gegen den Nebenvormund oder die Ehefrau geführt wird; das Gericht würde inquiriren müssen, wenn die Gesetzgebung nicht konsequent die Staatsanwaltschaft verwendet hätte. In die nämliche Kategorie gehört auch der Fall des Art. 1057 des Rhein. b. G.-B. bei Fideikommissen);

d) die Uebertragung des elterlichen Erziehungsrechtes bei Ehescheidungsprozessen. (Vergl. Rhein. bürg. G.-B. Art. 267, auch §. 8 der Preuß. Verordnung vom 28. Juni 1844);

e) die Wiedereinsetzung des Gemeinschuldners in den vorigen Stand bei Konkursen. (Vergl. Rhein. Handelsgesetzbuch Art. 604—614. In §. 315 der Preuß. Konkursordnung erscheint die Staatsanwaltschaft als partie jointe.)
Sodann hauptsächlich

t) die Prozesse über Trennung und über Nichtigkeit oder Ungültigkeit von Ehen (außer den Fällen unter 1 a).

Im kanonischen Recht ist es anerkannter Grundsatz, daß in Ehesachen, insbesondere was die Ermittelung der thatsächlichen Verhältnisse betrifft, von Amtswegen inquirirt wird. Die Ehesachen sind nach den Rechtslehrern in dieser Beziehung „den Kriminalsachen gleichgestellt". Für einen großen Theil Deutschlands trifft in dieser Weise die Voraussetzung des Satzes unter 2 zu. In einigen Deutschen Staaten bestehen über den Prozeß in Ehesachen besondere Gesetze, welche die Untersuchung von Amtswegen modifiziren. Dabei hat sich namentlich die Auffassung geltend gemacht, daß das öffentliche Interesse hier wesentlich in der Aufrechthaltung der angegriffenen Ehe bestehe. Es sollen nun, dieses Interesse von Amtswegen zu wahren, (nach dem Vorgang einer Verordnung Benedikt XIV.) Ehevertheidiger bestellt werden. So ist gemäß §§. 97, 112 des Oesterreich. b. G.-B. bei Verhandlungen über die Giltigkeit einer Ehe oder über die Auflösung einer Ehe wegen vermuthlichen Todes eines Ehegatten von dem Gericht „das Fiskalamt oder ein anderer verständiger und rechtschaffener Mann zur Erforschung der Umstände und zur Vertheidigung der Ehe bestellt worden, um die wahre Beschaffenheit der Sache selbst dann, wenn auf Begehren einer Partei die Verhandlung vorgenommen wird, von Amtswegen zu erheben." (Nach den jetzigen Vorschriften in Oesterreich sind die Finanzprokuratoren nicht mehr zur Vertheidigung des Ehebandes berufen. Minist.-V. vom 2. Oktober 1851 Nr. 251 R. G. B.)

Das Oesterreich. Gesetz vom 8. Oktober 1858 Nr. 185 R. G. B. hat an der Sache erheblich geändert. Bei der Auflösung der Ehe wegen vermuthlichen Todes tritt an die Stelle der Ehevertheidigung die Erklärung des Bischofs, welchem die Akten mitzutheilen sind, und je nach den alsdann sich ergebenden Fällen ist die Entscheidung des obersten Gerichtshofes, beziehungsweise des Metropolitangerichts oder der dritten kirchlichen Instanz in Ehesachen einzuholen (§§. 25—27). Ueber die Ungiltigkeit der Ehen von Katholiken und über die Scheidung von Tisch und Bett zwischen Katholiken entscheidet nur das geistliche Gericht. Bei gemischten Ehen haben über die Ungiltigkeit und über die Trennung unter verschiedenen Voraussetzungen die geistlichen oder weltlichen Gerichte gemäß den für die einen oder die anderen Gerichte geltenden Rechts- und Prozeßvorschriften einzuwirken und zu entscheiden (§§. 43 bis 48).

In Preußen ist in neuerer Zeit von der Gesetzgebung ganz besonders die Reform des Eherechts in Angriff genommen worden. Ein Hauptgesichtspunkt ist dabei die Ausgedehntheit und Unbestimmtheit der Ehescheidungsgründe, welche das Preuß. Landrecht zuläßt, und die Geneigtheit, diese Gründe zu fingiren. Man hat vorläufig über das Prozeßverfahren in Ehesachen die

Verordnung vom 28. Juni 1844 erlassen, dabei Reformen des materiellen Eherechts noch vorbehalten. Durch diese Verordnung ist die Mitwirkung der Staatsanwaltschaft in Ehesachen eingeführt. Der Staatsanwalt soll in allen Prozessen, welche die Scheidung, die Ungültigkeit oder die Nichtigkeit einer Ehe zum Gegenstande haben, zu den Verhandlungen von Amtswegen zugezogen werden (§. 6.). Er ist in solchen Prozessen zu allen Erklärungen und Anträgen, welche sich auf die Aufrechthaltung der Ehe beziehen, ermächtigt, jedoch nicht zur Einlegung von Rechtsmitteln. In diesem letzten Punkt hat man nach langem Schwanken vorläufig einen Mittelweg einschlagen wollen. Mit dieser Einrichtung sind besondere Prozeßgrundsätze für die Ehesachen verwebt.

Nach dem in den Rheinlanden geltenden bürgerlichen Gesetzbuch tritt bei den hier in Rede stehenden Prozessen die Staatsanwaltschaft nur als partie jointe auf. Dies erklärt sich daraus, daß die Gesetzgebung die Trennung der Ehe in hohem Maße erschwert hat; die Gründe der Scheidung oder der Nichtigkeit von Ehen sind auf eine geringe Zahl eingeschränkt und an bestimmte Thatsachen geknüpft, so daß einem Fingiren derselben genügend vorgebeugt ist. Die freiwillige Ehescheidung ist durch die Schwierigkeiten des dafür vorgeschriebenen gerichtlichen Verfahrens zur äußersten Seltenheit gemacht. In dem Zusammenhange der Gesetzesbestimmungen ergab sich keine Veranlassung, zum Ersatz einer Inquisitionsmaxime die Staatsanwaltschaft als Prinzipalpartei auftreten zu lassen oder als Ehevertheidiger zu verwenden; erfahrungsmäßig ist auch auf dem Gebiet dieser Gesetzgebung ein wirkliches Bedürfniß dazu nicht an den Tag getreten.

Ersichtlich steht hier bei f. die Frage mit der Verschiedenheit des materiellen Eherechts, der Sitte und der Konfession in enger Verbindung.

Der unter 2. aufgestellte Prozeßsatz dürfte in Bezug auf seine Anwendung mit dem Satz unter 1. auf derselben Linie stehen. So viel den Fall f. insbesondere betrifft, so würde überall, wo die Untersuchung von Amtswegen Rechtens ist, oder wo ein Vertheidiger der Ehe bestellt werden muß, sofort in Folge des Gesetzes der Staatsanwalt als Prinzipalpartei im öffentlichen Interesse am Prozesse Theil zu nehmen oder beziehungsweise an die Stelle des Ehevertheidigers zu treten haben. So wie überhaupt, so steht auch hier für diesen einzelnen Fall einer unmittelbaren und völligen Gleichmäßigkeit das entschiedene Hinderniß entgegen, daß dieselbe eine auf diesem Gebiete des Privatrechts wenigstens vorläufig nicht zu erreichende Einigung über die materiellen Grundlagen voraussetzen würde. Dem Dringen auf das Gegentheil läßt sich die nüchterne Wahrheit, daß es nutzlos und verfehlt ist, als Ziel aufzustecken, was keine Aussicht auf Erfolg hat, und jedenfalls die folgende Bemerkung entgegensetzen.

Faſt alle obenbezeichneten Fälle, namentlich diejenigen, welche die Ehe und die Interdiktion betreffen, stellen ſich als Beſonderheiten dar. Wenn man glaubt, daß eine allgemeine deutſche Prozeßordnung dafür Vorſchriften enthalten könne, welche über allgemeine, in die Einzelgeſetzgebungen ſich einfügende Prozeßbeſtimmungen hinausgehend eine größere Gleichmäßigkeit im Detail bewirken, ſo hat man das Gebiet der beſonderen Prozeßarten (z. B. des Eheſcheidungsprozeſſes u. dergl.) im Auge. Zur Normirung derſelben iſt aber das ſpezielle Bedürfniß jeder einzelnen der betreffenden Rechtsmaterien der Maßſtab, und um dies Bedürfniß feſtzuſtellen, iſt die eingehende Behandlung aller dieſer Materien erforderlich. Es würde ſchwerlich an der Stelle ſein, aus dem Geſichtspunkt der allgemeinen Frage über die Mitwirkung der Staatsanwaltſchaft als Prinzipalpartei in ſo weit greifende Erörterungen einzugehen und Reſultate derſelben zu ziehen.

In den Bereich der hier gebotenen Unterſuchung fällt noch die Frage: wie es ſich verhalte, wenn im Laufe eines Civilprozeſſes oder bei der Entſcheidung Strafen (im weiteren Sinne) auszuſprechen ſind. Dahin wären zu rechnen: die Verhängung von Vermögensnachtheilen (z. B. die Ueberweiſung des Gegenſtandes eines verbotenen Vertrages an den Fiskus), ferner die Auferlegung von Geldbußen (z. B. die Verurtheilung in Succumbenzgelder); es kommt auch der Ausſpruch von Freiheitsſtrafen vor (z. B. Gefängnißſtrafe bei der Eheſcheidung); ferner gehört dahin: die Verhängung von Disziplinar-, Ordnungs- oder ſonſtigen Strafen gegen Beamte oder andere Perſonen wegen eines Vorkommniſſes im Laufe des Verfahrens. Sofern nun bei dieſen Dingen die Entſcheidung auf den Grund des von den Parteien feſtgeſtellten Thatbeſtandes zu fällen iſt und der Vermögensnachtheil oder die Strafen ſich als Acceſſorien an die Entſcheidung anſchließen (z. B. die Succumbenzgelder), kann wegen dieſes letzteren Umſtandes ſelbſtredend die Staatsanwaltſchaft nicht Prinzipalpartei ſein. Sofern aber nach der Spezialgeſetzgebung der gegen die Parteien zu verhängende Vermögensnachtheil als ein dem Fiskus durch die verbotene Handlung erworbenes und von ihm durch ſelbſtſtändige Beweiſe zu begründendes Privatrecht aufgefaßt wird, iſt die Funktion der Staatsanwaltſchaft deshalb ausgeſchloſſen, weil ſie prinzipiell den Fiskus in ſeinen vermögensrechtlichen Angelegenheiten nicht vertritt. Uebrigens iſt dieſer letzte Punkt in Bezug auf eine neue Prozeßordnung um ſo mehr bei Seite zu ſetzen, als die Sache faſt obſolet genannt werden kann. Die neuere Geſetzgebung faßt ſolche Vermögensnachtheile, ſofern ſie überhaupt zur Verhängung derſelben greift, in der Regel von dem richtigeren Geſichtspunkt der Strafe auf, welche im polizeilichen oder ſonſtigen Strafprozeß herbeizuführen iſt. So viel endlich die oben zuletzt erwähnte Kategorie von Strafen betrifft, ſo würde es als den Verhältniſſen des mündlichen und des öffentlichen Verfahrens durchaus entsprechend zu erklären sein, wenn bestimmt würde, daß in Fällen, wo in den Sitzungen während der mündlichen Partei. verhandlungen im Civilprozesse von einem Anwalt, einem Hülfsbeamten oder einer anderen Person ein Dienstvergehen, eine Ordnungswidrigkeit oder eine strafbare Handlung begangen wird, welche sich zur sofortigen Bestrafung eignet, und deren Bestrafung nicht über die Zuständigkeit des Gerichts hinausgeht, die Staatsanwaltschaft berechtigt ist, sofort in der Gerichtssitzung (als Prinzipalpartei) einzuschreiten und die Bestrafung bei dem Gerichte zu erwirken. Eine solche Bestimmung dient wesentlich dazu, die Objektivität und die Würde des Gerichts zu sichern. Daß die Sache praktisch sich empfiehlt, hat auch die Erfahrung unter der Herrschaft der Französischen Gesetzgebung bewährt. Genau genommen ist indeß dieser Punkt nicht hierher gehörig, da es sich hierbei um einen Ausfluß der Funktionen der Staatsanwaltschaft in Disziplinar- und Strafrechts-Angelegenheiten handelt, und eine bürgerliche Rechtsstreitigkeit hier nur eine Veranlassung zur Ausübung derselben ist.

Schließlich ist zu bemerken, daß es noch mehrere den Civilprozeß betreffende spezielle Verhältnisse und Institutionen giebt, bei welchen nach dem Wesen des Berufs der Staatsanwaltschaft eine Wirksamkeit derselben in der Stellung einer Prinzipalpartei Platz greifen kann. Hierher gehört namentlich dasjenige, was in die Sphäre der jetzigen Kompetenzkonflikte fällt, sowie das Verfahren bei dem obersten Gerichtshof, sofern dieser als ein Mittelpunkt der gerichtlichen Oberaufsicht in Bezug auf die Unterdrückung von Machtüberschreitungen der unteren Gerichte und dergl. oder zur Herbeiführung der Rechtseinheit und der Rechtssicherheit Attributionen erhalten soll. Es muß davon abgesehen werden, die Untersuchung auf diese Punkte auszudehnen. Um zu prüfen, ob und in wie weit es zweckmäßig sei, die Staatsanwaltschaft als Mittel zur Rechtspflege bei diesen Verhältnissen und Institutionen dienen zu lassen, würde es erforderlich sein, in das Wesen und in die Zwecke der letzteren und in die Frage über ihre Behandlung bei einer allgemeinen Deutschen Prozeßordnung einzugehen; denn es ist in der Regel weder von theoretischem, noch von praktischem Standpunkt empfehlenswerth, über die Zweckmäßigkeit eines Mittels sich schlüssig zu machen, ehe man den Zweck selbst und dessen Bedeutung durchdrungen hat.

Es würde aber eine eingehende Erörterung der gedachten Materien mit Rücksicht auf die allgemeine Prozeßordnung die Grenzen des gegenwärtigen Aufsatzes weit überschreiten.

Ist in dem Obigen die Zweckmäßigkeit einer Ausdehnung der Wirksamkeit der Staatsanwaltschaft auf den Civilprozeß nachgewiesen, so dürften keine gewichtigen Gründe verhindern, ihr bei einer allgemeinen Deutschen Prozeßordnung Folge zu geben.

21

Es wird ein solcher Grund von Manchen darin gefunden, daß sie der Staatsanwaltschaft überhaupt, oder doch nach der Stellung, welche dieselbe jetzt in Deutschland und in Frankreich einnimmt, entgegentreten und auf ihre Abschaffung bringen. Dies betrifft die zur anderweiten Behandlung vorbehaltene Frage: über die Stellung der Staatsanwaltschaft überhaupt. Hier mag der Standpunkt einer entgegengesetzten Ueberzeugung nur kurz angedeutet werden. Was die politische Seite betrifft, so ist die Grundlage, auf welcher die Staatsanwaltschaft beruht, namentlich die Sonderung der Staatsgewalten, dem System, welches in unseren Zeiten für Staats- und Verfassungswesen herrscht, insbesondere auch den Begriffen des sog. Rechtsstaates entsprechend und angehörig. Es geht nicht an, in Bezug auf das Recht und die Rechtspflege dies System entweder nach politischen Tendenzen überholen zu wollen, oder zu unausgebildeten Institutionen Deutschlands oder anderer Länder zurückzukehren und eine unzweifelhaft nützliche und dem System entsprechende Wirksamkeit der Regierungsgewalt zu unterdrücken, weil Mißbrauch von der letzteren getrieben werden kann. Der Rechtsstaat erfordert keine souveräne Machtvollkommenheit der Gerichte. Die Freiheit und Unabhängigkeit der Rechtsprechung ist nicht dadurch bedingt, daß die Gerichte in Rechtsprechung und Verwaltung „durcheinander wirken", und daß für die Rechtspflege an einem Standpunkt festgehalten wird, der, genauer betrachtet, nur der Standpunkt des Patrimonialstaats ist, indem den Gerichten an Stelle des Gerichtsherrn eine abgeschlossene Justizhoheit und Justizherrlichkeit vindicirt wird. Die Freiheit und Unabhängigkeit der Rechtsprechung ist nicht darauf zu gründen, daß die dazu berufenen Organe selbstständig gesondert außerhalb der einheitlichen Staatsverwaltung gestellt werden und sich lediglich selbst beaufsichtigen und sich aus sich selbst ergänzen oder, was noch konsequenter wäre, von dem Volke bestellt werden. Denn Freiheit und Unabhängigkeit wird am wenigsten angetastet, wenn, wie auf dem vorliegenden Felde, die Regierungsgewalt die Entscheidung lediglich den Gerichten unterwirft.

Von Manchen wird ferner die Staatsanwaltschaft als eine undeutsche, französische Institution angefochten. Abgesehen davon, daß dieser Vorwurf dem jetzigen fortgeschrittenen Staatsleben gegenüber keine Berechtigung hat, und daß man mit demselben Recht den Patrimonialstaat und die Patrimonialgerichte als dem Deutschen Rechtsbewußtsein angehörig vindiciren könnte und vindicirt hat, — stellt er für den älteren Beobachter die Wiederholung einer unerquicklichen Erscheinung dar. Es ist noch nicht vergessen, daß aus der Berufsklasse der Deutschen Juristen mit der leidenschaftlichsten Heftigkeit und mit dem äußersten Widerwillen Rechtsinstitutionen und Rechtsnormen, welche jetzt der allgemeinen Anerkennung in Deutschland sich erfreuen, eben durch das Mittel bekämpft worden sind, daß sie undeutsch seien und aus Frankreich stammten. Es ist hier der Ort nicht, weiter auszuführen und nachzuweisen, wie von manchen Seiten in Bezug auf die Staatsanwaltschaft in auffallender Unkenntniß des faktischen und des historischen Sachverhalts, in Verkennung des die Intaktheit und die Würde einer gerichtlichen Magistratur tragenden Instituts, in Ignorirung der hervorragenden Größen, welche im Beruf der Staatsanwaltschaft die Wissenschaft und die Praxis, sowie die Legislative in eminenter Weise gefördert haben, und in mancherlei anderen Unrichtigkeiten Stütze für den Widerwillen gefunden wird, und wie unzutreffend und kaum faßbar die Erklärungen sind, mit welchen man der Erwägung begegnen zu können glaubt, daß in den Deutschen Ländern am Rhein das Volk auf den Grund der Erfahrung eines sehr langen Zeitraums die Staatsanwaltschaft hochhält und zu den Institutionen rechnet, für deren Vortrefflichkeit es ebenso entschieden einsteht, wie für Anderes, was nach langem Widerstreit ihm erhalten und endlich im übrigen Deutschland aufgenommen ist, wo doch keine anderen Regierungen walten, als diejenigen, unter deren Herrschaft sich dort die Staatsanwaltschaft den Beifall und das Vertrauen des Volkes gesichert hat. Schlagworte, welche mitunter vorkommen, wie: Vermeidung der Centralisation, oder Beförderung der Selbstständigkeit und dgl. sind geeignet, Verwunderung zu erregen. Die lahme Bestellung von Litiskuratoren oder Officialadcitaten für die einzelnen Fälle von Seiten der Gerichte oder die Idee eines Durcheinanderfungirens der Richter in verschiedenen Eigenschaften kann doch wohl, insbesondere vom Standpunkt der Praxis und der Erfahrung, keinen Anspruch auf Anerkennung machen, und ebenso ist dort, wo man die Wirksamkeit der Staatsanwaltschaft im Civilprozeß im praktischen Leben vor sich hat, die Idee unerhört, daß jemals eine Partei mit Rücksicht auf diese Wirksamkeit auch nur den geringsten Theil ihrer Selbstthätigkeit unterlassen hätte.

Zuletzt ist noch des (scheinbar in der entgegengesetzten Richtung sich bewegenden) Gegengrundes zu gedenken, daß die Staatsanwaltschaft im Civilprozesse, wenn sie dabei in so beschränkten Grenzen, wie oben aufgestellt sind, wirken soll, eine praktische Bedeutung nicht erhalten könne. Dabei wird insbesondere auf die Erfahrungen bei den Ehesachen in Preußen hingewiesen. Diesem Einwand kommt allerdings Berechtigung zu. Allein er geht aus der Anschauung von Verhältnissen hervor, die dem Institut zu wenig Lebensluft lassen. Dies kann sich nicht wirksam erweisen, wenn man es an irgend eine Stelle als eine Singularität einpfropft, wenn man es ohne Hülfsorgane läßt, es einklemmt zwischen eine selbstständige Kriminalpolizei und deren etwaige Uebergriffe einerseits und die Eifersucht der Gerichte auf der anderen Seite. Dann bedarf es auch kaum noch der durch wirre Anschauungen oder verrottete Zustände der Gegenwart entstehenden Reibungen, um auch das Institut zur Zielscheibe des Angriffs zu machen und zu diskreditiren. Dieser Einwand liefert aber einen triftigen Bestimmungsgrund mehr, um dem Institut durch angemessene und nicht nach einer absoluten Nothwendigkeit zugeschnittene Verwendung im Zusammenhang der neuen Einrichtungen des Civilprozesses den Halt, die Mitwirkung und die Stellung im juristischen Leben zu geben, ohne welchen es sich auch auf dem Felde des Kriminalprozesses und des Disziplinarverfahrens als ben übrigen dabei mitwirkenden Faktoren ebenbürtig und gewachsen, auf die Dauer nicht erhalten kann.

№ 3.

Gutachten über den Antrag des Stadtgerichtsrath Dr. Eberty zu Berlin:

„II. 1. Die Anwaltschaft ist freizugeben.

2. Das Notariat ist von der Anwaltschaft zu trennen.

3. Die Trennung der Advokatur von der Anwaltschaft ist wünschenswerth.“

Gutachten des Notar Joseph Euler in Düsseldorf.

Die ständige Deputation des Deutschen Juristentags hat mich um die Begutachtung der die Freigebung der Advokatur und die Trennung des No-tariats von der Advokatur betreffenden Anträge des Herrn Stadtgerichtsrath **Dr. Eberty** (Deutsche Gerichtszeitung 1862 Nr. 53, S. 218, Sp. 1) ersucht, welche Anträge der Juristentag zur neuerlichen Vorbereitung an die ständige Deputation zurückgewiesen hat. Zugleich hat diese mich ersucht, die Frage der Trennung der Advokatur von der Anwaltschaft in den Kreis meiner Prüfung einzubeziehen.

Ich beginne mit dieser Frage, weil ihre Beantwortung vorzugsweise eine Entwickelung des Wesens beider Institute — der Advokatur und der Anwaltschaft — bedingt, welche auch für die Begutachtung der beiden fol-genden Anträge manchen Anhaltspunkt gewähren wird.

I. Soll die Advokatur von der Anwaltschaft getrennt sein?

Die Trennung der Funktionen des Advokaten und des Anwalts (Pro-kurators) bildete in Deutschland früher die Regel, jetzt ist sie fast nirgend mehr vorhanden. Dagegen unterscheidet man heute noch in England (Nord-amerika) zwischen attorneys und barristers und in Frankreich zwischen avoués und avocats. Die Zustände in letzterem Lande sind für unsere Frage am beachtenswerthesten, weil dort beide Funktionen fast ohne Ausnahme von den frühesten Zeiten an getrennt waren und die verschiedensten Wandelungen unter den verschiedensten Regierungsformen erlebten, bis sie zu ihrer heutigen höchst bedeutenden Stellung gelangten. Demgemäß erscheint ein kurzer Blick auf die Entwickelung und den jetzigen Zustand jener beiden Institute in Frankreich zweckmäßig, um so mehr, als auf dieses Land von Denjenigen, welche die obige Trennung in Deutschland wünschen, vorzugsweise Bezug genommen wird.

Die Advokatur fand in Frankreich einen günstigen Boden durch die Verhandlungsmaxime, welche seit Anbeginn eines geregelten gerichtlichen Verfahrens in Civilsachen eingeführt war. So begegnen wir den avocats bereits seit den ältesten Zeiten, wo die Parlamente ihren festen Sitz zu Paris hatten.*) Sie wurden lange als Korporation gesetzlich nicht anerkannt, wußten aber diese Anerkennung faktisch in so hohem Grade sich zu erringen, daß sie als besonderer, sehr geachteter Stand vom Volke und von den Gerichten angesehen wurden, im Gegensatze zu der früheren Stellung der Advokaten in Deutschland. Wir sehen also schon hier die Anfänge jenes Korporationsgeistes, welcher in Frankreich der Advokatur nicht minder als der Anwaltschaft und dem Notariat den Haupthaltpunkt und die Grundlage ihrer selbstständigen Entwickelung gegeben hat. Der Staat schenkte der Advokatur eine beständige Aufmerksamkeit und aufmunternde Auszeichnung.**) — Diese günstigen Verhältnisse hatten zur Folge, daß sich die tüchtigsten Kräfte der Advokatur zuwendeten und daß diese beim Ausbruche der Revolution in hoher Blüthe stand.

Neben den avocats erscheinen bereits in den ältesten Zeiten, jedoch wahrscheinlich später als diese, die procureurs (postulants, später avoués). Die Unvereinbarkeit der einen Stellung mit der anderen wird schon in einer Verordnung Philipps VI. vom Februar 1327 ausgesprochen.***) Man versuchte häufig, dieses Verbot aufzuheben, bewirkte es auch bei einzelnen kleinen Gerichten. So durch die ordonnance d'Orléans von 1560 „pour le soulagement de nos sujets." Die Revolution vereinigte auf kurze Zeit beide Stellen, indem die konstituirende Versammlung die avocats, wie fast alle Körperschaften, abschaffte, den Rechtsbeiständen den Namen hommes des lois gab und Jeden dazu berufen erklärte.†) Sie hob fast alle gerichtlichen

*) Brewer, Geschichte des Französischen Gerichtsverfahrens I, S. 246 ff.
**) So die Ordonnanz Philipps von Valois vom Februar 1327, welche die erste Anerkennung des Advokatenstandes enthält, indem sie nur die avocats du châtelet de Paris als Rechtsbeistände anerkannte, welche in die Liste (tableau) der avocats eingetragen waren, eine Bestimmung, die faktisch schon lange gegolten hatte; die Ordonnanz Franz I (1533), daß die avocats im Doktormantel aufzunehmen seien, und die Ordonnanz Ludwigs XIII. (1622), daß einem avocat, welcher 20 Jahre fungirte, das Recht auf die ersten Stellen der Magistratur zustehe.
***) Brewer a. a. O. I, S. 248.
†) Dekrete vom 25. August und 2. Septbr. 1790 und 14. und 17. April 1791.

Formen auf, legte den procureurs das Recht bei, ihre Klienten vor Gericht zu vertheidigen, schaffte die Erblichkeit und Verkäuflichkeit ihrer Stellen ab und gab ihnen den Namen avoués, um dadurch die Erinnerung der an der früheren Benennung haftenden Mißbräuche zu tilgen. Bis zum Aeußersten ging der Nationalkonvent, indem er auch die avoués abschaffte.

Erst die Konsularregierung machte diesen Zuständen, welche zu einer wahren Landplage geworden waren, durch ihr die Justiz organisirendes Dekret vom 27. Ventôse VIII (18. März 1800) ein Ende und verfügte, was noch heute Rechtens ist, daß bei jedem Tribunal erster Instanz und bei jedem Appellhofe eine gewisse Anzahl von avoués durch den ersten Konsul (jetzt durch den Kaiser) angestellt werden sollen. Die Parteien müssen sich durch diese avoués in allen prozessualischen Handlungen mit wenigen Ausnahmen vertreten lassen.

Viel später wendete sich die Gesetzgebung den avocats wieder zu. Nach verschiedenen Gesetzen über die Befähigung zur Advokatur*) erfolgte die Anerkennung des Advokatenstandes (l'ordre des avocats) mit eigenem Disziplinarrathe (conseil de discipline) durch Kaiserliches Dekret vom 13. Dezember 1810, welches durch spätere Gesetze weitere Ausbildung erhielt.**) Die Abgrenzung der Befugnisse zwischen avocat und avoué erfolgte insbesondere durch Kaiserliches Dekret vom 2. Juli 1812 und Ordonnanz Ludwigs XVIII. vom 27. Februar 1822, wodurch die avoués sehr begünstigt wurden.***)

Hinsichtlich dieser Abgrenzung, sowie überhaupt zur Charakterisirung der heutigen gegenseitigen Stellung der avocats und avoués ist Folgendes hervorzuheben:

Befähigt zum avoué ist jeder, welcher das Diplom eines licencié en droit oder eines bachelier oder ein Certifikat seiner Fähigkeit und Moralität durch die Anwaltskammer, auch seine fünfjährige Beschäftigung (cléricature) bei einem Anwalte nachweisen kann und denselben Eid, wie der avocat geleistet hat. Die avoués beim Kassationshofe müssen licenciés en droit sein und sind zugleich avocats,†) alle übrigen avoués wurden durch das erwähnte Dekret vom 13. Dezember 1810 von der Advokatur aus-

---

*) Dekrete vom 22. Ventôse XII (13. März 1804), 16. März 1808 und 20. April 1810.

**) Namentlich durch die Advokatenordnung Ludwigs XVIII. vom 20. November 1822 und die Ordonnanzen Louis Philipps vom 27. August 1830 und 30. März und 1. April 1835 (Zulassung der Advokaten am Pairshofe), sowie durch Dekret vom 22. März 1852.

***) Vergl. Schlink I, S. 137.

†) Dekret vom 25. Juni 1806.

geschlossen. Sie haben das Recht, ihre Nachfolger dem Staatsoberhaupte zu präsentiren, und, da diese Präsentation nicht umsonst erfolgt, sondern theuer bezahlt wird, ihre Stellen zu verkaufen. Dieses Recht wurde ihnen durch das Gesetz vom 20. April 1816 **art.** 91 verliehen als Entschädigung dafür, daß die von ihnen zu leistende Kaution vom Staate kurz vorher aus finanziellen Gründen erhöht worden war. In der bezeichneten Entstehung der Käuflichkeit der Anwaltsstellen liegt auch die Schwierigkeit einer Abstellung dieses Mißstandes. Denn diese könnte billigerweise nur gegen Entschädigung der gegenwärtigen Anwälte, welche ihre Stellen theuer gekauft haben, erfolgen, eine solche Entschädigung würde aber den Staat bedeutend belasten. Außerdem hat der Staat in jener Uebertragbarkeit eine neue Einnahmequelle sich geschaffen, auf welche er nicht so leicht verzichten wird, indem die loi vom 25. Juni 1841 Mutationsgebühren von 2% der Uebertragungssumme eingeführt hat*).

Die Funktionen der **avoués** bestehen heut zu Tage:

1) in dem Rechte, die Parteien vor Gericht zu vertreten und in gewissen Fällen, namentlich in summarischen Sachen, zu plaidiren. Die Vertretung schließt in sich:

   a) die Befugniß, alle formellen Akte zu entwerfen und zustellen zu lassen, überhaupt alle Formalitäten zu erfüllen, um den Rechtsstreit zum mündlichen Vortrag vorzubereiten (**le droit de postuler**);

   b) die Befugniß, dem Gerichte die Anträge seiner Partei vorzulegen (**le droit de conclure**);

2) das Recht, die gerichtlichen Verkäufe (mit Ausnahme der an die Notarien verwiesenen) zu betreiben und bei denselben zu bieten.

Weit über die Stellung der **avoués** hervorragend ist jene der **avocats**, an sich schon ihrem Wesen nach, dann aber durch das Talent der avocats. Sie zeichneten sich aus durch gediegene Kenntnisse und Rednergabe bei den Gesetzesberathungen und durch juristische Werke von großer Bedeutung. Heut zu Tage ist zu unterscheiden zwischen le titre de l'avocat, welchen jeder licencié en droit nach geleistetem Eide beanspruchen kann, und la profession (Berufsausübung) de l'avocat, welche erfordert, daß er eine Probezeit (stage) von drei Jahren bestanden hat und dann in das tableau des avocats eingetragen worden ist. Die avocats sind weder officiers publics, noch officiers ministeriels. Sie können als stellvertretende Richter und Staatsprokuratoren berufen werden und ist ihnen der Eintritt in die höchsten Staatsämter nicht verschlossen. (Vergl. unten **II**, 3 a. E.). Sie

---

*) Bonnier, procédure civile pag. **68.**

genießen die größten Freiheiten, über welche der Korporationsgeist namentlich durch die Advokatenkammer wacht. Bezeichnend in dieser Hinsicht ist ihr altes Recht, mit bedecktem Haupte zu plaidiren, welches durch die Ordonnanz Ludwigs XVIII. vom 27. Februar 1822 bestätigt wurde. Das Verhältniß zur Partei ist ein sehr delikates und bezeichnet die Abneigung gegen amtliche oder gewerbsmäßige Beziehungen. Dahin gehört namentlich, daß es als ein Verstoß gegen die Delikatesse angesehen wird, welcher die Streichung aus der Liste, also die Kassation zur Folge hat, wenn der avocat ein schriftliches Mandat von der Partei annimmt*). Auch hinsichtlich der Honorare der avocats herrschen ähnliche Anschauungen, auf welche ich unten (II, 2) zurückkommen werde.

Was den Wirkungskreis des avocat anbelangt, so ist derselbe nach obiger Darstellung durch den des avoué vielfach beschränkt, indem dieser durch die formelle Führung des Rechtsstreites der Herr desselben (dominus litis), der eigentliche Vertreter der Partei wird, und sind ihm viele Funktionen neben dem Advokaten übertragen, welche nach dem der Trennung zu Grunde liegenden Prinzipe zu den ausschließlichen Befugnissen des letzteren gehören, namentlich die Konsultationen, die Aufstellung von Denkschriften und das Plaidiren in vielen Fällen. Eine solche höchst schiefe Stellung des avocat muß ihn in ein unwürdiges Abhängigkeitsverhältniß zum Anwalt bringen, wie dieses auch in Frankreich oft der Fall ist. Zur Charakterisirung der dortigen, für unseren Gegenstand so beachtenswerthen Zustände lasse ich die Mittheilungen eines Französischen Advokaten folgen:*)

„Ce que les devoirs de la profession interdisent, c'est surtout l'acceptation de tout mandat verbal ou écrit, à moins que ce ne soit pour un parent très-proche et accepté gratuitement. On a voulu éloigner de la profession tout ce qui tend à la rapprocher de la profession d'avoué ou de l'homme d'affaires. Malgré cette défense qui entraîne la radiation, un grand nombre d'avocats acceptent des mandats verbaux, et pour se mettre à l'abri des conséquences de ce fait, ils ont le soin de s'entendre avec un avoué ou un homme d'affaires qui devient alors le prête-nom de l'avocat. C'est un des manquements aux devoirs professionnels que l'indulgence du conseil de l'ordre ne veut punir que quand il se signale par un acte d'improbité ou d'indélicatesse.

Une pratique qui n'est pas moins vicieuse, et qui blesse tout à la fois l'indépendance et la délicatesse de l'avocat, c'est le fait malheureusement trop fréquent de s'entendre avec un avoué, un homme d'affaires, un huissier, un agréé, pour que ces personnes lui envoient toutes les affaires de leur étude, sauf à compter entr'eux et à partager les honoraires reçus.

---

*) Ich verdanke diese und die meisten der von mir benutzten Mittheilungen über Französische Zustände dem Herrn Advokaten Becker in Paris.

Ou bien l'avocat s'engagera à plaider toutes les causes d'une étude moyennant une somme fixée d'avance à forfait. Ou bien l'avocat prêtera une somme d'argent à l'avoué, l'homme d'affaires, l'agréé, l'huissier pour qu'ils achètent une étude et que ces derniers lui envoient toutes les causes de leur étude.

Ces faits sont punis par les voies disciplinaires de la suspension et de la radiation, mais comme en général chacune des parties engagées a intérêt à cacher cette pratique, il en résulte que l'on en reste à l'état de présomptions insuffisantes pour prononcer une peine. Toutefois il faut reconnaître qu'il y a là une faiblesse qui encourage les avocats que le besoin de vivre a poussés à cette voie fâcheuse. "

In den Deutschen Ländern Französchen Rechts: in Rheinbayern, Rhein-hessen und Rheinpreußen ist gleich nach dem Aufhören der Französischen Herrschaft die Anwaltschaft mit der Advokatur vereinigt worden. In den beiden ersteren Ländern geschah dieses in der noch bestehenden Weise, daß nur Advokat-Anwälte, und zwar in beschränkter Zahl, ernannt werden. In Rheinpreußen dagegen ist die Advokatur (jetzt wieder nach kurzer Unter-brechung) frei, es wird eine gewisse Zahl Advokaten zu Anwälten ernannt. Ebenso im Wesentlichen in Hannover und Braunschweig.*) Sehr richtig bemerkt Schlink, I. S. 133, über Rheinpreußen:

"Gegen eine solche Einrichtung konnten die Advokaten nicht aufkom-men und daher ist dieser Stand in der That am Rhein verkümmert, so daß junge Männer, welche nach überstandenen Probejahren in den prak-tischen Dienst eintreten und als bloße Advokaten aufgenommen werden, nach dem Momente seufzen, worin ihnen die Anwaltschaft zu Theil wird. Während in Frankreich der Anwalt ein niedriger Justizbeamter ist, hat man ihn in Rheinpreußen über den Advokaten gestellt und sonach die Ver-hältnisse umgekehrt."

In fast allen übrigen Ländern Deutschlands ist die Advokatur mit der Anwaltschaft (Prokuratur) unter einer dieser beiden Benennungen vereinigt.

Fügt man diesen Thatsachen hinzu, daß früher die Trennung unter dem Namen: Advokaten und Prokuratoren in den meisten Ländern Deutschlands bestand, so wird es zweifellos, daß sie in Deutschland als unzweckmäßig er-kannt wurde.

Forschen wir nach den Gründen, welche für dieselbe sprechen, so ist nicht in Abrede zu stellen, daß folgende Anerkennung verdienen:

1) Durch die Uebertragung der zeitraubenden und oft geisttödtenden Formalien an den Anwalt wird der Advokat in den Stand gesetzt,

---

*) Eine gleiche Bestimmung enthält der Koch'sche Entwurf eines Civilprozeß-Gesetzbuchs für Preußen vom Jahre 1849. In Genf, wo Französisches Recht gilt, wurden die avocats und avoués durch Gesetz vom 20. Juni 1834 unter dem Namen avocats vereint.

seinem schwierigen Berufe die ganze Thätigkeit zu widmen, als höherer Rechtsgelehrter seiner Partei zur Seite zu stehen, deren Rechte in mündlichen Vorträgen und nöthigenfalls in Denkschriften zu begründen. Gleichwohl verliert dieser Grund durch die That- sache an Gewicht, daß unsere Rheinischen Advokat-Anwälte beide Funktionen vereinigen, ohne daß hierdurch ihre Thätigkeit als Ad- vokat Einbuße leidet. Ein Gleiches wird sich aus andern Ländern nachweisen lassen.

2) Durch die Trennung bleibt dem Advokaten Zeit und Kraft, der Wissenschaft obzuliegen, insbesondere schriftstellerisch thätig zu sein.

Gegen die Trennung spricht:

1) daß durch die Trennung die höhere Stellung des Advokaten in ein Abhängigkeitsverhältniß zum Anwalt gelangt, weil die Partei sich meistens an den Anwalt, welcher den Prozeß einzuleiten hat, wendet und es ihm in der Regel überläßt, den Advokaten zu bezeichnen. Dieses wird begünstigt, wenn der Anwalt, wie in Frankreich, in summarischen Sachen selbst plaidiren darf, was bei geringfügigen Objekten der Kosten wegen fast unvermeidlich ist, die Möglichkeit der Unterscheidung zwischen summarischen und anderen Sachen aber in der Regel der Partei ferne liegt. Die oben angeführten Fran- zösischen Zustände bestätigen diese Auffassung;

2) daß aus diesen Gründen nur in größeren und wohlhabenderen Ge- richtsbezirken die Advokatur allein eine gesicherte Existenz, welche unten (II.) als die Hauptgrundlage für die Berufstreue nachge- wiesen wurde, gewähren wird, weshalb namentlich die Stellung ein- zelner berühmter Advokaten zu Paris, wohin als dem Centralpunkt Frankreichs eine gewaltige Strömung stattfindet, keinen Anhalts- punkt gewähren kann;

3) daß zwei Rechtsbeistände den Rechtsstreit sehr verzögern und die Partei in die Ungewißheit führen können, wem sie die Verzögerung beizumessen, an wen sie sich also um Abhülfe zu wenden habe;

4) daß die Kosten vermehrt werden, namentlich bei Konsultationen und Denkschriften;

5) daß die beiden Thätigkeiten des Sachwalters, um deren Trennung es sich handelt, so enge in einander greifen und zusammenfallen, daß eine solche Theilung der Arbeit sich nicht strenge durchführen läßt. Der Kläger hat schon gleich bei Entwerfung der Klage die Eventualitäten der Entwicklung des Prozesses ins Auge zu fassen und die möglichen Einreden im Voraus zu würdigen; der Verklagte muß schon bei der ersten Einlassung den Stoff juristisch erfaßt und

alle Vertheidigungsmittel überdacht haben. Versehen des Anwalts hierin lassen sich häufig nicht wieder gut machen. Ferner ist die Instruktion des Prozesses mit der Klage und der Klagebeantwortung in der Regel nicht beendet, sondern werden noch Repliken, Dupliken 2c. zwischen den Anwälten gewechselt. Alle diese Schriftsätze müssen das spätere Plaidoyer im Gerippe enthalten; die im Plaidoyer vorgebrachten Nova haben keinen Anspruch auf Berücksichtigung. Dem Plaidoyer bleibt nur die nähere Ausführung des Inhaltes der Schriftsätze vorbehalten. Die Thätigkeit des prozeß-instruirenden Anwalts und die Thätigkeit des plaidirenden Advokaten stehen daher in innigem Zusammenhang, bilden ein einheitliches Ganze. Diese beiden Thätigkeiten lassen sich daher füglich nicht in der Art auseinander reißen, daß man sie in verschiedene Hände giebt. Der Anwalt, welcher die Schriftsätze abfaßt, hat die weitere Ausführung schon im Kopfe. Er muß die Sache schon so studirt haben, daß sein juristisches Denken bei ihm zum Plaidiren wird. Die Resultate seines Studirens und eine kurze Begründung legt er in die Schriftsätze und behält die weitere Ausführung dem Plaidoyer vor. Der Advokat, welcher, mit der Prozeßsache ganz unbekannt, solche von einem Anwalte verfaßten Schriftsätze zum Zwecke des mündlichen Vortrags erhält, hat also die Deduktion eines Andern näher zu begründen und zu erörtern. Er ist vielleicht mit der Prozeß-Instruktion nicht einverstanden, würde die Sache ganz anders angegriffen und bearbeitet haben; gleichwohl kann er nur das Organ des Anwalts sein. Sollte man aber die Trennung in der Art sich denken, daß der Advokat früher in die Sache hineinzuziehen wäre, so würde die Instruktion des Prozesses in zwei Händen liegen und dann eine zweckmäßige Theilung der Arbeit noch schwieriger sein.

Die fragliche Trennung erscheint aber auch deshalb unpraktisch, weil bei deren strenger Durchführung die tüchtigeren Kräfte — wie dies ein Blick auf Frankreich zeigt. — sich der Advokatur zuwenden werden, und die Instruktion des Prozesses weniger geschickten Händen überlassen bleiben wird. Ohne die Kunst und das Gewicht eines guten Plaidoyers zu unterschätzen, läßt sich so viel doch behaupten, daß die Hauptschwierigkeit der Prozeßführung in der Instruktion, und der Schwerpunkt in den Schriftsätzen liegt. Namentlich in Deutschland sind die Schriftsätze von großer Bedeutung, da selten unsere Richter die Sache nur aus dem mündlichen Vortrag kennen, vielmehr erst nach Einsicht der Akten, bez. nach einem Referate das Urtheil sprechen. Auch in Rheinpreußen ist man von der Regel der Französischen Prozeßordnung, sofort nach dem Plaidoyer zu erkennen, abgewichen. Es ist demnach nicht sachdienlich, wenn der Advokat als eigentlicher Rechtsgelehrter fungiren und für den Anwalt ein geringeres Maß von Kenntnissen und Tüchtigkeit genügen soll.

Wägen wir die oben für und gegen die Trennung der Advokatur und Anwaltschaft aufgeführten Gründe gegen einander ab, so haben wir unzweifelhaft dahin zu entscheiden: Eine solche Trennung ist unzweckmäßig und dem Rechtsuchenden nachtheilig. Das Beispiel Frankreichs, worauf man das größte Gewicht legt, kann nicht maßgebend sein, weil hier die Trennung der beiden Funktionen, abgesehen davon, daß sie nicht strenge durchgeführt ist, auf eigenthümlichen Verhältnissen und historischer Entwicklung beruht, und eben dadurch die Aufhebung dieser Trennung kaum zu ermöglichen ist.

II. Der Dr. Eberty'sche Antrag: „Die Anwaltschaft ist freizugeben."

Die Motive sind in der Deutschen Gerichtszeitung 1861, S. 223, mitgetheilt, wie folgt:

„Die Anwaltschaft ist kein Staatsamt, sondern an sich ein freier Beruf.
Die Preußische Gesetzgebung, Anhang §. 462 zu §. 3 Tit. 7, Th. III.
der Gerichtsordnung sagt zwar, daß Justiz-Kommissarien und Notarien
als wirkliche Staatsdiener anzusehen. Indeß widerspricht diese Bestimmung dem Begriffe des Staatsdieners, wie ihn das Preußische Allgem.
Landrecht in dem §. 69 Tit. 10. Th. II. ganz richtig dahin definirt:

daß Beamte entweder in unmittelbaren Diensten des Staats oder demselben untergeordneter Kollegien, Korporationen und Gemeinen stehen.
(cf. Martiny, Deutsche Gerichtszeitung 1861, Nr. 49.)

Ein Rechtsanwalt steht nur im Dienste des Publikums — welches
seines Raths bedarf — wie der Arzt. So wenig die Freigebung der Heil-
kunst an jeden Befähigten deren Gründlichkeit beeinträchtigt, so wenig
würde das der Fall sein, wenn Jeder, der die Prüfungen bestanden, zur
Anwaltschaft zugelassen wird.

Der Beruf des Anwalts will aber erlernt sein; mit Recht werden
namentlich die Schriftsätze als ein Kunstwerk bezeichnet. (Leue a. a. O.,
S. 79.)

So wenig Jeder als Arzt praktisiren oder auch nur selbst sich Rezepte
verschreiben darf, — so wenig ist die Vertretung der Rechte der Parteien
Anderen als den Anwälten, auch nicht den Parteien selbst, zu überlassen.
(Vergl. Leue, S. 74, mit Waldeck, Verhandlungen Bd. I., S. 24;
von Sternenfels Bd. II., S. 18; und André, ebend. S. 61. Auch in
Hannover findet bei den Kollegialgerichten Anwaltszwang statt, Prozeß-
Ordnung §. 67.)

Ist aber die Advokatur ein freier Beruf, wie in Frankreich (Frey,
S. 312), so muß auch die Belohnung für die Ausübung desselben an sich
frei sein, nur im Falle des Streites durch eine Taxe geregelt werden.
Das Verbot, über die Taxe hinaus Gebühren zu fordern, muß wegfallen
(wie in Frankreich, Frey, S. 294). Jeder, der die Prüfungen bestanden,
wird dadurch befähigt sein, sich mit seiner erlernten Kunst zu nähren,

worauf er einen Rechtsanspruch hat. Dem Staat wird die Sorge für die Anstellung der Assessoren nicht mehr zur Last fallen. Er wird eine Auswahl unter ihnen treffen können. Es wird eine freisinnige Advokatur als Grundlage eines unabhängigen Richterstandes, der sich aus ihr rekrutiren wird, sich bilden."

Es ist hier zunächst der Inhalt des Antrages festzustellen.

Der Antragsteller hat diesem Antrage den Antrag auf eine gleichförmige Gerichts-Organisation in Deutschland vorausgeschickt*), welcher der gegenwärtigen Untersuchung nicht unterworfen, aus welchem aber hier hervorzuheben ist, daß er die dem Französischen Recht zu Grunde liegende Verhandlungs-maxime bezweckt. Diese besteht in Deutschland bereits in anderen Ländern, als jenen des Französischen Rechts, z. B. in Hannover, und ist in Preußen, d. h. in den Preußischen Altlanden, auf welche die Motive unseres Antrags hinweisen, zum großen Theile eingeführt. Die Vorzüge der Verhandlungs-maxime sind aber so anerkannt, daß sie gewiß in eine bürgerliche Prozeß-Ordnung für ganz Deutschland, mit welcher unser Antrag erst zur Verwirklichung kommen dürfte, Eingang finden wird. Die Frage, ob der Antrag auch für jene Länder Deutschlands, in welchen die Verhandlungsmaxime nicht gilt, zweckmäßig erscheint, kann deshalb hier um so mehr außer Betracht bleiben, als unter jeder Prozeßform die mitgetheilten Motive des Antrags im Wesentlichen bestehen bleiben.

Die Motive erwähnen im Gegensatze zu der Anwaltschaft in Preußen, d. h. in den Preußischen Altlanden, der freien Advokatur in Frankreich und ziehen aus dieser ihre Hauptfolgerungen. Es wurde aber oben (I.) nachgewiesen, daß in Frankreich die Anwaltschaft von der durch dieselbe in ihrem Wirkungskreise sehr beschränkten Advokatur getrennt, und daß nur die letztere freigegeben ist. Dagegen sind beide Funktionen in den Preußischen Altlanden und in einigen Ländern Deutschlands unter der Benennung „Anwaltschaft", in anderen Deutschen Ländern unter der Benennung „Advokatur" vereint. So verstehen auch viele Schriften, welche von der freien Advokatur handeln, unter diesem Ausdruck den Inbegriff sämmtlicher Funktionen des gerichtlichen Vertreters der Parteien. Demnach versteht der Antrag unter „Anwaltschaft" die Advokatur und die Anwaltschaft in engerer Bedeutung, geht also weit über das Bestehende in Frankreich hinaus, und haben in dem Folgenden die Bezeichnungen „Anwaltschaft", „Anwalt" oder „Advokatur", „Advokat" diese allgemeine Bedeutung des Antrages, wenn nicht ihre besondere Bedeutung hervorgehoben wird.

---

*) Deutsche Gerichtszeitung 1861, S. 222.

Was den Sinn des Ausdrucks „freigeben" anbelangt, so wird dieser durch die Motive genauer festgestellt. Letztere wollen nämlich die Freiheit der Anwaltschaft nicht unbedingt, sondern mit einer doppelten Beschränkung: einmal, daß die Befugniß zur Ausübung dieses Berufs an Prüfungen gebunden sein, und dann, daß von dem Rechte des Anwalts, die Honorirung seiner Dienstleistung nach eigenem Ermessen und nicht nach einer Taxe festzusetzen. eine Ausnahme nur in dem Falle eintreten soll, wenn eine solche Festsetzung von der Partei als angemessen bestritten wird. Jede weitere Fürsorge des Staates für den Beruf des Anwalts weiset der Antrag also zurück.

Der Gegenstand der Begutachtung hat sich demnach auf die Beantwortung folgender Fragen zu erstrecken:

1) Sind Prüfungen zur Erlangung der Anwaltschaft nöthig?
2) Sind die Gebühren des Anwalts nur im Falle eines Streites nach einer Taxe zu regeln?
3) Soll die Zahl der Anwälte unbeschränkt sein?

Es ist hier zu bemerken, daß es bei der Begutachtung aller drei Fragen auf eine Prüfung der vom Antragsteller an die Spitze der Motive gestellten Behauptung: „daß die Anwaltschaft kein Staatsamt, sondern ein an sich freier Beruf sei", nicht ankommt, da diese Behauptung den Antrag gar nicht berührt und kein Argument für denselben bildet. Denn wenn auch die Anwaltschaft kein Staatsamt wäre, so würde hieraus doch nicht folgen, daß nun jede Fürsorge des Staates für die Anwaltschaft ausgeschlossen wäre. Der Staat kann trotzdem hinreichenden Grund haben, die Erlangung der Anwaltschaft — wie die ärztliche Thätigkeit — von Prüfungen abhängig zu machen, oder die Zahl der Anwälte — wie jene der Apotheker — zu beschränken, oder ihnen — wie den Aerzten — eine Gebührentaxe vorzuschreiben. Eine derartige staatliche Kontrolle macht die Anwälte noch nicht zu Staatsbeamten. Hiernach wäre es also denkbar, daß die Anwaltschaft als Staatsamt bezeichnet und gleichwohl dem Antrage beigepflichtet werden müßte, und umgekehrt. Die Frage, ob die Anwaltschaft als Staatsamt zu qualifiziren sei, bleibt also hier außer Betracht.

1) Sind zur Erlangung der Anwaltschaft Prüfungen nothwendig?

Es gab eine Zeit in Deutschland — und diese Zeit liegt nicht sehr ferne — wo man allen Ernstes die Frage nach Abschaffung der Anwaltschaft aufwarf. Heutzutage wird der Anwaltszwang allgemein als durch das öffentliche Wohl geboten anerkannt, und dürfte folgender Satz der Motive des Antrags schwerlich Widerspruch finden: „So wenig Jeder als Arzt praktiziren oder sich auch nur sich selbst Rezepte verschreiben darf, so wenig ist die Vertretung der Rechte der Parteien Anderen, als den Anwälten, auch nicht den Parteien selbst zu überlassen." Als Gebot der öffentlichen Wohlfahrt erscheint aber der Anwaltszwang aus dem Grunde, weil eine gute Rechtspflege in deren Interesse liegt, die Garantie einer guten Rechtspflege aber durch das Richteramt allein nicht geboten wird. Denn der Richter ist nicht der einzige Faktor der Rechtsprechung. Er bedarf, um Recht zu sprechen, einer klaren und juristischen Darlegung der Streitsache, welche das Unwesentliche aussondert und die thatsächlichen Momente rechtlich gestaltet. Die Lösung einer solchen Aufgabe unterstellt Kenntniß der so mannigfaltigen Erscheinungen des praktischen Lebens, klare Auffassung, große Rechtskenntniß und juristische Kombinationsgabe, vor Allem in gegenwärtiger Zeit, wo unser Kulturleben immer neue und schwierigere Verhältnisse erzeugt. Diese Eigenschaften werden selten in einem Manne sich vereinigt finden, der nicht deren Erlangung zu seiner Lebensaufgabe gemacht hat. Es treffen somit hier das Interesse der Partei, welche in der Regel nur in dem Anwalt den befähigten Sachwalter finden wird, mit dem Interesse des Staates zusammen, als des Vertreters des öffentlichen Wohles, für welchen die Befähigung und die Leistungen des Sachwalters als eines Faktors der Rechtsprechung nicht gleichgültig sein können*).

Die nämlichen Gründe, welche dem Anwaltszwang das Wort reden, sprechen auch dafür, daß das Recht zur Anwaltschaft nur in Folge einer Prüfung verliehen werde. Denn die Garantie, welche der Anwaltszwang für die Befähigung der Sachwalter bietet, wird durch die Vorschrift der Prüfungen noch vergrößert. Diese Garantie ist allerdings keine vollkommene, sondern nur eine solche, wie sie den Umständen gemäß sich erreichen läßt. Demnach erscheinen die Gründe, welche von den Gegnern des Prüfungszwanges für die Unvollkommenheit der darin liegenden Garantie angeführt werden, nicht geeignet, die Prüfungen als werthlos hinzustellen. Letztere erfüllen ihren Zweck schon dadurch, daß sie auch nur einigermaßen Unfähige abhalten, den Kandidaten zur Aneignung einer bestimmten Summe von Kenntnissen und zum Nachweis einer genügenden praktischen Beschäftigung nöthigen, und dadurch dem Publikum, welches die wissenschaftliche Befähigung und juristische Tüchtigkeit nicht gleich einer gewerblichen Leistung zu beurtheilen versteht, die Personen bezeichnen, bei welchen die angeführten Voraussetzungen vom Staate als vorhanden angenommen werden.

---

*) Treffend ist dieser Gesichtspunkt ausgeführt von v. Seybold: „Der Nürnberger Allgemeine Anwalts-Verein und der Ruf um Freigebung der Advokatur", München 1861; und in der Allgem. Oesterr. Ger.-Z. 1862 Nr. 154 und 1863 Nr. 11, Zeitschrift für das Oesterr. Notariat 1862 Nr. 27.

Wenn die Gegner es als Folge der Prüfungen hinstellen, daß gegenwärtig die Vorstudien häufig auf das in der Prüfung Verlangte beschränkt werden, so ist hierauf zu erwidern, daß solche junge Leute, welche nur der Prüfung wegen studiren, beim Wegfall dieses Motivs anstatt — wie die Gegner hoffen — ihrem Studium eine größere Ausdehnung zu geben, noch viel weniger studiren werden. Ebensowenig vermögen die übrigen aus der Unzulänglichkeit der durch die Prüfungen gebotenen Garantie hergeleiteten Gründe die Nützlichkeit derselben zu widerlegen. Die Gründe der bezeichneten Art sind auf dem fünften Kongresse Deutscher Volkswirthe zu Weimar in der Sitzung vom 11. September 1862 als Hauptgründe gegen die Prüfungen geltend gemacht worden, und zwar von zwei Rechtsanwälten*).

Nachdem Ober-Gerichtsprokurator Braun in ausführlicher Rede die Examina für überflüssig erklärt hatte, ging Advokat Wachenhusen noch weiter also:

„Ich habe die Erfahrung gemacht, daß die Examina nicht allein, wenn sie obligatorisch, sondern auch, wenn sie fakultativ sind, überaus schädlich wirken; ich habe die Erfahrung gemacht, daß man schon auf der Universität das studirt, was der Vorgänger zu seinem Examen gebraucht hat. Hätte man dieses Maß nicht, so würde man nicht nur im Fach, sondern im Allgemeinen in den verwandten Fächern mehr lernen und studiren wie bisher. In Hamburg ist das Examen so zu sagen nicht vorhanden, denn die Hamburger Sachwalter brauchen nur den Doktorgrad, und diese Advokaten sind sehr tüchtig; ich glaube aber, sie würden noch tüchtiger sein, wenn sie keine Doktoren zu werden brauchten." (Bravo.)

Gewichtiger wie diese angeblich aus der Erfahrung geschöpften Gründe ist die rein theoretische Argumentation, die Prüfungen müßten deshalb wegfallen, weil die Anwaltschaft ein Gewerbe sei und das Prinzip der Gewerbefreiheit der in den Prüfungen liegenden Beschränkung widerstreite. Diese Auffassung der Anwaltschaft als eines Gewerbes ist hier um so mehr einer Prüfung zu unterziehen, als gerade sie viele begeisterte Vertreter gefunden hat und, von der Strömung der Zeit getragen, großer Sympathieen gewiß ist. Einen besonderen Ausdruck fand dieselbe in dem Oesterreichischen Abgeordnetenhause bei der Debatte über die freie Advokatur und auf dem oben erwähnten fünften Kongresse Deutscher Volkswirthe zu Weimar, in dessen Sitzung vom 11. September 1862 der Antrag des Präsidenten, des Ober-Gerichtsprokurators Braun aus Wiesbaden:

„Es liegen volkswirthschaftliche Gründe nicht vor, für das Geschäft der Vertretung in Rechts- und Verwaltungs-Angelegen-

---

*) Verhandlungen des fünften Kongresses Deutscher Volkswirthe zu Weimar am 8., 9., 10. und 11. September 1862. Weimar Hofbuchdruckerei 1862, S. 213 ff.

heiten eine Ausnahme von der allgemeinen Gewerbefreiheit zu machen,"

einstimmig angenommen wurde. Dieser Beschluß ist um so bedeutender, als der Antrag von einem Rechtsanwalte gestellt und von Rechtsanwälten vertheidigt worden ist.

Prüfen wir also, ob die Anwaltschaft ein Gewerbe sei.

Hauptzweck jeder gewerblichen Thätigkeit ist der Gelderwerb; alle Mittel, welche auf ihre Vorbereitung und Ausführung gerichtet sind, haben jenen Hauptzweck zum Zielpunkte. Selbst dann, wenn Wissenschaft und Kunst zu Hülfe genommen werden, nehmen diese nur eine dienende Stellung ein, sind nur Mittel zum Zwecke. Der Werth der Werke, welche aus der gewerblichen Thätigkeit hervorgehen, wird daher in der Regel nur nach dem Gewinn bemessen, den sie erzielen. Da der Erwerb hier allein entscheidet, so hat sich der Gewerbsmann hinsichtlich der Art der Ausführung seiner Werke lediglich nach dem Willen des Bestellenden, sollte er sich auch in den seltsamsten Launen kundgeben, zu richten. Die Bestellung ist also sein Gesetz.

Ganz anders verhält es sich mit der wissenschaftlichen und künstlerischen Thätigkeit. Ihr ist die Wissenschaft und Kunst von den ersten Anfängen bis zur höchsten Vollendung Selbstzweck. Von einer Ausführung, welche sich genau nach dem Willen eines Dritten zu richten hat, kann daher hier keine Rede sein, eine Bestellung wie beim Gewerbe widerspricht sohin dem Wesen der wissenschaftlichen und künstlerischen Werke. Ebenso kann auch der Gewinn, den diese Werke abwerfen, hier nur untergeordneter Natur, kann nicht Hauptzweck sein, wie beim Gewerbe. Daß die wissenschaftliche und künstlerische Thätigkeit Denen, welche sich derselben hingeben, in der Regel zum Gelderwerb dienen muß, liegt in äußeren Verhältnissen, in Folge deren die meisten Menschen auf den Gelderwerb als nöthiges Subsistenzmittel angewiesen sind. In einer Zeit, wie die unsrige, wo das Drängen nach Gelderwerb so gewaltig, das Geld aber eine so ungeheure Macht ist, in einer solchen Zeit sollte man am wenigsten es versuchen, dieser Macht die Wissenschaft unterzuordnen, deren Herrschaft jetzt noch ein Bollwerk ist gegen den Materialismus. Gelänge dieses, so würde sie ihren hohen Beruf nicht mehr zu erfüllen vermögen, ein solches Nivelliren der verschiedensten Berufsthätigkeiten vielmehr ihre gegenseitige Knechtung und die Vernichtung der jeder derselben innewohnenden besonderen Lebensfähigkeit herbeiführen. Die Männer der Wissenschaft und Kunst würden dann bald erfahren, wie ihre Werke weit hinter dem Preise vieler Waaren der gewerblichen Thätigkeit zurückbleiben, eine Demüthigung, für welche sie bisher in der geistigen Erhebung und Befriedigung, welche die richtige Auffassung ihrer Stellung gewährt, eine Genugthuung und reichlichen Ersatz fanden.

Hiernach kann die Anwaltschaft als wissenschaftliche Thätigkeit nicht zu den Gewerben gerechnet, und können sohin die aus der Gewerbefreiheit hergeleiteten Folgerungen nicht als begründet angenommen werden. Es ist daher nicht weiter zu untersuchen, ob selbst dann, wenn die Anwaltschaft als Gewerbe anerkannt wird, nicht gewichtige Gründe dafür sprechen, für dieselbe in einzelnen Beziehungen eine Ausnahme von der Gewerbefreiheit eintreten zu lassen, wie deren bis jetzt so manche bestehen und voraussichtlich noch lange bestehen werden.

Die Nothwendigkeit der Prüfungen wird bestätigt durch die Zustände, welche über Frankreich hereinbrachen, nachdem die Revolutions-Dekrete (s. oben I.) Jedem gestattet hatten, als Rechtsbeistand aufzutreten. Die Folgen dieser Dekrete waren denen gleich, welche Bellot[*]), Verfasser des code de procédure de Genève, von Genf erzählt, wo vom Jahre 1793—1800 unbeschränkte Freiheit bestand:

> „que le barreau fut envahi par des practiciens sans instruction et sans pudeur, affranchis de toute surveillance et de toute responsabilité, exploitant la crédulité, calculant sur le malheur."

Ich will auf die früheren Zustände in Deutschland nicht zurückgehen.

Nach obigen Ausführungen kann ich der ersten Beschränkung, welche der Antragsteller der freien Anwaltschaft durch das Gebot der Prüfungen auflegt, nur beipflichten.

2) Sind die Gebühren des Anwalts nur im Falle eines Streites nach einer Taxe zu regeln?

Ehe ich zur Prüfung der anderen Beschränkung, welche der Antrag der freien Anwaltschaft auflegt, nämlich, daß im Falle eines Streites eine Gebührentaxe maßgebend sein soll, übergehe, will ich die von Vielen[**]) aus der freien Anwaltschaft gezogene Folgerung, daß dieselbe keiner Gebührentaxe bedürfe, näher in's Auge fassen, um von der Regel die Anhaltspunkte für die Ausnahme zu gewinnen.

Der oben nachgewiesene wesentliche Unterschied zwischen der gewerblichen und anwaltlichen Thätigkeit führt es mit sich, daß die Honorirung der beiden Thätigkeiten aus einem verschiedenen Gesichtspunkte zu beurtheilen ist. Während der Preis der gewerblichen Leistung sich durch Nachfrage und Angebot bestimmt, widerstreitet ein solcher Maßstab der wissenschaftlichen Thätigkeit, und kann deren Honorirung, abgesehen von einzelnen Rücksichten der Billigkeit, nur nach dem Inhalt und Umfang der Mühewaltung bemessen werden.

---

[*]) Rapport sur le projet de loi sur les avocats, les procureurs. Genève 1833.
[**]) U. a. Mittermaier im Arch. f. civ. Pr. XLIV., Heft 3, S. 427.

Die obige Folgerung erscheint aber auch dann nicht richtig, wenn man die Anwaltschaft als ein Gewerbe hinstellt. Denn in Bezug auf den Preis läßt sich ein Unterschied zwischen den beiden Thätigkeiten wohl schwerlich in Abrede stellen. Dieser Unterschied besteht augenfällig darin, daß der Preis für die Waaren des Gewerbes in der Regel bei deren Bestellung bestimmbar ist, und entweder auch sofort bestimmt wird, oder von dem Besteller bei der Ueberlieferung der Waare nach deren leicht zu ermittelnder Qualität beurtheilt werden kann, wogegen es bei den Gebühren des Anwalts in der Regel auch für den Eingeweihten sehr schwierig sein wird, das richtige Verhältniß des Honorars zur Mühewaltung zu finden, weil der Umfang der anwaltschaftlichen Thätigkeit aus ihren Resultaten in vielen Fällen schwer zu erkennen ist. Außer dieser im Wesen jener Thätigkeit liegenden Eigenthümlichkeit spricht folgende Wahrnehmung für die Nothwendigkeit einer Taxe. Eine auch nur flüchtige Beobachtung des praktischen Lebens wird es außer Zweifel stellen, welche große Herrschaft der Anwalt über den Klienten zu gewinnen vermag. Diese findet eine vorzugsweise Begünstigung durch die oft gewaltigen Leidenschaften, welche durch die Prozesse aufgeregt werden, und welche häufig den Sieg über den Gegner auch dann, wenn es sich nicht um pekuniäre Vortheile handelt, als große Genugthuung, als Befriedigung des Hasses und der Rachsucht erscheinen läßt (manche Familien-Prozesse haben in dieser Hinsicht eine traurige Berühmtheit erlangt). Der große Wunsch eines günstigen Erfolges wird also den Klienten sehr geneigt machen, den übermäßigsten Forderungen seines Rechtsbeistandes, der ihm ja die zu überwindenden Schwierigkeiten in der übertriebensten Weise darstellen kann, im Voraus zu gewähren. Bei aller Achtung vor dem Anwaltsstande läßt sich daher wohl behaupten, daß Ueberforderungen stattfinden können. Und wenn die Nothwendigkeit eines Gesetzes häufig auf der Unterstellung beruht, daß nicht alle Menschen sind, wie sie sein sollen, so ist dieses vorzugsweise bei solchen Gesetzen der Fall, welche das Mein und Dein, die große Triebfeder menschlicher Handlungen zum Gegenstande haben.

Endlich kann aber auch für den Anwaltstand selbst eine Taxe nur wünschenswerth sein, um der eigenen Abschätzung seiner Thätigkeit, welche unter Umständen mit Schwierigkeiten verbunden ist, und somit der Kritisirung dieser Abschätzung Seitens der Partei enthoben zu sein, und einen dem subjektiven Ermessen entrückten, durch den Staat als Organ der Gerechtigkeit hingestellten Maßstab zu erhalten, welcher Sachwalter und Parteien gleichmäßig bindet. Es werden hierdurch die immerhin möglichen Verirrungen der Anwälte und beleidigenden Nachreden der Parteien verhütet, und wird sohin hierdurch die Ehre des Standes gewahrt. Jene Nachreden liegen aber um so näher, als eine richtige Abschätzung für die Partei sehr schwierig erscheint, und insbesondere der Unterliegende zu einem billigen Urtheile wenig geneigt ist.

Es ist von großer Bedeutung für unseren Gegenstand, Stimmen der Erfahrung zu vernehmen aus denjenigen Ländern Deutschlands, in welchen die Rechtsanwälte keine Gebührentaxe haben. Folgende interessante Mittheilungen dieser Art enthält der Aufsatz: „Ueber Freiheit der Advokatur" vom Stadtrichter Dr. Silberschlag in Magdeburg*):

„In einem Theile Deutschlands besteht freie Advokatur und dem entsprechend eine große Freiheit der Advokaten im Fordern von Gebühren. In Folge dessen sind aber auch die Kosten, und zwar vorzugsweise die Anwaltsgebühren selbst, bei Bagatell-Prozeßobjekten und in ganz einfachen Rechtsstreitigkeiten z. B. in Hamburg und den Anhaltischen Herzogthümern oft so außerordentlich hoch, daß sie häufig mehr als das Streitobjekt selbst betragen, und daß in jenen Ländern viel häufiger als bei uns in Preußen die Verfolgung unzweifelhafter Rechte mit Rücksicht auf die Kosten unterlassen wird. In der Provinz Sachsen ist es allgemein bekannt, daß der persönliche Kredit der Kaufleute und Gewerbtreibenden in Anhalt viel geringer ist als in Preußen, denn der Leipziger oder Magdeburger Kaufmann weiß, daß er seine Forderung an einen Preußen in der Regel leicht und ohne große Kosten gerichtlich beitreiben kann, während die Kosten eines Prozesses in Anhalt nicht vorher zu berechnen sind."

Diese Thatsachen reden also auch dagegen, die bis jetzt fast allenthalben in Deutschland bestehende Gebührentaxe der Rechtsanwälte aufzuheben. Eine Taxe besteht ja sogar bei den Aerzten, auf deren freien Beruf so vielfach Bezug genommen wird. Daß aber den Aerzten gegenüber die oben für eine Taxe entwickelten Gründe von viel geringerem Gewichte sind, bedarf keiner Ausführung.

Was die Motive unseres Antrags betrifft, so wollen diese nur im Falle eines Streites die Gebühren des Anwalts durch eine Taxe geregelt wissen**), und beziehen sich dabei auf die freie Advokatur in Frankreich. Es wurde aber oben (I.) nachgewiesen, daß diese mit unserer Anwaltschaft nicht vergleichbar ist, vielmehr ihre Thätigkeit einen sehr beschränkten Theil des Wirkungskreises unserer Anwälte umfaßt, daß zudem für die französischen Advokaten eine Gebührentaxe besteht. Sie dürfen nicht mehr als diese Taxe festsetzt dem Unterliegenden gegenüber liquidiren, wohl aber von ihren Klienten beliebige Honorare für ihre Mühewaltung außer der Taxe annehmen. Solche beizutreiben, wird dagegen als ein Verstoß gegen die Delikatesse angesehen. Ebenso in England***).

---

*) Preuß. Gerichtszeitung 1860, Nr. 51.

**) Ebenso Beschorner in der Deutsch. Gerichtszeitung 1862, S. 35.

***) Dictionnaire du notariat (Paris à l'administration du journal des notaires et des avocats, rue des saints-pères 52, 4e édition 1856), s. v. avocat, S. 155.

Geſetzlich ſteht die Sache in Rheinpreußen ganz wie in Frankreich; hier wie dort kann der Advokat von ſeiner Partei ein Honorar beanſpruchen, dieſes ſelbſt tariren und erfolgt eventuell die Feſtſetzung durch den Disziplinar- rath. Nur geht die Praxis in Rheinpreußen nicht ſo weit, Klagen auf Honorare als gegen die Delikateſſe verſtoßend auszuſchließen.

In ähnlicher Weiſe wird in Rheinbayern, Rheinheſſen und im König- reich Sachſen verfahren.

Die Gründe, welche ſich für die beſonderen Advokaten-Honorare an- führen laſſen, ſind ausführlich angegeben in einem Gutachten über die Ab- änderung der Gebührentaxe der Rheinpreußiſchen Advokat-Anwälte, welches von drei Advokat-Anwälten zu Elberfeld im Anfange dieſes Jahres auf An- ſuchen der oberen Behörde abgegeben worden iſt:

„Die vierte der aufgeworfenen Fragen ſcheint den Unterzeichneten ver- neint werden zu müſſen, und ſie legen auf dieſe Verneinung den aller- höchſten Werth, weniger ihrer praktiſchen, als um ihrer prinzipiellen Wich- tigkeit willen. Zunächſt liegt, wenn man von dem richtigen Grundſatze ausgeht, daß beſtehende Geſetze nur wegen der bei ihrer Handhabung empfundenen Mißſtände zu ändern ſind, kein Bedürfniß zu der in Aus- ſicht genommenen Abſchaffung oder Modifikation der Beſtimmungen über die Honorare der Advokaten vor. Erfahrungsmäßig gehören Beſchwerden und Streitigkeiten über Honorar-Berechnungen zu den größten Seltenheiten, wiewohl dafür ein zweckmäßiger und einfacher Inſtanzenzug eröffnet iſt. Sodann hängt die Befugniß der Rheiniſchen Advokaten, Honorar vor der Hand ſelbſt zu tariren auf's innigſte zuſammen mit ihrer oben geſchilderten, durch den Gang der Entwicklung des Rheiniſchen Prozeſſes befeſtigten advokatoriſchen Stellung, in deren Bereich mancherlei und ſehr weſentliche Mühewaltungen fallen, welche ſich ihrer Natur nach einer einheitlichen Tariſtrung entziehen. Wir erinnern hier nur an Konſultationen und Gut- achten, Unterhandlungen und Vergleiche außerhalb der Prozeſſe. Daß namentlich bei den erſten überaus mäßige Sätze hergebracht ſind, iſt we- ſentlich dadurch bedingt, daß in anderen Angelegenheiten, wo Sache und Perſon es geſtatten, dem Advokaten die Bemeſſung eines höheren Honorars freiſteht. Am wenigſten aber verdient der Gedanke Beifall, dem im Pro- zeſſe Unterliegenden ein Advokaten-Honorar zur Laſt zu legen. Diejenige beſondere Thätigkeit, wofür Honorare berechnet werden, läßt ſich nicht an einzelne Prozedurakte anknüpfen. Sie hängt ferner meiſtentheils mit Um- ſtänden zuſammen, welche dem Unterliegenden in keiner Weiſe aufgebürdet werden dürfen; ſo z. B. damit, daß die Perſönlichkeit eines ſtreitenden Theiles, deren Mangel an klarer Auffaſſung und Darlegung, oder deren Aengſtlichkeit eine außergewöhnliche Beläſtigung und Mühewaltung herbei- führt, oder daß eine Partei auf den Ausgang eines dem Gegenſtande nach wenig erheblichen Rechtsſtreites aus beſonderen Gründen, um ihrer Ehre oder der prinzipiellen Tragweite der Entſcheidung und dergl. willen, ſehr großes Gewicht legt, und deshalb eine vorzüglich ſorgſame und erſchöpfende Behandlung verlangt und entſprechend zu honoriren gerne bereit iſt, oder

daß die Gestaltung des thatsächlichen oder rechtlichen Materials Zeit und
Mühe in einem in der Prozedur sich keineswegs getreu abspiegelnden und
vom Gegner keinenfalls verschuldeten Maße in Anspruch nimmt ꝛc. ꝛc.
Als das Hauptmoment aber betrachten die Unterzeichneten das Gewicht,
welches der Stellung und dem Ansehen der Advokaten im Publikum das
durch das Zugeständniß der Selbsttarirung ihrer Honorare ihnen vom
Gesetzgeber bewiesene Vertrauen giebt. Das Mißliche, welches jede Schätzung
geistiger Thätigkeit in Gelde hat, wird in erhöhtem Maße fühlbar bei
Tarirung der Arbeiten der Advokaten, da diese berufsmäßig ihre Dienste
Jedem leihen sollen, und daher bei einer legislatorisch vollkommen durch-
geführten Tarirung jener beim Publikum in das Ansehen reiner Mieth-
linge gebracht werden. Zwar hat die Königl. Preuß. Medizinaltaxe bei
den in ähnlicher Stellung befindlichen Aerzten die Tarifirung ihrer Dienstleistungen vollständig durchgeführt; sie hat aber durch eine äußerst hohe,
in der Praxis sehr selten angewandte Bemessung der Sätze dafür gesorgt,
daß das Arbitrium des Arztes selbst nicht geschmälert, und er gegen
chikanöse Bemäkelung seiner Ansätze gebührend in Schutz genommen werde.
Die Unterzeichneten glauben im Sinne aller ihrer Kollegen zu handeln,
wenn sie jedweder Aufbesserung der Taxe die Beibehaltung des bisherigen
Gesetzeszustandes mit allen seinen Mängeln weitaus vorziehen, sofern jene
Aufbesserung durch die mit der Abschaffung der Honorare verbundene Herabsetzung des Standes erkauft werden soll."

Dieser Ausführung habe ich Nichts hinzuzufügen. Es ist nicht in Abrede zu stellen, daß es ein Uebelstand ist, wenn Derjenige, welcher einen
Prozeß gewinnt, Kosten zu tragen hat. Es wird dieses aber durch die eigenthümliche Natur der Mühewaltung gerechtfertigt, wonach der Gegenpartei in
den oben hervorgehobenen Fällen kein Honorar in Ansatz gebracht werden
kann. —

Hiernach kann ich dem Antrage: „daß nur im Falle eines Streites eine
Gebührentaxe maßgebend sein solle," nicht beistimmen; ich muß mich vielmehr
dahin aussprechen, daß die Gebühren des Anwalts nach einer Taxe zu bemessen seien, mit der Ausnahme jedoch, daß der Anwalt für seine in das
oben (I.) bezeichnete Gebiet der advokatorischen Thätigkeit fallenden außergewöhnlichen Mühewaltungen seiner Partei ein besonderes Honorar selbstständig anrechnen darf unter Vorbehalt dessen Feststellung durch eine höhere
Behörde im Falle des Widerspruchs.

3) Soll die Zahl der Anwälte unbeschränkt sein?

Selten hat ein Gegenstand eine solche Beachtung und solche Gegensätze
in der Beurtheilung hervorgerufen, wie der vorliegende. In dem Oesterr.
Abgeordnetenhause hat der Ausschuß, welcher auf den Antrag des Dr. Teschek
wegen Ausarbeitung eines Gesetzentwurfs in Betreff der Besetzung von Richter-,
Advokaten- und Notarstellen niedergesetzt wurde, seinen mit überwiegender

Majorität beschlossenen Antrag dem Hause in der Sitzung vom 28. Februar 1862*) zur Entscheidung vorgelegt, dahin lautend: „daß künftighin Jedem, welcher die entweder gegenwärtig gesetzlich geforderten oder in Zukunft durch das Gesetz zu fordernden Bedingungen nachgewiesen hat, die Ausübung der Advokatur (d. h. der Anwaltschaft und der Advokatur zusammen) freistehe." Nach langer Debatte nahm das Abgeordnetenhaus in seiner Sitzung vom 1. März 1862**) das Amendement des **Dr.** Giskra an: „daß die Aus-übung der Advokatur Jedem freistehe, der den Besitz der dazu vom Gesetze vorgeschriebenen Erfordernisse hat"***). In Oesterreich ist dadurch der schon lange geführte Kampf für und wider gesteigert worden. Auch in dem übrigen Deutschland dauert der Kampf fort. Die Zahl der Vertheidiger und Gegner des Antrags ist fast gleich groß †).

Diejenigen Vertheidiger des Antrags, welche die Anwaltschaft als ein Gewerbe ansehen, suchen dessen Begründung in dem Prinzip der Gewerbe-freiheit. Dieser Gesichtspunkt kann aber hier außer Betracht bleiben, nach-dem oben (2) die Unhaltbarkeit einer Parallele zwischen der gewerblichen und anwaltschaftlichen Thätigkeit nachgewiesen worden ist. Dadurch widerlegen sich auch die Ausführungen verschiedener Redner im Oesterreichischen Abgeord-netenhause, welche darauf den Schwerpunkt legen, daß der Gelderwerb der einzige Zweck der anwaltschaftlichen Thätigkeit sei ††), da oben (1) nachge-wiesen wurde, daß die Anwaltschaft als Faktor der Rechtsprechung gleich dem Richteramte eine höhere Bestimmung hat.

Die Motive leiten die Unbeschränktheit der Zahl der Anwälte aus einem Rechtsanspruche her, der Jedem zusteht, welcher die Prüfungen zurückgelegt hat. Es ist nicht zu läugnen: die Verwirklichung des Antrages entspricht dem Grundsatz der freien Entwicklung der Wissenschaft, fördert die ungehin-

<hr>

*) Stenographischer Bericht in der Tribüne (Tageblatt) Nr. 54.
**) Tribüne Nr. 59.
***) Der vollständige stenographische Bericht befindet sich in der Tribüne Nr. 54—57 u. 59.
†) Einen Beitrag zur Uebersicht der Literatur enthält die Deutsche Gerichts-Zeitung 1862 Nr. 57. Es ist hinzuzufügen: J. H. Kirchhof: Von den Advokaten und ihren Pflichten, 4 Bde., Butzow: 1765—1770; Grund: Versuch über das recht-lich politische Verhältniß des öffentlichen Sachwalters zum Staate, Regensburg 1805; Lever: Ueber den Advokatenstand, Würzburg 1806; Bemerkungen über Advokaten, Recht, Rechtsgelehrsamkeit u. s. w., Frankfurt a/M. 1819; Camus: Briefe über den Beruf des Advokaten, München 1827. Für Oesterreich: Allgem. Oesterr. Gerichts-Zeitung 1862: Nr. 154, 1863: Nr. 11; Gerichtshalle 1862: Nr. 5, 24, 42; Tribüne 1860: Nr. 22; 1861: Nr. 29, 40, 213, 214, 217, 223, 225; 1862: Nr. 26, 55, 50, 76; Zeitschrift für das Oesterr. Notariat 1861: Nr. 14 u. 15.
††) S. den oben erwähnten stenographischen Bericht.

derte Entfaltung und Geltendmachung des Talents, eröffnet den jungen Juristen, deren Drang nach Thätigkeit in Deutschland nur ausnahmsweise Nahrung findet, eine Laufbahn und bietet Gewähr für die Unabhängigkeit des Anwalts.

Doch es fragt sich, ob diese Rücksicht nicht durch höhere Rücksichten aufgewogen und in den Hintergrund gedrängt wird. Als eine solche höhere Rücksicht erscheint das Interesse der Rechtsuchenden. Dieses bezeichnet den Standpunkt, von welchem aus unsere Frage zu entscheiden ist; denn der Anwalt ist lediglich der Rechtsuchenden wegen da, steht — wie die Motive sich ausdrücken — nur im Dienste des Publikums, das Wesen seiner Stellung kann daher nur nach den wahren Anforderungen, welche die Rechtsuchenden an ihn zu machen befugt sind, beurtheilt werden. Hierüber herrscht auch fast Uebereinstimmung. Die Ansichten gehen nur in der Entscheidung der Frage auseinander, worin das wahre Interesse der Parteien besteht. Dies festzustellen ist die Hauptschwierigkeit der gegenwärtigen Begutachtung.

Die Beschränkung der Zahl der Anwälte nach Maßgabe des Bedürfnisses hat den Zweck, die Existenz derselben möglichst zu sichern, indem dabei von der Voraussetzung ausgegangen wird, daß der Mangel einer gesicherten Existenz große Gefahren für die gewissenhafte Pflichterfüllung in sich schließt. Die Vertheidiger der freien Konkurrenz erkennen dagegen diese Gefahren nicht an und behaupten, daß die aus dem Mangel der gesicherten Existenz Einzelner hervorgehenden Nachtheile nicht in Betracht kommen könnten gegenüber den Vortheilen, welche die freie Konkurrenz biete. Den Hauptvortheil setzen sie darin, daß mit der wachsenden Zahl der Anwälte auch die Zahl der besseren Kräfte sich mehre und somit den Rechtsuchenden eine größere Wahl unter den Besseren geboten werde.

Prüfen wir daher zunächst, ob, bez. welche Nachtheile den Rechtsuchenden aus einer unbeschränkten Zahl der Anwälte erwachsen.

Bei dem großen Andrang zur Anwaltschaft kann es als feststehend angenommen werden*), daß durch die freie Konkurrenz fast in allen Ländern Deutschlands bald eine das Bedürfniß weit übersteigende Zahl der Anwälte vorhanden sein wird. In Rheinpreußen läßt es sich jetzt schon berechnen, daß an den meisten Landesgerichten die unbeschränkte Zahl der bloßen Advokaten in kurzer Zeit die normirte Zahl der Anwälte übersteigen wird. Das Feld der anwaltschaftlichen Thätigkeit wird also bald für alle durch die freie Konkurrenz geschaffenen Sachwalter zu enge sein. Es muß mithin entweder ergiebiger gemacht oder ein anderes Feld der Thätigkeit für die nicht hinreichend Beschäftigten gefunden werden. Wie ungenügend das letztgenannte

---

*) Vergl. unten a. E.

Auskunftsmittel ist, bedarf keiner Ausführung; abgesehen davon, daß man einen Beruf nicht ergreift, um außerhalb desselben thätig zu sein. Was aber das erstgenannte Auskunftsmittel, also die Vermehrung der anwaltschaftlichen Thätigkeit, betrifft, so kann diese nur auf Kosten des Standes und der Rechtsuchenden bewerkstelligt werden. Man hat eingewendet, es werde zu einer solchen Seitens der Anwälte gewaltsam herbeigeführten Vermehrung der Thätigkeit nicht kommen, dafür bürge die Moralität des Standes. Es wurde aber bereits oben (2) bei den Gründen für die Nothwendigkeit einer Gebührentaxe ausgeführt, daß bei aller Achtung, welche der Anwaltsstand einflößt, doch kein Grund vorliegt, denselben von menschlichen Schwächen frei zu erklären. Nun ist aber die Noth schon oft das Grab der größten Tugenden geworden. Dem nachtheiligen Einfluß derselben werden daher wohl auch die dem Anwalte erforderlichen Eigenschaften, insbesondere Delikatesse und Rechtschaffenheit unterworfen sein.

Nehmen wir zunächst den gelinderen Fall, die Verletzung der Delikatesse, dieser Eigenschaft, welche für die Ausübung des anwaltschaftlichen Berufes anerkanntermaßen von so großer Bedeutung ist. Zu einer solchen Verletzung der Delikatesse, welche den Anwaltsstand von der, dem wissenschaftlichen Berufe desselben entsprechenden, Höhe herabzuziehen und der Mißachtung preiszugeben vermag, ist z. B. das Verfahren zu zählen, wonach die Anwälte den Parteien ihre Rechtshülfe ungefragt anbieten und gleich einer Waare empfehlen. Haben aber einmal einige Anwälte diese Art eingeführt und das Publikum daran gewöhnt, daß von den Anwälten die juristischen Geschäftsverbindungen angeknüpft und die Offerten gemacht werden, so werden auch die Kollegen zu dieser aus dem Gebiet der gewerblichen Thätigkeit hinübergezogenen Verfahrungsweisen hingetrieben werden. Eine Waare, die an der Thür feil geboten wird, sucht man selten im Lager des Kaufmannes. Durch die Allgemeinheit eines solchen Verfahrens wird der Begriff des Zartgefühls auch allmälig verrückt werden, und selbst der Vorstand der Anwälte in seiner Eigenschaft als Richter einen laxeren Maßstab anzulegen gezwungen sein. Einen Beweis dafür, daß die Mittel, welche auf Kosten der Delikatesse zur Ausdehnung der Praxis angewandt werden, häufig zum Ziele führen, bilden die Erfolge der Winkelkonsulenten. Vergebens hat man sich bemüht, dieselben zu verdrängen. Trotz der strengsten Verfügungen dauern die Beschwerden fort. In Rheinpreußen kommt es nicht selten vor, daß Winkelkonsulenten reiche Leute werden, was wenigen Anwälten gelingt. Der Grund hiervon liegt hauptsächlich darin, daß viele Winkelkonsulenten es nicht verschmähen, sich an das Publikum heranzudrängen, mit demselben in vertrauten Verkehr zu treten und jede Beziehung, jeden Ort, für das eigene Interesse auszubeuten.

Bei steigender Konkurrenz wird es aber bei bloßen Verletzungen der Delikatesse voraussichtsweise nicht sein Bewenden haben. Wo die Mittel, welche nur gegen die Delikatesse verstoßen, nicht hinreichen, wird man auch die Schranken der Rechtschaffenheit durchbrechen, und auf Kosten derselben zu Mitteln greifen, die selten ihren Zweck verfehlen und reichlich zu Gebote stehen. Die Rechtschaffenheit ist es ja, welche in der Thätigkeit des Anwalts so oft mit dem pekuniären Interesse desselben in Konflikt geräth. Die Versuchung ist hier um so größer, als die Pflichtverletzung häufig nicht erkennbar ist. Der Rechtsuchende, meistens unbekannt mit den Gesetzen und dadurch unfähig, die thatsächlichen Verhältnisse in ihren Beziehungen zu denselben zu würdigen, also unfähig, den Ausgang eines Rechtsstreites auch nur im Entferntesten einer Beurtheilung zu unterziehen. muß dem Anwalt unbedingt vertrauen; in die Hände des Letzteren ist das Wohl und Wehe der Partei, nicht selten ihr ganzes Vermögen, gelegt. Von ihm hängt es also in der Regel ab, die Parteien zu erfolglosen Prozessen zu bewegen, von vortheilhaften Vergleichen abzuhalten, die Prozesse in die Länge zu ziehen und Kosten auf Kosten zu häufen, oder aber der wahren Gerechtigkeit zu dienen als gewissenhafter Rathgeber seines Klienten. Der Anwalt wird daher, durch die Noth getrieben, um so leichter Gelegenheit haben, durch Mittel, deren Verwerflichkeit den Augen der Welt entzogen ist, sich Beschäftigung und dadurch Gelderwerb zu verschaffen. Die Noth wird ihn in eine Bahn drängen, die er bei gutem Einkommen nie betreten haben würde. Ein Blick in's praktische Leben bestätigt dies leider nur zu sehr und widerlegt die abstrakten Deduktionen über die moralische Kraft des Nothleidenden. Wenn einem Familienvater die Alternative gestellt wird zwischen Elend und der Anwendung eines Mittels, welches, wenngleich vor dem Gewissen nicht zu billigen, dem Elend vorzubeugen geeignet ist, so wird für eine solche Wahl wohl allzu häufig die menschliche Schwäche entscheidend sein. Auch hier wird die Pflichtwidrigkeit Einzelner nicht ohne nachtheiligen Einfluß auf den ganzen Stand bleiben. Die Erfahrung, daß mit den Anwälten sich die Prozesse mehren, wird die Achtung vor dem Stand und vor der Rechtspflege immer mehr sinken lassen. Je größer der Zuwachs, desto mehr wird sich das Streben zeigen, nach den Mitteln zu greifen, welche das Publikum gewinnen und ausbeuten, die Praxis auf dem geraden Wege der ungeschminkten Tüchtigkeit wird immer mehr an Boden verlieren. Auch wird hierdurch das Treiben der Winkelkonsulenten gekräftigt, und gleichsam sanktionirt. Die Behauptung der Gegner, die freie Anwaltschaft werde die Winkelkonsulenten verbannen, erweist sich somit als irrig. Solche Zustände können für die Gegenwart, welche eine so große Zahl von Kandidaten hat, mit Sicherheit vorausgesagt werden.

Demgemäß widerlegt sich die Behauptung der Vertheidiger der freien Konkurrenz, daß den Vortheilen gegenüber, welche jene den Rechtsuchenden biete, die gesicherte Existenz des Anwalts nicht in Betracht komme, und stellt es außer Zweifel, daß gerade die gesicherte Existenz des Anwalts den Interessen der Rechtsuchenden entspricht und durch die Beschränkung der Zahl nach Maßgabe des Bedürfnisses am Besten gewährleistet wird.

Wenn hiernach die Nothwendigkeit dieser Beschränkung feststeht, so muß ihr die andere Behauptung der Gegner weichen: „daß mit der wachsenden Zahl der Anwälte die Zahl der Besseren sich mehre, den Rechtsuchenden also eine größere Wahl unter den Besseren geboten werde." Ich will dessen ungeachtet in dem Folgenden auf diese Behauptung näher eingehen.

Die oben geschilderten Uebelstände der freien Konkurrenz werden die unausbleibliche Folge haben, daß die Anwaltschaft aufhört, eine einladende Laufbahn zu sein. Ehrenhafte Männer werden dann schwerlich ihr Glück machen und eine gewinnbringende Zukunft wird nur solchen lächeln, welche in Abwägung der Mittel es gerade nicht zu leicht nehmen. Die erwähnten Uebelstände sind um so mißlicher und bedeutungsvoller, als schon ohnedies auf dem Felde der anwaltschaftlichen Thätigkeit es der wahren Tüchtigkeit nicht leicht ist, sich Bahn zu brechen. Insbesondere werden diejenigen, welchen eine einnehmende Persönlichkeit und eine gewandte Form des Umgangs fehlen, nur langsam zu der ihrer Tüchtigkeit gebührenden Anerkennung gelangen. Hat man doch täglich zu beobachten Gelegenheit, wie Jeder, den der Beruf mit dem Publikum in unmittelbare Berührung bringt, in der Regel nur dann und in dem Maße große Erfolge erzielt, als seine Persönlichkeit die Eigenschaften besitzt, welche die Menschen zu gewinnen und zu bestimmen vermögen. Daher werden so häufig gewandte Formen und eine gefällige Außenseite für die Beurtheilung auch des inneren Werthes des Menschen als maßgebend angenommen, und bleiben die Tüchtigsten, welche sich durch jene Außenseite nicht empfehlen, mehr oder weniger unbeachtet.

Eine fernere Eigenschaft, welche, wenn auch aller Beachtung werth, dennoch häufig zu sehr bei Beurtheilung der Fähigkeit der Anwälte in Anrechnung kommt, ist das Rednertalent. Während die für die Anwaltschaft unerläßliche Eigenschaft der juristischen Tüchtigkeit und der Zuverlässigkeit dem beobachtenden Auge entrückt im Stillen wirkt, macht die nicht so wesentliche Rednergabe sich in der Oeffentlichkeit geltend, bildet die Außenseite der anwaltschaftlichen Thätigkeit. Kein Wunder daher, daß das Publikum, welches den Anwalt nur als Redner kennen lernt, aus der ohnehin leicht bestechenden Redefertigkeit auf andere Eigenschaften schließt, die seinem Blicke verborgen und schwieriger zu ermessen sind. So ist gewiß schon Mancher irre geleitet

worden, der in dem glänzendſten Vertheidiger vor dem Geſchwornengerichte
den beſten Rechtsbeiſtand in Civilſachen zu finden hoffte.

Auch dieſe Mißſtände, welche im Weſen des anwaltſchaftlichen Wirkens
liegen und daher auch bei geſchloſſener Zahl der Anwälte nicht zu vermeiden
ſind, werden gleichwohl bei freier Konkurrenz noch mehr hervortreten und
fühlbarer werden. Denn bei geſchloſſener Zahl werden die Tüchtigeren durch
die letztgenannten Mißſtände nicht ſo leicht abgeſchreckt werden, weil ſie mit
Rückſicht auf die beſtehende Zahl prüfen können, ob nicht für ſie bei dem
einſichtsvolleren Theile der Rechtſuchenden eine hinreichende Praxis zu erwarten
ſtehe, was zu prüfen nach den obwaltenden Lokalverhältniſſen nicht ſchwer
ſein möchte. Dagegen iſt dieſe Prüfung bei unbegrenzter Zulaſſung zur
Anwaltſchaft nur für gegenwärtige Zuſtände einigermaßen möglich, für zu-
künftige aber nicht denkbar, weil ſich nicht ermeſſen läßt, welcher Zuwachs
kommen und ob dieſer nicht lawinenartig eintreten wird.

Nach dem Geſagten iſt mit Beſtimmtheit anzunehmen, daß die nume-
riſche Maſſe der Rechtsbeiſtände wächſen, daß aber die Zahl der Beſſeren
abnehmen wird, weil dieſe weniger Ausſicht haben, den Sieg bei freier Konkurrenz davonzutragen. Es wird alſo dann dem Stande an dem Unentbehrlichen mangeln, an Männern nämlich, welche Reinheit des Charakters, ſtrengſte
Gewiſſenhaftigkeit und Pünktlichkeit und eiſernen Fleiß mit juriſtiſcher Tüchtigkeit verbinden.

Alle dieſe Gründe widerſprechen alſo der gegneriſchen Behauptung, daß
mit der freien Konkurrenz ſich die beſſeren Kräfte für die Anwaltſchaft vermehren werden. Sie ſtellen es zugleich außer Zweifel, daß durch eine an
ſich für die Bedürfniſſe der Rechtspflege ausreichende Anzahl der Anwälte die Bürgſchaft für ihre Tüchtigkeit und Zuverläſſigkeit,
alſo für die wahren Intereſſen des Rechtſuchenden liege. Die Wahrung
dieſer Intereſſen iſt eine unabweisbare Pflicht des Staates, dem ja die Sorge
für das öffentliche Wohl obliegt. Gerade mit Rückſicht darauf hat z. B.
die Geſetzgebung in Frankreich die ſehr hohen Honorare der Hypotheken-Be-
wahrer angeordnet.

Nach den obigen Ausführungen erſcheint alſo der Grund der Motive:
„Jeder, welcher die Prüfungen beſtanden, habe einen Rechtsanſpruch auf die
Anwaltſchaft," nicht hinreichend. Denn die Rückſicht auf die ungehinderte
Entwicklung der Individualität (das Intereſſe der Freiheit) muß dem höheren
Rechte, dem Intereſſe der öffentlichen Wohlfahrt weichen. Wenn die Motive
ferner anführen, bei freier Anwaltſchaft werde dem Staate die Sorge für
die Anſtellung der Aſſeſſoren nicht mehr zur Laſt fallen, er werde eine Auswahl unter ihnen treffen können, ſo iſt dieſes ſelbſtredend eine Folgerung,
welche mit dem Grundſatze fällt, aber kein Motiv. Denn als ſolches würde

es nichts anderes heißen, als der Staat wolle eine ihn drückende Last auf die Schultern des Volks wälzen.

Was den Schlußsatz der Motive betrifft: „es wird eine freisinnige Advokatur als Grundlage eines freisinnigen Richterstandes, der sich aus ihr rekrutiren wird, sich bilden," so ist dieses keine Folgerung aus der freien Konkurrenz. Denn auch bei geschlossener Zahl der Anwälte ist dies erreichbar, wenn sich nur die Staaten veranlaßt sehen, die bis jetzt fast überall in Deutschland sehr verkümmerte Stellung der Anwälte in eine ihrem wahren Wesen entsprechende zu verwandeln. Es bedarf daher keiner Untersuchung des an sich noch keinesweges feststehenden Satzes, daß die langjährige Beschäftigung in der Anwaltschaft die beste Vorschule für den rein kritischen Beruf des Richters sei und umgekehrt*).

Es ist vielfach — auch in den Motiven — auf den freien Beruf des Arztes Bezug genommen worden. Dieser Vergleich ist jedoch schon deshalb nicht zutreffend, weil der Arzt ohne Praxis nicht in dem Grade, wie der Anwalt ohne Praxis, dem Publikum zu schaden im Stande ist und auch nicht über ähnliche Mittel, wie sie diesem zu Gebote stehen, verfügen kann.

Zum Schlusse will ich die folgenden Stimmen der Erfahrung anführen, welche Zeugniß ablegen für die oben aus der freien Konkurrenz entwickelten Mißstände. Ich beginne mit der freien Advokatur in Frankreich, indem ich den desfallsigen sehr beachtenswerthen Bericht wörtlich folgen lasse:

> „Il est incontestable qu'il y a un nombre d'avocats en France plus considérable que cela ne devrait être; et cet excès serait de nature à influer sur la dignité et l'honorabilité de la profession. Aussi a-t-on vu parmi les avocats des individus être rayés de la liste (tableau) pour des faits contraires à la dignité, à l'honneur et à la délicatesse.
>
> Ce que l'on reproche en général aux conseils de l'ordre des avocats, ce serait plutôt un excès d'indulgence que de sévérité dans l'appréciation des devoirs de l'avocat.
>
> Or comment remplir ce rôle, si l'avocat est mis aux prises avec les exigences du besoin et de la nécessité? De nos jours en France le barreau a été le refuge d'une foule de gens nécessiteux dont le nombre et les besoins ont fait faiblir les rigueurs de la discipline. Hélas! il faut vivre; les confrères en songeant trop à l'humanité et à la charité envers leurs confrères en désarroi ont perdu de vue qu'ils laissaient abaisser le niveau et la dignité de la profession. Combien d'avocats, hélas! réduits par les nécessités de la vie à accepter toutes les causes, bonnes ou mauvaises; tandis qu'ils devraient assez se respecter pour arrêter les procès à leur naissance; n'en a-t-on pas vus aller jusqu'à les faire naître et les accumuler pour en tirer profit.

---

*) Die Erfahrungen in Frankreich u. s. w. in dieser Beziehung finden sich in den unten angeführten Mittheilungen.

Il est vrai que dans les hautes sommités du barreau, ces faits n'existent pas ou sont rares; ils sont riches ou le sont devenus comme les anciens orateurs romains, et alors les tentations ne se présentent plus pour se risquer contre la probité et la délicatesse; mais les mauvaises tendances existent dans les couches inférieures de la société des avocats. On en a vu se déshonorer à plaider des causes civiles sur des documents qu'ils savaient être faux.

Si la robe de l'avocat est pour lui un palladium qui doit le faire respecter comme celle du prêtre, il faut qu'elle reste pure et que l'avocat sache remplir ses devoirs avec toute la rigueur possible.

Il est évident, que la grande affluence d'incapacités qui ont envahi la profession, a altéré le caractère de la mission de l'avocat, et que pour en arrêter les progrès des mesures seraient à prendre.

Aujourd'hui l'on se fait avocat, avocat sans cause, il est vrai, en attendant mieux; c'est un pis-aller. On sait que le barreau est la route de la magistrature et des places, et alors on se fait avocat. Rien n'est cependant plus fâcheux que cette disposition générale des esprits. On ne devrait pas se faire avocat pour devenir spécialement un juge ou un fonctionaire public. On devrait être avocat pour rester avocat: et l'on ne devrait embrasser cette profession difficile qu'avec le véritable désir d'y rester; autrement dit, l'avocat devrait dès le début avoir l'amour exclusif de son état."

Dieser Bericht über die Französischen Zustände bestätigt dadurch, daß er sich nur auf die avocats bezieht, um so mehr unsere Ansicht über die freigegebene Anwaltschaft.

Von den Stimmen in Deutschland will ich jene aus dem Königreich Sachsen voranschicken, wo nicht einmal freie Konkurrenz besteht:

1) In dem Aufsatze: „Freigebung der Advokatur" (Deutsche Gerichtszeitung 1861, Nr. 5, 6) ist hervorgehoben, daß in Sachsen bei einer Einwohnerzahl von 2 Millionen 800 Advokaten fungiren, und daß dadurch in den großen Städten eine Art advokatischen Proletariats besteht.

2) Von großem Gewicht ist der Ausspruch eines Praktikers, des Rechtsanwalt Beschorner zu Dresden, welcher Anfangs mit großer Begeisterung für die freie Anwaltschaft auftrat*), und auf dessen Ausspruch sich Viele berufen haben, der aber später auf Grund reiferer Erfahrung ein Gegner der unbedingten Freiheit geworden ist**). Er bestätigt die in dem ersteren Aufsatze enthaltene Behauptung, daß eine beträchtliche Zahl der Advokaten Geschäfte übernehme, die zeither von Nichtjuristen, von Kommissionären betrieben wurden, und bemerkt weiter: „Die kleinsten, unbedeutendsten Sachen werden breit getreten, aus der Mücke wird ein Elephant gemacht, unehrenhafte Mittel werden wohl auch angewendet, um Praxis zu erlangen; man scheut sich nicht,

---

*) Archiv für civ. Praxis XXXI., S. 474 ff.
**) Deutsche Gerichtszeitung 1862, Nr. 9.

seine Dienste anzupreisen, zu Prozessen die Leute anzustacheln u. s. w. Man erblickt darin eine **natürliche Folge** der Abnahme der advokatorischen Geschäfte auf der einen, und die Zunahme der Zahl der Advokaten auf der andern Seite.

Hinsichtlich der Länder der freien Anwaltschaft beziehe ich mich:

a) auf die Abhandlung des Advokaten Wehnert zu Crivitz: „Ueber die Advokatur in Mecklenburg-Schwerin*), wonach in jenem Lande von einer halben Million Einwohnern 314 Advokaten bei den Justiz-Kanzleien immatrikulirt sind und ihre Zahl noch im Wachsen begriffen ist;

b) auf die Abhandlung des Rechtsanwalt Lezius aus Köthen: „Ueber das Advokatenwesen im Herzogthum Anhalt-Dessau-Köthen**), welcher ich folgende Worte entnehme:

„Die Anstellung als Advokat tritt dem Anspruch auf Anstellung im Staatsdienst nach den Grundsätzen der Ancennität nicht entgegen. Dieser Umstand im Verein mit der übergroßen Zahl der Advokaten — jetzt 30 auf die etwa 120,000 Einwohner des Herzogthums — führt es herbei, daß die Advokatur zu einer bloßen Durchgangsstufe für den Staatsdienst erniedrigt wird, daß nur die geringere Zahl der Advokaten in der Advokatur ihren Lebensberuf finden, und demgemäß derselben sowohl ihre ganze Kraft widmen, als auch der Staatsregierung und den Gerichten gegenüber diejenige Unabhängigkeit bewahren kann, welche zur Herstellung einer würdigen Stellung der Advokatur nothwendig erscheint."

Zum Beweise für die große Zahl der Anwälte bei freier Konkurrenz füge ich hinzu, daß Hamburg 150 und Frankfurt a. M. über 100 Advokaten zählt.

Bemerkenswerth ist, daß ein Redner in dem Oesterreichischen Abgeordnetenhause (s. oben) die Ueberzahl der Advokaten, wie sie in Sachsen besteht, für Oesterreich aus dem Grunde nicht befürchtete, weil dort die Prüfungen und sonstigen Anforderungen zur Advokatur viel untergeordneterer Natur sind***). Gegen diese Auffassung spricht jedoch der Bericht der Prager Advokatenkammer vom 16. Jan. 1862†), wonach blos für Böhmen (4½ Mill. Einwohner) 2000 Advokatur-Kandidaten zu erwarten sind, während jetzt dort nur 158 Advokaten fungiren. Auch in Preußen, wo die Prüfungen zu den schwierigsten gehören, ist, wie schon oben bemerkt, ein sehr großer Anwachs als bestimmt anzunehmen.

Diese Mittheilungen aus der Erfahrung bestätigen überall die Richtigkeit der oben entwickelten Ansichten über die Folgen einer unbeschränkten Zahl

---

*) Deutsche Gerichtszeitung 1862, Nr. 25.
**) Deutsche Gerichtszeitung 1862, Nr. 144.
***) Sitzung vom 1. März 1862, Tribüne Nr. 59.
†) Tribüne Nr. 26 und Gerichtshalle Nr. 5.

der Anwälte. Sie können nur in kleiner Zahl vorhanden sein, weil in wenigen Ländern Deutschlands eine freie Konkurrenz in der Anwaltschaft besteht.

Mein Gutachten geht demnach dahin, daß dem Antrage entgegen die Zahl der Anwälte in weiterer Bedeutung, und eventuell die Zahl der Advokaten und Anwälte in engerer Bedeutung nach den wahren Bedürfnissen zu beschränken sei.

III. Das Notariat ist von der Anwaltschaft (und dem Richteramte) zu trennen.

Motive.

„Die Akte, welche der öffentlichen Beglaubigung bedürfen, sollen in der That bona fide — so daß sie Hand und Fuß haben, möglichst unanfechtbar sind und in der Gerechtigkeit und Billigkeit wurzeln, — aufgenommen werden.

Nur so kann ein Ersatz für die Aufnahme der Handlungen freiwilliger Gerichtsbarkeit durch die Gerichte geboten werden.

Dem widerspricht die Stellung des Anwalts, der einseitige Partei-Interessen vertritt. Diese können ihn bald dahin führen, Notariatsakte anzugreifen, bald sie zu vertheidigen, und zwar solche, bei deren Errichtung er mitgewirkt. Er ist dadurch der Gefahr des Konflikts mit der eigenen Ueberzeugung, der Gefährdung seines Ansehens ausgesetzt.

Dagegen bietet das abgesonderte Notariat so zu sagen einen Freihafen zwischen den Gebieten des Streites, auf welchen der Anwalt aufzutreten, der Richter zu entscheiden hat. Es wird die dazu geeigneten Kräfte an sich ziehen und so der freien Entwicklung des Richter-, wie des Anwalts-Standes Raum gönnen.

In Frankreich ist bekanntlich die Unvereinbarkeit der Advokatur mit dem Notariat gesetzlich, ebenso in der Preußischen Rheinprovinz." (Vgl. Schlink I. §§. 76—78.)

Diese Motive ergänzen und erweitern den Antrag dahin, daß sie durch Schaffung eines abgesonderten Notariats nicht blos die anwaltschaftliche, sondern auch die richterliche Thätigkeit auf das Gebiet des Streites beschränken, mit anderen Worten, daß sie den Grundsatz der gänzlichen Trennung der Gerichtsbarkeiten aufstellen. Und folgerichtig. Denn ohne diesen Grundsatz ist ein abgesondertes Notariat nicht erreichbar. Dazu kommt, daß die Gründe für und gegen eine Trennung des Notariats vom Richteramte und von der Anwaltschaft im Wesentlichen zusammenfallen, ja, daß sich dieselben häufig gegenseitig ergänzen und erklären, was schon an sich eine gemeinsame Behandlung empfiehlt. Ich werde daher den für die Rechtspflege so bedeutungsvollen, und namentlich in neuerer Zeit mit so großem Nachdruck angerufenen Grundsatz der Trennung der Gerichtsbarkeiten, aus welchem der Antrag als unmittelbare Folge hervorgeht, in seiner ganzen Ausdehnung in die Erörterung ziehen.

Als Muster für den Antrag bezeichnen die Motive die Zustände in Frankreich. Und mit Recht. Denn es giebt kein Land, wo eine so scharfe Trennung der Gerichtsbarkeiten, und daher ein so abgesondertes Notariat besteht, beides im geraden Gegensatze zu Deutschland.

Untersuchen wir für's Erste, wie dieser Gegensatz entstanden ist.

Es ist ein Irrthum, wenn man die Wurzel des Französischen Notariats in Frankreich zu finden glaubt, ein Irrthum, welcher sich bei so vielen gerade in der neueren Zeit mehr und mehr anerkannten Rechtsinstitutionen Frankreichs wiederfindet, die nicht Französischen Ursprungs sind. Das Notariat kam im Mittelalter von Ober- und Mittel-Italien, wo es seit dem 12. Jahrhundert in höchster Blüthe, und namentlich von der streitigen Gerichtsbarkeit getrennt stand (s. unten), nach Frankreich.

Anfangs war hier die Vollziehung der Urkunden ein Recht der richterlichen Gewalt, welches von den seigneurs (großen Vasallen) auf die Richter überging. Aber bereits im Anfange des 14. Jahrhunderts war die Trennung der Gerichtsbarkeiten vollständig ausgeführt (eine Verbindung mit der Anwaltschaft oder Advokatur hat nie stattgefunden). Die Könige widmeten dem Notariat eine große Aufmerksamkeit, nicht minder die höchsten Staatsbeamten und Rechtsgelehrten, so daß es sehr früh zur vollen Selbstständigkeit gelangte. So fand die Revolution in dem Notariat, welches irrthümlicher Weise oft als ein Produkt derselben bezeichnet worden ist, ein fertiges, in sich abgeschlossenes Institut, dessen Anerkennung im Volke eine so große Bedeutung gewonnen hatte, daß es von ihren Stürmen nicht nur nicht berührt, sondern von ihr mit besonderer Auszeichnung gepflegt wurde, wovon das Dekret der konstituirenden Nationalversammlung vom 6. Oktober 1791 und das Gesetz vom 25. Ventôse XI. (16. März 1803) Zeugniß gaben. Letzteres bildet noch die Grundlage des Notariats in Frankreich und in vielen Ländern des Französischen Rechts. Seine Hauptvorzüge lassen sich in folgenden Sätzen zusammenfassen:

a) die Ernennung der Notarien durch den Landesherrn;
b) gänzliche Trennung der freiwilligen Gerichtsbarkeit von der streitigen;
c) unbedingte Glaubwürdigkeit der Notarialakte;
d) Sicherstellung der Parteien durch zweckmäßige Vorschriften sowohl

für die Aufnahme der Urkunden, als für die Verantwortlichkeit des Notars;

e) Vollstreckbarkeit der Urkunden gleich den gerichtlichen Urtheilen;

f) Beaufsichtigung des Notariatsstandes durch seine eigenen Mitglieder.

Die Notarien sind officiers publics und wie die Anwälte officiers ministeriels, können auch wie diese ihre Stellen übertragen. (S. oben I.)

Wie in Frankreich das Notariat durch die gänzliche Lossagung von der streitigen Gerichtsbarkeit zu großer Ausbildung und Selbstständigkeit gelangte, so hat in Deutschland die Verbindung desselben mit den Gerichten gerade entgegengesetzt gewirkt. Sie fand ihren Ursprung in dem Gebrauche, die Rechtsgeschäfte vor den Volksgerichten abzuschließen*). Dieser Gebrauch befestigte sich immer mehr, einmal durch die rücksichtslose Ernennung der Notarien durch die Hofpfalzgrafen (seit dem Anfange des 14. Jahrhunderts), die den gänzlichen Verfall des Notariats bewirkte, dann aber und hauptsächlich für die neuere Zeit dadurch, daß bei der wachsenden Territorialmacht die meisten Deutschen Landesherren, welche dem Notariat als Kaiserlichem Reservatrecht abhold waren, die Gerichte in der Ausübung der freiwilligen Gerichtsbarkeit begünstigten, wobei die Rücksicht auf die Staatseinkünfte sehr mitwirkte. In einzelnen Ländern wurde dieses Kaiserliche Reservatrecht sogar lange vor Auflösung des Deutschen Reichs nicht mehr anerkannt, indem in denselben eigene Notariats-Ordnungen erschienen. Auch nach Auflösung des Deutschen Reichs blieb das Notariat fast ganz vernachlässigt. Die in einzelnen Ländern meistens in neuester Zeit erlassenen, von einander sehr abweichenden, Notariats-Ordnungen zeigen fast überall die Abneigung gegen durchgreifende Reformen**).

---

*) Eichhorn, Deutsche Staats- und Rechtsgesch. §§. 59, 67, 68, 374.

**) Diese Notariats-Ordnungen sind folgende: Für Altpreußen vom 11. Juli 1845 (die Rheinpreuß. Notar.-O. vom 25. April 1822 ist dem Ventose-Gesetz nachgebildet), für Oesterreich vom 21. Mai 1855, für Bayern diesseit des Rheins vom 10. November 1861, für das Königreich Sachsen vom 3. Juni 1859, für Hannover vom 18. September 1853, für Württemberg Gesetze vom 14. Juni 1843, 4. Juli und 17. August 1849, für Baden vom 3. November 1806 mit vielen Nachträgen, für Braunschweig vom 19 März 1850, für Hamburg vom 18. Dezember 1815, für Bremen vom 13. November 1820 und für Lübeck vom 10. Oktober 1839. Die ausgezeichnetste und dem Französischen Notariat am nächsten kommende ist die Bayerische Notariats-Ordnung. Dieses ist um so beachtenswerther, als hier kein Notariat bestand, die Verwaltung desselben durch die Gerichte sich aber als ganz zweckwidrig erwiesen hat. Am verfehltesten ist die Oesterreichische Notariats-Ordnung. Sie setzte die zweckmäßigere Notariats-Ordnung vom 29. September 1850 außer Kraft und vernichtete das Notariat in seinem Wesen, indem sie den Notariatszwang aufhob, also eine Rechtsunsicherheit erzeugte, für welche sich ein ähnliches Beispiel nicht auf-

Hinsichtlich der Ausübung der freiwilligen Gerichtsbarkeit gruppiren sich die einzelnen Länder in folgender Weise:

1) Länder des gemeinrechtlichen Notariats,
2) Länder des Französischen Notariats,
3) Länder mit eigenen Notariats-Ordnungen (s. oben),
4) Länder, in welchen das Notariat nicht besteht*).

Fast überall besteht eine Verbindung des Notariats mit den Gerichten und meistens auch mit der Anwaltschaft. Letzteres ist namentlich der Fall in Preußen außer der Rheinprovinz Französischen Rechts, in Sachsen, Hannover, Braunschweig u. s. w. und zum Theil in Oesterreich, in Bayern nicht. Oft sind aber die Anwälte in ihrem notariellen Wirkungskreise beschränkter als die Gerichte, z. B. in den Preußischen Altlanden.

So stehen die Deutschen Länder in der buntesten Verschiedenheit zu einander, ein wahres Chaos und das traurigste Bild der Nichteinheit. Ein abgesondertes Notariat findet sich nur in den Ländern Französischen Rechts.

Zur Begründung eines „abgesonderten Notariats" führen die Motive aus, „daß nur durch dasselbe ein Ersatz für die Aufnahme der Handlungen freiwilliger Gerichtsbarkeit durch die Gerichte geboten werde, daß die Stellung des Anwalts, der einseitige Partei-Interessen vertritt, diesem Berufe widerspreche, daß dagegen das abgesonderte Notariat die geeigneten Kräfte an sich ziehen und so der freien Entwicklung des Richter- wie des Anwalts-Standes Raum gönnen werde." Zur Prüfung der Richtigkeit dieser Sätze erscheint es nöthig, einen Blick auf das Eigenthümliche und Verschiedenartige der freiwilligen und streitigen Gerichtsbarkeit zu werfen.

Was zuerst die Anwendung des Rechts anbelangt, so ist die Thätigkeit des Beamten der freiwilligen Gerichtsbarkeit dahin gerichtet, der Verletzung der Rechte vorzubeugen, sohin einen gesunden Rechtszustand zu schaffen und zu erhalten, in richtiger Würdigung der faktischen und rechtlichen Momente, insbesondere in Voraussicht der möglichen Folgen Rechte zu begründen und zu sichern. Er hat also die schwierige Aufgabe, die oft verworrenen Angaben

---

finden läßt. Die Folge davon war, daß die Notarien fast nur Privaturkunden beglaubigen. Mit vollem Grunde ist daher die Reform des Notariats im Oesterreichischen Abgeordnetenhause beantragt (s. oben II., 3). Kräftig ist in Oesterreich für diese Reform gekämpft worden, insbesondere in der Zeitschrift für das Oesterreichische Notariat, redigirt vom Notar Dr. Langer zu Wien.

*) Näheres über die Zustände in diesen einzelnen Ländern, sowie über die Geschichte des Notariats s. in meinem Handbuche des Notariats in Preußen nebst der freiwilligen Gerichtsbarkeit der Gerichte und mit Rücksicht auf das übrige Deutschland, Frankreich und andere Länder, I. Buch, Allgem. Theil; Düsseldorf, Schaub'sche Buchhandlung (S. Schöpping), 1858.

und Anſichten der Parteien zu entwirren, die dem Zuſtandekommen eines Rechtsgeſchäfts entgegenſtehenden Hinderniſſe wegzuräumen, das Unweſentliche auszuſcheiden und durch eine klare, conciſe Faſſung jede zweideutige, den Keim eines Rechtsſtreites in ſich tragende Auslegung unmöglich zu machen. Dieſe Aufgabe iſt um ſo ſchwieriger, als viele Rechtsdisziplinen vorzugsweiſe in den Urkunden ihre praktiſche Anwendung finden, und erſt dadurch zur wahren Anſchauung und Geſtaltung gelangen, wie ſich denn an manchen der wichtigſten Rechtsſätze nachweiſen läßt, daß ſie erſt in Form der Verträge auftraten, ehe ſie zum Geſetze wurden, z. B. das eheliche Güterrecht in Deutſchland. Auch die noch in der Entwicklung begriffene, ſo ſchwierige Lehre von der Kolliſion der Rechtsregeln in Betreff der Zeit und des Ortes findet bei Aufnahme von Urkunden ihre Hauptanwendung u. ſ. w. Ganz entgegengeſetzter Art iſt die Thätigkeit des Richters und des Anwalts. Denn ſie haben das Recht auf einen vorliegenden Fall anzuwenden, ihre Thätigkeit iſt alſo auf Herſtellung verletzter Rechte, auf Heilung eines krankhaften Zuſtandes gerichtet.

Ferner iſt zu den Fähigkeiten, welche vorzugsweiſe bei der Aufnahme von Urkunden nöthig ſind, zu zählen die genaue Kenntniß und Beobachtung der für dieſelben vorgeſchriebenen, oft ſehr minutiöſen Formen, welche eine beſtändige und, in Folge der großen Verantwortlichkeit, doppelt aufregende Wachſamkeit erfordern. Ganz verſchieden davon ſind aber die prozeſſualiſchen Formen, welche beſonders für den Anwalt eine drückende, zeitraubende Laſt bilden.

Die geſchilderte Verſchiedenartigkeit der Gerichtsbarkeiten läßt nun die Vereinigung derſelben in Einer Perſon als durchaus unzweckmäßig und ſchädlich erſcheinen, redet daher dem abgeſonderten Notariat das Wort, und zwar aus folgenden Gründen:

1) Jene Berufsthätigkeiten erfordern verſchiedene Fähigkeiten und Neigungen, welche ſich in Einer Perſon ſelten vereinigt finden. Es würde daher von ſelbſt eine faktiſche Trennung bald erfolgen, indem Einzelne ſich mehr zum Richter oder Anwalt, Andere mehr zum Notar eignen würden und hierdurch auch ihre Beſchäftigung eine naturgemäße Einſchränkung erlitte.

2) Die Vereinigung der verſchiedenartigſten, umfangreichen und ſchwierigen Thätigkeiten, von welchen jede für ſich den ganzen Mann verlangt, nimmt dem Beamten die Möglichkeit, jeder derſelben mit voller Kraft und Aufopferung obzuliegen. Namentlich geſtattet es der Beruf des Richters und Anwalts nicht, zu jeder Zeit zur Verfügung der Parteien zu ſtehen und deren Anforderungen auf raſche

Vollziehung der Urkunden — welche oft dringend geboten ist — zu genügen.

Ferner kann auch die besondere, mit der Verwaltung der einzelnen Gerichtsbarkeit verbundene, gesellschaftliche Stellung ein Hinderniß bilden für die Thätigkeit auf dem Gebiete einer anderen Gerichtsbarkeit, ebenso auch die einseitige Richtung, welche sich in der Ausübung eines Berufes so leicht ausbildet. So wird es für den richterlichen Beamten in Folge der abgeschlossenen Stellung desselben mit größeren Schwierigkeiten, als für den mit dem Publikum viel verkehrenden Notar verbunden sein, eine für Aufnahme von Urkunden wichtige Eigenschaft sich anzueignen, nämlich die auf eigener Anschauung beruhende Kenntniß der verschiedenen Lebensverhältnisse und die Fähigkeit, auch mit dem geringen Mann sich zu verständigen. Für den Anwalt aber wird es besonders schwierig sein, einen Hauptzweck der notariellen Urkunde zu erreichen, nämlich den, dieselbe in gleichem Interesse aller Betheiligten aufzunehmen. (S. unten 4.)

Außerdem ist die Concentrirung der juristischen Thätigkeit auf einem kleinerem Gebiet auch deshalb wünschenswerth, weil dadurch eine größere Tüchtigkeit, Geschäftskenntniß und Erfahrung erreicht wird.

3) Bei Vereinigung der Gerichtsbarkeiten können Richter und Anwalt durch ihre Doppelstellung in die Gefahr eines Widerspruches mit sich selbst gebracht werden, der Richter dadurch, daß die von ihm vollzogenen Urkunden im Falle eines Prozesses seiner eigenen Entscheidung unterbreitet werden können*), der Anwalt aber dadurch, wie die Motive richtig ausführen: „daß die einseitigen Partei-Interessen, welche der Anwalt vertritt, ihn bald dahin führen können, Notariatsakte anzugreifen, bald sie zu vertheidigen, und zwar solche, bei deren Errichtung er mitgewirkt hat, und daß er dadurch der Gefahr des Konflikts mit der eigenen Ueberzeugung, der Gefährdung seines Ansehens ausgesetzt sei." Hier liegt namentlich die Verführung sehr nahe, das für das Notariat so wesentliche Amtsgeheimniß zu verletzen. So in folgendem Falle: Der Notar vollzieht heute einen Kaufakt, der Kaufpreis ist später zahlfällig.

---

*) Treffend ist dieses nachgewiesen in dem Vortrag des Justizministers von Schmerling an den Kaiser von Oesterreich hinsichtlich der Nothwendigkeit der Einführung des Notariats vom 9. Mai 1850. S. Chiari, Handb. des Oesterreich. Notariats, 2. Aufl., Wien 1856.

Darauf erscheint bei dem Rechtsanwalte ein Gläubiger des Ver-
käufers und ersucht ihn, Arrest auf dessen Gelder anzulegen und
zu ermitteln, in welchen Händen sich solche Gelder befinden. Gesetzliche Verbote, solchen Konflikten vorzubeugen*), werden hier wenig
nützen.

4) Werden aber auch durch Absonderung des Notariats Beamte geschaffen,
welche für viele Fälle als die geeignetsten Rathgeber und als Ver-
trauensmänner der Parteien erscheinen. Denn dem Richter liegt
das konsultative Element ganz ferne. Sein Beruf verbietet ihm
jede Berathung mit den streitenden Theilen und mit Parteien, die
möglicher Weise vor ihm Recht nehmen werden. Verläßt aber
der Richter als Verwalter der freiwilligen Gerichtsbarkeit den Kreis
des Rechtsprechens, so tritt er in Folge seiner Stellung doch nicht
wie der Notar in die nahen Beziehungen zum Publikum, welche
in der Regel die Quelle des persönlichen Vertrauens bilden. Was
aber den Anwalt betrifft, so ist derselbe nicht in allen Fällen als
der geeignetste Rathgeber anzusehen. Insbesondere macht es der
polemische Charakter seines Amtes dem Anwalt schwierig, als un-
parteiischer Vermittler Recht und Unrecht abzuwägen und streitende
Parteien zu vereinigen. Den Notar dagegen stellt sein vermitteln-
der Beruf über die Parteien und befähigt ihn zu einer ruhigen,
objektiven Beurtheilung. Außerdem liegt es auch dem Publikum
am nächsten und entspricht seinen Wünschen, sich in vielen Fällen
beim Notar Rath zu holen. Schon die vielen schwierigen und
verwickelten Rechtsverhältnisse, welche durch die Urkunden Gestaltung
erhalten sollen, machen es nöthig, dem Notar in offener Mitthei-
lung und unbedingtem Vertrauen entgegen zu kommen und seinen
Rath zu suchen. Aber auch in den Fällen, wo es sich nicht um
Aufnahme von Urkunden handelt, wird das Publikum oft am liebsten
den Notar als Rathgeber aufsuchen, da es in der Regel häufiger
zum Notar als zum Rechtsanwalt geführt wird, mit jenen oft in
Geschäftsverbindung steht, und nicht verschiedenen Justizbeamten
seine Verhältnisse anvertrauen mag. Auf dem Lande, wo keine
Anwälte sind, ist der Notar in seiner konsultativen Thätigkeit
geradezu ein Bedürfniß.

---

*) Vergl. Not.-Ordn. für Altpreußen vom 11. Juli 1845, §. 6, für Oester-
reich vom 21. Mai 1855, §. 39, für Sachsen vom 3. Juni 1859, §. 11 Nr. 6, für
Hannover vom 18. September 1853.

5) Wird nur durch das abgesonderte Notariat ein selbstständiges Organ geschaffen, welches zwischen den Forderungen der Rechtswissenschaft und des praktischen Lebens vermittelnd*) und bildend in das Rechtsleben eingreift. Ein Beispiel hiervon liefert Ober- und Mittel-Italien, wo seit dem 12. Jahrhundert die Notarien in dem Kampfe der Lokalrechte gegen das Römische Recht jene Lokalrechte durch genaue Festsetzung in ihren Urkunden sicherten und einen großen Einfluß auf die damalige Rechtsbildung ausübten**)

Alle diese Gründe erweisen den Grundsatz der Trennung der Gerichtsbarkeiten als ein Gebot für die Rechtspflege. Viele ausgezeichnete Schriften reden dafür***).

Von großer Bedeutung für die Gesetzgebung ist das geistvolle Gutachten der Königl. Preußischen Immediat-Justizkommission aus dem Jahre 1816, welches ausführlich die Gründe für die in Rheinpreußen bestehende Trennung der Gerichtsbarkeiten in Vergleichung zu dem entgegengesetzten Zustande in den Preußischen Altlanden entwickelt. Auf Grund desselben wurde das Französische Notariat in Rheinpreußen beibehalten†).

Nach diesen Ausführungen kann ich meine vollste Uebereinstimmung mit dem Antrage und den Motiven aussprechen, daß das Notariat von der Anwaltschaft nicht minder, als vom Richteramte zu trennen ist.

---

*) Die seit 1856 zu Köln erscheinende Zeitschrift für das Notariat, herausgegeben von dem Verein für das Notariat in Rheinpreußen, hat sehr viel dazu beigetragen, insbesondere diesen Beruf des Notariats, die Theorie mit der Praxis zu vermitteln, zur größeren Geltung zu bringen.

**) v. Savigny, Gesch. des R. R. im Mittelalter V., S. 469, 474, 475, 481.

***) Ich citire nur folgende von richterlichen Beamten: C. W. v. Reibnitz (Königl. Preuß. Landesgerichts-Präsident), Versuch über das Ideal einer Gerichts-Ordnung, Berlin 1815, 1. Theil; von Grolman (Ober-Appellationsgerichtsrath), Code Napoléon, Einleitung IX.; Seypel (Appellationsgerichtsrath) im Niederrhein. Archive (Köln) I., S. 321—424 u. f. w.

†) Das Gutachten ist allein abgedruckt in meinem oben angegebenen Handbuche des Notariats, S. 91—124.

Gutachten über die Anträge des Kreisrichter Zenthöfer zu Rybnick:

(Verhandl. des III. D. J.-T. Bd. 1, Nr. 21 der Anträge.)
betr. das Civilprozeßverfahren.

Gutachten des Gerichtsrath Wengler in Dresden.

Diese, bei dem dritten Deutschen Juristentage eingegangenen, von demselben jedoch an die ständige Deputation, und von dieser wiederum dem gegenwärtigen Referenten zur Berichterstattung überwiesenen Anträge haben insgesammt den Zweck, bei Geltendmachung privatrechtlicher Befugnisse, beziehentlich Obliegenheiten einem prozessualischen Verfahren überhaupt, oder wenigstens einem ordentlichen Prozesse vorzubeugen.

Die Anträge selbst sind — vergl. Deutsche Gerichtszeitung v. J. 1862, Nr. 53, S. 218, Spalte 1 — also formulirt:

1. Die durch eine öffentliche qualifizirte Urkunde beglaubigte privatrechtliche Befugniß, beziehungsweise Obliegenheit ist, im Falle sie nicht von einer sogenannten Suspensiv-Bedingung abhängt, innerhalb einer bestimmten Frist ohne vorherigen Prozeß exekutionsfähig.

2. Der Streit über eine privatrechtliche Befugniß, beziehungsweise Obliegenheit ist versuchsweise ohne ordentlichen Prozeß in der Art beizulegen, daß

    a) das Erkenntniß nach dem gesetzlich statthaft erfundenen Antrage des Berechtigten ertheilt und bei unterbliebener Erhebung des dem Verpflichteten dagegen innerhalb einer bestimmten Frist zulässigen Widerspruchs für wirksam erklärt, eventuell

    b) auf den Antrag des dergestalt in Anspruch genommenen Verpflichteten zwischen diesem und dem Berechtigten, ebenso wie auf den gemeinschaftlichen Antrag beider Theile ein Vergleich vermittelt wird.

3. Bei einer im Streite über eine privatrechtliche Befugniß, beziehungs-

weise Obliegenheit unter den Parteien über die Thatfrage stattgehabten Verständigung ist, vorbehaltlich der Nichtigkeitsbeschwerde,
über die Rechtsfrage ohne ordentlichen Prozeß zu entscheiden.

Wenn Referent diese Anträge in ihrer Gesammtheit, beziehentlich mit
einigen weiter unten besonders hervorzuhebenden Modifikationen dem Juristentage, wie hiermit geschieht, zur Annahme empfiehlt, so kann sich derselbe einer
ausführlicheren Begründung seines Votums hier um deswillen enthalten, weil
die von dem Herrn Kreisrichter Zenthöfer angerathenen prozessualischen
Einrichtungen bereits hie und da im Wege der Partikular-Gesetzgebung in's
Leben gerufen und, wie früher von der Theorie, so insbesondere auch von
der Praxis als wohlthätig wirkend anerkannt worden sind.

Wendet man sich zu den einzelnen Anträgen selbst, so steht der Antrag

unter 1.

scheinbar mit den obersten Prinzipien des Prozesses, und namentlich des ge-
meinen Deutschen Prozeßrechts im Widerspruch. Denn bereits auf den Vorschriften des Römischen Rechts (vgl. fr. 38. D. 42. 1. [de re jud.] c. 1
Cod. VII. 53. [de exec. rei jud.]), beruhet der Grundsatz, daß mit der
Exekution nicht der Anfang gemacht werden dürfe. Hieraus hat sich die
Nothwendigkeit des rechtlichen Gehörs der Parteien entwickelt, ein rechtliches
Befugniß, welches insbesondere dem Beklagten zusteht, indem dieser sich nicht
nur gegen den wider ihn erhobenen Anspruch vertheidigen darf, sondern, in
der Regel wenigstens, sogar ausdrücklich dazu veranlaßt werden muß, bevor
seine Verurtheilung erfolgen kann (vergl. Osterloh: der ordentliche bürgerliche Prozeß nach Königl. Sächsischem Rechte §. 54). Allgemeine Voraussetzung der Exekution ist daher, daß die Sache bereits entschieden und die
Entscheidung rechtskräftig geworden sei.

Als Ausnahme von dieser Regel ist es zu betrachten, wenn man hier
und da gewissen Urkunden, welche als solche der Rekognition nicht bedürfen,
die Wirkung der in den Quellen sogenannten parata executio beigelegt hat.
Man ging von dem gewiß ganz richtigen Grundsatze aus, daß ein Kläger,
welchem derartige Urkunden zu Gebote stehen, durch dieselben dem Richter
sofort klare Ueberzeugung von der Rechtmäßigkeit seines Anspruches verschaffen
könne. Hieraus entwickelte sich allmälig das unter dem Namen des Exekutionsprozesses bekannte prozessualische Verfahren, dessen eigentliches Wesen in
einer Mischung des gemeinen Mandatsprozesses mit dem Exekutivprozesse besteht, und welches dann gestattet wird, wenn der Kläger seinen Anspruch durch
öffentliche klare Urkunden, durch sogenannte documenta guarentigiata
publica sofort in allen Punkten zu rechtfertigen vermag. Ob diese Prozeßart
auf gewisse analoge Einrichtungen des Römischen Prozesses erweislichermaßen
zurückgeführt werden könne, soll gegenwärtig nicht näher erörtert werden.

Zwar wurde schon bei den Römern in klaren Schuldsachen summarisch verfahren (C. 6. Cod. Sheod. de denunc.), und auch der Reichsabschied
vom Jahre 1654, §. 174, gestattet wider saumselige Schuldner auf bloßes
Vorzeigen der Schuldverschreibung sofort die Verfügung der Hülfe. Dessenungeachtet erscheint es zweifelhaft, ob sich auf diese Vorgänge die Einführung
des heutzutage üblichen Exekutionsprozesses begründen lasse; richtiger möchte
es vielmehr sein, den Ursprung sowie die allmälige Ausbildung dieses Institutes in Deutschen Partikulargesetzen und in dem Deutschen Gerichtsbrauche
zu suchen. Begründet ist jedenfalls die Thatsache, daß die Anfänge dieses
Verfahrens sich in einzelnen Ländern bereits ziemlich früh zeigen, wofür beispielsweise hier nur die Kurfürstlich Sächsische Landesordnung vom Jahre
1555 angeführt sein möge.

Die Fälle, in welchen der Exekutionsprozeß zur Anwendung kommt,
können nun mit Rücksicht auf die dabei in Betracht gelangenden öffentlichen
Urkunden verschieden sein, je nachdem nämlich dem Kläger rechtskräftige Erkenntnisse zur Seite stehen, oder sich derselbe auf andere öffentliche Urkunden
stützt, aus denen die faktischen Unterlagen, auf welche er sich bei Verfolgung
seines Rechts beruft, mit Bestimmtheit hervorgehen. Daß es in Fällen der
ersteren Art, — welchen übrigens der Natur der Sache nach auch prozeß-
richterliche Vergleiche gleichzustellen und nach einzelnen Partikulargesetzgebungen
auch bereits gleichgestellt sind, — eines nochmaligen Prozesses nicht bedürfe,
sondern daß der Gläubiger auf Grund solcher Urkunden sofort die Einleitung
des Hülfsverfahrens gegen seinen verurtheilten Schuldner zu beantragen berechtigt sei, bedarf keiner näheren Auseinandersetzung. Auf Fälle dieser Art
scheint auch der oben unter 1. hervorgehobene Antrag nicht hinzudeuten, indem
derselbe wohl nur die Fälle der zweiten Kategorie vor Augen hat. Da, wo
der Gläubiger sich nun weder auf rechtskräftige Erkenntnisse, noch auf Vergleiche, welche im Laufe eines bereits anhängigen Rechtsstreites und über denselben vor dem Prozeßrichter abgeschlossen wurden, zu stützen im Stande ist,
wird es vor Einleitung des wirklichen Hülfsverfahrens allerdings immer noch
in gewisser Beziehung der Anstellung der Klage bedürfen. Es vertritt jedoch
in Fällen dieser Art der einfache, auf qualifizirte Urkunden gestützte Antrag
des Klägers die Stelle der wirklichen Klage. Dieser Antrag reicht aus, um
den Prozeß zu eröffnen, und es erscheint unter der vorhin gedachten Voraussetzung der Richter berechtigt, nach vorgängiger Feststellung des liquiden An-
spruchs eine Auflage an den verklagten Schuldner zu erlassen, in welcher er
demselben die Befriedigung des Klägers binnen einer bestimmten Frist unter
der Verwarnung aufgiebt, daß bei unterbliebener Berichtigung innerhalb
dieser Frist nach Ablauf derselben auf anderweiten Antrag des Gläubigers
sofort das Hülfsvollstreckungsverfahren wider ihn eingeleitet werden solle.

Infoweit enthält also der Zenthöfer'ſche Antrag Etwas nicht, was denſelben bedenklich oder verwerflich erſcheinen laſſen könnte. Inſofern jedoch der Herr Antragſteller zugleich auch Anerkennung des Satzes bezwecken ſollte, daß das Vertheidigungsrecht des Beklagten bei dieſem prozeſſualiſchen Verfahren gänzlich ausgeſchloſſen und daher gegen Schuldner, ſobald derſelbe innerhalb der ihm zu verſtattenden Friſt dem Injunkte nicht Folge leiſtet, nunmehr auf Anſuchen des Klägers ſchlechterdings und unter allen Umſtänden mit der Exekution vorzugehen ſei, ſo würde Referent dem Antrage in dieſem Umfange nicht beiſtimmen können. Denn obſchon der Urkundenprozeß zu Gunſten des Gläubigers eingeführt iſt, um ihm ſchleuniger zu ſeinem erwieſenen Rechte zu verhelfen, als es bei dem langſameren und aufhältlicheren Gange des ordentlichen Prozeſſes oder eines ſolchen Prozeſſes geſchehen kann, wo im erſten Verfahren auf Beſcheinigung und beziehentlich Gegenbeſcheinigung erkannt wird, ſo rechtfertigt es doch andererſeits die Rückſicht auf das beiden Parteien gebührende rechtliche Gehör, daß es dem Beklagten verſtattet ſein müſſe, gewiſſe ihm zur Seite ſtehende Einwendungen dem Kläger auch in dieſem Verfahren entgegenzuſtellen. Die Rückſicht auf dieſes rechtliche Gehör bedingt es daher, daß dem Beklagten mit der Auflage, in welcher ihm die Befriedigung des Klägers aufgegeben wird, zugleich die Geltendmachung ſeiner etwaigen Einwendungen gegen das Verfahren nachgelaſſen werde, es mögen nun dieſe Einwendungen gegen die Liquidität des Anſpruchs im Allgemeinen oder im Beſonderen gerichtet oder aber ſolche ſein, mit denen bewieſen werden ſoll, daß der Anſpruch des Klägers entweder gar nicht habe entſtehen können, oder doch, daß derſelbe wenigſtens wieder aufgehoben worden ſei. Es wird jedoch dieſe ſogenannte juſtifikatoriſche Klauſel nur auf die Geltendmachung ſolcher Einreden zu beſchränken ſein, welche ſofort durch Urkunden in rechtliche Gewißheit geſetzt werden können, alſo mit Ausſchluß derjenigen, für welche es an urkundlicher Beſcheinigung gebricht. Werden nun vom Beklagten innerhalb der Paritionsfriſt Einwendungen nicht vorgebracht, ſo iſt die ſofortige Vornahme der Hülfsvollſtreckung auf erneuetes Anſuchen der klagenden Partei zuläſſig, und dies wird auch in den Fällen anzunehmen ſein, wenn Einwendungen zwar vorgebracht, jedoch als unbeachtlich zurückgewieſen wurden. Erſchienen dieſelben aber nicht ohne Weiteres als verwerflich, ſo wird zuvörderſt eine richterliche Entſcheidung darüber eintreten müſſen, und von dem Inhalte dieſer Entſcheidung wird es abhängen, ob dem Verfahren gegen den Beklagten weiterer Fortgang zu geben oder daſſelbe einzuſtellen iſt.

Es wurde bereits oben angedeutet, daß dieſe Grundſätze zum Theil ſchon in einigen Partikulargeſetzgebungen anerkannt ſind. Als Beleg können in dieſer Beziehung das Herzogl. Oldenburgische Prozeßreglement vom 15. März 1824 (§. 10 ff.),

die Großherzogl. Badische Prozeßordnung vom 31. Dezember 1831 (§§. 702—725) und

das Königl. Preußische Gesetz vom 1. Juni 1833 über den Mandats-, summarischen und Bagatell-Prozeß, nebst der Ministerial-Instruktion dazu vom 24. Juli 1833

angeführt werden. Nach diesen Gesetzgebungen sind jedoch als Einwendungen statthaft nicht blos diejenigen, welche durch Urkunden bescheinigt werden, sondern auch solche, deren Erweislichmachung durch Eidesantrag und, nach der Königl. Preußischen Gesetzgebung, sogar durch Zeugen geschehen kann. Eine derartige Ausdehnung des dem Beklagten gebührenden Vertheidigungsrechtes erscheint jedoch im Hinblick auf die eigenthümliche Natur des Urkundenprozesses nicht gerechtfertigt, und es verdienen daher in der hier fraglichen Beziehung diejenigen Gesetzgebungen den Vorzug, welche nur solche Einreden gestatten, die sofort durch Urkunden liquid gestellt werden können. Von diesem Grundsatze geht insbesondere das

Königl. Sächsische Gesetz vom 28. Februar 1838, das Verfahren bei Vollstreckung gerichtlicher Entscheidungen in privatrechtlichen Streitigkeiten und den Exekutionsprozeß betreffend,

aus, dessen hauptsächlichste Bestimmungen, soweit sie hier einschlagen, kürzlich noch mitgetheilt werden sollen.

Der Richter hat hiernach aus öffentlichen, des Anerkenntnisses nicht bedürfenden Urkunden, auch wenn sie von einem anderen Gerichte ausgegangen, sofern der Grund des Anspruches daraus vollständig erhellet, eine Auflage an den Beklagten auf Befriedigung des Berechtigten, unter der Androhung, daß widrigenfalls mit der Hülfsvollstreckung wider ihn verfahren werden solle, zu erlassen. Die Frist zur Klaglosstellung des Ansuchenden ist bei größeren Werthsbeträgen eine Frist von drei Wochen, bei geringfügigen Sachen eine kürzere. Der Auflage sind außer dem Anbringen des Gegners auch die Urkunden, auf welchen selbiges beruht, in Abschrift beizufügen. Dem Beklagten ist in dieser Auflage zugleich aufzugeben, daß, wenn er etwaige Einwendungen gegen die Zulässigkeit des Verfahrens überhaupt, oder in Hinsicht auf Einzelheiten desselben zu haben glaube, oder inwiefern er dem Suchen des Gegners Einreden entgegenstellen wolle, welche auf Thatsachen beruhen, zu deren Beweise er mit öffentlichen oder Privaturkunden versehen ist, die dem Gegner zum Anerkenntnisse vorgelegt werden dürften, er solche bei deren Verluste noch vor Ablauf der ihm gesetzten Frist bei Gericht schriftlich anzeigen, die Urkunden aber unter der Verwarnung, daß solche außerdem nicht zu beachten,

in den Originalien oder doch in Abschrift einreichen solle. Wenn von dem
Beklagten Einwendungen und Einreden in diesem Maße vorgebracht werden,
so hat der Richter darauf Entschließung zu fassen und, wenn die Einwendungen unbegründet befunden werden, solche mit Angabe des Grundes zu den
Akten zu bemerken und beiden Theilen eine Abschrift des Protokolls mitzutheilen. Erscheint aber der Einwand nicht sofort verwerflich, so ist unter
Einräumung einer kurzen Frist ein Verhörstermin anzuberaumen, wozu beide
Theile schriftlich vorzuladen sind. In diesem Termine hat sich der Kläger
über die vom Gegner gemachten Einwendungen, ingleichen, wenn Urkunden
wider ihn vorgebracht worden, über deren Echtheit zu erklären und, im Falle
er sie abzuleugnen gemeint, sofort den Diffessionseid zu leisten. Nach Beendi-
gung der Verhandlung hat das Gericht sofort den Parteien einen Bescheid
zu eröffnen, vor dessen Rechtskraft mit weiterem Verfahren in der Sache
anzustehen ist. Wenn die Rechtskraft eingetreten, oder wenn entweder keine
oder solche Einwendungen vorgebracht worden, welche der Richter sofort als
unerheblich verworfen, so sind die allgemeinen, in dem Gesetze wegen Exekution rechtskräftiger Entscheidungen ertheilten Vorschriften auch auf das weitere
Verfahren im Exekutionsprozesse anzuwenden. —

Zu 2.

Der Antrag unter 2. bezweckt in Ansehung des Civilprozesses die Einführung einer Einrichtung, welche dem im Strafprozesse üblichen Submissions-
verfahren analog nachgebildet ist und im Allgemeinen auf ähnlichen Grundsätzen, welche dem Exekutions- oder Mandats-Prozesse eigenthümlich sind,
beruhet, andererseits jedoch insofern weiter geht, als die Einführung des
Mandatsprozesses auch in denjenigen Fällen vorgeschlagen wird, in welchen
dem Kläger urkundliche Nachweise seiner behaupteten Ansprüche nicht zur Seite
stehen. In manchen Deutschen Ländern hat man bereits dieses sogenannte
Mahnverfahren als eine wirksame Maßregel anerkannt, um die sofortige exeku-
tionsmäßige Realisirung eines Anspruches herbeizuführen. In der That läßt
sich auch die praktische Wichtigkeit desselben nicht verkennen. Man hat in
dieser Beziehung mit Recht auf den Erfahrungssatz hingewiesen, daß eine
Menge von Rechtsverhältnissen des täglichen Lebens und Verkehrs im Wege
des förmlichen Prozesses zur Entscheidung an die Gerichte gelangen, ohne
daß eigentlich ein Streit unter den Betheiligten darüber obwaltet. Denn
der Verpflichtete unterläßt die Erfüllung der ihm obliegenden Verbindlichkeiten
oft nur aus Nachlässigkeit, und eine gehörige Interpellation würde in vielen
Fällen zu einer schnellen, einfachen und wohlfeilen Erledigung der obwaltenden Differenzen ausreichen. Ebenso ist es eine durch die Erfahrung bestätigte
Thatsache, daß da, wo es zur gerichtlichen Mahnung des Schuldners einer
förmlichen Klageerhebung bedarf, der Kostenaufwand ein viel beträchtlicherer ist,

und daß der Beklagte, nachdem ihm dieser Kostenaufwand einmal verursacht worden ist, eine Vermehrung desselben in Folge des Fortgangs des Prozesses nicht scheut.

Das von dem Herrn Antragsteller vorgeschlagene Verfahren erscheint daher allerdings geeignet, auf Vermeidung förmlicher Prozesse hinzuwirken, und es muß dasselbe als um so unbedenklicher bezeichnet werden, weil es dem Vertheidigungsrechte des auf diese Art in Anspruch genommenen Schuldners in keiner Weise präjudizirt. Denn sobald die Gegenpartei innerhalb der ihr nachgelassenen Frist Widerspruch gegen das an sie ergangene Zahlungsgebot erhebt, so hindert dies zwar den Fortgang des Verfahrens und es muß die Verweisung des Klägers auf den Rechtsweg erfolgen, es wird jedoch andererseits hierdurch die Möglichkeit zu einer vergleichsweisen Beilegung einer solchen Differenz auch in diesem Stadium des Verfahrens nicht ausgeschlossen, vielmehr ist die Anberaumung eines dazu bestimmten Termins auf den Antrag der Parteien oder der einen oder anderen derselben statthaft, nur wird es hier lediglich bei Vergleichsverhandlungen sein Bewenden haben müssen und demnach, sobald auf die angegebene Weise eine Vereinigung unter den streitenden Theilen nicht zu Stande kommt, jedes fernere Verfahren zu sistiren und das erlassene Zahlungsgebot außer Wirksamkeit zu setzen sein.

Inwiefern übrigens eine Beschränkung dieses Verfahrens auf bestimmte Kategorien von Forderungen räthlich sei, ist gegenwärtig nicht näher zu untersuchen; zu bemerken ist jedoch, daß einzelne Partikulargesetzgebungen eine solche Beschränkung statuiren, wie denn insbesondere ein hier einschlagendes Königl. Sächsisches Gesetz vom 13. Dezember 1861 das Mahnverfahren nur für Geldansprüche bis zu Fünfzig Thalern — und übrigens auch nur dann gestattet, wenn sie auf Vertrag beruhen und auf eine bestimmte Summe gerichtet sind, weshalb also Ansprüche, deren thatsächliche Begründung mehr verwickelter Art ist, wie z. B. Schädenansprüche, von der Verfolgung im Wege des Mahnverfahrens ausgeschlossen bleiben. Die Beschränkung des Mahnverfahrens auf Geldforderungen aber beruhet insbesondere noch auf der Erwägung, theils, weil es bei dieser hauptsächlich als Bedürfniß erschien, theils darum, weil die Frage, ob eine Verbindlichkeit durch Gewährung individuell bestimmter Sachen erfüllt werden muß, oder ob zur Erfüllung die Gewährung von Sachen gleicher Gattung genügt, im einzelnen Falle leicht Zweifeln unterliegt. —

Zu 3.

Der Herr Antragsteller erklärt sich für die Zulässigkeit einer rechtlichen Entscheidung ohne vorherige förmliche Klage und ohne daß es der Absetzung eines rechtlichen Verfahrens unter den Parteien bedürfen soll. Im Allgemeinen ist die Zulässigkeit und Zweckmäßigkeit der vorgeschlagenen Progebur anzuerkennen. Da, wo das Streitverhältniß sich leicht übersehen läßt, insbesondere in den Fällen, wo über die einem streitigen Anspruche zum Grunde liegenden thatsächlichen Momente bereits Einverständniß unter den Parteien obwaltet, wird der Richter, auch ohne daß es der Anstellung einer ordentlichen Klage bedarf, meistens in der Lage sein, sofort eine definitive Entscheidung zu ertheilen. Es ist jedoch diesfalls die Zulässigkeit eines derartigen Verfahrens von der Voraussetzung abhängig zu machen, daß die Parteien selbst sich in der angegebenen Weise durch Kompromiß vereinigen, und von diesem Gesichtspunkte aus ist es unbedenklich, den Grundsatz anzuerkennen, daß den Parteien freisteht, zur Vermeidung prozessualischer Weiterungen kompromißweise dahin übereinzukommen, über eine unter ihnen streitige Frage rechtlich erkennen zu lassen. Nur wird es freilich ferner Sache der Parteien sein, bevor sie ein solches Kompromiß zur richterlichen Genehmigung vortragen, vorher die faktischen Unterlagen für die Entscheidung gemeinsam zusammenzustellen, damit der Richter in den Stand gesetzt werde, zu prüfen, ob lediglich die Entscheidung von Rechtsfragen übrig bleibe. Eine derartige causae cognitio ist aber dem Richter, wie überhaupt bei Genehmigung von Kompromissen, auch hier nicht zu versagen, dergestalt, daß derselbe den Antrag der Parteien auf sofortige rechtliche Entscheidung zurückweisen kann, wenn ihm die streitige Angelegenheit in thatsächlicher Beziehung noch unvollständig erörtert erscheint. Geht der Richter dagegen auf das Kompromiß ein, so hat alsdann die von ihm ertheilte Entscheidung als eine materielle und definitive zu gelten, und eine Wiederanregung der streitigen Angelegenheit in prozessualischem Wege ist den Parteien nur insofern zu gestatten, als dieselben die Entscheidung durch Beschreitung des ordentlichen Instanzenzuges anfechten wollen; denn nur die Einwendung eines ordentlichen Rechtsmittels, nicht aber im Allgemeinen die Nichtigkeitsbeschwerde, ist den Parteien in solchen Fällen nachzulassen, wenn anders die einem derartigen Verfahren zum Grunde liegende Tendenz: möglichste Beseitigung prozessualischer Weiterungen, erreicht werden soll.

Gutachten über den Antrag des Kreisgerichtsrath von Piper zu Wrietzen:

„daß die Entscheidung von Prozessen bis zu 5 Thlr. (einschließlich) den Ortsgerichten mit Vorbehalt des Rekurses an den Richter überwiesen werde."

Gutachten des Gerichtsrath Wengler in Dresden.

Bei dem dritten Deutschen Juristentage hatte Herr Kreisgerichtsrath v. Piper in Wrietzen den Antrag gestellt:

> "Der Deutsche Juristentag wolle für zweckmäßig erachten,
> daß die Entscheidung von Prozessen bis zu Fünf Thalern —
> einschließlich — den Ortsgerichten mit Vorbehalt des Rekurses
> an den Richter überwiesen werde." (Vgl. Deutsche Gerichts-
> zeitung vom Jahre 1862, Nr. 35, S. 142, Spalte 2 unter
> Nr. XII b.)

Der Juristentag aber hatte (vergl. Deutsche Gerichtszeitung Nr. 53, Spalte 1) diesen Antrag zur Berichterstattung an die ständige Deputation verwiesen.

Mit dieser Begutachtung ist der Verfasser gegenwärtiger Zeilen beauf-tragt worden. Wenn derselbe diese Aufgabe im Nachstehenden zu erledigen versucht hat, so bittet er zugleich — mit Rücksicht auf die kurze Zeit, welche er auf diese Arbeit ebenso, wie auf die Begutachtung einiger anderer bei dem Juristentage eingegangener Anträge verwenden konnte, — um Nachsicht, daß diese Erörterungen nicht so gründlich und in die Sache eingehend ausgefallen sind, als dies in den Wünschen des Verfassers selbst gelegen hat.

Wendet man sich nun zunächst zu dem oben ausgehobenen Antrage des Herrn v. Piper, so erheischt es die Wichtigkeit des Gegenstandes, auf die-jenigen Gründe zurückzugehen, mit welchen der Herr Antragsteller selbst seinen Vorschlag unterstützt hat.

"Die oft weite Entfernung der Parteien vom Gerichtssitze" — so heißt es in dieser Beziehung — "und die in gewissen Jahres-zeiten mangelhafte Beschaffenheit der Wege erschwert den Parteien

die perfönliche Führung ihrer Bagatellprozesse am Size des Gerichts bedeutend und vertheuert sie für den unterliegenden Theil
derartig, daß oft die zu erstattenden Reisekosten das geringfügige
Prozeßobjekt übersteigen.

Dies stimmt nicht mit einer ordnungsmäßigen Rechtspflege
überein, während die Rechte der Parteien gewahrt sind, wenn ihnen
gegen die Entscheidung der Ortsgerichte der Rekurs an den Richter
zusteht."

Im Allgemeinen kann diesen Motiven nur beigepflichtet werden. Ziemlich
allgemein und zum Theil nicht ohne Grund ist unter dem rechtsuchenden
Publikum der Glaube verbreitet, daß, wer das Unglück habe, in einen Prozeß
zu gerathen, abgesehen von der Ungewißheit über Erlangung des gesuchten
Rechts, dieses doch nur mit einem, oft nicht unbedeutenden Aufwande an Zeit
und Kosten erreichen könne.

Aufgabe einer weisen Prozeßgesetzgebung ist es daher, solche Einrichtungen
zu schaffen, welche die möglichst höchste Gewähr dafür bieten, daß die Anerkennung des wirklichen Rechts mit Sicherheit, schnell und wohlfeil zu erreichen
ist. Bereits aus dem Römischen Rechte läßt sich dieser Grundgedanke nachweisen; denn dem Richter ist hier, nach ausdrücklicher gesetzlicher Vorschrift,
zur Pflicht gemacht, dahin zu sehen, daß den Parteien nicht mehr Kosten verursacht werden, als der Werth des streitigen Gegenstandes beträgt:

(Vergl. **Nov. XVII. cap. 3.**)

„Sit tibi — studium, lites cum omni aequitate audire,
et omnes quidem breviores et quaecunque maxime vilium
sunt, ex non scripto decidere et judicare, et liberare omnes
alterna contentione, et non permittere in aliquo ultra quam
continetur sacra nostra constitutione, occasione causalium
expensarum damnificari, si tamen sufficientes in datione
consistant: alioqui etiam gratis lites audire etc."

Zu den hierauf abzielenden zweckmäßigen Einrichtungen der Neuzeit gehört unzweifelhaft die Einführung eines beschleunigten und mit mäßigem
Kostenaufwande verbundenen Verfahrens in den sogenannten Bagatellsachen,
deren Normalbetrag in den verschiedenen Partikulargesetzgebungen bisher freilich nicht allenthalben gleichmäßig festgesetzt ist. Einige dieser Gesetzgebungen
haben jenes Prinzip sogar so weit ausgedehnt, daß sie in ganz geringfügigen
Rechtssachen den Ersatz der Sachwalterkosten von Seiten der sachfälligen
Partei gänzlich ausschließen, was indessen um deswillen nicht zu billigen sein
möchte, weil darin nicht nur eine Härte gegen den Sachwalterstand, sondern
auch in allen denjenigen Fällen, wo der Kläger wegen Entfernung vom Wohnorte des Beklagten, oder des Gerichts, oder aus sonst einem Grunde sich eines

Bevollmächtigten zu bedienen gezwungen ist, und die dadurch nothwendig gewordenen Kosten trotz seines erwiesenen Rechts aus eigenen Mitteln zu übertragen hat, eine Erschwerung der Rechtsverfolgung und eine Unbilligkeit gegen
die einzelnen Rechtsuchenden liegt.

Freilich führt, wie sich andererseits wiederum nicht leugnen läßt, die
unbedingte Verbindlichkeit zur Erstattung der Prozeßkosten in vielen Fällen
dahin, daß die von dem sachfälligen Theile dem Obsiegenden zu restituirenden
Kosten den Betrag der geklagten Forderung weit übersteigen. Diesem Mißverhältnisse vorzubeugen bezweckt der oben gedachte Vorschlag, und es wird,
wie dem Herrn Antragsteller zuzugeben ist, ein solches Mißverhältniß im einzelnen Falle weniger auffallend und schroff zu Tage treten, wenn von den
Lokalgerichten derartige ganz geringfügige Rechtsstreitigkeiten verhandelt und
erledigt werden. Käme es nun blos darauf an, den Ortsgerichten die gütliche
Beilegung von Bagatellprozessen zu übertragen, so würde hiergegen an und
für sich nur wenig einzuwenden sein. Allein auf Ausübung einer lediglich
innerhalb der Grenzen des Schiedsrichteramtes sich haltenden Thätigkeit der
Ortsgerichte ist der Piper'sche Antrag nicht beschränkt, vielmehr ist derselbe
darauf gerichtet, den Ortsgerichten auch die rechtliche Entscheidung in
Bagatellsachen zu überlassen. In letzterer Beziehung muß sich aber Referent
gegen den Antrag erklären.

Es handelt sich nach dem Vorbemerkten um Ueberweisung gewisser Prozesse an die Ortsgerichte, also wie sich auch aus dem vom Herrn Antragsteller
selbst hervorgehobenen Gegensatze ergiebt, an solche Personen, welche, wie wenigstens regelmäßig der Fall ist, eine gelehrte juristische Vorbildung nicht genossen haben und im Besitze einer hierauf beruhenden Rechtskenntniß sich nicht
befinden. Denn nach der bisher bestehenden Einrichtung, insoweit wenigstens
Referent dieselbe kennen zu lernen Gelegenheit gehabt hat, ist zur Uebernahme
der Funktion einer Ortsgerichtsperson — sie möge nun den Namen eines
Ortsrichters, Gerichtsschöppen oder sonst welche Bezeichnung führen, — der
Besitz besonderer Rechtskenntnisse nicht erforderlich; aus der Mitte ihrer Mitbürger gewählt, verlangt man von ihnen nur so viel, daß sie rechtschaffene
und unbescholtene Leute sind, welche die Achtung ihrer Mitbürger genießen,
und wie mit den bürgerlichen Verhältnissen im Allgemeinen, so insbesondere
mit denen des ihnen anvertrauten Bezirkes möglichst vertraut sein sollen.
Und wenn hiernächst bei der Wahl derartiger Beamten hauptsächlich auch auf
ihre Fähigkeit, schriftliche Aufsätze anzufertigen, Gewicht gelegt zu werden
pflegt, so lehrt doch andererseits wieder die tägliche Erfahrung, daß diese Erfordernisse nicht immer in einer und derselben Person sich gleichmäßig vereinigt finden, insbesondere aber dem zuletzt gedachten Erfordernisse nicht allenthalben von Seiten der Ortsgerichtspersonen entsprochen wird.

Bekanntermaßen gründet sich indessen die Entscheidung eines streitigen Rechtsfalls auf die Anwendung der bestehenden gesetzlichen oder sonst rechtlichen Vorschriften auf den konkreten Fall; sie setzt aber deshalb zugleich eine Untersuchung voraus, bei welcher es auf zwei wesentliche Punkte ankommt, nämlich das Recht und die Thatsachen, aus denen der Fall besteht. Nach beiden Richtungen wird demnach, um einen streitigen Rechtsfall entscheiden zu können, die Befähigung erfordert, das Thatsächliche des Rechtsfalles, so weit es von rechlichem Einflusse ist, nach den gesetzlichen Normen zum Zweck der Subsumtion unter das Gesetz zu konstruiren und zu erörtern, sowie andererseits die Befähigung, das ausgemittelte Faktische des Rechtsfalls unter die einschlagenden Rechtsnormen zu subsumiren und auf diese Weise mittelst eines Schlusses das Urtheil selbst zu fällen.

Läßt sich nun wohl von einfachen Leuten aus dem Bürger- oder Bauernstande eine solche genügende Instruktion streitiger Rechtsverhältnisse erwarten? Es wird diese Frage mit Grund kaum bejaht werden können, wenn man erwägt, daß in den meisten Fällen theoretische und praktische Rechtskenntnisse dazu gehören, um nach Anhörung der Parteivorträge über den Grund oder Ungrund eines Anspruches mit Sicherheit zu urtheilen, oft selbst nur das Streitige vom Nichtstreitigen klar und deutlich zu unterscheiden, beziehentlich die Parteien über ihre Ansichten und Einwendungen in der erforderlichen Weise zu belehren. Wollte man aber hiergegen einhalten, es handle sich ja nur um Zuweisung kleiner Prozesse, so müßte wiederum darauf aufmerksam gemacht werden, daß erfahrungsmäßig gerade bei Bagatellprozessen die schwierigsten und verwickeltsten Fragen, namentlich aus dem Obligationenrechte zur Entscheidung vorkommen. Dazu kommt, daß es sich hierbei nicht allein um die Feststellung und Entscheidung handelt, sondern daß, wenn anders eine Menge neuer Prozesse, welche aus unklaren und unvollständigen Registraturen hervorgehen, vermieden werden sollen, auch auf eine klare und verständliche, die Ergebnisse der gepflogenen Verhandlungen, beziehentlich des gefällten Urtheils enthaltende Niederschrift ein hauptsächliches Gewicht mit gelegt werden muß. Wird auch in dieser Beziehung bei Ueberweisung von Rechtsstreitigkeiten an die Ortsgerichte Behufs der rechtlichen Entscheidung allenthalben die erforderliche Garantie vorliegen?

Hat man diese und ähnliche Bedenken bereits früher zu wiederholten Malen gegen die Zweckmäßigkeit des Schiedsmanns-Instituts geltend gemacht, — was jedoch gegenwärtig nicht weiter erörtert werden soll, — so müssen jene Bedenken doch jedenfalls um so gewichtiger in die Wagschale fallen, wenn es sich um Prüfung der Frage handelt, ob es angemessen sei, streitige Rechtsfälle lediglich durch Männer, denen präsumtiv eine ausreichende Rechtskenntniß nicht beiwohnt und übrigens auch nicht angesonnen werden kann, entſcheiden zu laſſen. Unzweifelhaft würde es, wollte man die Kompetenz der Ortsgerichte in dieſem Umfange anerkennen, bei einer ſolchen Einrichtung in ſehr vielen Fällen an erheblichen Verſtößen gegen das materielle Recht nicht fehlen, hervorgerufen durch die Unkenntniß auf Seiten Derjenigen, denen die Inſtruktion und Entſcheidung der Sache anvertraut iſt, nicht zu gedenken der leicht möglichen Fälle, wo in Folge einer hierbei vorkommenden Einwir- kung der einen oder anderen Partei auf den· Richter und der hierdurch ent- ſtehenden unabſichtlichen Parteilichkeit des Letzteren die Partei-Intereſſen ver- letzt werden können. Ob übrigens gegen die vorgeſchlagene Einrichtung nicht auch das Bedenken ſich erheben läßt, daß durch dieſelbe den Ortsgerichten, welche meiſtens zugleich auf die Betreibung eines bürgerlichen Nahrungs- zweiges angewieſen ſind, zumal in großen und ſtark bevölkerten Bezirken, in Folge der ſich täglich häufenden Termine eine bedeutende Arbeitslaſt erwachſen würde, ſoll dermalen um deswillen dahingeſtellt bleiben, weil zur Beſeitigung dieſes, allein nicht durchſchlagenden, Bedenkens geeignete Vorkehrungen im Wege der Geſetzgebung getroffen werden können.

Anlangend aber die vorhin beſprochenen materiellen Einwendungen, ſo werden dieſelben auch vom Herrn Antragſteller ſelbſt, wie ſchon aus der For- mulirung ſeines Votums erhellt, nicht verkannt; er glaubt dieſelben indeſſen dadurch zu elidiren, daß er den Parteien die Ergreifung eines Rechtsmittels an den ordentlichen, alſo an den rechtsverſtändigen Richter nachläßt.

Allein auch dieſes Auskunftsmittel ändert nach unſerem Dafürhalten in der Sache nichts. Es ſind deshalb die hierbei möglichen Fälle noch kürzlich zu berühren. Entweder nämlich faſſen die Parteien bei der ortsgerichtlichen Entſcheidung Beruhigung, woraus in vielen Fällen jedoch keineswegs mit Sicherheit auf das Einverſtändniß derſelben mit der Richtigkeit des im kon- kreten Rechtsſtreite ertheilten Ausſpruches geſchloſſen werden darf, da der Rekurs an den ordentlichen Richter aus ganz anderen Gründen unterbleiben kann. Hier kann, wie bereits gedacht, das formelle Recht leicht den Sieg über das materielle Recht davontragen. Wenden dagegen die Parteien oder auch nur die eine oder andere derſelben ein Rechtsmittel gegen die Entſcheidung der Ortsgerichte ein, ſo wird die Sache an den ordent- lichen Richter devolvirt, welcher ſelbſtverſtändlich bei ſeiner Inſtruktion nicht an das in der ortsgerichtlichen Inſtanz zu Tage geförderte Aktenmaterial ge- bunden iſt, und insbeſondere eine Wiederholung des Beweisverfahrens vor- zunehmen berechtigt und beziehentlich verpflichtet iſt. Tritt dieſe Voraus- ſetzung ein, ſo iſt der durch die ortsgerichtlichen Verhandlungen den Parteien verurſachte Koſten- und Zeitaufwand völlig nutzlos, und es würde dies ſogar gerade zu dem Gegentheile deſſen, was der vorliegende Antrag bezweckt, näm- lich zur Vertheuerung der Prozeſſe führen. Nur da könnte vielleicht dieſer

Kostenaufwand unter Umständen ein unbedeutender genannt werden, wenn die streitenden Theile an einem und demselben Orte ihren Wohnsitz oder Aufenthalt haben, ihr beiderseitiges Erscheinen vor den Ortsgerichten also voraussetzlich mit besonderen Kosten nicht verbunden sein wird, wogegen dann, wenn der Kläger entfernt vom Wohnorte der Gegenpartei wohnt, demselben allerdings ein, nach Befinden nicht unbedeutender Aufwand entstehen kann, sei es nun durch persönliches Erscheinen vor den Ortsgerichten des Beklagten oder dadurch, daß er sich bei der Verhandlung vor letzteren durch einen Bevollmächtigten vertreten läßt.

Endlich läuft die Gestattung einer solchen Berufung an den ordentlichen Richter auf eine Häufung der Instanzen hinaus, welche bei ganz geringfügigen Rechtsstreitigkeiten schon an sich nicht zu billigen, am allerwenigsten aber Angesichts solcher Gesetzgebungen zu empfehlen ist, welche in derartigen Prozeßsachen die Berufung an die höhere Instanz ohnehin für zulässig erklären.

Nach alledem dürfte der Piper'sche Antrag dem Juristentage zur Annahme nicht zu empfehlen sein, und zwar um so weniger, als die diesem Antrage zum Grunde liegende Tendenz: Verringerung der Kostspieligkeit der Prozesse, durch andere Mittel sich wenigstens annähernd eben so gut erreichen läßt. Ohne auf eine tiefere Erörterung darauf abzweckender Vorschläge, die hier nicht am Orte sein würde, einzugehen, begnügt man sich gegenwärtig mit der Andeutung, daß einestheils die Bildung nicht allzu umfangreicher Gerichtsbezirke, sowie andererseits die Verpflichtung der Gerichte zur gütlichen und kostenfreien Vermittlung streitiger, noch nicht gerichtlich anhängiger Civilansprüche — eine Einrichtung, welche hie und da in Deutschland bereits gesetzlich besteht und da, wo dies der Fall ist, nach den bisherigen Erfahrungen als erfolgreich sich erwiesen hat — dazu geeignet sind, den Klagen über Vertheuerung der Rechtshülfe abzuhelfen. Im Allgemeinen aber darf nicht unberücksichtigt bleiben, daß ein jeder Prozeß — es sei nun seiner Veranlassung, seinem Verlaufe oder Ergebnisse nach — unter allen Umständen ein Uebel ist und bei der Unvollkommenheit aller menschlichen Verhältnisse es mehr oder weniger auch bleiben wird.

A.

Alphabetisches Verzeichniß

derjenigen

Mitglieder des 4. Deutschen Juristentages,

welche dem Vereine schon im Jahre 1862 angehörten,

nach Staaten geordnet.

Nr.	Name.	Stand.	Wohnort.
	Herzogthum Anhalt-Bernburg.		
1	Dr. Bolze	Advokat	Bernburg.
2	Dr. Calm	Rechtsanwalt	Bernburg.
3	Schröder	Advokat.	Bernburg.
	Herzogthum Anhalt-Dessau.		
4	Dr. O. Behr	Rechtsanwalt	Cöthen.
5	Holzmann	Kreisgerichts-Assessor	Cöthen.
6	Lezius	Rechtsanwalt	Cöthen.
7	Dr. Siegfried	Geh. Justiz- u. Ober-Landes-gerichtsrath	Dessau.
8	Dr. Sintenis	Ober-Landesgerichts-Präsid.	Dessau.
	Großherzogthum Baden.		
9	Aberle	Amtsrevisor u. Bezirks-Notar	Müllheim.
10	Bachelin	Hofgerichtsrath und Staats-Anwalt	Freiburg.

Nr.	Name.	Stand.	Wohnort.
11	v. Bechtold	Hofgerichts-Sekretair	Bruchsal.
12	Dr. Behaghel	Professor	Freiburg.
13	Bensinger	Obergerichts-Advokat	Mannheim.
14	Dr. Bingner	Regierungs-Assessor	Karlsruhe.
15	v. Blittersdorff	Amtsrichter	Säckingen.
16	Blum	Doktor der Rechte	Heidelberg.
17	Dr. Bluntschli	Professor	Heidelberg.
18	Bodenheim	Advokat	Karlsruhe.
19	Bohm	Hofgerichts-Direktor	Bruchsal.
20	Brauer	Hofgerichtsrath	Bruchsal.
21	Buch	Hofgerichts-Advokat	Freiburg.
22	Busch	Advokat	Karlsruhe.
23	Dr. Chelius	Amtsrichter	Mannheim.
24	Courtin	Universitäts-Amtmann	Heidelberg.
25	Dietz	Oberamtsrichter	Bruchsal.
26	G. v. Dusch	Ministerialrath	Karlsruhe.
27	Eckert	Direktor des Männer-Zucht-hauses	Bruchsal.
28	Eimer	Hofgerichtsrath	Freiburg.
29	Eisenlohr	Oberhofgerichts-Referendar	Karlsruhe.
30	Dr. Eller	Obergerichts-Anwalt	Mannheim.
31	Esser	Obergerichts-Advokat	Mannheim.
32	Ettlinger	Obergerichts-Advokat	Karlsruhe.
33	v. Feder	Rechtsanwalt	Offenburg.
34	Dr. Fetzer	Hofgerichts-Präsident	Freiburg.
35	v. Freydorf	Ministerialrath	Karlsruhe.
36	Dr. Fritschi	Amtsrichter	Neckarbischofsheim.
37	Dr. M. Fürst	Rechtsanwalt	Schopfheim.
38	Gänseblum	Amtsrichter	Neustadt.
39	Gerhardt	Rechnungsrath, Deputirter des Badenschen Notariats-Vereins	Karlsruhe.
40	Dr. Grimm	Rechtsanwalt	Pforzheim.
41	v. Gulat	Referendar	Bruchsal.
42	Gutmann	Obergerichts-Advokat	Bruchsal.

Nr.	Name.	Stand.	Wohnort.
43	Gutmann	Rechtsanwalt	Karlsruhe.
44	Haaß	Hofgerichtsrath und Staats-anwalt	Bruchsal.
45	Hebting	Amtmann	Schönau.
46	v. Heiligenstein	Hofgerichts-Referendar	Bruchsal.
47	Heinsheimer	Referendar	Freiburg.
48	Heß	Referendar	Bruchsal.
49	Heydweiller	Amtsrichter	Offenburg.
50	Hildebrandt	Hofgerichtsrath	Bruchsal.
51	Dr. Jolly	Regierungsrath	Karlsruhe.
52	Kärcher	Amtsrichter	Rastatt.
53	Kamm	Amtsrichter	Pforzheim.
54	Kamm	Referendar	Achern.
55	Klehe	Hofgerichtsrath	Mannheim.
56	Krämer	Advokat	Karlsruhe.
57	Kusel	Obergerichts-Anwalt	Bruchsal.
58	Dr. Laband	Privat-Dozent	Heidelberg.
59	Lacaste	Hofgerichtsrath	Bruchsal.
60	Dr. Ladenburg	Obergerichts-Advokat	Mannheim.
61	Dr. Lamey	Geh.-Rath, Präs. d. Großh. Minist. d. Innern	Karlsruhe.
62	Levinger	Advokat	Karlsruhe.
63	Mann	Hofgerichtsrath	Konstanz.
64	Mays	Hofgerichtsrath und Staats-anwalt	Mannheim.
65	Dr. Minet	Legationsrath	Karlsruhe.
66	Dr. Mittermaier	Geh. Rath und Professor	Heidelberg.
67	Mors	Amtsrichter	Sinsheim.
68	Müller	Amtsrichter	Schopfheim im Badischen Wiesenthale.
69	Nebenius	Oberamtsrichter	Karlsruhe.
70	Nüßlin	Staatsrath	Karlsruhe.
71	Oehl	Rechtsanwalt	Willingen im Badischen Schwarzwalde.
72	Ottendorff	Hofgerichtsrath	Bruchsal.

Nr.	Name.	Stand.	Wohnort.
73	Pfeiffer	Amtsrichter	Genzenbach.
74	Dr. Puchelt	Hofgerichtsrath	Bruchsal.
75	Ree	Obergerichts-Anwalt	Bruchsal.
76	Reinhardt	Hofgerichtsrath	Mannheim.
77	Dr. Roßhirt	Oberhofgerichtsrath	Mannheim.
78	Roth	Referendar	Karlsruhe.
79	v. Rotteck	Oberamtsrichter	Emmendingen.
80	Ruth	Hofgerichtsrath	Mannheim.
81	Sachs	Oberamtsrichter	Karlsruhe.
82	Dr. Schultz	Amtsrichter	Baden.
83	Schwarzmann	Ministerialrath	Karlsruhe.
84	Serger	Hofgerichtsrath	Mannheim.
85	v. Seyfried	Ministerialrath	Karlsruhe.
86	Dr. Stabel	Staats-Minister der Justiz	Karlsruhe.
87	Frhr. v. Stockhorn	Hofgerichts-Direktor	Freiburg.
88	v. Stößer	Amtmann	Möskirch.
89	v. Stößer	Hofgerichtsrath	Bruchsal.
90	Turban	Ministerialrath	Karlsruhe.
91	Dr. Vering	Professor	Heidelberg.
92	v. Vincenti	Amtsrichter	Lahr.
93	Wedekind	Oberamtsrichter	Achern.
94	Wielandt	Hofgerichts-Assessor	Bruchsal.
95	Winter	Oberamtmann	Pforzheim.
96	Wolff	Obergerichts-Advokat	Bruchsal.
97	v. Zech	Amtsrichter	Offenburg.

Königreich Bayern.

Nr.	Name.	Stand.	Wohnort.
98	Bachmann	Advokat	Culmbach.
99	Bäumer	Bezirksgerichtsrath	Hof.
100	Dr. Barth	Rechtsanwalt	Augsburg.
101	Dr. Barth	Advokat	Kaufbeuren.
102	Bauer	Assessor und Fiskal-Adjunkt der Königl. Bayr. Berg- u. Salinen-Administration	München.

Nr.	Name.	Stand.	Wohnort.
103	Berchtold	Doktor beider Rechte	München.
104	Dr. Bolgiano	Professor	München.
105	Croissant	Bezirksrichter	Frankenthal (Rheinpfalz).
106	Dr. Dauner	Advokat	Kaufbeuren.
107	Fertsch	Appellationsgerichtsrath	Amberg (Kreis Ob.-Pfalz u. Regensburg).
108	v. Fuchs	Bezirksgerichtsrath	München.
109	Dr. Gießmayer	Advokat	München.
110	Gotthelf	Advokatur-Concipient	München.
111	Dr. Gundermann	Rechtsanwalt	München.
112	Dr. v. Gutermann	Rechtsanwalt und Wechsel-Notar	Augsburg.
113	Hacke	Bezirksgerichts-Accessist	München (links der Isar).
114	Hagen	Advokat	Neu-Ulm.
115	Hellmann	Bezirksgerichtsrath	Hof.
116	Dr. Henle	Advokat	München.
117	Dr. Herrmann	Advokat	München.
118	Dr. Hierl	Bezirksgerichts-Assessor	München.
119	Dr. Jäger	Rechtsanwalt	Nürnberg.
120	Kahr	Advokat	Kronach.
121	Dr. Edler von Kerstorf	Hofrath, Advokat	Augsburg.
122	Dr. Krafft	Advokat	Nürnberg.
123	Kühlmann	Rechtsconcipient	München.
124	Lindner	Advokat	Nürnberg.
125	Dr. May	Reg.-Assessor u. Fisk.-Adjunkt	München.
126	Dr. Mayersohn	Rechtsanwalt	Aschaffenburg.
127	Dr. Meyer	Bezirksgerichts-Assessor	München (links der Isar).
128	Michl	Bezirksgerichts-Direktor	Weiden.
129	Molitor	Ober-Appellationsgerichts-Direktor	München.
130	Frhr. v. Mulzer	Justiz-Minister	München.
131	Petersen	Appellationsgerichts-Präsid.	Aschaffenburg.
132	Petersen	Rechtskandidat	Landau.
133	Pündter	Landgerichts-Assessor	Eschenbach.

Nr.	Name.	Stand.	Wohnort.
134	Dr. Ragginger	Privatdozent	München.
135	Dr. Ruhwandl	Advokat	München.
136	v. Schauß	Advokat	München.
137	Schneider	Bezirksgerichtsrath	Augsburg.
138	Summa	Advokat	Oettingen.
139	Ritter v. Täuffenbach	Kammerherr, Bezirksgerichts-Direktor u. Handelsgerichts-Vorstand	München.
140	Graf Taufkirchen	Stadtrichter u. Abtheilungs-Vorstand des Stadtgerichts	München.
141	Vierling	Appellationsgerichts-Accessist	Amberg.
142	Dr. Völk	Advokat	Kempten.
143	Dr. v. Vogt	Ministerialrath	München.

Herzogthum Braunschweig.

Nr.	Name.	Stand.	Wohnort.
144	Dr. Aronheim	Obergerichts-Advokat	Braunschweig.
145	Bach	Obergerichts-Advok. u. Notar	Holzminden.
146	Bode	Kreisrichter	Braunschweig.
147	Breymann	Obergerichts-Präsident	Wolfenbüttel.
148	Dr. Dedekind	Obergerichts-Anwalt	Wolfenbüttel.
149	Gärtner	Obergerichtsrath	Wolfenbüttel.
150	Gotthardt	Obergerichts-Advokat	Braunschweig.
151	Grotrian	Obergerichtsrath	Wolfenbüttel.
152	Knittel	Obergerichts-Vice-Präsident	Wolfenbüttel.
153	Köpp	Obergerichts-Advokat	Wolfenbüttel.
154	Rhamm	Ober-Staatsanwalt	Wolfenbüttel.
155	Runde	Advokatanwalt	Wolfenbüttel.
156	Schütze	Obergerichtsrath	Wolfenbüttel.
157	Schulz	Ober-Staatsanwalt	Wolfenbüttel.
158	Stegmann	Referendar	Salder.
159	Dr. Strümpell II.	Advokatanwalt	Wolfenbüttel.
160	Teichs	Amtsrichter	Harzburg.
161	Vorwerk	Obergerichtsrath	Wolfenbüttel.
162	Wolff	Obergerichts-Advokat	Holzminden.
163	Zenkin-Sommer	Staatsanwalt	Helmstedt.

Nr.	Name.	Stand.	Wohnort.

Freie Stadt Bremen.

Nr.	Name.	Stand.	Wohnort.
164	Dr. Adami	Obergerichts-Anwalt	Bremen.
165	Dr. Albers	Advokat	Bremen.
166	Dr. v. Lingen	Obergerichts-Anwalt	Bremen.
167	Dr. Lürmann	Senator	Bremen.
168	Dr. Pfeiffer	Advokat	Bremen.
169	Schumacher	Staatsanwalt	Bremen.
170	Dr. Schumacher	Kreisrichter	Bremen.
171	Dr. Ulrichs	Obergerichts-Anwalt	Bremen.
172	Dr. Wiederhold	Obergerichts-Anwalt	Bremen.

Freie Stadt Frankfurt.

Nr.	Name.	Stand.	Wohnort.
173	Dr. Auerbach	Advokat	Frankfurt a. M.
174	Dr. Enyrim	General-Postdirektions-Sekretair	Frankfurt a. M.
175	Dr. Geß	Advokat	Frankfurt a. M.
176	Dr. Malß	Rechtsanwalt	Frankfurt a. M.

Freie Stadt Hamburg.

Nr.	Name.	Stand.	Wohnort.
177	Dr. Aegidi	Professor	Hamburg.
178	Dr. Banks	Advokat	Hamburg.
179	Dr. Baumeister	Obergerichtsrath	Hamburg.
180	Dr. Klauhold	Staatsanwalt a. D.	Hamburg.
181	Dr. Leo	Advokat	Hamburg.
182	Dr. Levy	Advokat	Hamburg.
183	Lührsen	Doktor der Rechte	Hamburg.
184	Dr. May	Advokat	Hamburg.
185	Dr. Versmann	Handelsgerichts-Präsident	Hamburg.
186	Dr. Wächter	Notar	Hamburg.
187	Wolffson	Advokat	Hamburg.

Nr.	Name.	Stand.	Wohnort.

Königreich Hannover.

Nr.	Name	Stand	Wohnort
188	Albrecht	Obergerichts-Anwalt	Hannover.
189	Albrecht	Kronanwalt	Celle.
190	Dr. André	Obergerichts-Anwalt	Osnabrück.
191	Angelbeck	Obergerichts-Anwalt	Lüneburg.
192	Dr. Augspurg	Obergerichts-Anwalt	Lüneburg.
193	Baber	Obergerichtsrath	Aurich.
194	Bauermeister	Obergerichts-Anwalt	Hannover.
195	Dr. Benfey	Obergerichts-Anwalt	Göttingen.
196	Benthe	Obergerichts-Anwalt	Aurich.
197	Berenzen	Obergerichts-Anwalt	Meppen.
198	Bergmann	Obergerichts-Assessor	Meppen.
199	Dr. Biedenweg	Amts-Assessor	Hannover.
200	Bierwirth	Obergerichts-Assessor	Lüneburg.
201	Bley	Amtsgerichts-Assessor	Gifhorn.
202	v. Blum	Advokat	Hannover.
203	v. Bock	Ober-Appellationsrath	Celle.
204	Borchers	Ober - Appellationsgerichts-Anwalt	Celle.
205	Dettmar	Obergerichts-Anwalt	Hildesheim.
206	Dr. Droop	Amtsrichter	Leer.
207	v. Düring	Ober - Appellationsger.-Präs.	Celle.
208	v. Engelbrechten	Advokat	Hannover.
209	Evers	Ober-Appell.-Gerichts-Anw.	Celle.
210	Dr. Fischer	Obergerichts-Anwalt	Hannover.
211	Francke	Obergerichts-Vice-Direktor	Lüneburg.
212	Fromme	Obergerichtsrath	Celle.
213	Dr. Gerding	Oberappellationsger.-Anwalt	Celle.
214	Dr. Götting	Obergerichts-Anwalt	Hildesheim.
215	Carl Götting	Obergerichts-Anwalt	Hildesheim.
216	Gottsleben	Obergerichts-Anwalt	Hildesheim.
217	Grisebach	Obergerichtsrath	Hameln a. W.
218	Hansen	Advokat	Hannover.
219	v. Harleßem	Obergerichts-Anwalt	Hannover.

Nr.	Name.	Stand.	Wohnort.
220	Hartmann	Advokat	Hannover.
221	Dr. Heitmann	Obergerichts-Anwalt	Lüneburg.
222	Hetzer	Auditor	Hildesheim.
223	Hüpeden	Advokat	Hoya.
224	Jaques	Ober-Appellationsrath	Celle.
225	Kerikhoff	Obergerichtsrath	Osnabrück.
226	Dr. Kistemaker	Obergerichts-Anwalt	Meppen.
227	Kleinrath	Advokat	Hannover.
228	Köllner	Obergerichts-Anwalt	Verden.
229	Kraut	Hofrath und Professor	Göttingen.
230	Lang	Steuer-Assessor	Hannover.
231	Lauenstein	Obergerichts-Anwalt	Lüneburg.
232	Linckelmann	Obergerichts-Anwalt	Hannover.
233	Lobemann	Gerichts-Assessor	Hannover.
234	Dr. Ludwig	Advokat	Dannenberg.
235	Mack	Kronanwalt	Verden.
236	Dr. Mehlis	Advokat	Hannover.
237	Dr. Meyer	Advokat	Bleckede.
238	Meyersburg	Ober-Appellationsger.-Anw.	Celle.
239	Dr. Naumann I.	Ober-Appellationsgerichts-Anwalt	Celle.
240	Naumann II.	Advokat	Celle.
241	Dr. Naumann I.	Obergerichts-Anwalt	Hameln.
242	Dr. Naumann II.	Obergerichts-Anwalt	Hameln.
243	Noltemeier	Obergerichts-Anwalt	Hannover.
244	Dr. Northoff	Obergerichts-Anwalt	Hildesheim.
245	Dr. Oppermann	Obergerichts-Anwalt	Nienburg a. d. Weser.
246	v. Pape	Ober-Appellationsgerichts-Vice-Präsident	Celle.
247	Planck	Obergerichts-Assessor a. D.	Göttingen.
248	Rautenberg	Advokat	Hannover.
249	v. Reden	Amts-Assessor	Hannover.
250	Roscher	Ober-Appellationsrath	Celle.
251	Rose	Advokat	Hannover.
252	Schepler	Amtmann	Leer.

Nr.	Name.	Stand.	Wohnort.
253	**Dr. Siemens**	Amtsrichter	Hannover.
254	Struckmann	Auditor	Hameln.
255	Struckmann	Obergerichts-Assessor	Celle.
256	**Dr. Stüve**	Stadtsekretair u. Advokat	Osnabrück.
257	Thomsen	Amtsgerichts-Assessor	Meinersen.
258	Ubbelohde	Obergerichtsrath	Lüneburg.
259	Vißering	Obergerichts-Anwalt	Aurich.
260	Weber	Obergerichts-Anwalt	Stade.
261	Wendt	Finanzrath und Ministerial-Referent	Hannover.
262	Wiarda	Obergerichts-Direktor	Nienburg a. d. Weser.
263	Wölffer	Obergerichts-Anwalt u. Notar	Hannover.
264	Wöltge	Advokat	Hannover.
265	**Dr. Zachariae**	Professor	Göttingen.
266	Zuhorn	Obergerichts-Anwalt	Osnabrück.

Kurfürstenthum Hessen-Cassel.

Nr.	Name.	Stand.	Wohnort.
267	Bähr	Obergerichtsrath	Cassel.
268	Köppen	Professor	Marburg.
269	Peters	Obergerichts-Anwalt	Cassel.
270	Stölzel	Stadtgerichts-Assessor	Cassel.

Großherzogthum Hessen-Darmstadt.

Nr.	Name.	Stand.	Wohnort.
271	**Dr. Arens**	Friedensrichter	Alzey.
272	**Dr. Bernays**	Advokat	Mainz.
273	Buff	Hofgerichts-Assessor	Gießen.
274	Diery	Hofgerichts-Advokat	Gießen.
275	Dornseiff	Hofgerichts-Advokat	Gießen.
276	Engelbach	Hofgerichts-Advokat u. Mitgl. d. ersten Ständekammer	Gießen.
277	**Dr. Falken**	Gerichts-Accessist	Mainz.
278	Gaßner	Notar	Mainz.
279	Greby	Obergerichtsrath	Mainz.

Nr.	Name.	Stand.	Wohnort.
280	Habermehl	Gerichts-Accessist	Mainz.
281	Hamm	Doktor der Rechte	Offenbach.
282	Dr. Homberger	Gerichts-Accessist	Mainz.
283	Dr. Ihering	Geh. Justizrath, Professor	Gießen.
284	Dr. Knyn	Obergerichts-Präsident	Mainz.
285	Dr. Lambinet	Gerichts-Accessist	Mainz.
286	Dr. Levita	Advokat-Anwalt	Mainz.
287	Dr. v. Lindelof	Justiz-Minister	Darmstadt.
288	Dr. Matty	Gerichts-Accessist	Mainz.
289	Maurer	Staatsanwalts-Substitut	Darmstadt.
290	Pistor	Landgerichts-Assessor	Offenbach.
291	Dr. Reaß	Privat-Dozent	Gießen.
292	Dr. Reinach	Gerichts-Accessist	Mainz.
293	Dr. Vogel	Hofgerichts-Advokat	Darmstadt.
294	Dr. Waßerschleben	Professor	Gießen.
295	Weber	Hofgerichts-Direktor	Gießen.

Herzogthum Holstein.

Nr.	Name.	Stand.	Wohnort.
296	Dr. Brinkmann	Ober-Appellationsrath a. D.	Kiel.
297	Dr. Burmeister	Advokat	Plön.
298	Dr. Dietzel	Professor	Kiel.
299	Niemand	Kirchspielvogt	Büsum im Dithmarschen.
300	Nitzsch	Advokat	Kiel.
301	Dr. Planck	Professor	Kiel.
302	Reimers	Justitiar	Wandsbeck.
303	Rheder	Klostersyndikus	Preetz.
304	Rosenhagen	Advokat	Wandsbeck.
305	Stemann	Advokat	Segeberg.
306	Weber	Advokat	Kiel.

Fürstenthum Lippe=Detmold.

Nr.	Name.	Stand.	Wohnort.
307	Dr. Caesar	Obergerichtsrath	Detmold.
308	Falkmann	Archivrath, Rechtsanwalt	Detmold.

Nr.	Name.	Stand.	Wohnort.
309	Heldmann	Rechtsanwalt	Detmold.
310	Dr. Rosen	Geh. Justizrath	Detmold.
311	Runnenberg	Stadtgerichtsrath	Detmold.
312	Schröter	Syndikus und Rechtsanwalt	Blomberg.
313	Dr. Stein	Rechtsanwalt	Detmold.
314	Wessel	Justizamtmann	Oerlinghausen.

Freie Stadt Lübeck.

Nr.	Name.	Stand.	Wohnort.
315	Bremer	Ob.-Appellationsger.-Sekret.	Lübeck.
316	Dr. Crome	Advokat, Ober-Appellations- u. Niederger.-Prokurator	Lübeck.
317	Dr. Kulenkamp	Ober-Appellations- und Niedergerichts-Prokurator	Lübeck.
318	Dr. Pleßing	Advokat	Lübeck.
319	Dr. Plitt	Richter	Lübeck.

Großherzogthum Mecklenburg-Schwerin.

Nr.	Name.	Stand.	Wohnort.
320	v. Bastian	Kanzlei-Vice-Direktor a. D., Kanzlei-Advokat	Güstrow.
321	Bauermeister	Advokat	Grabow.
322	Briesemann	Advokat	Wismar.
323	Büsing	Advokat	Rostock.
324	Büsing	Advokat	Schwerin.
325	Dr. Drechsler	Bürgermeister	Parchim.
326	Dr. Driver	General-Auditeur	Schwerin.
327	Dr. Dugge	Senator	Bützow.
328	Ehlers	Advokat	Rostock.
329	Hartung	Senator und Advokat	Waren.
330	Havemann	Advokat	Grabow.
331	Heucke	Advokat	Parchim.
332	Karrig	Bürgermeister u. Stadtrichter	Kröpelin.
333	Dr. Karsten	Kanzlei-Advokat	Rostock.
334	Klitzing	Advokat	Parchim.

Nr.	Name.	Stand.	Wohnort.
335	Krüger	Advokat	Rostock.
336	Lange	Advokat	Rostock.
337	Löwenthal	Advokat	Schwerin.
338	C. H. Müller	Advokat und Notar	Rostock.
339	Pohle	Magistrats-Gerichts-Direktor und Syndikus	Schwerin.
340	Dr. Simonis	Senator	Rostock.
341	Simonis	Advokat	Rostock.
342	Sommer	Advokat	Parchim.
343	Sommer-Diersen	Senator und Advokat	Parchim.
344	Triebsies	Advokat	Rostock.
345	Uterhart	Senator	Rostock.
346	Dr. Viereck	Advokat	Schwerin.
347	Weckmann	Senator	Rostock.
348	Wehnert	Justitiar beim ritterschaftlichen Gerichtsvereine zu Crivitz und Advokat	Crivitz.
349	Weltzien	Hofrath, Hypothekenbewahrer	Schwerin.
350	Dr. Zastrow	Senator	Rostock.

Großherzogthum Mecklenburg-Strelitz.

Nr.	Name.	Stand.	Wohnort.
351	Bahr	Bürgermeister, Advokat	Fürstenberg.
352	Buttel	Advokat	Neu-Strelitz.
353	Cohn	Advokat	Neu-Strelitz.
354	Füldner	Kammerprokurator, Advokat und Fiskal	Neu-Strelitz.
355	Hahn	Advokat	Neu-Brandenburg.
356	Horn	Justizkanzlei-Registrator und Advokat	Neu-Strelitz.
357	Müller	Advokat, Stadtrichter	Fürstenberg.
358	Oesten	Hofrath, Stadt- und Amtsrichter	Stargard.
359	Petermann	Advokat	Neu-Strelitz.
360	Plettner	Stadtrichter	Friedland.

Nr.	Name.	Stand.	Wohnort.
		Herzogthum Nassau.	
361	Dombois	Amts-Assessor	Wied-Selters.
362	v. Eck	Obergerichts-Prokurator	Wiesbaden.
363	Dr. Geiger	Obergerichts-Anwalt	Wiesbaden.
364	Keller	Hof- u. Appellationsgerichts-Prokurator	Dillenburg.
365	Langhans	Ober-Appellationsrath	Wiesbaden.
366	Rath	Prokurator	Weilburg.
367	Recken	Amtmann	Wallmerod.
368	Schenck	Hofgerichts-Prokurator	Wiesbaden.
369	Dr. Siebert	Hof- u. Appellationsger.-Prok.	Wiesbaden.
370	Stöckicht	Amtsprokurator	Herborn.
		Kaiserreich Oesterreich.	
371	Dr. Abeles	Advokaturs-Candidat	Wien.
372	Dr. Adam	Advokaturs-Candidat	Wien.
373	Dr. Adensamer	Advokaturs-Candidat	Wien.
374	Dr. Ritter v. Aichenegg	Hof- und Gerichts-Advokat	Wien.
375	Dr. Aman	Hof- und Gerichts-Advokat	Wien.
376	v. Antoniewicz	Kreisgerichtsrath	Premysl (Galizien).
377	Frhr. v. Apfaltrern	Wirkl. Hofrath des obersten Gerichtshofes	Wien.
378	Ritter v. Arbter	Auskultant	Brünn.
379	Vater Ritter von Artens	Staatsanwalts-Substitut	Graz.
380	Arthold	Advokaturs-Concipient	Wien.
381	Dr. Arzt	Landes-Advokat	Olmütz.
382	Dr. H. Ritter v. Kremer-Auenrode	Professor	Wien.
383	Dr. R. Ritter v. Kremer-Auenrode	Notar	Gmunden (Ob.-Oester.)
384	v. Auffenberg	Staatsanwalt	Troppau.

Nr.	Name.	Stand.	Wohnort.
385	Augmüller	Militair- und Civil-Agent	Wien.
386	Dr. J. Bach	Hof- und Gerichts-Advokat	Wien.
387	Dr. H Bach	Advokaturs-Candidat	Wien.
388	Dr. Bachmayer	Advokaturs-Candidat	Wien.
389	Dr. Bardasch	Advokat	Stanislau (Galizien).
390	Dr. Barth	Hof- und Gerichts-Advokat	Wien.
391	Batiek	Notar	Opocno (Böhmen).
392	Dr. Bauer	Hof- und Gerichts-Advokat	Wien.
393	Dr. Bazant	Landschafts-Sekretair	Brünn.
394	Dr. Beck	Hof- und Gerichts-Advokat	Linz.
395	Dr. Beck	Ober-Staatsanwalt u. Ober- Landesgerichtsrath	Brünn.
396	Dr. Becziczka	Magistrats-Concipist	Wien.
397	Dr. Beer	Advokaturs-Candidat	Bielitz (öst. Schlesien).
398	Dr. v. Benak	Advokaturs-Candidat	Wien.
399	Dr. Benischko	Advokaturs-Candidat	Wien.
400	v. Benoni	Justizministerialrath	Wien.
401	Dr. Berger	Hof- und Gerichts-Advokat	Wien.
402	Berger	Bezirksvorsteher	Hietzing bei Wien.
403	Dr. Bernazik	Landesadvokat	Korneuburg (N.-Oester.).
404	Dr. Berthold	Advokaturs-Candidat	Wien.
405	Beyer	Notar	Troppau.
406	Beyer	Ministerialrath	Wien.
407	Dr. Bezecny	Sekretair der Börsekammer	Wien.
408	Dr. Biach	Advokaturs-Candidat	Wien.
409	Dr. Bidermann	Professor	Innsbruck.
410	Bielin	Gerichtsadjunkt	Wien.
411	Dr. Biziste	Advokaturs-Candidat	Wien.
412	Dr. Blitzfeld	Landesadvokat	Krakau.
413	v. Blumfeld	Ministerialrath im Minister. f. Handel u. Volkswirthsch.	Wien.
414	Boda	Gerichtsadjunkt	Brünn.
415	Boggia	pens. Magistrats-Sekretair	Kahlenbergerdörfel b. W.
416	Dr. Borowiczka	Landesadvokat	Fünfhaus bei Wien.
417	Dr. Boschan	Landesgerichts-Präsident	Wiener-Neustadt (N.-Ö.).

Nr.	Name.	Stand.	Wohnort.
418	Brameshuber	Kreisgerichtsraths-Sekretair	Steyr (Ober-Oesterr.).
419	Braulik	Notar	Neufelden (Ob.-Oesterr.).
420	Breinreich	Notar	Laa a. d. Thaya (N.-Oest.).
421	Dr. Brezina	Notar	Wien.
422	Dr. Brezina	Hof- und Gerichts-Advokat	Wien.
423	Dr. Brichta	Advokaturs-Candidat	Wien.
424	Dr. Brix	Advokaturs-Candidat	Wien.
425	Dr. Bruck	Notariats-Candidat	Wien.
426	Dr. Brüxner	Finanzprok.-Conceptspraktik.	Wien.
427	Dr. Brunner	Landesadvokat	Königgrätz (Böhmen).
428	Brunner	Notar	Geras (Nieb.-Oest.).
429	Dr. Brzorad	Landesadvokat	Deutschbrod (Böhmen).
430	Bündsdorf	Staatsanwalts-Substitut	Wien.
431	Dr. Bunzl	Advokaturs-Candidat	Wien.
432	Dr. Burian	Advokaturs-Candidat	Wien.
433	Dr. Burian	Stadthalterei-Sekretair	Wien.
434	Freih. v. Call	Doktor der Rechte	Graz.
435	Dr. Chiari	Notar	Wien.
436	Dr. Chiari	Finanzprokurat.-Referent	Salzburg.
437	Ritter v. Chimani	jub. Kreisgerichts-Präsident	Graz.
438	Dr. Chornitzer	Rechts-Consulent der priv. österr. Nationalbank	Wien.
439	Dr. Costa	Advokaturs-Candidat	Laibach.
440	Dr. Crobath	Advokaturs-Candidat	Wien.
441	Ritter v. Czerny	Landesgerichts-Präsident	Linz.
442	Dr. Daubek	Hof- und Gerichts-Advokat	Wien.
443	Dr. Dauscher	Landesadvokat	Preßburg (Ungarn).
444	Dr. Demel	Landesadvokat	Teschen (öst. Schlesien).
445	Dr. Deperis	Sekretair der priv. österr. Nationalbank	Wien.
446	Dr. Deperis	Landesadvokat	Görz.
447	Dr. Dermouz	Landesadvokat	Karlsbad (Böhmen).
448	Dr. Diebl	Landesadvokat	Tischnowitz (Mähren).
449	Dr. Dietrich	Landesadvokat, Landeshauptmanns-Stellv. v. Schlesien.	Troppau.

Nr.	Name.	Stand.	Wohnort.
450	Dr. Dinstl jun.	Landesadvokat	Krems (Nieder-Oesterr.).
451	Dr. Doktor	Finanzprokurator	Prag.
452	Dr. Dollenz	Hof- und Gerichts-Advokat	Wien.
453	Dosch	Kreisgerichts-Adjunkt	Steyr (Ober-Oesterr.).
454	Dr. Dostal	öffentlich. Agent	Brünn.
455	Dr. Dürrnberger	Hof- und Gerichts-Advokat	Wien.
456	Dürschner	Gerichtsadjunkt	Wien.
457	Dr. Dworzak	Professor	Wien.
458	Dr. Dworzak	Landesgerichtsrath	Wien.
459	Dr. Eberle	Hof- und Gerichts-Advokat	Wien.
460	Dr. A. Eckl	Hof- und Gerichts-Advokat	Wien.
461	Dr. Egger	Hof- und Gerichts-Advokat	Wien.
462	Dr. Edl. v. Possanner Ehrenthal	Advokaturs-Candidat	Wien.
463	v. Eisank	Gerichtsadjunkt	Wien.
464	v. Eiselsberg	Kreisgerichtsrath	Steyr (Ober-Oesterr.)
465	Eitelberger v. Eitelsberg	Ober-Kriegs-Kommissär	Wien.
466	Eitl	Gerichtsadjunkt	Wien.
467	Dr. Eltz	Hof- und Gerichts-Advokat	Wien.
468	d'Elvert	Ober-Staatsanwalt	Brünn.
469	Dr. Endletzberger	Advokaturs-Candidat	Wien.
470	Englisch	Landesgerichtsrath	Wien.
471	Erlcher	Staatsanwalts-Substitut	Wien.
472	Dr. Erwein	Hof- und Gerichts-Advokat	Klagenfurt.
473	Dr. Esmarch	Professor	Prag.
474	Dr. Erle	Advokaturs-Candidat	Wien.
475	Dr. Faber	Notar	Wien.
476	Farnik	Notar	Teschen (öst. Schlesien).
477	Dr. Feistl	Advokaturs-Candidat	Wien.
478	Dr. Feistmantl	Advokaturs-Candidat	Wien.
479	Dr. Ritter v. Mündel-Feldberg	Hof- und Gerichts-Advokat	Wien.
480	Fellner Ritter v. Feldegg	Regierungsrath	Wien.
481			

Nr.	Name.	Stand.	Wohnort.
482	Dr. Felder	Hof= und Gerichts=Advokat	Wien.
483	Dr. Felzmann	Hof= und Gerichts=Advokat	Wien.
484	Ritter v. Ferro	Kreisgerichtsrath	Leoben (Steiermark).
485	Dr. Fierlinger	Finanzrath	Wien.
486	Dr. Findeys	Hof= und Gerichts=Advokat	Wien.
487	Fischer	Statthaltereirath	Wien.
488	Dr. Fleckh	Hof= und Gerichts=Advokat	Graz.
489	Dr. Flesch	Hof= und Gerichts=Advokat	Wien.
490	Dr. Floch	Finanzprokuraturs=Adjunkt	Pesth.
491	Dr. Flögel	Landesadvokat	Jungbunzlau (Böhmen).
492	Dr. Florentin	Landesadvokat	Krems (Nied.=Desterr.).
493	Dr. Foltanek	Notariats=Candidat	Wien.
494	Dr. Forster	Advokaturs=Candidat	Prag.
495	Forstner	Bezirksgerichts=Adjunkt	Pettau (Steiermark).
496	Dr. Frank	Landesadvokat und Notar	Sternberg (Mähren).
497	Dr. Frank	Rechtspraktikant	Prag.
498	Dr. Franz	Hof= und Gerichts=Advokat	Wien.
499	Frauscher	Notar	Mattighofen (Ob.=Dest.).
500	Dr. Friedländer	Mitredakteur der „Presse"	Wien.
501	Frimmel	Bezirksvorsteher	Laa a. d. Taya (N.=Dest.).
502	Dr. Frizzi	Finanzprok.=Conc.=Prakt.	Wien.
503	Frühwald	Landesgerichtsrath	Wien.
504	Landgr. zu Fürstenberg	Wirkl. Geh.=Rath u. Senats=Präsident des obersten Gerichtshofes	Wien.
505	Fürth	Notar	Waizenkirchen (Ob.=Dest.)
506	Funke	Kreisgerichtsrath	Leitmeritz (Böhmen).
507	Gal	Bezirksvorsteher	Hainburg a. D. (N.=Dest.)
508	Dr. Ganzwohl	Hof= und Gerichts=Advokat	Wien.
509	v. Garzweiler	Conc. d. Lotto=Gefälls=Direkt.	Wien.
510	Gellert	Notar	Haida (Böhmen).
511	Freih. v. Gemmel	Finanzprokuraturs=Adjunkt	Wien.
512	Dr. Billing Edler von Gemmen	Advokaturs=Candidat	Wien.
513	Gersch	Gerichtsadjunkt	Troppau.

Nr.	Name.	Stand.	Wohnort.
514	Dr. Geyer	Professor	Innsbruck
515	Dr. Gilge	Advokaturs=Candidat	Wien.
516	Dr. Giskra	Landesadvokat	Brünn.
517	v. Giuliani	Landesgerichtsrath	Wien.
516	Dr. Glaser	Professor	Wien.
519	Dr. Glaßner	Landesadvokat	St. Pölten (Nied.=Oest.).
520	Dr. Ritter v. Hye= Glunek	Sektionschef im Justizminist.	Wien.
521	Dr. Gnändinger	Advokaturs=Candidat	Wien.
522	Dr. Görner	Landesadvokat	Budweis (Böhmen).
523	Frh. v. Gorizzutti	Justizministerial=Concipist	Wien.
524	Dr. Ritt. v. Grebler	Hof= und Gerichts=Advokat	Wien.
525	Dr. Grimm	Statthaltereirath	Wien.
526	Dr. Grimm	General=Sekretair der priv. Südbahngesellschaft	Wien.
527	Dr. Groß	Notar	Wels (Ob.=Oesterr.)
528	Dr. Grünberg	Hof= und Gerichts=Advokat	Wien.
529	Gründlinger	Landesgerichtsrath u. Bezirks= Vorsteher	Scheibbs (Nied.=Oesterr.)
530	Dr. Grysar	Advokaturs=Candidat	Wien.
531	Dr.Edl.v.Gschmeid= ler	Landesadvokat	Ob.=Hollabrunn(N.=Oest.)
532	Dr. Gunesch	Advokaturs=Candidat	Wien.
533	Dr Gutherz	Hof= und Gerichts=Advokat	Wien.
534	Gutsch	Notar	Hietzing bei Wien.
535	Frhr. v. Haan	Justizministerialrath	Wien.
536	Haan	Staatsministerial=Sekretair	Wien.
537	Dr. Haas	Notariats=Candidat	Wien.
538	Dr.Ritt.v.Haberler	Hof= und Gerichts=Advokat	Wien.
539	Dr. Frh. v. Härdtl	Hof= und Gerichts=Advokat	Wien.
540	Dr. Frh. v. Härdtl	Advokaturs=Candidat	Wien.
541	Haller	Bezirksgerichts=Vorsteher	Klattau (Böhmen).
542	Dr. Haimerl	Professor	Wien.
543	Dr. Hanel	Notar	Wagstadt (Schlesien).
544	Dr. Hanisch	Advokaturs=Candidat	Wien.

Nr.	Name.	Stand.	Wohnort.
545	Hanisch	Bezirksamts-Adjunkt	Waidhofen a. d. Thaya (Nied.-Oesterr.).
546	v. Hanrich	Wirkl. Hofrath des Obersten Gerichtshofes	Wien.
547	Dr. Harant	Statthaltereirath	Wien.
548	Dr. Ritt. v. Harrasowsky	Justizministerial-Concipist	Wien.
549	Dr. Harum	Professor	Innsbruck.
550	Dr. Hauschka	Finanzprokurator und Ober-Finanzrath	Wien.
551	Dr. Hauschild	Landesadvokat	Prag.
552	Dr. Hauser	Advokaturs-Candidat	Wien.
553	Frhr. v. Haynau	Staatsanwalt aus Coburg	Greinburg (Nied.-Oest.).
554	Hausmann	Finanzministerial - Concepts-Adjunkt	Wien.
555	Dr. Hecher	Advokaturs-Candidat	Wien.
556	Dr. Heidmann	Hof- und Gerichts-Advokat	Wien.
557	Dr. Hein	Landesadvokat	Proßnitz (Mähren).
558	Dr. Hein	Wirkl Geh. Rath u. Minist., Leiter des Justizminister.	Wien.
559	Heine	Amtsrichter a. D.	Graz.
560	Dr. Heinrich	Landesadvokat	Korneuburg (Nied.-Oest.).
561	Heinrich	Kreisgerichtsrath	Korneuburg.
562	Dr. Heinz	Landesadvokat	Troppau.
563	Heiß	Bezirksamts-Adjunkt	Theresienfeld (N.-Oest.).
564	Dr. Heller	Professor	Graz.
565	Dr. Heller	Landesadvokat	Hietzing bei Wien.
566	Ritter v. Scharfen-Hennersdorf	Justizministerialrath	Wien.
567	Dr. Herbst	Professor	Prag.
568	Dr. Hermann	Hof- und Gerichts-Advokat	Wien.
569	Herzig	Notar	Wien.
570	Dr. Herzog	Advokaturs-Candidat	Wien.
571	Dr. Heyßler	Wirkl. Geh. Rath, Senats-Präs. d. Ob. Gerichtshofes	Wien.

Nr.	Name.	Stand.	Wohnort.
572	Dr. Heyßler	Hof= und Gerichts=Advokat	Wien.
573	Dr. Hirschhofer	Notar	Graz.
574	Dr. Hochenegg	Hof= und Gerichts=Advokat	Wien.
575	Dr. Hochhauser	Advokaturs=Candidat	Steyr (Ob.=Oesterr.).
576	Dr. Hock	Landesadvokat	Leitmeritz (Böhmen).
577	Dr. Höchsmann jun.	Advokaturs=Candidat	Wien.
578	Dr. Höchsmann	Landesadvokat	Mauerkirchen (Ob.=Oest.)
579	Höllinger	Landesgerichtsrath	Wien.
580	Hölzl	Finanzminister.=Concipist	Wien.
581	Dr. Hönig	Advokaturs=Candidat	Wien.
582	Ritter v. Höniger	Statthalterei=Sekretair	Wien.
583	v. Hönigsberg	Notar	Wien.
584	Dr. Hoffer	Hof= und Gerichts=Advokat	Wien.
585	Dr. Hofmann	Landesadvokat	Waizenkirchen (Ob.=Oest.)
586	Dr. Homann	Advokaturs=Candidat	Wien.
587	Horrack	Justizminist.=Concipist	Wien.
588	Dr. Huber	Advokaturs=Candidat	Wien.
589	Hueber	Sektionsrath im Justizministerium	Wien.
590	Hübner	Staatsanwalt	Krems (Nied.=Oest.).
591	Dr. von Huze	Hof= und Gerichts=Advokat	Wien.
592	Frh. v. Krticzka Jaden	Gerichtsadjunkt	Wien.
593	Dr. Jaques	Verwaltungsrath d. Handels=Akademie	Wien.
594	Janovski	Bezirksamts=Aktuar	Neubistritz (Böhmen).
595	Dr. Jeannée	Advokaturs=Candidat	Wien.
596	v. Wening=Ingenheim auf Hirschhorn	Doktor der Rechte	Wien.
597	Joem	Gerichtsadjunkt	Wien.
598	Dr. Johanny	Advokaturs=Candidat	Wien.
599	Dr. Ritt. v. Jordan	Notar	Humpolec (Böhmen).
600	Dr. Jsling	Advokaturs=Candidat	Wien.
601	Dr. Jünger	Hof= und Gerichts=Advokat	Wien.

Nr.	Name.	Stand.	Wohnort.
602	Dr. Jüngling	Notariats-Candidat	Wien.
603	Dr. Jurnitscheck	Finanzprof.-Conc.-Praktik.	Wien.
604	Dr. Kaska	Hof- und Gerichts-Advokat	Wien.
605	Kagerbauer	Ober-Staatsanwalt	Wien.
606	Dr. Kaiser	Notar	Wien.
607	Dr. Kaizl	Hof- und Gerichts-Advokat	Wien.
608	Dr. Kalessa	Ober-Finanzrath	Wien.
609	Dr. Kallina	Ober-Landesgerichtsrath	Prag.
610	Dr. v. Kalteneger	Finanzrath	Laibach.
611	Kapretz	Staatsanwalts-Substitut	Laibach
612	Karrer	Notar	Raabs (Nied.-Oest.).
613	Dr. Kastner	Notar	Hernals bei Wien.
614	Dr. Kaufmann	Landesadvokat	Neustadt (Mähren).
615	Dr. Kaul	Landesadvokat	Neutitschein (Mähren).
616	Dr. Keller	Ober-Landesgerichtsrath	Wien.
617	Keller	Landesgerichtsrath	Krakau.
618	Kemperl	Wirkl. Hofrath des Obersten Gerichtshofes	Wien.
619	Kern	Doktor der Rechte	Wien.
620	Kerner	Landesgerichts-Adjunkt	Wien.
621	Ritt. v. Kindinger	penf. Sektionschef d. Justiz-Ministeriums, zugeth. beim obersten Gerichtshof	Wien.
622	Dr. Ritt. v. Kindinger	Gerichtsadjunkt	Wien.
623	Dr. Kirsch	Advokaturs-Candidat	Wien.
624	Dr. Ritt. v. Kißling	Landesadvokat	Scheerding (Ob.-Oest.).
625	Kleindl	Wirkl. Hofrath des Obersten Gerichtshofes	Wien.
626	Kleiner	Notar	Gr.-Enzersdorf (N.-Oest.)
627	Kleinrath	Finanzminist.-Concipist	Wien.
628	Dr. Klier	Landesadvokat	Tetschen (Böhmen).
629	Dr. Klob	Auskultant	Wien.
630	Dr. Klob	Advokaturs-Candidat	Brünn.
631	Klucky	Auskultant	Wien.

Nr.	Name.	Stand.	Wohnort.
632	Dr. Knepler	Hof= und Gerichts=Advokat	Wien.
633	Dr. Kock	Bezirksamts=Aktuar	Ischl (Ob.=Oesterr.).
634	Dr. Köchler	Hof= und Gerichts=Advokat	Wien.
635	Dr. Königsberg	Advokaturs=Candidat	Penzing bei Wien.
636	Dr. Kokoschinegg	Auskultant	Marburg (Steiermark).
637	Dr. Kolbe	Hof= und Gerichts=Advokat, Notar und Archivar der jurist. Fakultät	Wien.
638	Dr. Kolisko	Hof= und Gerichts=Advokat	Wien.
639	Dr. Kopp, Joseph	Hof= und Gerichts=Advokat	Wien.
640	Dr. Kopp, Eduard	Advokaturs=Candidat	Wien.
641	Dr. Koreff	Landesadvokat	Kuttenberg (Böhmen).
642	Dr. Kotschy	Advokaturs=Candidat	Wien.
643	Dr. Kral	Staatsanwalts=Substitut	Wien.
644	Dr. Krammer	Hof= und Gerichts=Advokat	Wien.
645	Dr. Kratky, Theod.	Advokaturs=Candidat	Wien.
646	Frh. v. Krauß	Wirkl. Geh. Rath u. erster Präs. d. Ob. Gerichtshofes	Wien.
647	Frh. v. Krauß	Auskultant	Wien.
648	Dr. Kritsch	Justizminist.=Rath	Wien.
649	Dr. Kronawetter	Magistrats=Concepts=Praktik.	Wien.
650	Krumhaar	Staatsminist.=Concipist	Wien.
651	Dr. Krumpholz	Advokaturs=Candidat	Brünn.
652	Kubenik	Doktor der Rechte	Wien.
653	Laaber	Bezirksvorsteher	Gloggnitz (Nied.=Oest.).
654	Ritt. v. Laminet	Ober=Landesgerichtsrath	Brünn.
655	Dr. Lammasch	Notar	Wien.
656	Lampl	Bezirksvorsteher	Neuhofen (Ob.=Oesterr.).
657	Lang	Gerichtsadjunkt	Brünn.
658	Dr. Langer	Notar	Wien.
659	Dr. Ritt. v. Lasser	Wirkl. Geh. Rath u Minister	Wien.
660	Laßnigg	Ober=Landesgerichtsrath	Wien.
661	Dr. Lauda	Advokaturs=Candidat	Wien.
662	Dr. Lechner	Notar	Wien.
663	Dr. Lederer	Advokaturs=Candidat	Wien.

Nr.	Name.	Stand.	Wohnort.
664	Dr. Leese	Advokaturs-Candidat	Wien.
665	Dr. Leidesdorf	Notar	Wien.
666	Dr. Lenz	Hof- und Gerichts-Advokat	Wien.
667	Dr. Lewinger	Advokaturs-Candidat	Wien.
668	v. Lewinsky	Sektions-Chef i. Staatsmin.	Wien.
669	Dr. Leyrer	Hof- und Gerichts-Advokat	Wien.
670	Dr. Libitzky	Advokaturs-Candidat	Wien.
671	Dr. Lichtblau	Advokaturs-Candidat	Wien.
672	Dr. Lichtenstern	Advokaturs-Candidat	Wien.
673	Dr. Lichtenstern	Hof- und Gerichts-Advokat	Wien.
674	Dr. Edler v. Kunzeck-Lichton	Landesgerichtsrath	Wien.
675	Lienbacher	Staatsanwalt	Wien.
676	Lihotzky	Sekt.-Rath im Justizminist.	Wien.
677	Lindermann	Landesgerichtsrath	Rovigno (Küstenland).
678	Dr. Linth	Auskultant	Wien.
679	Dr. Liszt	Landesgerichtsrath	Wien.
680	Dr. Löbell	Advokaturs-Candidat	Wien.
681	Löschnigg	Bezirks-Vorsteher	Gr.-Enzersdorf (N.-Oest.)
682	Dr. Lötsch	Notar	Atzenbruck (Nied.-Oest.).
683	Dr. Löw	Notariats-Candidat	Wien.
684	Löwenthal	Handelsministerialrath	Wien.
685	Löwenthal	Finanzprof.-Concept-Praktik.	Wien.
686	Lorenz	Landesgerichtsrath	Böhm.-Leippa.
687	Dr. Ludwig	Landesadvokat	Retz (Nied.-Oesterr.).
688	Dr. Machanek	Landesadvokat	Auspitz (Mähren).
689	Dr. Machek	Landesadvokat	Chrudim (Böhmen).
690	Mahler	Notar	Feldsberg (Nied.-Oest.).
691	Dr. Ritt. v. Maly	Ministerialrath i. Minist. für Handel- u. Volkswirthschaft	Wien.
692	Dr. Mandelblüh	Landesadvokat und Notar	Olmütz
693	Dr. Mardetschläger	Landesadvokat	Scheibbs (Nied.-Oesterr.).
694	Dr. Maresch	Hof- und Gerichts-Advokat	Wien.
695	Ritt. v. Martinez	Sekt.-Chef i. Polizeiminist.	Wien.
696	Dr. Maschke	Statthalterei-Concipist	Wien.

Nr.	Name.	Stand.	Wohnort.
697	Dr. Mathis	Hof= und Gerichts=Advofat	Wien.
698	Dr. Mauthner	Advofaturs=Candidat	Wien.
699	Dr. Mayer	Notar	Wien.
700	Dr. Mayerhofer	Notar	Wien.
701	Mahr	Notar	Wien.
702	Dr. Merf	Hof= und Gerichts=Advofat	Graz.
703	Merfl	Ober=Landesgerichtsrath	Wien.
704	Dr. Merta	Landesadvofat und Notar	Iglau (Mähren).
705	Dr. Michel	Landesadvofat und Notar	Maidhofen a. d. Thaya (Nied.=Oesterr.).
706	Dr. Mifischfa	Hof= und Gerichts=Advofat	Wien.
707	Milschiczef	Notar	Brünn.
708	Dr. Millanich	Advofaturs=Candidat	Wien.
709	Rit. v. Mitis	Sekt.=Chef im Justizminist.	Wien.
710	Ritt. v. Mitis	Justizministerial=Concipist	Wien.
711	Dr. Mitlacher	Professor	Wien.
712	Dr. Mitscha	Advofaturs=Candidat	Wien.
713	Dr. Mitschfe	Auskultant	Wien.
714	Mochnacki	Landesgerichts=Präsident	Lemberg.
715	Edler v. Mörl	Notar	Böcklabruck (Ob.=Oest.)
716	Dr. Monti	Landesgerichts=Adjunft	Wien.
717	Dr. Moosmann	Advofaturs=Candidat	Wien.
718	Edler v. Moritz	Justizministerial=Sefretair	Wien.
719	Dr. Moser	Hof= und Gerichts=Advofat	Wien.
720	Dr. Moser	Advofat	Sternberg (Mähren).
721	Dr. Mraczef	Notar	Wien.
722	Dr. Müct	Finanzprofuraturs=Concipist	Pesth.
723	Dr. v. Mühlfeld	Hof= und Gerichts=Advofat	Wien.
724	Dr. A. Müller jun.	Hof= und Gerichts=Advofat	Wien.
725	Dr. M. Müller	Hof= und Gerichts=Advofat	Wien.
726	v. Napadiewicz	Wirfl. Hofrath des Obersten Gerichtshofes	Wien.
727	Nebesfy	Bezirksvorsteher	Mistelbach (Nied.=Oest.).
728	Dr. Neumann	Rath, Hof= u. Ger.=Advofat	Wien.

Nr.	Name.	Stand.	Wohnort.
729	Dr. Neumann	Regierungsrath u. Professor	Wien.
730	Dr. Neumeister	Advokaturs-Candidat	Wien.
731	Dr. Ritter von Neupauer	Advokaturs-Candidat	Wien
732	Dr Reusser	Landesadvokat	Freiwaldau (öst. Schles.)
733	Ritter v. Neuwall	Finanzministerialrath	Wien.
734	Dr. Newald	Militäragent	Wien.
735	Dr. Newald	Landesadvokat	Wr.-Neustadt (N.-Oest.)
736	Ritt. v. Wacek-Orlic	Statthalterei-Concept.-Prakt.	Wien.
737	Dr. v. Ostheim	Advokaturs-Candidat	Wien.
738	Dr. v. Ott	Landesadvokat	Brünn.
739	Dr. Oxenbauer	Hof- und Gerichts-Advokat	Wien.
740	Dr. Pann	Advokaturs-Candidat	Wien.
741	Paravicini	Notar	Hainburg (Nied.-Oest.).
742	v. Pauer	Wirkl. Hofrath des Obersten Gerichtshofes	Wien.
743	Dr. Pawek	Hof- und Gerichts-Advokat	Wien.
744	Dr. Pawlik	Advokaturs-Candidat	Wien.
745	Dr. Peck	Gerichtsadjunkt	Wien.
746	Peer	Auskultant	Wien.
747	Dr. Peitler	Advokaturs-Candidat	Wien.
748	Dr. v. Pelser	Bezirks-Aktuar	Hietzing bei Wien.
749	Ritter v. Perisutti	disp. Oberlandesger.-Präsid.	Wien.
750	Dr. Perlep	Advokaturs-Candidat	Wien.
751	Peyrer	Bezirksvorsteher, zugeth. beim Staatsministerium	Wien.
752	Dr. Pfaff	Professor	Hermannstadt (Siebenb.)
753	Dr. Pfob	Advokaturs-Candidat	Wien.
754	Edler v. Pfungen	Ober-Landesgerichtsrath	Wien.
755	Dr. Ritt. v. Pfusterschmid	Notar	Wr. Neustadt (N.-Oest.)
756	Pick	Landesgerichtsrath	Brünn.
757	Dr. Pieta	Advokat	Kromau (Mähren).
758	Dr. Ritt. v. Pipitz	W. Geh. Rath u. Gouverneur d. priv. österr. Nationalbank	Wien.

Nr.	Name.	Stand.	Wohnort.
759	Pisch	Advokaturs-Concipient	Wien.
760	Dr. Pisko	Redakteur d. „Gerichtshalle"	Wien.
761	Ritter v. Pitreich	Wirkl. Hofrath des Obersten Gerichtshofes.	Wien.
762	Plachy	Notar	Mährisch-Neustadt.
763	Dr. Edl. v. Platner	Landesadvokat	Triest.
764	Dr. Plattner	Notar	Praegarten (Ob.-Oest.).
765	Dr. Edler v. Plener	Wirkl. Geh. Rath u. Finanz-Minister	Wien.
766	Dr. Pobeheim	Notar	Wien.
767	Pohl	Staatsanwalt	Reichenberg (Böhmen).
768	Dr. Fr. Pokorny	Hof- und Gerichts-Advokat	Wien.
769	Dr. Ed. Pokorny	Hof- und Gerichts-Advokat	Wien.
770	Dr. Polaczek	Landesadvokat	Reichenbach (Böhmen).
771	Pollanetz	Statthalterei-Conc.-Adjunkt	Wien.
772	Dr. Ponfickl	Finanzprok.-Concepts-Prakt.	Wien.
773	Dr. Pongratz	Hof- und Gerichts-Advokat	Laibach.
774	Dr. Poppenberger	Advokaturs-Candidat	Baden bei Wien.
775	Posch	Landesgerichtsrath	Wien.
776	Dr. Poschacher	Notar	Hallein (Salzburg).
777	Dr. Postl	Advokaturs-Candidat	Wien.
778	Dr. Pozorny	Landschafts-Concipist	Brünn.
779	Frh. v. Prandau	Bezirksamtsaktuar, zugetheilt im Justizministerium	Wien.
780	Frh. v. Pratobevera	Wirkl. Geh. Rath	Wien.
781	Dr. Prazak	Notar	Olmütz.
782	Dr. Preisenhammer	Advokaturs-Candidat	Brünn.
783	Preiß	disp. Stuhlrichter	Hernals bei Wien.
784	Dr. Preißler	Advokaturs-Candidat	Wien, d. z. Bielitz (österr. Schlesien).
785	Dr. Priemann	Advokaturs-Candidat	Wien.
786	Primavesi	Wirkl. Hofrath des Obersten Gerichtshofes	Wien.
787	Dr. Pröll	Notar	Linz.

Nr.	Name.	Stand.	Wohnort.
788	Dr. Prokosch	Notar	Neubistritz (Böhmen).
789	Proksch	Notar	Wien.
790	Pruggberger	Bezirksamts-Aktuar	Baden bei Wien.
791	Dr. Ptaczek	Advokat und Notar	Boskowitz (Mähren).
792	Dr. Besque v. Püttlingen	Wirkl. Hof= u. Ministerialrath i. Minist. d. Aeußern	Wien.
793	Puntschart	Doktor d. Phil. u. d. Rechte	Wien.
794	Dr. Ritter von Raimann	Gerichtsadjunkt	Wien.
795	v. Rainer	Finanzministerial=Concipist	Wien.
796	Dr. Randa	Professor	Prag.
797	Dr. Ranzi	Advokatur=Candidat	Wien.
798	Ranzoni	Kreisgerichts=Präsident	St. Pölten (Nied.=Oest.).
799	Dr. Rapp	Notar	Wien.
800	Ratoliska	Bezirksvorsteher	Praegarten (Ob.=Oest.).
801	Dr. Raudnitz	Landesadvokat	Prag.
802	Dr. Rechbauer	Hof= und Gerichts=Advokat	Graz.
803	Dr. Ritter v. Reich	Ministerialrath i. Staatsmin.	Wien.
804	Dr. Reich	Notar	Wien.
805	Reindel	Notar	Urfahr bei Linz.
806	Dr. Reiner	Notariats=Candidat	Hernals bei Wien.
807	Edler v. Reinlein	Justizministerialrath	Wien.
808	Dr. Renger	Landesadvokat und Notar	Tetschen (Böhmen).
809	Reischl	Notar	Grein a. d. Donau.
810	Dr. Reiser	Advokatur=Candidat	Wien.
811	Dr. Reißig	Advokat	Zwittau (Mähren).
812	Dr. Ritt. v. Reßig	Senats=Präsid. am Obersten Gerichtshof	Wien.
813	Erler v. Rettich	Landesgerichtsrath	Wien.
814	Dr. v. Steinbüchel-Rheinwall	Ober=Finanzrath u. Central=Inspektor i. Finanzminist.	Wien.
815	Dr. Richter	Hof= und Gerichts=Advokat	Wien.
816	Richter	Gerichtsadjunkt	Wien.
817	Dr. Richter	Advokatur=Candidat	Wien.
818	Dr. Riehl	Landesadvokat	Wr.=Neustadt (N.=Oest.).

Nr.	Name.	Stand.	Wohnort.
819	Dr. Rigler	Advokaturs-Candidat	Wien.
820	Dr. Rizy	Sekt.-Chef im Justizminister.	Wien.
821	Rizy	disp. Stuhlrichter	Freistadt (Ob.-Oesterr.).
822	Dr. Robler	Notariats-Candidat	Wien.
823	Dr. Rossi	Landesadvokat	Iglau (Mähren).
824	Dr. Rössler	Landesadvokat	Zistersdorf (Nied.-Oest.).
825	Dr. Rößler	Advokaturs-Candidat	Wien.
826	Dr. Rosenfeld	Hof- und Gerichts-Advokat	Wien.
827	Dr. Rottensteiner	Landesadvokat	Mürzzuschlag (Steierm.).
828	Dr. Edl. v. Ruthner	Hof- und Gerichts-Advokat	Wien.
829	Dr. Rziah	Landesadvokat	Budweis (Böhmen).
830	Frh. v. Sacken	Ober-Landesgerichtsrath, zugetheilt im Justizminist.	Wien.
831	Dr. Salomon	Advokaturs-Candidat	Wien.
832	Dr. Schanzer	Advokaturs-Candidat	Wien.
833	Dr. Ritter v. Scharschmid	Landesgerichts-Präsident	Wien.
834	Schreiner	Notar	Neulengbach (N.-Oest.).
835	Dr. Schenk	Advokaturs-Candidat	Wien.
836	Scheschigg	Ober-Landesgerichtsrath	Wien.
837	Dr. Schidrowitz	Advokaturs-Candidat	Wien.
838	Dr. Schiestl	Hof- und Gerichts-Advokat	Wien.
839	Dr. Schick	Notar	Wien.
840	Dr. Schimkowsky	Notar	Zdaunek (Mähren).
841	Dr. Schinhann	Notar	Wolkersdorf (N.-Oest.).
842	Schlager	Bezirksvorsteher	Tulln (Nied.-Oesterr.).
843	Dr. Schesinger	Advokaturs-Candidat	Leitmeritz (Böhmen).
844	Dr. Schlögelgruber	Hof- und Gerichts-Advokat	Wien.
845	Schloß	Landesgerichtsrath	Wien
846	Schlossarek	Bezirksvorsteher	Sternberg (Mähren).
847	Dr. Schmelkes	Landesadvokat	Nikolsburg (Mähren).
848	Dr. Ritt v. Schmerling	Wirkl. Geheimer Rath und Staatsminister	Wien.
849	Dr. Ritt. v. Schmerling	Landesgerichtsrath	Wien.

Nr.	Name.	Stand.	Wohnort.
850	Dr. Schmeykal	Landesadvokat, Mitglied des böhm. Landesausschusses	Prag.
851	Dr. Schmidkunz	Advokaturs-Candidat	Wien.
852	Dr. Schmidt	Staatsanwalts-Substitut	Wien.
853	Dr. Schmitt	Hof- und Gerichts-Advokat	Wien.
854	Schneider	Advokaturs-Concipient	Wien.
855	Schneider	Bezirks-Vorsteher	Neulengbach (N.-Oester.).
856	Schober	Staatsanwalts-Substitut	Wien.
857	Schöbl	Finanzministerialrath	Wien.
858	Dr. Schönpflug	Hof- und Gerichts-Advokat	Wien.
859	Schranzhofer	Gerichtsadjunkt	Wien.
860	Schubert	Handelsgerichts-Präsident	Prag.
861	Dr. Schüller	Advokaturs-Candidat	Wien.
862	Dr. Schulte	Professor	Prag.
863	Dr. Schüßler	Advokaturs-Candidat	Wien.
864	Dr. Edler v. Schulheim	Hofrath und Leiter d. Oberlandesgerichts	Wien.
865	Schustler	Notar	Neutitschein (Mähren).
866	Dr. Schwach	Professor	Prag.
867	Dr. Schwach	Landesadvokat	Baden bei Wien.
868	Schwaiger	Justizministerial-Concipist.	Wien.
869	Schwalm	Kreisgerichtsrath	Teschen (öst. Schlesien).
870	Schwarz	Landesgerichts-Vice-Präsident	Wien.
871	Dr. Schwarz	Notar	Wien.
872	Dr. Ritt. v. Schweidler	Advokaturs-Candidat	Wien.
873	Dr. Schweinburg	Advokaturs-Candidat	Wien.
874	Seehann	Notar	St. Pölten (N.-Oest.).
875	Seeliger	Notar	Schrems (N.-Oest.).
876	Dr. Segner	Gerichtsadjunkt	Wien.
877	Seidel	Landesadvokat	Nikolsburg (Mähren).
878	Dr. Seibler	Bezirksamts-Aktuar	Schwechat bei Wien.
879	Dr. Jos. Freiherr v. Seiller	Hof- und Gerichts-Advokat	Wien.

Nr.	Name.	Stand.	Wohnort.
880	Dr. Joh. Freiherr v. Seiller	ref. Hof= u. Ger.=Advokat	Wien.
881	Dr. Senft	Landesgerichts=Adjunkt	Brünn.
882	Dr. Smuck	Hof= und Gerichts=Advokat	Wien.
883	Dr. Sochor	Advokaturs=Candidat	Wien.
884	Dr. Frh. v. Somma= ruga	Finanzministerialrath	Wien.
885	Dr. Edler v. Sonn= leithner	Hof= und Gerichts=Advokat	Wien.
886	Spanner	Advokaturs=Concipient	Wien.
887	Sperl	Notar	Rohitsch
888	Dr Spitzer	Advokaturs=Candidat	Wien.
889	Starr	Justizministerial=Sekretair	Wien.
890	v. Stahl	Conceptsadjunkt i. Minist. f. Handel u. Volkswirthschaft	Wien.
891	Dr. Stammfest	Advokaturs=Candidat	Wien.
892	Dr. Stampfer	Landes=Advokat	Gödding (Mähren).
893	Dr. Staudinger	Bezirksamts=Aktuar	Ischl (Ob.=Oesterr.).
894	Dr. Steiner	Hof= und Gerichts=Advokat	Wien.
895	Steiner	Oberlandesgerichtsrath	Wien.
896	Steiner	Landesgerichts=Adjunkt	Klagenfurt
897	Steinitz	Sektionsrath i. Finanzminist.	Wien.
898	Steinitz	Finanzminist.=Conc. = Adjunkt	Wien.
899	Dr. Stella	Advokaturs=Candidat	Wien.
900	Dr. Stern, Mich.	Advokaturs=Candidat	Wien.
901	Dr. Stern, Alfr.	Advokaturs=Candidat	Wien.
902	Dr. Sterzinger	Notar	Wien.
903	Stiepanek	Notar	Neustadt (Mähren).
904	Still	Gerichtsadjunkt	Wien.
905	Dr. Stingl	Advokaturs=Candidat	Krems (Nied.=Oest.).
906	Ritter v. Stöckl	Wirkl. Hofrath des Obersten Gerichtshofes	Wien.
907	Stöger	Gerichtsadjunkt	Wien.
908	Dr. Stöger	Advokaturs=Candidat	Wien.
909	Dr. Stöhr	Advokaturs=Candidat	Wien.

Nr.	Name.	Stand.	Wohnort.
910	Dr. van der Straß	Landesadvokat	Brünn.
911	Dr Strauß	Advokaturs-Candidat	Wien.
912	Dr. v. Stubenrauch	Professor	Wien.
913	Dr. Suppantschitsch	Hof- und Gerichts-Advokat	Wien.
914	Dr. v Szymonovicz	Wirkl. Geh. Rath u. Senats-Präs. d. Ob. Gerichtshofes	Wien.
915	Tachauer	Gerichtsadjunkt	Korneuburg (N.-Oest.).
916	Teischinger	Landesgerichtsrath	Graz.
917	Dr. Teltscher	Hof- und Gerichts-Advokat	Wien.
918	Teltschik	Notar	Mödling (Nied.-Oest.).
919	Terzich	Kreisgerichtsrath, Rathssekret. des Obersten Gerichtshofes	Wien.
920	Terpin	Notar	Littau (Krain).
921	v. Teschenberg	Handelsminist.-Conc.-Adjunkt	Wien.
922	Frh. von Lederer-Trattnern	Staatsministerial-Concipist	Wien.
923	Dr. Ritt. v. Trebers-burg	Hof- und Gerichts-Advokat	Wien.
924	Dr. Tremel	Hof- und Gerichts-Advokat	Wien.
925	Polivka v. Treuensee	Ober-Landesgerichtsrath	Wien.
926	Dr. Tripold	Advokaturs-Candidat	Graz.
927	Dr. Troll	Hof- und Gerichts-Advokat	Wien.
928	Turteltaub	Advokaturs-Concipient	Wien.
929	Dr. Uchatzy	Notar	Reichenbach (Böhmen).
930	Dr. Ulbricht	Hof- und Gerichts-Advokat	Wien.
931	Dr. Unger	Professor	Wien.
932	Dr. Uranitsch	Hof- und Gerichts-Advokat	Laibach.
933	Dr. Vergeiner	Landesadvokat und Notar	Freistadt (Ob.-Oest.).
934	Dr. Veth	Auskultant	Feldberg (Ob.-(Oest.).
935	Dr. Vickhof	Advokaturs-Candidat	Wien.
936	Dr. v. Vilas	Advokaturs-Candidat	Wien.
937	Volkelt	Notar	Prag.
938	Dr. Völfl	Advokaturs-Candidat	Wien.
939	Dr. Vollmayer	Hof- und Gerichts-Advokat	Wien.
940	Wagner	Bezirksamts-Adjunkt	Ischl (Ob.-Oest.).

Nr.	Name.	Stand.	Wohnort.
941	Dr. Wagner	Landesgerichtsrath	Wien.
942	Dr. Wahlberg	Professor	Wien.
943	Dr. Wallaschek	Notar	Brünn.
944	v. Walter	Rathssekretair des Obersten Gerichtshofes	Wien.
945	Walter	Gerichtsadjunkt	Wien.
946	Dr. Warton	Hof- und Gerichts-Advokat	Wien.
947	Dr. Ritt. v. Waser	Ober-Staatsanwalt	Graz.
948	Dr. Weeber	Landesadvokat	Weiskirchen (Mähren).
949	Dr. Wehli	Hof- und Gerichts-Advokat	Wien.
950	Dr. Weigl	Kreisgerichts-Präsident	Steyr (Ober-Oesterr.).
951	Dr. Weil	Regierungsrath im Minister. des Aeußern	Wien.
952	Dr. Weinlich	Advokaturs-Candidat	Wien.
953	Weis	Ministerialrath im Minister. f. Handel u. Volkswirthsch.	Wien.
954	Dr. Weiß	Landesgerichtsrath	St. Pölten (Nied.-Oest.).
955	Dr.-Weiß	Advokaturs-Candidat	Wien.
956	Dr. Weißel	Hof- und Gerichts-Advokat	Wien.
957	Dr. Weißmann	Staatsministerialrath	Wien.
958	Dr. Weitlof	Advokaturs-Candidat	Wien.
959	Ritt. v. Weixelbaum	Hofrath u. erster Landesger.-Vice-Präsident	Wien.
960	Graf v. Welfersheimb	Ober-Landesgerichtsrath	Graz.
961	Dr. Ritt. v. Wenisch	Oberlandesgerichts-Präsident	Linz.
962	Werner	Dokt. d. Rechte u. Gymn.-Lehr.	Iglau (Mähren).
963	Dr. Werner	Advokaturs-Candidat	Wien.
964	Dr. Wessely	Professor	Prag.
965	Dr. Wiedenfeld	Hof- und Gerichts-Advokat	Wien.
966	Dr. Wien	Advokaturs-Candidat	Prag.
967	Dr. Wiener	Landesadvokat	Prag.
968	Wierzbicki	Justizministerial-Sekretair	Wien.
969	Dr. Wilhelm	Finanzprok.-Concep.-Praktik.	Wien.
970	Willfort	Bezirksamts-Aktuar	Ravelsbach (N.-Oest.).

Nr.	Name.	Stand.	Wohnort.
971	Dr. Waidle Edler v. Willingen	Landesgerichts-Präsident	Prag.
972	Dr. Willner	Hof- und Gerichts-Advokat	Wien.
973	Dr. Ritter v. Winiwarter	Hof- und Gerichts-Advokat	Wien.
974	Czapka Freiherr v. Winstetten	Hofrath	Wien.
975	Dr. Winter	Advokaturs-Candidat	Wien.
976	Dr. Wiser	Hof- und Gerichts-Advokat	Linz.
977	Wissiag	Landesgerichtsrath	Wien.
978	Dr. Wittek	Landesadvokat	Znaim (Mähren).
979	Dr. Wittmayer	Advokaturs-Candidat	Wien.
980	Dr. Woditk	Hof- und Gerichts-Advokat	Wien.
981	Wögerer	Ober-Landesgerichtsrath	Wien.
982	Dr. Wölbelm	Landesadvokat	Brünn.
983	Ritter v. Wolff	pens. Hofrath des Obersten Gerichtshofes	Wien.
984	Dr. Wrann	Landesadvokat	Bruck a. d. Leitha (Nied.-Oesterr.).
985	Dr. Edl. v. Würth	Advokaturs-Candidat	Wien.
986	Dr. Wunsch	Hof- und Gerichts-Advokat	Wien.
987	Dr. Wurzel	Landesadvokat	Jungbunzlau (Böhmen).
988	Zabéo	Staatsministerial-Concipist	Wien.
989	Zachar	Staatsanwalts-Substitut	Wien.
990	Dr. Zeiner	Hof- und Gerichts-Advokat	Wien.
991	Dr. Zelinka	Landmarschalls-Stellvertreter von Nied.-Oest., Bürgermeister von Wien, Hof- u. Gerichts-Advokat	Wien.
992	Dr. Zillich	Landesadvokat	St. Pölten (Nied.-Oest.).
993	Dr. Zimmermann	Advokaturs-Candidat	Wien.
994	Zink	Ober-Landesgerichtsrath	Wien.
995	Dr. Zirkel	Oberlandesgerichtsrath	Prag.

Nr.	Name.	Stand.	Wohnort.

Großherzogthum Oldenburg.

Nr.	Name	Stand	Wohnort
996	Becker	Ober-Appellationsrath	Oldenburg.
997	Flor	Auditor	Oldenburg.
998	Gräper	Obergerichtsrath	Varel.
999	Hoyer	Direktor der Strafanstalten	Vechta.
1000	Mencke	Appellationsrath	Oldenburg.
1001	Tappenbeck	Obergerichtsrath	Oldenburg.
1002	Trentepohl	Ober-Appellationsrath	Oldenburg.

Königreich Preußen.

Nr.	Name	Stand	Wohnort
1003	Dr. Abegg	Geh. Justizrath, Professor	Breslau.
1004	Abegg	Appellationsger.-Referendar	Breslau.
1005	Ahlemann	Justizrath, Rechtsanwalt	Grätz bei Posen.
1006	Ahlemann	Rechtsanwalt	Samter.
1007	Albrecht	Kreisrichter	Lauenburg i. P.
1008	Alschefski	Rechtsanwalt	Magdeburg.
1009	Dr. Anschütz	Professor	Greifswald.
1010	Anz	Kreisgerichtsrath	Tilsit.
1011	Arndts	Staatsanwalt	Mohrungen.
1012	Aschenborn	Rechtsanwalt	Arnswalde.
1013	Baber	Kreisgerichtsrath	Heiligenstadt.
1014	Baier	Staatsanwalt	Löwenberg (Schlesien).
1015	Ballhorn	Ober-Tribunalsrath	Berlin.
1016	Bartolomäus	Kreisrichter	Cammin i. P.
1017	Bartsch	Appellationsger.-Auskultator	Breslau.
1018	Bassenge	Kreisrichter	Lauban.
1019	Bauer	Appellationsger.-Referendar	Reichenbach (Schlesien).
1020	Bayer	Rechtsanwalt	Schönau (Schlesien).
1021	Becher	Justizrath, Rechtsanwalt	Berlin.
1022	Behrend	Gerichts-Assessor	Berlin.
1023	Bergmann	Rechtsanwalt	Spandau.
1024	Bering	Kreisrichter	Elsterwerda.

Nr.	Name.	Stand.	Wohnort.
1025	Bernau II.	Gerichts-Assessor	Magdeburg.
1026	Berndt	Kammergerichtsrath	Berlin.
1027	Berner	Justizrath, Rechtsanwalt	Mohrungen.
1028	Bernhard	Gerichts-Assessor	Berlin.
1029	v. Bernuth	Justizminister a. D.	Berlin.
1030	Bertheim	Gerichts-Assessor	Berlin.
1031	Dr. Beseler	Geh. Justizrath u. Professor	Berlin.
1032	Besthorn	Justizrath, Rechtsanwalt	Danzig.
1033	v. Beyer	Justizrath, Rechtsanwalt	Frankfurt a. O.
1034	Beyrich	Kreisrichter	Perleberg.
1035	Billerbeck	Justizrath, Rechtsanwalt	Anclam.
1036	Black	Staatsanwalt	Gleiwitz (Ob.-Schlesien).
1037	Block	Rechtsanwalt	Magdeburg.
1038	Blöbaum	Rechtsanwalt	Berent.
1039	Bock	Kreisrichter	Pasewalk.
1040	Bock	Gerichts-Direktor a. D.	Hagen.
1041	Bodstein	Rechtsanwalt	Löwenberg.
1042	Böhm	Rechtsanwalt	Berlin.
1043	Böhmer	Kreisgerichtsrath	Stettin.
1044	Böle	Justizrath, Rechtsanwalt	Münster.
1045	Bonseri	Appellationsgerichtsrath	Stettin.
1046	Borchardt	Stadtgerichtsrath	Berlin.
1047	v. Borck	Rechtsanwalt	Schönlanke.
1048	Dr. Bornemann	Wirkl. Geh. Rath u. Zweiter Präsident des Ober-Trib.	Berlin.
1049	Dr. Bornemann	Gerichts-Assessor und Privat-Dozent	Berlin.
1050	Bothe	Rechtsanwalt	Trzemeszno.
1051	Bouneß	Rechtsanwalt	Berlin.
1052	Bouneß	Rechtsanwalt	Breslau.
1053	Brachvogel	Justizrath, Rechtsanwalt	Bromberg.
1054	Brachvogel	Justizrath, Rechtsanwalt	Wollstein.
1055	Brachvogel	Rechtsanwalt	Berlin.
1056	Brebeck	Rechtsanwalt	Lötzen.
1057	v. Briesen	Rechtsanwalt	Hagen.

Nr.	Name.	Stand.	Wohnort.
1058	Brockhoff	Kammergerichts-Auskultator	Duisburg.
1059	Brohm	Gerichts-Assessor	Halberstadt.
1060	Bromme	Rechtsanwalt	Naumburg a. S.
1061	Buchwald	Rechtsanwalt und Notar	Gr.-Strelitz (Schlesien).
1062	Buddee	Kammergerichtsrath	Berlin.
1063	Buddee	Gerichts-Assessor	Ostrowo.
1064	Büchtemann	Kammergerichts-Referendar	Berlin.
1065	Bulla	Rechtsanwalt	Lauban.
1066	Burchard	Rechtsanwalt	Charlottenburg.
1067	Bussenius	Rechtsanwalt am Ob.-Trib.	Berlin.
1068	Casper	Justizrath, Rechtsanwalt	Berlin.
1069	v. Choltitz	Kreisgerichtsrath	Jauer.
1070	Chomse	Kreisrichter	Culm.
1071	Corty	Justizrath, Rechtsanwalt	Luckau.
1072	Crome	Regierungsrath	Erfurt.
1073	Dalcke	Staatsanwalt	Delitzsch.
1074	Damke	Justizrath, Rechtsanwalt	Filehne.
1075	Danner	Justizrath	Mühlhausen.
1076	Dechend	Kreisgerichts-Direktor	Glatz.
1077	Decker	Ober-Tribunalsrath	Berlin.
1078	Deegen	Stadtrichter	Berlin.
1079	v. Dewitz	Justizrath, Rechtsanwalt	Stettin.
1080	Dönniges	Justizrath, Rechtsanwalt	Posen.
1081	Dorn	Justizrath, Rechtsanwalt am Ober-Tribunal	Berlin.
1082	v. Dresler	Kreisgerichts-Direktor	Grätz.
1083	Ebers	Stadtrichter	Berlin.
1084	Dr. Eberty	Stadtgerichtsrath	Berlin.
1085	v. Eckenbrecher	Kreisgerichtsrath	Bergen auf Rügen.
1086	Eding	Appellationsgerichtsrath	Magdeburg.
1087	Ehlers	Kreisgerichtsrath	Halberstadt.
1088	Ehlert	Kreisrichter	Niemeck.
1089	Elbers	Rechtsanwalt	Hagen.
1090	Frh. v. Elmendorff	Staatsanwalt	Crossen.
1091	Dr. Elvers	Kreisrichter	Wernigerode.

Nr.	Name.	Stand.	Wohnort.
1092	v. Enckevort	Appellationsgerichtsrath	Stettin.
1093	Engelhardt	Justizrath, Rechtsanwalt	Posen.
1094	Engelmann	Justizrath, Rechtsanwalt	Ratibor.
1095	Engels	Kreisrichter	Alt-Landsberg.
1096	Epstein	Gerichts-Assessor	Berlin.
1097	Ernst	Kammergerichts-Referendar	Berlin.
1098	Euler	Notar	Düsseldorf.
1099	Fahrenhorst	Kreisgerichtsrath	Ragnit.
1100	Feige	Kreisrichter	Kempen (Posen).
1101	Fiebiger	Rechtsanwalt	Halle a. S.
1102	Dr. Filehne	Kreisrichter	Ratibor.
1103	Fischer	Justizrath, Rechtsanwalt	Breslau.
1104	Dr. Fischer	Kreisgerichtsrath	Schweidnitz.
1105	Fischer	Justizrath, Rechtsanwalt	Magdeburg.
1106	Fleischauer	Appellationsgerichtsrath	Berlin.
1107	Florschütz	Kreisrichter	Hagen.
1108	Ford	Stadtgerichtsrath	Berlin.
1109	Francke	Kreisgerichts-Direktor	Suhl.
1110	Frank	Kreisgerichtsrath	Crossen a. O.
1111	Franken	Advokat	Crefeld.
1112	Franz	Justizrath, Rechtsanwalt	Naumburg a. S.
1113	Frech	Ober-Tribunalsrath	Berlin.
1114	Frech	Stadtgerichtsrath	Berlin.
1115	Freßdorff	Justizrath, Rechtsanwalt	Berlin.
1116	Freund	Kreisgerichtsrath	Halle a. S.
1117	Freund	Rechtsanwalt	Breslau.
1118	Friccius	Justizrath, Divisions-Audit.	Berlin.
1119	Dr. Friedberg	Geh. Ober-Justizrath u. vortr. Rath im Justiz-Minist.	Berlin.
1120	Dr. Friedenthal	Landrath	Grottkau (Schlesien.)
1121	Friedländer	Geh. Ober-Justizrath	Berlin.
1122	Friedländer	Gerichts-Assessor	Breslau.
1123	Friedländer	Gerichts-Assessor	Breslau.
1124	Dr. Gad	Kreisrichter	Sagan.
1125	Geck	Kreisgerichtsrath	Werden a. R.

Nr.	Name.	Stand.	Wohnort.
1126	August Geck	Rechtsanwalt	Hagen.
1127	Gedicke	Bergrath u. Bergamtsjustitiar	Breslau.
1128	Dr. Gehbler	Kreisrichter	Filehne.
1129	Geißel	Appellationsger.-Referendar	Frankfurt a. O.
1130	Gelineck	Justizrath, Rechtsanwalt	Breslau.
1131	v. Gerhard	Syndikus	Königsberg i. Pr.
1132	Dr. Gerhard	Staatsanwaltsgehülfe	Labiau i. O.-Pr.
1133	Gerstäcker	Kreisrichter	Gleiwitz (Ob.-Schlesien).
1134	Gesenius	Stadtrath	Berlin.
1135	Geßler	Justizrath, Rechtsanwalt	Bromberg.
1136	Giehlow	Staatsanwalt	Oppeln.
1137	Gierse	Rechtsanwalt	Münster.
1138	Giesinger	Kreisrichter	Wollstein.
1139	Giller	Kreisrichter	Falkenberg (Ob.-Schlef.).
1140	Dr. Gitzler	Professor der Rechte	Breslau.
1141	Glasewald	Kreisrichter	Naumburg a. S.
1142	Glöckner	Justizrath, Rechtsanwalt	Halle a. S.
1143	Dr. Gneist	Professor	Berlin.
1144	Gnielka	Kreisrichter	Poln. Wartenberg.
1145	Gödecke	Justizrath, Rechtsanwalt	Halle a. S.
1146	Göring	Kreisrichter	Schlawe (Pommern).
1147	Göring	Stadt- u. Kreisgerichtsrath	Magdeburg.
1148	Götze	Appellationsgerichtsrath	Frankfurt a. O.
1149	Goltdammer	Ober-Tribunalsrath	Berlin.
1150	Dr. Gordan	Doktor der Rechte	Breslau.
1151	Gottschalk	Kreisrichter	Bielefeld. .
1152	v. Grävenitz	Ober-Staatsanwalt	Marienwerder.
1153	Graßhof	Kreisgerichtsrath	Halberstadt.
1154	v. Grobbeck	Rechtsanwalt	Schwetz.
1155	Grolp	Rechtsanwalt	Neustadt i. West-Pr.
1156	Gropius	Ober-Staatsanwalt	Naumburg a. S.
1157	Gründel	Justizrath, Rechtsanwalt	Ratibor.
1158	Grüner	Appellationsgerichtsrath	Ratibor.
1159	Baron von Grut-schreiber	Kreisgerichtsrath	Ratibor.

Nr.	Name.	Stand.	Wohnort.
1160	Gubitz	Notar	Berlin.
1161	Dr. Güterbock	Stadtrichter	Königsberg i. Pr.
1162	Haack	Rechtsanwalt	Glogau.
1163	Hachtmann	Appellationsgerichtsrath	Naumburg a. S.
1164	Dr. Häberlin	Professor	Greifswald.
1165	Hänisch	Rechtsanwalt	Colberg.
1166	Hagemeister	Kreisrichter	Stralsund.
1167	Hahndorff	Kreisgerichts-Direktor	Guben.
1168	Dr. Hambrook	Rechtsanwalt	Marienwerder.
1169	Hammerfeld	Rechtsanwalt	Berlin.
1170	Hanff	Justizrath, Rechtsanwalt	Frankfurt a. O.
1171	Hanke	Justizrath	Eilenburg.
1172	Hantelmann	Ober-Staatsanwalt	Ratibor.
1173	Hantelmann	Rechtsanwalt	Inowraclaw.
1174	Hantusch	Kreisgerichts-Direktor	Wollstein.
1175	v. Hartmann	Kreisgerichts-Direktor	Habelschwerdt.
1176	Hauschteck	Staatsanwalt	Stralsund.
1177	Haushalter	Rechtsanwalt	Wernigerode.
1178	Hay	Rechtsanwalt	Insterburg.
1179	Hayn	Justizrath, Rechtsanwalt	Breslau.
1180	Hecht	Rechtsanwalt	Kempen (Posen).
1181	Heidenreich	Erster Bibliothekar des Ober-Tribunals	Berlin.
1182	Heidsieck	Rechtsanwalt	Rahden (R.-B. Minden).
1183	Heilborn	Stadtrichter	Berlin.
1184	Heimbrod	Kreisgerichts-Direktor	Rybnick.
1185	Dr. Heimsoeth	Geh. Ober-Justizrath und Präsident	Köln.
1186	Heineccius	Ober-Tribunalsrath	Berlin.
1187	Heintze	Justizrath, Rechtsanwalt	Frankfurt a. O.
1188	Heinzel	Justizrath, Rechtsanwalt	Bunzlau (Schlesien).
1189	Hempel	Justizrath, Rechtsanwalt	Weißenfels.
1190	Hermanni	Stadtgerichtsrath	Berlin.
1191	Herms	Gerichts-Assessor	Freienwalde a. O.
1192	Hermann I.	Gerichts-Assessor	Berlin.

Nr.	Name.	Stand.	Wohnort.
1193	Herz	Stadtgerichtsrath	Berlin.
1194	Herzbruch	Kreisrichter	Halle (Westphalen).
1195	Herzfeld	Rechtsanwalt	Insterburg.
1196	Herzfeld	Rechtsanwalt	Sprottau.
1197	Heß	Kreisgerichtsrath	Waldenburg (Schlesien).
1198	Dr. Heydemann	Geh. Justizrath u. Professor	Berlin.
1199	Hierfemenzel	Stadtrichter	Berlin, Schöneberger-straße 26.
1200	Hillmar	Justizrath, Rechtsanwalt	Cöslin.
1201	Hilse I.	Kammergerichts-Referendar	Berlin.
1202	Dr. Hilse II.	Kammergerichts-Auskultator	Berlin.
1203	Hinrichs	Kreisrichter	Halle a. S.
1204	Dr. Hinschius	Justizrath und Rechtsanwalt	Berlin.
1205	Dr. Hinschius	Ger.-Assessor u. Privatdozent	Berlin.
1206	Dr. Hirsch	Rechtsanwalt	Parchwitz.
1207	Höniger	Rechtsanwalt	Inowraclaw.
1208	Dr. Höpner	Ober-Tribunalsrath	Berlin.
1209	Dr. Höpner	Geh. Justizrath a. D.	Berlin.
1210	Hoffmann	Kreisgerichtsrath	Graudenz.
1211	Hohnhorst	Rechtsanwalt	Oppeln.
1212	v. Holleben	Ober-Tribunalsrath	Berlin.
1913	Holthoff	Rechtsanwalt	Berlin.
1214	Dr. F. von Holtzen-dorff	Professor	Berlin.
1215	Horn	Kreisgerichts-Direktor und Ober-Landesgerichtsrath	Naumburg a. S.
1216	v. Horn	Appellations-Referendar	Eisleben.
1217	Horst	Justizrath und Rechtsanwalt	Breslau.
1218	Dr. Horwitz	Rechtsanwalt	Grüneberg.
1219	Huck	Kreisrichter	Zehden.
1220	Humbert	Stadtgerichtsrath	Berlin.
1221	Hundrich	Justizrath und Rechtsanwalt	Reichenbach i. Schl.
1222	Hunger	Justizrath, Rechtsanwalt	Merseburg.
1223	Jakobi	Kammergerichtsrath	Berlin.
1224	Jeiseck	Appellationsgerichtsrath	Posen.

Nr.	Name.	Stand.	Wohnort.
1225	Jenthe	Rechtsanwalt	Falkenberg (Ober-Schl).
1226	Jeschke	Gerichts-Assessor	Halberstadt.
1227	Jester	Justizrath, Rechtsanwalt	Königsberg i. Pr.
1228	Joël	Rechtsanwalt	Greiffenberg (Schlesien).
1229	Jordan	Rechtsanwalt	Ragnit.
1230	Jßmer	Justizrath, Rechtsanwalt am Ober-Tribunal	Berlin.
1231	Jung	Geh. Justizrath, Rechtsanwalt am Ober-Tribunal	Berlin.
1232	Jungwirth	Rechtsanwalt	Magdeburg.
1233	Just	Justizrath, Rechtsanwalt	Neu-Stettin.
1234	Kabe	Kreisrichter	Frankenstein (Schlesien).
1235	Kanngießer	Ober-Staatsanwalt	Greifswald.
1236	Karlowa	Auditeur	Bonn.
1237	Keibel	Gerichts-Assessor	Berlin.
1238	Kelch	Rechtsanwalt	Potsdam.
1239	Keller	Auditeur	Spandau.
1240	Keller	Kreisrichter	Essen.
1241	Kempe	Rechtsanwalt	Stargardt (Pommern).
1242	Keßler	Staatsanwalt	Burg bei Magdeburg.
1243	Frh. v. Keudell	Regierungs-Assessor	Breslau.
1244	Keyßner	Stadtrichter	Berlin.
1245	v. Kißing	Appellationsgerichtsrath	Münster.
1246	Kleine	Regierungs-Assessor	Breslau.
1247	Klimowicz	Rechtsanwalt	Königsberg i. Pr.
1248	Klinkmüller	Kreisgerichtsrath	Luckau.
1249	Kloß	Kreisgerichtsrath	Berlin.
1250	Knauth	Kreisgerichtsrath	Merseburg.
1251	Kneusel	Rechtsanwalt	Ratibor.
1252	Kneusel	Kreisrichter	Cosel.
1253	Knor	Kreisgerichtsrath	Lützen.
1254	Koch	Kreisgerichts-Direktor	Rothenburg O.-L.
1255	Koch	Stadtrichter	Danzig.
1256	Koch	Rechtsanwalt u. Notar	Schweidnitz (Schlesien).
1257	Kochann	Stadtgerichtsrath	Berlin.

Nr.	Name.	Stand.	Wohnort.
1258	v. Kölichen	Kreisrichter	Rothenburg a. d. N.
1259	König	Justizrath, Advokatanwalt	Cleve.
1260	König	Rechtsanwalt und Notar	Leobschütz.
1261	Koffka	Rechtsanwalt	Frankfurt a. O.
1262	Kohleis	Kreisrichter	Ostrowo.
1263	Kolbe	Rechtsanwalt u. Notar	Crossen a. O.
1264	Kolk	Kreisgerichtsrath	Berlin.
1265	Korb	Rechtsanwalt	Breslau.
1266	Korn	Gerichts-Assessor	Quedlinburg.
1267	Kortenbeit'l	Kreisrichter	Templin.
1268	Kortum	Gerichts-Assessor	Halberstadt.
1269	Koschella	Rechtsanwalt	Habelschwerdt.
1270	Kosmann	Ober-Tribunalsrath	Berlin.
1271	v. Kräwel	Appellationsgerichtsrath	Naumburg a. S.
1272	Kramer	Justizrath, Advokatanwalt	Düsseldorf.
1273	Kremkow	Rechtsanwalt	Gleiwitz.
1274	Kremnitz	Justizrath, Rechtsanwalt	Berlin.
1275	Kretschmann	Rechtsanwalt	Burg bei Magdeburg.
1276	Krüger	Stadtrichter	Berlin.
1277	Krug	Appellationsgerichtsrath	Naumburg a. S.
1278	Kühn	Justizrath, Rechtsanwalt	Pyritz.
1279	Kühnas	Kreisrichter	Torgau.
1280	Kühne	Kreisgerichtsrath, Mitglied der Gesetz-Revis.-Kommiss.	Berlin.
1281	Kühne	Kreisrichter	Prettin bei Torgau.
1282	Kühnemann	Geh. Finanzrath und Haupt-Bank- Justitiar	Berlin.
1283	Dr. Kühns	Privat-Dozent	Berlin.
1284	Küttner	Appellationsgerichtsrath	Posen.
1285	Kuhr	Kreisrichter	Grottkau.
1286	v. Kunowsky	Kreisgerichts-Direktor	Beuthen (Ob.-Schlesien).
1287	Kurlbaum	Stadt- und Kreisrichter	Magdeburg.
1288	Kurlbaum	Kreisrichter	Zossen.
1289	Kuwert	Rechtsanwalt	Kaukehmen.

Nr.	Name.	Stand.	Wohnort.
1290	Lachmund	Geh. Justizrath, Kreisger.-Direktor	Bunzlau.
1291	Lambrecht	Kreisgerichtsrath und Abtheilungs-Direktor	Lobsens.
1292	Landwehr	Notar	Köln.
1293	Lange	Rechtsanwalt	Creuzburg (O.-S.)
1294	Lasker	Gerichts-Assessor	Berlin.
1295	Laué	Gerichts-Assessor	Charlottenburg.
1296	Lauhn	Staatsanwalt	Naumburg a. S.
1297	Lehmann	Advokatanwalt	Köln.
1298	Lehmann	Stadtgerichtsrath a. D.	Berlin.
1299	Leißring	Gerichts-Assessor	Halle a. S.
1300	Lent	Rechtsanwalt	Breslau.
1301	Lenz	Rechtsanwalt	Greifswald.
1302	Leonhard	Kreisrichter	Ratibor.
1303	Leonhard	Rechtsanwalt	Beuthen (Ober-Schles.).
1304	Leonhard	Rechtsanwalt	Grüneberg.
1305	Lepsius	Appellationsgerichtsrath	Naumburg a. S.
1306	Leske	Staatsanwalt	Schneidemühl.
1307	Lesser	Stadt- u. Kreisgerichtsrath	Magdeburg.
1308	Levin	Gerichts-Assessor	Berlin.
1309	Lewald	Rechtsanwalt	Berlin.
1310	Lewald	Stadt u. Kreisrichter	Danzig.
1311	Libawsky	Rechtsanwalt	Creuzburg (O.-S.)
1312	Liebert	Justizrath, Rechtsanwalt	Danzig.
1313	Liebmann	Stadtgerichtsrath	Berlin.
1314	Liman	Stadtgerichtsrath	Berlin.
1315	Lindemann	Rechtsanwalt	Habelschwerdt(Schlesien).
1316	Lindner	Kreisrichter	Behrend bei Danzig.
1317	Linke	Gerichts-Assessor	Glogau.
1318	Lipke	Rechtsanwalt	Schwetz.
1319	Graf zur Lippe	Justiz-Minister	Berlin.
1320	Löper	Rechtsanwalt	Wittenberg.
1321	Loreck	Rechtsanwalt	Heiligenstadt.
1322	Lorenz	Gerichts-Assessor	Crossen a. d. O.

Nr.	Name.	Stand.	Wohnort.
1323	v. Loffow	Staatsanwalt	Wreschen.
1324	Dr. Louis	Kreisgerichtsrath	Berlin.
1325	Lubowsky	Rechtsanwalt u. Notar	Cosel (Schlesien).
1326	v. Luck	Staatsanwalt	Potsdam.
1327	Lübicke	Justizrath, Rechtsanwalt	Berlin.
1328	Lübicke	Kammergerichts-Referendar	Berlin.
1329	Lympius	Appellationsgerichts-Direktor	Halberstadt.
1330	Maaß	Stadgerichtsrath	Berlin.
1331	Macco	Justizrath und Rechtsanwalt	Siegen.
1332	Makower	Gerichts-Assessor	Berlin.
1333	Mallison	Rechtsanwalt	Carthaus (Westpreußen).
1334	Marck	Gerichts-Assessor	Breslau.
1335	Martins	Landgerichtsrath	Elberfeld.
1336	Martins	Stadtrath	Görlitz.
1337	Martiny	Rechtsanwalt	Kaukehmen.
1338	Maß	Appellationsger.-Auskultator	Anclam.
1339	Mayet	Justizrath, Rechtsanwalt	Berlin.
1340	Meibauer	Kreisrichter	Schivelbein
1341	v. Meibohm	Geh. Justizrath	Berlin.
1342	Meier	Geh. Justiz- u. vortr. Rath im Justiz-Ministerium	Berlin.
1343	Meischeider	Kreisrichter	Liegnitz.
1344	Meißner	Kreisgerichts-Direktor und Oberlandesgerichtsrath	Quedlinburg.
1345	Methner	Gerichts-Assessor	Breslau.
1346	Metz	Kreisgerichtsrath	Brandenburg a. H.
1347	Metz	Rechtsanwalt	Werne a. d. Lippe.
1348	Meyer	Ober-Tribunalsrath	Berlin.
1349	Meyer	Rechtsanwalt	Insterburg.
1350	Siegm. Meyer	Rechtsanwalt	Berlin.
1351	Meyn	Rechtsanwalt	Berlin.
1352	Michaelis	Kreisrichter	Worbis.
1353	Mier	Rechtsanwalt	Neustadt (Ober-Schles.).
1354	v. Minigerode	Gutsbesitzer u. Appellationsgerichts-Referendar a. D.	Halberstadt.

Nr.	Name.	Stand.	Wohnort.
1355	Minsberg	Rechtsanwalt	Bunzlau (Schlesien).
1356	Mitscher	Kammergerichts-Referendar	Berlin.
1357	Model	Stadtgerichtsrath	Berlin.
1358	Moritz	Rechtsanwalt	Magdeburg.
1359	Moßner	Rechtsanwalt	Luckenwalde.
1360	Mühlbach	Kreisgerichtsrath	Stargard (Pommern).
1361	von u. zur Mühlen	Wirkl. Geh. Ober-Justizrath	Berlin.
1362	Mühlenbeck	Oberlandesgerichts - Assessor a. D. und Gutsbesitzer	Großwachlin bei Stargard in Pommern.
1363	Müller	Kreisgerichts-Direktor	Birnbaum.
1364	v. Müller	Kreisgerichtsrath	Rothenburg i. d. L.
1365	Müller	Kreisgerichtsrath	Bromberg.
1366	Müller	Staatsanwalt	Berlin.
1367	Gust. Müller	Appellationsgerichtsrath	Glogau.
1368	Münzer	Kreisrichter	Falkenberg (O.-S.).
1369	Muthwill	Rechtsanwalt und Notar	Loslau (Schlesien).
1370	Naudé	Rechtsanwalt	Potsdam.
1371	zur Nedden	Staatsanwalt	Bochum.
1372	Nessel	Staatsanwalt	Breslau.
1373	Neumann	Kreisgerichtsrath	Brandenburg a. H.
1374	Niedt	Rechtsanwalt	Labiau.
1375	Niewandt	Justizrath, Rechtsanwalt	Weißenfels.
1376	Nimmer	Justizrath, Rechtsanwalt	Rothenburg i. d. L.
1377	Noah	Geh.Ob.-Regierungs-u. vortr. Rath i. Minist. d. Innern	Berlin.
1378	v. Nordenskjöld	Stadtgerichtsrath	Berlin.
1379	Oberkampff	Rechtsanwalt	Tilsit.
1380	Odebrecht	Geh. Justizrath, Kreisger.-Direktor	Berlin.
1381	Oehr	Rechtsanwalt	Gleiwitz.
1382	Oelschläger	Staatsanwaltsgehülfe	Schwetz.
1383	Oelzen	Kreisgerichtsrath	Merseburg.
1884	Opitz	Reg.-Assessor u. Spec.-Commissar der Gen.-Commiss. zu Merseburg	Cölleda (Reg.-Bez. Merseburg).

Nr.	Name.	Stand.	Wohnort.
1385	Oppenheim	Stadtgerichtsrath	Berlin.
1386	Orlop	Rechtsanwalt	Halberstadt.
1387	Orthmann	Ober-Staatsanwalt	Cöslin.
1388	v. Oßowsky	Stadtgerichtsrath	Berlin.
1389	Palmié	Kreisgerichtsrath	Halberstadt.
1390	Panse	Rechtsanwalt	Cölleda (Reg.-Bez. Merseburg).
1391	Pappritz	Stadtrichter	Berlin.
1392	Paritius	Kreisgerichtsrath	Breslau.
1393	Parisius	Kreisrichter	Gardelegen.
1394	Parrisius	Kreisgerichtsrath	Brandenburg a. H.
1395	Pasch	Kreisrichter	Poln. Wartenberg.
1396	Paschke	Kreisrichter	Liebenwerda.
1397	v. Patow	Staats- und Finanz-Minister a. D.	Berlin.
1398	Peters	Rechtsanwalt	Wittenberg.
1399	Petersen	Rechtsanwalt	Breslau.
1400	Petiskus	Rechtsanwalt	Oels.
1401	Petsch	Gerichts-Assessor	Berlin.
1402	Pezenburg	Rechtsanwalt	Frankfurt a. O.
1403	Pfleßer	Kreisgerichtsrath	Görlitz.
1404	Philipp	Kreisgerichts-Direktor	Ratibor.
1405	Philippi	Landgerichts-Präsident	Elberfeld.
1406	Pießker	Justizrath, Rechtsanwalt	Naumburg a. S.
1407	Pinckert	Justizrath, Rechtsanwalt	Erfurt.
1408	v. Piper	Kreisgerichtsrath	Wrietzen.
1409	Pißschky	Justizrath, Rechtsanwalt	Stettin.
1410	Plathner	Kammergerichtsrath	Berlin.
1411	Plathner	Justizrath, Rechtsanwalt	Breslau.
1412	Plato	Rechtsanwalt	Colberg.
1413	Pohlandt	Kreisgerichtsrath	Spandau.
1414	Pohle	Rechtsanwalt	Guben.
1415	Polenz	Kreisgerichts-Direktor	Reichenbach (Schlesien).
1416	Polenz	Rechtsanwalt	Naumburg a. S.
1417	Polenz	Appellationsger.-Auskultator	Reichenbach (Schlesien).

Nr.	Name.	Stand.	Wohnort.
1418	Primker	Stadtrichter	Breslau.
1419	Dr. Pütter	Professor	Greifswald.
1420	v. Puttkammer	Gerichts-Assessor	Frankfurt a. O.
1421	v. Radecke	Staatsanwalt	Torgau.
1422	de Rège	Geh. Ober-Justizrath, Appellationsgerichts-Präsident	Posen.
1423	Reich	Kreisgerichtsrath	Stettin.
1424	v. Reiche	Appellationsgerichtsrath	Breslau.
1425	Reichensperger	Ober-Tribunalsrath	Berlin.
1426	Reincke	Kreisrichter	Regenwalde.
1427	Reißner	Kreisrichter	Stettin.
1428	Ribbeck	Geh. Regierungs- u. vortr. Rath im Minist. d. Inn.	Berlin.
1429	Richter	Kreisrichter	Spandau.
1430	Frhr. v. Richthofen	Stadtrichter	Breslau.
1431	Rieß	Gerichts-Assessor	Berlin.
1432	Ritter	Gerichts-Direktor a. D.	Frankfurt a. O.
1433	Rittler	Rechtsanwalt	Torgau.
1434	Röber	Kreisrichter	Lindow.
1435	Dr. Röber	Gerichts-Assessor	Dortmund.
1436	Romberg	Gerichts-Assessor	Berlin.
1437	Romeiß	Rechtsanwalt	Sangerhausen.
1438	Rosenkranz	Justizrath, Rechtsanwalt	Bromberg.
1439	Rubo	Doktor der Rechte	Berlin.
1440	Dr. Rubo	Gerichts-Assessor	Berlin.
1441	Rudolph	Kreisrichter	Märkisch Friedland.
1442	Rupprecht	Kreisgerichtsrath	Reichenbach (Schlesien).
1443	Sabarth	Rechtsanwalt	Ratibor.
1444	Sack	Justizrath, Rechtsanwalt	Essen.
1445	Sack	Gerichts-Assessor	Bielefeld.
1446	Dr. Sammter	Stadtrath	Posen.
1447	Sander	Rechtsanwalt	Arnswalde.
1448	Sartorius	Kreisrichter	Angerburg.
1449	Sauerteig	Rechtsanwalt	Eilenburg.
1450	Schäfer	Stadt- und Kreisrichter	Wollmirstedt.

Nr.	Name.	Stand.	Wohnort.
1451	Schalt	Rechtsanwalt	Templin.
1452	Scharff	Kreisgerichtsrath	Jauer (Schlesien).
1453	Schede	Justizrath, Rechtsanwalt, Universitätsrichter	Halle a. S.
1454	Scheller	Justizrath, Rechtsanwalt	Elbing.
1455	Scheurich	Rechtsanwalt	Crossen.
1456	Schiebler	Kreisrichter	Straußberg.
1457	v. Schimmelfennig	Rechtsanwalt	Gerdauen.
1458	v. Schleusing	Kreisgerichtsrath	Berent.
1459	Schlieben	Kreisrichter	Stargard i. P.
1460	Schlüter	Rechtsanwalt	Witten.
1461	Schmaling	Kreisrichter	Hettstädt im Mannsfelder Gebirgskreise.
1462	Schmidt	Geh. Justizr., Rechtsanwalt	Marienwerder.
1463	Schmidt	Kreisrichter	Hainau (Schlesien).
1464	Dr. Schmidt	Kammergerichts-Referendar.	Berlin.
1465	Schmidt	Rechtsanwalt	Lobsens.
1466	Schmiedel	Justizrath, Rechtsanwalt	Ratibor.
1467	Schmitz	Kreisgerichtsrath	Lüdinghausen b. Münster.
1468	Schnackenberg	Bergrath	Gleiwitz.
1469	Dr. Schönberg	Appellationsger.-Auskultator	Stettin.
1470	Schöneseiffen	Advokat	Gladbach b. Düsseldorf.
1471	Schönstedt	Kreisrichter	Seehausen i. d. Altmark.
1472	Schörke	Rechtsanwalt	Belgard.
1473	Schollmeyer	Kreisrichter	Cremmen.
1474	Scholz	Regierungs-Assessor	Breslau.
1475	Schröder	Gerichts-Assessor u. Spezial-Commissarius	Tarnowitz.
1476	Schück	Strafanstalts-Direktor	Breslau.
1477	Schütz II.	Ober-Tribunalsrath	Berlin.
1478	Schuhmann	Geh. Regierungsrath	Berlin.
1479	Schulz	Justizrath, Rechtsanwalt	Bochum.
1480	Schulz	Rechtsanwalt	Wanzleben.
1481	Schulz-Völker	Justizrath, Rechtsanwalt	Bromberg.

Nr.	Name.	Stand.	Wohnort.
1482	Schultze	Kreisrichter	Neuwied.
1483	Schulz	Kreisrichter	Bochum (Westphalen).
1484	Dr. Schulze	Hofrath u. ord. Prof. d. Rechte	Breslau.
1485	Schulze	Rechtsanwalt	Spandau.
1486	Schuster	Rechtsanwalt	Eisleben.
1487	Schwartz	Gerichts-Assessor	Berlin.
1488	Schwarz	Appellationsgerichtsrath	Breslau
1489	Schwarz	Kreisgerichtsrath	Greifswald.
1490	Schwarz	Rechtsanwalt	Berlin.
1491	Schwerin	Kreisrichter	Sommerfeld.
1492	Graf v. Schwerin-Putzar	Staats- u. Minist. d. Innern a. D.	Berlin.
1493	Dr. Frbr. v. Seckendorf	Ober-Tribunalsrath	Berlin.
1494	Seemann	Kreisgerichts-Direktor	Spremberg.
1495	Sehlmacher	Rechtsanwalt	Pyritz.
1496	Dr. Seidels	Doktor der Rechte	Berlin.
1497	v. Seydewitz	Kreisrichter	Stettin.
1498	Siegert	Gerichts-Assessor	Breslau.
1499	Siemens	Rechtsanwalt am Ob.-Trib.	Berlin.
1500	Siemens	Kammerger.-Auskultator	Berlin.
1501	Dr. Silberschlag	Stadt- u. Kreisrichter	Magdeburg.
1502	Simon	Justizrath, Rechtsanwalt	Breslau.
1503	Simon	Kreisrichter	Nauen.
1504	Simonson	Rechtsanwalt	Berlin.
1505	Dr. Simson	Appellationsger.-Vice-Präsident	Frankfurt a. O.
1506	Simson	Rechtsanwalt	Berlin.
1507	Slevogt	Justizrath, Rechtsanwalt	Berlin.
1508	Sönderop	Rechtsanwalt	Stargard (Pommern).
1509	Spangenberg	Kammer-Direktor	Carolath.
1510	v. Spangenberg	Kreisgerichtsrath	Bunzlau.
1511	Spickhoff	Advokatanwalt	Düsseldorf.
1512	Spiegelthal	Rechtsanwalt	Calbe a. S.
1513	Stegemann	Rechtsanwalt	Halberstadt.

Nr.	Name.	Stand.	Wohnort.
1514	Stegemann	Staatsanwalt.	Wriezen.
1515	Steinhausen	Stadtgerichtsrath	Berlin.
1516	Stelzer	Rechtsanwalt	Torgau.
1517	Stephany	Stadtgerichtsrath	Berlin.
1518	Stinner	Rechtsanwalt	Schlochau (Westpreußen).
1519	Stöpel	Staatsanwalt	Potsdam.
1520	v. Stöphasius	Stadt- u. Kreisgerichts-Präsident	Magdeburg.
1521	Stößell	Kreisrichter	Stolp.
1522	Dr. Stolp	Red. der Monatsschrift für Deutsches Städte- u. Gemeinwesen	Berlin.
1523	Storch	Kreisrichter	Glogau.
1524	Dr. Straß	Kreisjustizrath a. D., Rechtsanwalt	Berlin.
1525	Strützki	Gerichts-Assessor	Bunzlau.
1526	Stuckart	Justizrath, Rechtsanwalt	Waldenburg (Schlesien).
1527	Sutro	Rechtsanwalt	Meschede.
1528	Sydow	Geh. Justizrath und vortrag. Rath im Justiz-Minist.	Berlin.
1529	Teichen	Kreisrichter	Loitz in Neuvorpommern.
1530	Teichmann	Rechtsanwalt	Breslau.
1531	Tellemann	Gerichts-Assessor	Naumburg a. S.
1532	Tepler	Appellationsgerichtsrath	Naumburg a. S.
1533	v. Tepper	Appellationsgerichtsrath	Ratibor.
1534	Teßmar	Kreisgerichts-Direktor	Lauenburg (Pommern).
1535	Teßmar	Rechtsanwalt	Stargard (Pommern).
1536	Theremin	Gerichts-Assessor	Goldberg (Schlesien).
1537	Thesing	Rechtsanwalt	Stallupönen.
1538	Dr. Thesmar	Advokat-Anwalt	Köln.
1539	v. Thielenfeld	Justizrath, Rechtsanwalt	Frankfurt a. O.
1540	Thilo	Gerichts-Assessor	Breslau.
1541	v. Tippelskirch	Ober-Tribunalsrath	Berlin.
1542	Treff	Rechtsanwalt	Wittenberg.
1543	Twesten	Stadtgerichtsrath	Berlin.

Nr.	Name.	Stand.	Wohnort.
1544	Ufert	Stadt- u. Kreisgerichts-Direktor	Danzig.
1545	Franz Ulrici	Appellationsgerichtsrath	Frankfurt a. O.
1546	Bernhard Ulrici	Appellationsger.-Referendar	Frankfurt a. O.
1547	Dr. Ullmann	Gerichts-Assessor	Breslau.
1548	Urban	Gerichts-Assessor	Neiße (Schlesien).
1549	Valentin	Justizrath, Rechtsanwalt	Berlin.
1550	Valois	Rechtsanwalt	Dirschau.
1551	Völtz	Justizrath, Rechtsanwalt	Danzig.
1552	Vogel	Kreisrichter	Cölleda (Reg.-Bez. Merseburg.
1553	Vogel	Justizrath, Rechtsanwalt	Strehlen (Schlesien).
1554	Vogler	Justizrath, Rechtsanwalt	Berlin.
1555	Voigt	Kreisgerichtsrath	Greiffenhagen.
1556	Volkmar	Justizrath, Rechtsanwalt am Ober-Tribunal	Berlin.
1557	Volkmar	Gerichts-Assessor	Berlin.
1558	Volkmer	Gerichts-Assessor	Breslau.
1559	Volland	Kreisgerichtsrath	Suhl.
1560	Wache	Kammergerichts-Assessor a. D.	Berlin.
1561	Wagner	Justizrath, Rechtsanwalt am Ober-Tribunal	Berlin.
1562	Dr. Waldeck	Ober-Tribunalsrath	Berlin.
1563	Walder	Kreisgerichtsrath	Brandenburg a. H.
1564	Walter	Justizrath, Rechtsanwalt	Beuthen (Ob.-Schlesien).
1565	Dr. Graf von Wartensleben	Stadtgerichtsrath	Berlin.
1566	Weber	Justizrath, Rechtsanwalt	Berlin.
1567	Weber	Advokat	Elberfeld.
1568	Dr. Weber	Stadtrath	Erfurt.
1569	v. Wegner	Ober-Tribunalsrath	Berlin.
1570	Wegner	Justizrath, Rechtsanwalt	Berlin.
1571	Wegner	Kreisrichter	Stolp.
1572	Wegner	Gerichts-Assessor	Berlin.
1573	Weidlich	Rechtsanwalt	Gleiwitz.

Nr.	Name.	Stand.	Wohnort.
1574	Dr. Weigel	Syndikus	Breslau.
1575	Wendt	Stadtgerichtsrath	Breslau.
1576	Wentzel	Stadtgerichtsrath	Berlin.
1577	Wentzel	Stadtrichter	Breslau.
1578	Wenzel	Stadtgerichtsrath	Berlin.
1579	Dr. Wenzig	Rechtsanwalt	Berlin.
1580	Werner	Kammergerichts-Referendar	Berlin.
1581	Westphal	Gerichts-Assessor	Halle a. S.
1582	Westphal	Appellationsgerichtsrath	Naumburg a. S.
1583	Westphal	Gerichts-Assessor bei der Kgl. General-Kommission	Breslau.
1584	Wettke	Kreisrichter	Mohrungen (Ostpr.)
1585	Weymann	Kreisrichter	Bärwalde i. d. Neumark.
1586	Wiener	Rechtsanwalt	Ohlau (Schlesien).
1587	Wille	Rechtsanwalt	Berlin.
1588	Wille	Gerichts-Assessor	Berlin.
1589	v. Wilmowski	Geh. Finanzrath	Berlin.
1590	v. Wilmowski	Rechtsanwalt	Schlawe (Pommern).
1591	Winkler	Rechtsanwalt	Gleiwitz.
1592	Winkler	Kreisrichter	Halle a. S.
1593	v. Winter	Ober-Bürgermeister	Danzig.
1594	Winterfeldt	Kammergerichts-Referendar	Brandenburg a. H.
1595	Wippermann	Rechtsanwalt	Torgau.
1596	Witte	Stadtrichter	Berlin.
1597	Dr. Witte	Gerichts-Assessor u. Privat-Dozent	Berlin.
1598	Wölfel	Rechtsanwalt	Lützen bei Merseburg.
1599	Woide	Gerichtsrath	Rawicz.
1600	Wolf	Stadt- und Kreisrichter	Magdeburg.
1601	Wolff	Justizrath, Rechtsanwalt am Ober-Tribunal	Berlin.
1602	Wolff	Rechtsanwalt	Berlin.
1603	Wolff	Rechtsanwalt	Schubin bei Bromberg.
1604	Wolff	Kreisgerichtsrath	Strehlen.
1605	Wollank	Stadtgerichtsrath	Berlin.

Nr.	Name.	Stand.	Wohnort.
1606	Wollenschläger	Appellationsgerichtsrath	Marienwerder.
1607	Wollny	Geh. Finanzrath	Berlin.
1608	Zenthöfer	Kreisrichter	Rybnick.
1609	v. Zerbst	Appellationsgerichtsrath	Greifswald.
1610	Zimmermann	Doktor der Rechte	Berlin.
1611	Dr. Zöllner	Staatsanwalt	Berlin.

Fürstenthum Reuß.

1612	Dr. Liebich	Kriminalrath	Lobenstein.
1613	Schlotter	Advokat und Notar	Gera.
1614	Schlotter	Advokat	Schleiz.
1615	Süßenguth	Rechtsanwalt	Lobenstein.
1616	Weigelt	Justiz-Amtmann	Burgk.

Königreich Sachsen.

1617	Abeken	Gerichtsrath	Dresden.
1618	Ackermann	Hofrath, Finanzprokurator u. Rechtsanwalt	Dresden.
1619	v. Aehrenfeld	Advokat	Löbau.
1620	Ahnert	Gerichtsamtsaktuar	Großenhain.
1621	Dr. Andritschky	Advokat	Leipzig.
1622	Anschütz	Advokat	Leipzig.
1623	Bachmann	Rechtsanwalt und Notar	Zwickau.
1624	Bachmann	Rechtsanwalt	Pulsnitz.
1625	Barth	Staatsanwalt	Leipzig.
1626	Bassenge	Bezirksgerichts-Aktuar	Dresden.
1627	Beck	Bezirksgerichts-Aktuar	Leipzig.
1628	Beck	Advokat	Leipzig.
1629	Beeger	Rechtsanwalt	Löbau (Sachsen).
1630	Dr. v. Behr	Justiz-Minister	Dresden.
1631	Bennewitz	Rechtsanwalt	Leipzig.
1632	Bermann	Gerichtsamtmann	Zöblitz.
1633	Bermann	Advokat	Geringswalde.

Nr.	Name.	Stand.	Wohnort.
1634	Berndt	Gerichtsamtmann	Geithain.
1635	Bernhardt	Gerichtsamtmann	Gottleuba bei Pirna.
1636	Beschorner	Finanzprokurator	Dresden.
1637	Blüher	Notar	Dresden.
1638	Böhmer	Amtsaktuar	Lommatzsch.
1639	Börner	Bezirksgerichtsaktuar	Löbau.
1640	Böttger	Amtsaktuar	Moritzburg.
1641	Bornemann	Advokat	Schneeberg.
1642	Bräuer	Advokat	Bautzen.
1643	Dr. Brandt	Advokat	Leipzig.
1644	Dr. Braun	Geheimer Regierungsrath	Plauen.
1645	Brockhaus	Doktor der Rechte	Leipzig.
1646	Brunner	Rentamtmann u. Advokat	Leipzig.
1647	Brunner	Advokat	Leipzig.
1648	v. Buttlar	Assessor	Chemnitz.
1649	Butter	Gerichtsamtsaktuar	Frankenberg.
1650	Canzler	Rechtsanwalt	Dippoldiswalde.
1651	Clauß	Advokat	Polditz bei Leisnig.
1652	Dr. Coccius	Advokat	Leipzig.
1663	Coith	Gerichtsrath	Chemnitz.
1654	Cunradi	Rechtsanwalt	Dresden.
1655	Degen	Advokat	Leipzig.
1656	Deumer	Advokat	Kamenz.
1657	Dietel	Bürgermeister	Wurzen.
1658	Dietze	Gerichtsrath	Oschatz.
1659	Döring	Rechtsanwalt	Dresden.
1660	v. Döring	Gerichtsamts-Aktuar	Kirchberg.
1661	Drewitz	Gerichtsamtmann	Dippoldiswalde.
1662	Ebert	Gerichtsrath	Dresden.
1663	Ehrig I.	Advokat u. Notar	Budissin.
1664	Dr. Wilh. Einert	Rechtsanwalt	Leipzig.
1665	Einert	Gerichtsrath	Dresden.
1666	Reiche-Eisenstuck	Advokat	Annaberg.
1667	Reiche-Eisenstuck	Staatsanwalt	Borna.
1668	Eißner	Advokat	Pulsnitz.

Nr.	Name.	Stand.	Wohnort.
1669	Engel	Advokat	Dresden.
1670	Eysoldt	Rechtskandidat und Notar	Königstein.
1671	Fasoldt	Rechtsanwalt u. Notar	Dresden.
1672	Fellner	Gerichtsamtmann	Pulsnitz.
1673	Ficker	Advokat	Leisnig.
1674	Ficker	Advokat	Herrnhut.
1675	Fiedler	Gerichtsamtmann	Tharandt.
1676	Fleck	Appellationsrath	Bautzen.
1677	Fleck	Steuerprokurator, Rechtsanwalt	Dresden.
1678	Förster	Advokat	Pirna.
1679	Fränzel	Rechtsanwalt	Dresden.
1680	Dr. Francke	Gerichtsrath	Dresden.
1681	Francke	Advokat	Dresden.
1682	Frenkel	Advokat	Leipzig.
1683	Dr. Friederici jun.	Rechtsanwalt	Leipzig.
1684	Dr. Friederici	Obergerichts-Advokat	Leipzig.
1685	Friedrich	Gerichtsamtmann	Chemnitz.
1686	Friedrich	Rechtsanwalt	Pirna.
1687	Friedrich	Advokat	Burgstädt bei Chemnitz.
1688	Gabriel	Gerichtsamtmann	Brand.
1689	Gareis	Staatsanwalt	Pirna.
1690	Gasch	Rechtsanwalt	Dresden.
1691	Gebert	Geh. Justiz- u. Minist.-Rath	Dresden.
1692	Dr. Georgi	Advokat	Leipzig.
1693	Dr. Gerhard	Advokat	Leipzig.
1694	Gerlach	Advokat	Dresden.
1695	Geyer	Rechtsanwalt und Notar	Dresden.
1696	Geyer	Advokat	Dresden.
1697	Girardet	Auditeur im Reiter-Regiment Kronprinz	Großenhain.
1698	Glöckner	Gerichtsrath	Dresden.
1699	Dr. v. Göß	Professor	Leipzig.
1700	Dr. v. Gohren	Advokat	Schandau.
1701	Golle	Rechtsanwalt	Glauchau.

Nr.	Name.	Stand.	Wohnort.
1702	Gottschalck	Rechtsanwalt	Dresden.
1703	v. Gottschalk	Gerichtsamtmann	Rötha.
1704	Grabowsky	Bürgermeister, Advokat und Notar	Thum.
1705	Gräffe	Rechtsanwalt	Dresden.
1706	Grimm	Advokat	Reichenbach im Voigtlande.
1707	Grötsch	Bezirksgerichts-Direktor	Oschatz.
1708	Groß	Gerichtsrath	Dresden.
1709	Gutbier	Rechtsanwalt	Dresden.
1710	O. v. Gutschmidt	Advokat	Zwickau.
1711	Haase	Advokat	Haynichen.
1712	Haberkorn	Bürgermeister, Präsident der II. Kammer der Ständeversammlung	Zittau.
1713	Dr. Hänel	Geh. Rath und vortragender Rath im Justizministerium	Dresden.
1714	Härtig	Rechtsanwalt	Großenhain.
1715	Hallbauer	Finanz-Prokurator	Meißen.'
1716	Harnisch	Advokat	Chemnitz.
1717	Hartung	Bürgermeister	Schandau.
1718	Hartung	Gerichtsamtmann	Königsbrück.
1719	Hartwich	Advokat	Pirna.
1720	Hase	Rechtsanwalt	Altenburg.
1721	Haße	Advokat und Notar	Chemnitz.
1722	Dr. Gust. Haubold	Rechtsanwalt	Leipzig.
1723	Hecker	Auditor	Zwickau.
1724	Heinze	Raths-Aktuar	Dresden.
1725	Helfer	Advokat	Leipzig.
1726	Hempel	Stadtrath	Dresden.
1727	Hensel	Bezirksgerichts-Direktor	Budissin.
1728	Hentschel	Staatsanwalt	Meißen.
1729	Herbig	Bezirksgerichts-Direktor	Annaberg.
1730	Hermann	Rechtsanwalt	Dresden.
1731	Dr. Herrmann	Advokat	Leipzig.

Nr.	Name.	Stand.	Wohnort.
1732	Dr. Herrmann	Privat-Dozent	Leipzig.
1733	Herrmann	Advokat	Glauchau.
1734	Dr. Hertel	Bürgermeister	Dresden.
1735	Dr. Hesse	Advokat	Dresden.
1736	Heubner	Advokat	Zwickau.
1737	Heydenreich	Rechtsanwalt	Dresden.
1738	Hirschberg	Bürgermeister	Meißen.
1739	Höckner	Doctor der Rechte	Budissin.
1740	Höfer	Gerichtsamtsaktuar	Grünhein.
1741	Höffner	Rechtsanwalt	Nossen.
1742	Dr. Hösler	Advokat	Leipzig.
1743	Hofmann	Advokat	Burgstädt.
1744	Holfe	Bezirks-Gerichtsaktuar	Leipzig.
1745	Hünich	Advokat	Dresden.
1746	v. Hüttner	Advokat	Huttenburg bei Meißen.
1747	Jakobi	Rechtsanwalt	Grimma.
1748	Jähnert	Advokat	Oschatz.
1749	Jahn	Gerichtsamtsaktuar	Brand bei Freiberg.
1750	Jaspis	Bezirksgerichtsaktuar	Bautzen.
1751	Dr. Jentsch	Rechtsanwalt	Zittau.
1752	Dr. Joseph	Rechtsanwalt	Leipzig.
1753	Joseph	Baccal. der Rechte	Leipzig.
1754	Judeich	Kreissteuerrath	Dresden.
1755	Judeich	Advokat	Dresden.
1756	Just	Senator	Nied.-Lösnitz bei Dresden.
1757	Keysselitz	Aktuar	Großenhain.
1758	Dr. Kieber	Rechtsanwalt	Dresden.
1759	Kleinschmidt	Rechtsanwalt	Leipzig.
1760	Klemm	Appellationsrath	Dresden.
1761	Klemm	Ober-Appellationsrath	Dresden.
1762	Klinger	Rechtsanwalt	Dresden.
1763	Kneschke	Gerichtsamtsaktuar	Frankenberg.
1764	Dr. Koch	Assessor und Redakteur der Zeitung des Vereins Deutscher Eisenbahn-Verwalt.	Leipzig.

Nr.	Name.	Stand.	Wohnort.
1765	Theodor Koch	Advokat	Buchholz.
1766	Köhler	Gerichtsamts-Assessor	Löbau.
1767	Körner	Geh. Rath und Dep.-Direktor im Minist. d. Innern	Dresden.
1768	Körner	Rechtsanwalt	Auerbach (Voigtland).
1769	Körner	Stadtrath	Zwickau.
1770	Körnig	Advokat	Meißen.
1771	Köttig	Rechtsanwalt	Meißen.
1772	Kohlschütter	Rechtsanwalt	Dresden.
1773	Dr. Kori sen.	Advokat	Leipzig.
1774	Dr. Kori jun.	Advokat	Leipzig.
1775	Dr. Kormann	Hofrath, Advokat	Leipzig.
1776	Kretschmar	Advokat	Lichtenstein.
1777	Dr. Kretschmar	Rechtsanwalt	Leipzig.
1778	Kretschmar	Rechtsanwalt	Großenhain.
1779	Kretschmar	Rechtsanwalt	Dresden.
1780	Krippendorf	Rechtsanwalt	Dresden.
1781	Krüger	Gerichtsaktuar und Richter	Zittau.
1782	Dr. Krug	Geh. Justizrath u. vortrag. Rath im Justiz-Minist.	Dresden.
1783	Herrm. Kühn	Rechtsanwalt	Leipzig.
1784	Künzel	Regierungsrath im Minist. des Innern	Dresden.
1785	Küttner	Finanzprokurator, Rechtsanw.	Dresden.
1786	Albert Kuhn	Rechtsanwalt	Dresden.
1787	Moritz Kuhn	Rechtsanwalt	Dresden.
1788	Dr. Kuntze	Professor	Leipzig.
1789	Kuntze	Stadtrath	Meerane.
1790	Kuntzsch	Notar	Dresden.
1791	Lamm	Gerichtsrath	Bautzen.
1792	Landgraff	Rechtskandidat und verpflich-teter Protokollant	Zwickau.
1793	Langbein	Rechtsanwalt und Notar	Wurzen.
1794	Lauhn	Advokat	Dresden.
1795	Lauhn	Advokatur-Candidat	Leipzig.

Nr.	Name.	Stand.	Wohnort.
1796	Lehmann	Advokat und Notar	Dresden.
1797	Lehmann	Doktor der Rechte	Leipzig.
1798	Lengnick	Rechtsanwalt und Notar	Dresden.
1799	Leonhardi	Advokat	Waldenburg.
1800	Leonhardt	Advokat	Freiberg.
1801	Leupold	Rechtsanwalt	Dresden.
1802	Dr. Lincke	Appellationsrath	Leipzig.
1803	Lincke	Gerichtsrath	Pirna.
1804	Litzkendorf	Gerichtsamtmann	Löbau.
1805	Löhr	Bürgermeister	Bautzen.
1806	Lorenz	Finanzprokurator u. Rechts-anwalt	Großenhain.
1807	Lorenz	Rechtsanwalt	Zwickau.
1808	Lucius	Geh. Regierungsrath u. Be-zirksgerichts-Direktor	Leipzig.
1809	Lüde	Rechtsanwalt	Zittau.
1810	Matteis	Kriminal-Assessor	Wurzen.
1811	Mehner	Assessor	Radeberg bei Dresden.
1812	Dr. Meinhold	Advokat	Dresden.
1813	Dr. Meischner	Rechtsanwalt und Notar	Penig.
1814	Melzer	Bürgermeister und Advokat	Frankenberg.
1815	v. Metzsch	Gerichtsrath	Leipzig.
1816	v. Metzsch	Assessor	Bautzen.
1817	v. Metzsch	Aktuar	Mittweida.
1818	Mickan	Gerichtsamtsaktuar	Schönfeld bei Dresden.
1819	Miller	Rechtsanwalt und Notar	Dresden.
1820	Dr. jur. Minckwitz	Rittergutsbesitzer	Thun bei Chemnitz.
1821	Dr. Mirus sen.	Rechtsanwalt	Leisnig.
1822	Dr. Mirus jun.	Rechtsanwalt	Leisnig.
1823	v. Mücke	Bezirksgerichts-Direktor	Zittau.
1824	Müller	Advokat	Leipzig.
1825	Nake	Rechtsanwalt und Notar	Dresden.
1826	Nake	Advokat	Leisnig.
1827	Neidhardt	Bezirksgerichts-Direktor	Zwickau.
1828	Neubert	Bürgermeister	Dresden.

Nr.	Name.	Stand.	Wohnort.
1829	Neumann	Appellationsrath	Dresden.
1830	Dr. Nißen	Privat-Dozent	Leipzig.
1831	Nöller	Advokat	Dresden.
1832	Nohr	Gerichtsamtsaktuar	Zwickau.
1833	Ochernal	Rechtsanwalt	Dippoldiswalde.
1834	Oehme	Rechtsanwalt	Annaberg.
1835	Oertel	Rechtskandidat und Notar	Radeberg.
1836	Opitz	Finanzprokurator u. Rechts-anwalt	Dresden.
1837	Orth	Rechtsanwalt und Notar	Königstein.
1838	Osten	Advokat und Notar	Leipzig.
1839	Oßwald	Rechtsanwalt	Borna.
1840	Dr. Osterloh	Professor	Leipzig.
1841	v. Otto	Kaif. Ruff. Wirkl. Staatsrath und Professor emer.	Dresden.
1842	Otto	Advokat	Dresden.
1843	Dr. Pappermann	Rechtsanwalt	Dresden.
1844	Petermann	Bacc. jur.	Dresden.
1845	v. Petrikowsky	Gerichtsamtmann	Werdau.
1846	Petsch	Gerichtsrath	Löbau.
1847	Dr. Petschke	Advokat	Leipzig.
1848	Petzoldt	Advokat	Leipzig.
1849	Pflug	Advokat	Penig.
1850	Pfotenhauer	Ober-Bürgermeister	Dresden.
1851	Pietsch	Bezirksgerichts-Direktor	Pirna.
1852	Dr. Pilling	Advokat	Dresden.
1853	Pohl	Rechtsanwalt	Frohburg.
1854	Frhr. v. Pohland	Doktor der Rechte	Pillnitz bei Dresden.
1855	Frhr. v Pohland	Regier.-Referendar	Dresden.
1856	Pohlenz	Advokat	Leipzig.
1857	Preller	Rechtsanwalt u. Notar	Chemnitz.
1858	Priber	Gerichtsrath	Chemnitz.
1859	Quenzel	Gerichtsamts-Affessor	Schneeberg.
1860	Raum	Advokat	Glauchau.
1861	Richter	Rechtsanwalt	Budiffin.

Nr.	Name.	Stand.	Wohnort.
1862	Richter	Notar	Leipzig.
1863	Riedel	Rechtsanwalt	Pomßen bei Grimma.
1864	Roch	Advokat	Zwickau.
1865	Roßtäuscher	Staatsanwalt	Bautzen.
1866	Dr. Rouv	Advokat	Leipzig.
1867	Rüger	Rechtsanwalt	Dresden.
1868	Ruffini	Advokat u. Notar	Königsbrück bei Dresden.
1869	Rumpelt	Staatsanwalt	Löbau
1870	Rumpelt	Rechtsanwalt	Radeberg.
1871	Schäffer	Advokat	Dresden.
1872	Schäffer	Regierungs-Referendar	Budissin.
1873	Dr. Schaffrath	Rechtsanwalt	Dresden.
1874	Schanz	Rechtsanwalt und Notar	Dresden.
1875	Scharf	Advokat	Zwickau.
1876	Schedlich	Rechtsanwalt	Rochlitz.
1877	Schedlich	Rechtsanwalt	Crimitschau.
1878	Scheele	Rechtsanwalt	Dresden.
1879	Dr. Schelcher	Rechtsanwalt und Notar	Dresden.
1880	Schelcher	Rechtsanwalt	Oschatz.
1881	Scherell	Doktor der Rechte	Leipzig.
1882	Scheuffler I.	Rechtsanwalt und Notar	Meißen.
1883	Scheuffler II.	Rechtsanwalt	Meißen.
1884	Schickert	Bürgermeister	Großenhain,
1885	Dr. Schilling	Gerichtsrath	Leipzig.
1886	Schlegel	Gerichtsamts-Aktuar	Dresden.
1887	Dr. Schletter	Professor	Leipzig.
1888	Dr. Schluckwerder	Assessor	Leipzig.
1889	Schmid	Rechtsanwalt	Dresden.
1890	Dr. Schmidt	Finanzprokurator	Dresden.
1891	Dr. Schmidt.	Justizrath	Dresden.
1892	Schmidt	Advokat	Dresden.
1893	Dr. Schneider	Appellationsger.-Präsident	Dresden.
1894	Dr. Schnell	Rechtsanwalt u. Notar	Zittau.
1895	Schreck	Advokat	Pirna.
1896	Schrey	Advokat	Leipzig.

Nr.	Name.	Stand.	Wohnort.
1897	Schreyer	Advokat	Meißen.
1898	Schröter	Rechtsanwalt	Stollberg bei Chemnitz.
1899	Schulz	Advokat und Notar	Dresden.
1900	Schulze	Advokat	Döbeln.
1901	Dr. Schwarze	General-Staatsanwalt	Dresden.
1902	Schwauß	Regierungsrath und Polizei-Direktor	Dresden.
1903	Segnitz	Rechtsanwalt	Wermsdorf. .
1904	Seume	Advokat	Crimitschau.
1905	Seyfert	Gerichtsamtmann	Ebersbach (Oberlausitz).
1906	Dr. Siebdrat	Geh. Justizrath und vortr. Rath im Justiz-Minist.	Dresden.
1907	Siegel	Rechtsanwalt	Glauchau.
1908	Dr. Sierig	Hülfsarbeiter bei der Staats-anwaltschaft	Leipzig.
1909	Simon	Advokat	Leipzig.
1910	Sommer	Advokat, Justitiar	Bernstadt.
1911	Sommer	Advokat	Wilsdruff bei Dresden.
1912	Speck	Advokat	Döbeln.
1913	Stange	Rechtskonsulent	Dresden.
1914	Starke	Gerichtsrath	Leipzig.
1915	Dr. Starke	Auditeur	Königstein (Festung).
1916	Stauß	Rechtsanwalt	Dresden.
1917	Dr. Steche	Stadtrichter	Leipzig.
1918	Dr. Steeger	Advokat	Dresden.
1919	Steiger	Bezirksgerichts-Aktuar	Budissin.
1920	Dr. Stein	Rechtsanwalt	Dresden.
1921	Steinhäuser	Rechtsanwalt	Plauen.
1922	Dr. Stieber	Appellationsgerichts-Vice-Präsident	Bautzen.
1923	Stimmel	Finanzprokurator u. Rechts-anwalt	Plauen.
1924	Stöckel	Staatsanwalt	Chemnitz.
1925	Streit	Bürgermeister	Zwickau.
1926	Stremel	Advokat	Zittau.

Nr.	Name.	Stand.	Wohnort.
1927	Ströbel	Rechtsanwalt	Dresden.
1928	Dr. Alfred Stübel	Advokat	Dresden.
1929	Dr. Bruno Stübel	Advokat	Dresden.
1930	Dr. Carl Stübel	Advokat	Leipzig.
1931	Sulzberger	Rechtsanwalt	Wurzen.
1932	Teucher	Rechtsanwalt	Dresden.
1933	Thiel	Rechtsanwalt	Bautzen.
1934	Thiele	Bürgermeister	Döbeln.
1935	Thiemann	Hofrath u. Gerichtsamtmann	Dresden.
1936	Thiemer jun.	Rechtsanwalt	Zittau.
1937	Tischer jun.	Advokat	Dresden.
1938	Tietz	Rechtsanwalt	Leipzig.
1939	Dr. Tischer sen.	Advokat	Dresden.
1940	Trautmann	Advokat	Dresden.
1941	Trömel	Advokat	Roßwein.
1942	Tscharmann	Advokat	Leipzig.
1943	Ufer	Advokat	Glauchau.
1944	Dr. Uhlig	Advokat	Chemnitz.
1945	Urban	Advokat	Zwickau.
1946	Wachs	Rechtsanwalt	Leipzig.
1947	Wachsmuth	Advokat	Leipzig.
1948	Dr. v. Wächter	Geh. Rath u. Professor	Leipzig.
1949	v. Walter-Jeschki	Advokat u. Konsistor.-Assessor	Budissin.
1950	Walther	Rechtsanwalt	Meerane.
1951	Dr. Wehrmann	Advokat und Hülfsrichter	Leipzig.
1952	Weickert	Advokat	Zwickau.
1953	Weidner	Rechtsanwalt	Zittau.
1954	Weise	Rechtsanwalt	Meißen.
1955	Dr. Weiske	Professor	Leipzig.
1956	Wengler	Gerichtsrath	Dresden.
1957	Wetzel	Rechtsanwalt	Dresden.
1958	Wilke	Geh. Justizrath, vortr. Rath im Justiz-Ministerium	Dresden.
1959	von Wilm	Kais. Russ. Kollegien-Assessor, Kronanwalt u. Notar	Dresden.

Nr.	Name.	Stand.	Wohnort.
1960	Winter	Advokat	Dresden.
1961	Dr. Winzer	Justizrath, Bezirksgerichts-Direktor	Löbau.
1962	Witschel	Rechtsanwalt	Dresden.
1963	v. Witzleben	Regierungsrath	Leipzig.
1964	Dr. Wolf	Anwalts-Aspirant	Dresden.
1965	Dr. Wolf	Gerichtsrath	Freiberg.
1966	Wolff	Gerichtsamtsaktuar	Chemnitz.
1967	Zacharias	Rechtsanwalt und Notar	Dresden.
1968	Zenker	Finanz-Prokurator	Dresden.
1969	v. Zeschau	Doktor der Rechte	Leipzig.
1970	Zimmer	Advokat	Dresden.
1971	Zimmermann	Stifts-Syndikus und Rechts-anwalt	Meißen.
1972	Zürn	Advokat	Rochlitz.
1973	Zumpe I.	Rechtsanwalt	Dresden.
1974	Zumpe II.	Rechtsanwalt	Dresden.

Herzogthum Sachsen-Altenburg.

Nr.	Name.	Stand.	Wohnort.
1975	Glasser	Advokat	Roda.
1976	Hase	Advokat und Bürgermeister	Schmölln.
1977	Hase II.	Advokat und Notar	Altenburg.
1978	Kircheisen	Advokat und Notar	Eisenberg.
1979	Lippold	Advokat	Altenburg.
1980	Dr. Schenck	Notar	Altenburg.
1981	Staps	Bezirksablösungs-Commissar und Advokat	Schmölln.
1982	Wagner	Geh. Justiz- u. Appellations-gerichtsrath	Altenburg.

Herzogthum Sachsen-Coburg-Gotha.

Nr.	Name.	Stand.	Wohnort.
1983	Briegleb	Hofrath und Hofadvokat	Coburg.
1984	Forkel	Justizrath, Rechtsanwalt	Coburg.

Nr.	Name.	Stand.	Wohnort.
1985	v. Holzendorff	Ober=Staatsanwalt	Gotha.
1986	Hornbostel	Regierungsrath und vortrag. Rath im Staats=Minist.	Gotha.
1987	Knauer	Rechtsanwalt und Notar	Gotha.
1988	Oberländer	Bürgermeister u. Hofadvokat	Coburg.
1989	Dr. Schuchardt	Justizrath u. Rechtsanwalt	Gotha.

Herzogthum Sachsen=Meiningen.

Nr.	Name.	Stand.	Wohnort.
1990	Albrecht	Appellationsrath und Ober= Staatsanwalt	Hildburghausen.
1991	Enzian	Gerichts=Assessor	Sonneberg.
1992	Dr. Kircher	Rechtsanwalt u. Regierungs= Fiskal	Meiningen.
1933	Romberg	Rechtsanwalt	Wesungen.
1994	Strupp	Rechtsanwalt	Hildburghausen.
1995	Dr. v. Uttenhoven	Staatsrath	Meiningen.

Großherzogthum Sachsen=Weimar.

Nr.	Name.	Stand.	Wohnort.
1996	Berninger	Staatsanwalt am Appella= tionsgericht	Eisenach.
1997	Bretsch	Staatsanwalt	Eisenach.
1998	Burkhard	Kreisgerichts=Direktor	Eisenach.
1999	Danz	Oberappellationsrath u. Prof.	Jena.
2000	Endemann	Oberappellationsrath u. Prof.	Jena.
2001	Fries	Advokat	Weimar.
2002	Dr. Frhr. v. Groß	Ober=Staatsanwalt	Eisenach.
2003	Dr. Hase	Kreisgerichtsrath	Weimar.
2004	Holbein	Rechtsanwalt	Apolda.
2005	Hotzel	Kreisgerichts=Assessor	Weimar.
2006	Leist	Hofrath und Professor	Jena.
2007	Lieber	Auditor	Weimar.
2008	Dr. Martin	Justizamtmann	Kreuzburg.
2009	Müller	Bezirks=Direktor	Neustadt a. O.

Nr.	Name.	Stand.	Wohnort.
2010	Müller	Rechtsanwalt	Apolda.
2011	Schmid	Kreisgerichtsrath	Weimar.
2012	Schumann	Advokat	Apolda.
2013	Steinberger	Rechtsanwalt	Neustadt a. d. Orla.

Fürstenthum Schwarzburg-Rudolstadt.

2014	Wohlfahrt	Regierungs-Assessor	Rudolstadt.

Fürstenthum Schwarzburg-Sondershausen.

2015	Dr. Vollert	Kreisgerichtsrath	Arnstadt.

Fürstenthum Waldeck.

2016	Steineck	Kreisrichter	Korbach.

Königreich Württemberg.

2017	Bacher	Rechtskonsulent	Stuttgart.
2018	Bazing	Oberamtsrichter	Neresheim.
2019	Beck	Oberamtsgerichts-Aktuar	Riedlingen a. D.
2020	Benzinger	Oberjustiz-Prokurator	Eßlingen.
2021	Benzinger	Rechtskonsulent	Eßlingen.
2022	Binder	Ob.-Tribunalsrath, General-Staatsanwalt	Stuttgart.
2023	Breitling	Justiz-Referendar	Eßlingen.
2024	v. Breitschwert	Gerichts-Aktuar	Heilbronn.
2025	Dr. Dove	Professor	Tübingen.
2026	Ehrlenspiel	Ober-Amtsrichter	Ravensberg.
2027	Elben	Gouvernements-Auditor	Stuttgart.
2028	Faber	Ober-Tribunals- und vortr. Rath i. Justiz-Ministerium	Stuttgart.
2029	Fest	Rechtskonsulent	Jagsthausen.
2030	Feuerbach	Ober-Justizrath	Ulm.
2031	Finckh	Ober-Justizrath	Tübingen.

Nr.	Name.	Stand.	Wohnort.
2032	Freisleben	Rechtskonsulent	Heidenheim.
2033	Frölich	Oberamtsrichter	Backnang.
2034	Gärttner	Ober-Regierungsrath	Stuttgart.
2035	Dr. Georgii	Oberamtsrichter	Freudenstadt.
2036	Dr. Geßler	Professor	Tübingen.
2037	Glocker	Ober-Justiz-Assessor	Tübingen.
2038	Halder	Ober-Amtsrichter	Waldsee.
2039	Hartmeyer	Ober-Amtsrichter	Calw.
2040	Haußmann	Rechtskonsulent	Göppingen.
2041	Hertling	Ober-Amtsrichter	Gaildorf.
2042	Heß	Ober-Justizprokurator	Ulm.
2043	Hölder	Rechtskonsulent	Stuttgart.
2044	Hörner	Ober-Justizrath	Eßlingen.
2045	Hofacker	Gerichts-Aktuar	Urach.
2046	Hofenmayer	Rechtskonsulent	Schwäb. Gmünd.
2047	Frh. v. Holzschuher	Ober-Justizrath	Stuttgart.
2048	Frh. v. Holzschuher	Ober-Justiz-Assessor	Tübingen.
2049	Huber	Ober-Justizrath	Ulm.
2050	Jordan	Colleg.-Assef. u. Rechtskonf.	Stuttgart.
2051	Kaulla	Rechtskonsulent	Stuttgart.
2052	Khuen	Rechtskonsulent	Ravensberg.
2053	Klett	Ober-Justiz-Assessor	Eßlingen.
2054	Köstlin	Ober-Justizrath	Stuttgart.
2055	Köstlin	Vorsteher d. Zuchtpolizeihauses	Heilbronn.
2056	Kohlhaas	Ober-Justiz-Assessor	Stuttgart.
2057	Krauß	Ober-Tribunalsrath	Stuttgart.
2058	v. Kronmüller	Ober-Tribunalsrath	Stuttgart.
2059	Leipheimer	Rechtskonsulent	Ulm.
2060	Dr. Lenz	Ger.-Aktuar, Assessor.-Verw.	Tübingen.
2061	Graf v. Leutrum	Staatsrath	Stuttgart.
2062	Graf Linden	Oberamtsgerichts-Assistent	Oehringen.
2063	Meurer	Oberamtsrichter	Aalen.
2064	Meyer	Rechtskonsulent	Reutlingen.
2065	Milz	Oberjustiz-Assessorats-Verw.	Eßlingen.
2066	Nagel	Ober-Justiz-Prokurator	Eßlingen.

Nr.	Name	Stand	Wohnort
2067	Nagel	Rechtsanwalt	Balingen.
2068	Neidhardt	Ober-Justizassessor	Ulm.
2069	Niethammer	Justiz-Referendar	Weinsberg.
2070	Oesterlen	Rechtskonsulent	Stuttgart.
2071	Dr. Otto	Rechtskonsulent	Heilbronn.
2072	Dr. Pfeiffer	Professor	Tübingen.
2073	Probst	Rechtskonsulent	Stuttgart.
2074	Probst	Ober-Justizassessor	Tübingen.
2075	Reichardt	Ober-Amtsrichter	Ulm.
2076	v. Reuß	Gerichtsaktuar	Gaildorf.
2077	Römer	Ober-Amtsrichter	Schwäbisch Gmünd.
2078	v Schäfer	Ober-Tribunalsrath, Dirigent des Gerichtshofes	Tübingen.
2079	Schall	Rechtskonsulent	Ulm.
2080	Schall	Rechtskonsulent	Oehringen.
2081	Scheurlen	Ober-Amtsrichter	Mergentheim.
2082	Schickhardt	Kreisgerichts-Assessor	Eßlingen.
2083	v. Schott	Ober-Justizrath	Eßlingen.
2084	Dr. Seeger	Professor	Tübingen.
2085	Sick	Ober-Justizrath	Stuttgart.
2086	Frhr. v. Soden	Legationsrath	Stuttgart.
2087	Steiner	Rechtskonsulent	Heilbronn.
2088	Frh. v. Sternenfels	Ober-Tribunalsrath	Stuttgart.
2089	Frh. v. Sternenfels	Justiz-Referendar	Stuttgart.
2090	Frh. v. Sternenfels	Justiz-Referendar	Eßlingen.
2091	Steubel	Staatsanwalt	Tübingen.
2092	Tafel sen.	Rechtskonsulent	Stuttgart.
2093	Freih. v. Wächter-Spittler	Justiz-Minister	Stuttgart.
2094	Weiß	Oberamtsgerichts-Aktuar	Kannstadt bei Stuttgart.
2095	Weißer	Auditor u. Aktuariatsverweser	Marbach a. N.
2096	Weizsäcker	Postdirektions-Revisor	Stuttgart.
2097	Widenmann	Oberkriegsgerichts-Assessor	Stuttgart.
2098	Wirth	Ober-Amtsrichter	Horb a. N.
2099	Zirkler	Ober-Amtsrichter	Künzelsau.

Ex. J. M.

Berichtigungen.

Es ist zu lesen:

Nr. 382. Dr. H. Ritter v. Kremer-Auenrode, Privat-Dozent, Wien.
„ 399. Dr. Benischko, Hof- und Gerichts-Advokat, Wien.
„ 402. Berger, Bezirksvorsteher, Guttenstein (Nied.-Oesterr.).
„ 411. Dr. Bizifte, Advokaturs-Candidat, Fünfhaus bei Wien.
„ 418. Brameshuber, Kreisgerichtsraths-Sekretair, Korneuburg.

Lightning Source UK Ltd.
Milton Keynes UK
UKHW021823261118
332986UK00013B/1055/P